UNE FOIS
NE SUFFIT PAS

JACQUELINE SUSANN

UNE FOIS
NE SUFFIT PAS

Traduit de l'anglais par Florent B. Peiré

FRANCE LOISIRS
30, RUE DE L'UNIVERSITÉ, PARIS

Edition du Club France Loisirs, Paris
avec l'autorisation des Editions Belfond

Ce livre a été publié sous le titre original : « Once is not
enough » par William Morrow.

© 1973 by Jacqueline Susann.
Published by arrangement with Bantam Books, Inc.
and Sujac Productions, Ltd.

© Pour la traduction française, N.O.E., 1973.

A Robert Susann, mon père,
qui comprendrait

et à Irving,
qui comprend

LUI

C'est en 1945 qu'il surgit dans le monde du spectacle. Il s'appelait Mike Wayne, et c'étàit un gagnant-né. Dans l'armée de l'air, il avait acquis la réputation du plus fameux tireur de dés qu'on y ait jamais vu — et les treize mille dollars en liasses serrés dans sa ceinture étaient là pour prouver le bien fondé de cette réputation.

Avant même d'avoir vingt ans, il avait déjà jugé que la bourse et le show business constituaient les deux plus belles pistes de jeu qui soient. Il en avait vingt-sept lorsqu'il se retrouva tout à la fois libéré de l'armée et grand amateur de filles. Aussi s'empressa-t-il de choisir le show business. Il commença par transformer ses treize mille dollars en soixante mille, par cinq jours de jeu effréné au cercle de l'Aqueduc.

Il les investit dans un show de Broadway et fit ainsi ses débuts de co-producteur. Le spectacle fut bien accueilli et Mike épousa Vicki Hill, la plus belle fille de la troupe.

Vicki voulait être une star, et il s'y employa. En 1948, il monta sa première comédie musicale à grand spectacle et choisit sa femme comme vedette. Ce fut un nouveau succès, malgré Vicki. Car les critiques saluèrent le sens du théâtre avec lequel il avait su s'entourer d'artistes de talent, d'un solide livret et d'une bonne partition. Mais ils s'accordèrent tous à reconnaître que Vicki n'était pas à la hauteur du rôle.

Quand le spectacle quitta l'affiche, il la « démissionna ». (« Mon chou, il faut savoir passer la main quand les dés sont contre toi. Je t'ai donné ta chance. Maintenant, à toi de me donner un fils. »)

Le 1er janvier 1950, elle accoucha d'une petite fille. Il la baptisa January, par allusion au mois où elle venait de naître. Et lorsque la nurse lui colla ce bébé dans les bras, il jura en silence qu'il ferait en sorte que le monde lui appartienne.

11

Quand elle eut deux ans, il prit l'habitude de l'embrasser avant d'embrasser sa femme.

Quand elle eut quatre ans, il alla en Californie et produisit son premier film.

Quand elle eut cinq ans, il produisit deux longs métrages à succès dans la même année, et obtint des voix pour un Oscar.

Quand elle eut six ans, il décrocha l'Oscar et son nom fut associé à ceux de plusieurs actrices célèbres. (C'est à ce moment-là que sa femme commença à boire et prit un amant.)

Quand elle eut sept ans, il baptisa du nom de January son avion particulier, et sa femme se tua en essayant de faire avorter le fils qu'ils auraient dû avoir.

Et alors, ils se retrouvèrent seuls ensemble, January et lui.

Il entreprit de lui expliquer la situation le jour où il la conduisit à son pensionnat dans le Connecticut :

— Maintenant que Maman n'est plus là, ce collège fera de toi une vraie dame.

— Pourquoi ne serais-tu pas mon professeur, Papa ?

— Parce que je suis toujours en voyage. Et, de toute façon, ce sont les dames qui doivent élever les petites filles.

— Pourquoi est-ce que Maman est morte, Papa ?

— Je ne sais pas, ma chérie... Peut-être parce qu'elle tenait à être quelqu'un.

— Et ce n'est pas bien, Papa ?

— Pas quand on est rien du tout, ça vous ronge les entrailles.

— Et toi, est-ce que tu es quelqu'un, Papa ?

— Moi ? Je suis un super-quelqu'un, déclara-t-il en riant.

— Alors moi, je serai quelqu'un, lui affirma-t-elle.

— D'accord. Mais pour devenir quelqu'un, il faut d'abord que tu sois une dame.

C'est comme ça qu'elle avait accepté d'entrer à l'institution de miss Haddon. Et chaque fois qu'il était à New York, ils allaient passer leurs week-ends ensemble.

La réputation de Mike grandit. Comme tout joueur qui se respecte, il savait quand il fallait courir sa chance et quand il fallait s'arrêter. Il était connu aux courses pour changer la cote des chevaux sur un seul de ses paris. Un jour, il perdit son avion sur un coup de dés, mais il quitta la table avec un air épanoui parce qu'il savait qu'il aurait sa revanche.

Et si vous lui aviez demandé quand sa chance l'avait abandonné, il aurait pu vous dire très exactement la date.

Rome, le 20 juin 1967.

Le jour où il apprit ce qui venait d'arriver à sa fille...

ELLE

Si vous lui aviez demandé quand sa chance à elle l'avait abandonnée, elle aurait été bien incapable de vous le dire parce qu'elle ne pensait jamais à elle-même autrement que comme fille de Mike. Et d'être *sa* fille, c'était à peu près ce qu'il pouvait y avoir de plus merveilleux au monde.

Dès le début, elle avait accepté le séjour chez miss Haddon comme un « mauvais moment à passer ». Les filles étaient toutes très gentilles et se répartissaient en deux catégories : les plus âgées vouaient un culte à Elvis Presley et les plus jeunes faisaient partie de la « bande à Linda ». Linda, c'était Linda Riggs, une élève. Elle avait seize ans. Elle savait chanter et danser et son tempérament super-enthousiaste était bruyant, mais contagieux. (Des années plus tard, lorsque January retrouva par hasard d'anciennes photos de l'école, elle fut stupéfaite par la ressemblance de Linda avec le musicien Ringo Starr). Mais, sur le moment, lorsque Linda était la vedette incontestée de l'institution, nul ne semblait remarquer sa maigre tignasse, son nez épaté, ni l'appareil lourd et argenté qui lui redressait les dents. Il allait de soi que lorsque Linda aurait obtenu son diplôme, elle ne manquerait pas de devenir une étoile de première grandeur dans les comédies musicales de Broadway.

Quand Linda fut en dernière année, elle eut la vedette dans la version édulcorée d'*Annie au Far-West* montée par l'école. Au début des répétitions, Linda honora January (qui venait d'avoir huit ans) du titre de « petite copine favorite ». Cela signifiait que January allait recevoir l'insigne faveur de lui faire ses courses et de lui souffler ses répliques ou les paroles de ses chansons. January n'avait jamais fait partie de la « bande à Linda », mais cet arrangement lui plut parce que l'essentiel des conversations de Linda tournait autour

13

de Mike Wayne. Elle était une grande admiratrice de ses films : *January l'avait-elle invité au spectacle de l'école ? Allait-il venir ? Il devait venir ! Après tout, Linda n'avait-elle pas veillé à ce que January figurât dans la troupe ?*

Il vint, en effet, et cela donna à January l'occasion de voir la vedette d'*Annie au Far-West* se métamorphoser en petite étudiante écarlate et bafouillante, lorsque Mike Wayne lui serra la main.

— Elle était terrible, non ? demanda January pendant qu'ils s'éloignaient tous les deux.

— Atroce. Tu étais meilleure, au milieu du chœur, qu'elle ne l'était dans tous ses numéros réunis.

— Mais elle a tellement de talent.

— C'est un lamentable boudin.

— Vraiment ?

— Vraiment.

Pourtant, lorsque Linda obtint son diplôme, l'institution de miss Haddon sembla tout à coup bien vide. Une ravissante fille du nom d'Angela tint la vedette du spectacle de l'école pour la distribution des prix, l'année suivante, mais tout le monde s'accorda à reconnaître que « ce n'était pas Linda ».

Deux ans plus tard, celle-ci connut une nouvelle gloire lorsque l'une des filles déboula à travers le hall en poussant de grands cris et en brandissant un exemplaire de la revue *Gloss*. En petits caractères, parmi les collaborateurs du journal, figurait le nom de Linda Riggs, assistante de rédaction. Tout le monde, chez miss Haddon, en parut profondément impressionné, mais January ressentit une déception secrète : qu'étaient devenus tous les beaux projets pour Broadway ?

Quand elle en parla à son père, il n'eut pas l'air très étonné :

— C'est déjà incroyable qu'elle ait réussi à se faire embaucher comme balayeuse dans un journal de mode, lança-t-il.

— Mais elle avait tellement de talent, renchérit January.

— Du talent au niveau des spectacles de chez miss Haddon. Mais on est en 1960 et les trottoirs sont pavés de filles qui ressemblent à Elizabeth Taylor et à Marilyn Monroe et qui n'attendent qu'une occasion de faire quelque chose. Je ne dis pas que la beauté fait le succès... mais elle y contribue.

— Et moi, est-ce que je serai belle ?

Le sourire de Mike s'épanouit pendant qu'il lui caressait sa lourde chevelure brune :

— Tu seras plus que belle. Tu as hérité les yeux noirs de ta mère, des yeux de velours : la première chose qui m'ait séduit en elle.

Elle ne lui avoua pas qu'elle aurait préféré hériter de ses yeux.

A lui. Ils étaient si incroyablement bleus, rehaussant ses cheveux noirs et le hâle qui ne quittait jamais son visage. Elle n'avait jamais cessé de s'étonner de cette extraordinaire beauté. Pas plus que ses camarades de classe ne s'habituaient à leurs pères accablés, parfois mal rasés, anxieux de perdre leurs cheveux ou leurs emplois et engagés dans une éternelle dispute avec leur mère ou leur frère cadet.

Pendant les week-ends que January passait à New York avec son père, elle ne voyait au contraire qu'un très bel homme qui ne vivait que pour lui plaire.

C'est à cause de ces week-ends que January décourageait toutes les avances des autres filles de l'école qui voulaient se lier avec elle. Avoir une « meilleure amie », cela impliquait d'aller dîner les jours de congé dans sa famille et de temps à autre d'y rester coucher jusqu'à la fin du week-end — avec l'obligation de rendre la politesse. Or January n'avait pas la moindre intention de partager *leurs* week-ends avec quiconque. Evidemment, il arrivait que Mike parte en Europe ou sur la Côte ouest, mais les jours qu'ils passaient ensemble compensaient très largement ceux où elle restait esseulée.

Merveilleux samedis matins, où la limousine l'aspirait vers New York, jusqu'à la vaste suite qui occupait l'un des angles de l'hôtel Plaza et que son père retenait à l'année. A son arrivée, elle le trouverait immanquablement en train de se faire servir son petit-déjeuner. Peut-être une secrétaire prendrait-elle des notes ; un assistant de production serait occupé à récapituler les recettes de la semaine ; un agent de publicité vérifierait le texte d'une annonce ; des téléphones sonneraient, parfois sur trois lignes simultanément. Mais lorsqu'elle entrerait dans la pièce, ce serait comme si un signal d'alarme s'était déclenché. Toutes activités brusquement suspendues, il allait l'emporter au secret de ses bras. L'odeur de sa lotion d'après-rasage évoquait les forêts de pins. La chaleur de ses bras autour d'elle l'enveloppait d'un ineffable sentiment de sécurité.

Ensuite elle déjeunerait pendant qu'il expédierait vivement les affaires en cours. Cela la fascinait toujours. Une jonglerie de contrats, un mitraillage d'instructions lancées par téléphone au-delà des océans. Elle grignoterait et l'observerait intensément, s'efforçant de graver dans sa mémoire la manière dont il logeait le téléphone entre l'oreille et l'épaule pendant qu'il griffonnait quelques phrases. Une bouffée de bonheur l'envahissait lorsqu'il posait son regard sur elle au milieu de cette tornade et lui clignait de l'œil. Un clin d'œil qui disait : « Si importantes que soient mes occupations, je prends le temps de m'arrêter pour penser à toi ».

Et puis, après le déjeuner, il n'y avait plus de sonneries de téléphone et plus de négociations. Le reste de la journée était à elle.

Quelquefois, il la conduisait chez Saks et lui achetait tout ce qui leur tombait sous les yeux. D'autres fois, ils allaient à la patinoire du Rockefeller Plaza (alors il s'asseyait au bar et prenait un verre pendant que le moniteur l'entraînait sur la piste). S'il était en train de préparer un nouveau spectacle, il s'arrêtait au passage pour regarder les répétitions. Ils ne manquaient pas un seul des spectacles présentés à Broadway : parfois ils y assistaient en matinée *et* en soirée. Et cela se terminait toujours chez Sardi, à la meilleure table, sous la caricature de Mike accrochée au mur.

Seulement, elle haïssait les dimanches. Quel que soit le plaisir qu'ils aient éprouvé à partager le petit déjeuner tardif qui leur tenait lieu de repas du dimanche, il y avait toujours l'ombre de cette grosse limousine noire qui attendait pour la ramener au pensionnat. Et elle savait qu'il lui fallait rentrer, exactement comme elle savait que lui devait retourner à ses téléphones et à ses productions.

Pourtant, les « productions » qu'il préférait étaient encore les anniversaires de sa fille. Pour ses cinq ans, il avait engagé toute la troupe d'un petit cirque et invité l'ensemble de sa classe à l'école maternelle. Sa mère était encore vivante cette année-là, une dame à la silhouette indécise, aux immenses yeux noirs, qui s'était assise en bord de piste et regardait un peu partout sans manifester grand intérêt. Pour ses six ans, il y avait eu un périple en traîneau jusqu'à la *Tavern on the Green* dans Central Park, où un Père Noël et une hotte pleine de jouets attendaient. Une autre fois, il y avait eu un magicien, et puis un théâtre de marionnettes.

En revanche, lors de son huitième anniversaire, ils étaient simplement restés tous deux en tête à tête. C'était son premier anniversaire depuis la mort de sa mère. Il tombait un jour de semaine et la voiture était venue la chercher au pensionnat pour la conduire au Plaza. Elle avait pris un maintien cérémonieux pendant qu'il débouchait la bouteille de champagne et lui en versait le fond d'un verre :

— Celui-ci est le meilleur du monde, mon poussin.

Il leva son verre :

— A ma gente dame... la seule que j'aimerai jamais.

Et c'est ainsi qu'il l'initia au Dom Pérignon et au caviar.

Ensuite, il l'avait entraînée jusqu'à la fenêtre et lui avait désigné le camion de publicité pour les pneus Goodyear qui passait dans la rue. Mais au lieu de « Goodyear », les énormes lettres rouges flamboyaient : « Bon anniversaire, January ! ». Et à partir de ce moment-là, le Dom Pérignon et le caviar furent de rigueur pour toutes les grandes occasions.

Lors de son treizième anniversaire, il la conduisit à *Madison Square Garden*. Le chapiteau était obscur quand ils y arrivèrent, si

16

bien qu'elle fut convaincue qu'ils étaient en retard. Il lui prit la main et la conduisit à l'intérieur. Assez curieusement, il n'y avait aucune ouvreuse pour les guider. Pas de gardiens. Pas de spectateurs. Pas de lumière. Il la dirigea le long d'une rampe, au cœur des ténèbres. C'était étrange et un peu inquiétant de descendre ainsi, la main dans la main, plus bas, toujours plus bas. Soudain, il s'immobilisa ; et lorsqu'il parla, sa voix était paisible :

— Fais un vœu, ma chérie, un vœu important parce qu'à cette minute, tu te tiens à l'endroit très précis où se sont tenus quelques-uns des plus grands champions : Joë Louis, Ray Sugar Robinson, Rocky Marciano...

Il lui éleva la main dans le geste traditionnel des combattants victorieux et, contrefaisant la voix nasillarde d'un arbitre, psalmodia :

— Et maintenant, Mesdames et Messieurs, je vous présente le plus grand champion de tous les temps, j'ai nommé Mademoiselle January Wayne, qui vient de devenir une jeune fille !

Puis il dit :

— Te voilà passée dans la catégorie des poids lourds, mon poussin.

Elle jeta ses bras autour de son cou et il se pencha pour lui embrasser la joue ; mais dans l'obscurité, leurs lèvres se touchèrent et restèrent jointes... Et alors, tous les panneaux publicitaires jaillirent illuminés, étincelants : « Bon anniversaire, January ! » Une table était dressée, avec caviar et champagne, un maître d'hôtel prêt à les servir, et un orchestre entonna : « Joyeux anniversaire... »

Après la chanson de circonstance, les musiciens entamèrent un pot-pourri des airs préférés de January. Ils sablèrent le champagne après quoi Mike lui tendit les bras et l'invita à danser. Au début elle était nerveuse, mais après ses quelques premiers pas hésitants, elle se blottit tout contre lui, et ce fut soudain comme si elle avait dansé avec lui toute sa vie. Pendant qu'ils suivaient la musique, il chuchota :

— Tu vas bientôt devenir une femme. Un jour viendra un garçon qui comptera davantage que tout le reste du monde... Et il te tiendra dans ses bras comme ça et tu sauras ce que ça veut dire que d'être amoureuse.

Elle n'avait pas répondu. Parce qu'elle savait qu'elle était déjà dans les bras du seul homme qu'elle pourrait jamais aimer.

Il s'occupait de la production d'un film à Rome lorsqu'elle termina ses études chez miss Haddon. Le fait qu'il soit absent de la cérémonie de remise du diplôme importait peu à January. Elle aurait bien aimé y couper elle-même, mais elle avait participé à l'épreuve de sélection et avait été choisie pour prononcer le discours d'adieux, et maintenant il n'y avait plus moyen d'y échapper. Mais elle était sur le point de rejoindre Mike à Rome pour passer l'été avec lui.

Et elle avait obtenu gain de cause dans leur controverse à propos de l'université :

— Ecoute, Papa, j'ai été pensionnaire toute ma vie.

— Mais l'université, c'est important, ma chérie.

— Pourquoi ?

— Eh bien, pour apprendre, pour y nouer des connaissances comme il faut, pour te préparer à... bon sang, je ne sais pas, moi. Tout ce que je sais, c'est qu'il faut le faire. Pourquoi les autres filles vont-elles à l'université ?

— Parce qu'elles ne t'ont pas pour père.

— Eh bien alors, qu'est-ce que tu veux faire ?

— Etre comédienne, peut-être.

— Eh bien, si tu dois devenir comédienne, il faut que tu étudies aussi pour ça !

Et tout avait été prévu en ce sens. Une fois qu'il aurait fini son film de Rome, il en préparerait un autre à Londres. Et il s'était arrangé pour la faire inscrire au Conservatoire royal d'art dramatique pour la rentrée. Ce qu'elle envisageait sans enthousiasme. Elle n'était même pas tout à fait convaincue de vouloir réellement devenir comédienne...

Mais elle allait partir pour Rome ! Il n'y avait plus que les formalités de la remise du diplôme à passer. Elle portait un ensemble en toile bleue sous sa toge et sa toque. Son billet d'avion et son passeport étaient dans son sac. Et ses bagages étaient déjà au fond du coffre de la limousine qui l'attendait à la sortie de l'école. Elle n'avait plus qu'à prononcer son allocution, prendre ce fameux diplôme, et bonsoir !

Et la corvée fut terminée ; elle se frayait un chemin jusqu'à l'extrémité de la cour d'honneur. Elle recevait les compliments de parents de ses camarades de classe. Elle franchissait un mur d'adieux pleurnichards. Elle promettait d'envoyer de ses nouvelles. Salut ! Salut ! Elle dépouillait sa toge. Elle lançait la toque à miss Hicks, responsable des cours d'art dramatique. Salut ! Salut ! Elle grimpait dans la limousine. Elle roulait vers l'aéroport Kennedy.

Vol 704. Des premières classes à moitié vides. Trop énervée pour se concentrer sur le film ou le repas. Des heures de lectures distraites, de rêveries tout éveillée et de coca-cola. Et puis, enfin, la descente. Sept heures du matin, aux clochers de Rome. Et il était là. Il se dressait au milieu d'un groupe d'officiels aux airs importants. Il était au beau milieu de la piste. Il attendait avec une voiture

18

particulière. Elle sortait de l'avion. Elle sautait dans ses bras : les bras de l'homme le plus merveilleux de la terre, un homme qui lui appartenait, à elle !

La longue voiture noire les conduisit en douane. Un coup de tampon sur son passeport. Ils pénétrèrent dans le tohu-bohu de l'aérogare, où deux jeunes et séduisants Italiens, moulés dans leur complet sombre, se précipitèrent vers ses bagages :

— Ils ne parlent pas l'anglais, mais ce sont de bons garçons, déclara Mike en leur tendant quelques coupures froissées. Ils vont prendre tes affaires et les porter à l'hôtel.

Puis il l'entraîna au-dehors, vers une longue Jaguar rouge et surbaissée. La capote était ouverte et Mike sourit de voir le plaisir manifeste de sa fille :

— J'ai pensé que ce serait plus drôle de conduire nous-mêmes. Grimpe là-dedans, Cléopâtre. Tu es sur le point de faire ton entrée dans Rome.

Et c'est ainsi qu'elle découvrit Rome en cette radieuse matinée de juin. Le vent était doux et le premier soleil lui tiédissait le visage. De rares commerçants remontaient sans hâte leur rideau de fer. De jeunes garçons en tablier commençaient à laver les trottoirs devant les terrasses de café. De temps à autre, un timide avertisseur klaxonnait dans le lointain, un avertisseur qui se joindrait au concert qui allait s'enfler en un crescendo bruyant lorsque la circulation battrait son plein.

Mike rangea la voiture de manière à s'arrêter devant un petit restaurant. Le patron en jaillit, l'embrassa et insista pour cuisiner personnellement les œufs et les saucisses, qu'il servirait avec les petits pains chauds que sa femme venait de sortir du four.

La ville était assourdissante d'animation lorsqu'ils arrivèrent à l'hôtel Excelsior, via Veneto. January regarda avec étonnement les terrasses des cafés de chaque coté de l'avenue où les touristes lisaient le *New York Times* et l'édition parisienne du *Herald Tribune* tout en buvant un expresso très serré.

— C'est *ça*, la via Veneto ?

Mike sourit largement :

— Eh oui, c'est ça. Désolé de n'avoir pu faire en sorte d'avoir Sophia Loren qui passe justement par là. En vérité, tu pourrais t'asseoir ici une année entière sans jamais voir Sophia Loren sur la via Veneto. Par contre, en une heure, tu verras déambuler le tout New York de Rome.

Elle fut enthousiasmée par l'immense suite de l'Excelsior. Les cheminées en marbre décoré, la salle à manger, les deux vastes chambres à coucher, c'était digne d'un château.

— J'ai gardé pour toi la chambre qui donne en face de l'ambassade des Etats-Unis, déclara Mike. J'ai pensé que les bruits de la rue pourraient y être plus atténués.

Puis il lui montra ses valises :

— Défais tes bagages, prends un bain et repose-toi. J'enverrai une voiture te chercher aux alentours de quatre heures. Tu me rejoindras au studio et nous rentrerons ensemble.

— Je ne peux pas aller au studio avec toi dès maintenant ? demanda-t-elle.

Il sourit.

— Ecoute, je ne veux pas que tu te fatigues dès ton arrivée. Je te signale qu'on ne dîne pas ici avant neuf ou dix heures du soir.

Il se dirigea vers la porte et s'arrêta. Il la contempla pendant quelques secondes et hocha la tête :

— Tu sais quoi ? Tu es vraiment très belle !

Ils étaient encore en train de tourner lorsqu'elle arriva au studio. Elle resta en coulisses et scruta la pénombre. Elle reconnut Mitch Nelson, l'acteur américain que les journalistes présentaient comme un nouveau Gary Cooper. Malgré une mâchoire de granit et des lèvres apparemment incapables de s'animer, il jouait une scène d'amour avec Melba Delitto. January n'avait vu Melba que dans des films doublés. Elle était très belle mais elle avait un fort accent et elle trébucha à plusieurs reprises sur son texte. Chaque fois, Mike ne manquait pas de sourire, s'approchait d'elle, la rassurait, et ils recommençaient la scène. A la quinzième prise, Mike cria : « C'est bon pour moi ! » et les lumières se rallumèrent. Lorsqu'il vit January, il esquissa ce sourire très particulier qui lui était exclusivement réservé, et traversa le plateau. Il glissa le bras de la jeune fille sous le sien :

— Tu es là depuis longtemps ?

— Depuis une douzaine de prises. Je ne savais pas que tu étais aussi metteur en scène...

— C'est que Melba joue un rôle en anglais pour la première fois et que les débuts ont été déments. Elle s'empêtrait, le metteur en scène se mettait à l'insulter en italien, elle lui répondait en hurlant, il hurlait encore plus fort, et elle quittait le plateau en larmes. Ce qui veut dire une heure pour refaire son maquillage, plus une demi-heure pour accepter les excuses du metteur en scène. J'ai donc découvert qu'en m'approchant de la dame pour la réconforter, lui dire à quel point elle est excellente, nous faisions l'économie d'une masse de temps et d'argent et finalement obtenions une prise de vue convenable.

Un jeune homme s'approcha d'eux d'un air empressé :

— Monsieur Mike, j'ai fini mon travail il y a deux heures, mais j'attendais, parce que je voulais absolument rencontrer votre fille.

— January, je te présente Franco Mellini, dit Mike.

Le jeune homme n'avait pas beaucoup plus de vingt ans. Son accent était prononcé, mais il était grand et indiscutablement beau.

— O.K. Franco, tu as été présenté. Maintenant, barre-toi.

La voix de Mike était bourrue mais il sourit au garçon qui s'inclinait et repartait.

— Ce gamin n'a qu'un petit rôle, mais il finira bien par décrocher la timbale, dit-il. Je l'ai trouvé à Milan où je cherchais à repérer des extérieurs. Il était tout à la fois chanteur et serveur dans un boui-boui. C'est une vraie nature. C'est incroyable de voir comment il a charmé toutes les souris sur le plateau. Y compris Melba.

Mike hocha la tête :

— Quand un Italien se mêle d'avoir du charme, alors attention !

Ils marchaient bras dessus, bras dessous. Le studio était vide et January avait l'impression que toutes ses prières inexprimées se trouvaient exaucées. C'était le moment qu'elle avait ardemment désiré, le moment dont elle avait rêvé : marcher à côté de lui, faire partie de sa vie, de son travail, partager ses soucis...

Tout à coup, il dit :

— Au fait, j'ai prévu un petit rôle pour toi dans le film. Juste quelques répliques, hein !

Il essaya de se libérer de son étreinte :

— Eh, tu m'étrangles !

Plus tard, comme ils avançaient à une allure d'escargots à travers l'incroyable circulation, il lui parla des soucis que lui donnait le film, des problèmes de Melba avec l'anglais, de son antipathie pour Mitch Nelson, de la barrière de langage qui le séparait de certains membres de l'équipe. Mais il pesta surtout contre la circulation. Elle restait sagement assise, elle l'écoutait et elle se répétait sans relâche qu'il ne s'agissait pas d'un rêve, qu'elle était bien là, que ce n'était pas simplement un samedi, qu'il n'y aurait plus de limousine pour la raccompagner demain, qu'elle resterait près de lui, comme ça, tous les jours, qu'elle était avec lui à Rome, rien qu'elle et lui, tous les deux, ensemble !

Quand ils arrivèrent à l'hôtel, un autre jeune homme svelte et séduisant les attendait à la réception avec de nombreux grands cartons. January se demandait comment tous ces hommes faisaient pour rester aussi minces. Les Italiens ne mangeaient-ils donc pas leur propre cuisine ?

— Voici Bruno, présenta Mike, pendant que le jeune homme souriant les suivait jusqu'à leurs appartements. J'ai pensé que tu pourrais ne pas avoir assez de vêtements, aussi l'ai-je envoyé en chercher il y a quelques jours. Il fait des emplettes pour beaucoup de personnalités.

Choisis ce qui te plaît, ou bien garde le tout. Moi je vais prendre une douche, donner quelques coups de fil aux Etats-Unis, enfin... si j'arrive à me faire comprendre des standardistes d'ici : quelquefois, nos conversations ne dépassent guère *pronto*.

Il lui embrassa la joue :

— Rendez-vous à neuf heures !

Il l'attendait déjà dans le salon lorsqu'elle y entra à neuf heures. Il laissa échapper un léger sifflement :

— Mon poussin, tu es joliment bien faite...

Il s'interrompit brusquement et sourit :

— Eh bien... Disons que tu es mieux que n'importe quel mannequin de mode en vue.

— Ce qui revient à dire que je suis un peu trop décolletée, plaisanta-t-elle. C'est justement à cause de ça que j'adore ce Pucci. Ça me colle à la peau et me fait paraître...

— ... fantastique ! trancha-t-il.

— J'ai pris ça, et puis une jupe, quelques chemisiers et un ensemble pantalon.

— C'est tout ? s'étonna-t-il avant de hausser les épaules. Mais au fond, ça t'amusera peut-être davantage de dénicher toi-même ces petits magasins introuvables dont toutes les femmes parlent. Je demanderai à Melba de te dire où il faut chercher.

— Papa, je ne suis pas là pour une présentation de mode. Je veux te regarder faire ton film.

— Tu veux rire ? Enfin, mon poussin, tu as dix-sept ans et tu es à Rome ! Tu ne vas pas te cloîtrer dans un studio de cinéma à l'atmosphère torride !

— C'est exactement ce que j'ai l'intention de faire. Et je veux aussi ce bout d'essai que tu m'as promis.

Il éclata de rire :

— Peut-être bien que tu seras comédienne, en fin de compte. En fait tu commences sérieusement à leur ressembler. Viens. Allons-y. Je meurs de faim.

Ils allèrent au restaurant dans le vieux Rome. January adora les maisons anciennes, les rues silencieuses. Ils choisirent un endroit à l'enseigne d'Angelino. Le dîner était servi aux chandelles sur une *piazza* renaissance. Il y avait même des musiciens ambulants. La soirée tout entière prit une ambiance de splendide irréalité.

January s'adossa pour regarder Mike lui verser le vin et elle se rendit compte qu'un autre de ses rêves se concrétisait : elle était seule avec lui dans un décor de conte de fées, et il lui servait à boire pendant que toutes les femmes le regardaient avec admiration ; mais il n'appartenait qu'à elle. Elle le regarda allumer sa cigarette. Un garçon

22

leur servait le café au moment où Franco et Melba arrivèrent au restaurant. Mike leur fit signe depuis sa table et commanda une autre bouteille. Melba commença à parler de l'une de ses scènes dans le film. Lorsque son anglais lui faisait défaut — ce qui arrivait souvent — elle se faisait comprendre en gesticulant. Franco rit et se tourna vers January :

— Je me débrouille bien mal en anglais, dit-il. Vous voudrez m'aider ?

— Eh bien, je..

— Votre père parle tout le temps de vous. Il comptait les heures jusqu'à votre arrivée.

—Vraiment ?

— C'est sûr. Exactement comme je compte les instants avant de vous retrouver ce soir.

Il tendit la main et effleura la sienne. Elle la retira et se tourna vers son père, mais il chuchotait quelque chose à l'oreille de Melba. L'actrice se trémoussait et frottait sa joue contre la sienne.

January détourna les yeux, mais Franco sourit :

— Peut-être que l'amour n'a pas besoin de mots, pas vrai ?

— Je trouve que votre anglais est excellent, répliqua-t-elle sèchement.

Elle s'efforça de ne pas attacher son regard sur la main de Melba qui s'était posée sur la cuisse de son père !

— Oh, j'ai appris avec mes oncles de l'armée américaine, poursuivit Franco en riant. Ma mère était veuve de guerre. Elle était très jeune... *multa bella*... Elle ne parlait pas anglais, alors, mais elle apprend et m'apprend aussi. Et les oncles G.I. gentils pour Maman. Mais elle est grosse maintenant et je lui envoie de l'argent parce que maintenant plus de G.I. pour l'aider. Seulement Franco.

January se sentit soulagée lorsque Mike demanda l'addition. Il laissa une poignée de billets sur la table et tous se levèrent ensemble. Alors il se tourna vers January avec un sourire :

— Bon, j'espère que mon dîner t'a suffisamment mise d'attaque, mon poussin. Et puis, je crois que toute belle jeune fille devrait passer sa première soirée romaine en compagnie d'un jeune et bel Italien. En tout cas, c'est ce qu'on raconte dans tous les scénarios des films que j'ai faits.

Il lança un clin d'œil à l'intention de Franco. Puis il entoura du bras la taille de Melba pendant qu'ils sortaient du restaurant. Un bref instant, ils restèrent réunis au milieu de l'étroite rue pavée. Alors Mike dit :

— C'est bon, Franco. Je vais te laisser montrer à ma fille quelques aspects de la vie nocturne de cette cité. Mais ne la bouscule pas. Après tout, nous sommes encore ici pour deux mois.

Il prit le bras de Melba et se dirigea vers la voiture. January les regarda s'en aller. Tout s'était passé si vite qu'elle n'arrivait pas à le croire : son père était parti, et elle se retrouvait là plantée dans une étrange rue de Rome en compagnie d'un jeune et bel Italien, avec les compliments de Mike Wayne.

Franco lui prit le bras et la guida vers le bas de la rue jusqu'à une voiture minuscule. Ils s'y glissèrent tant bien que mal puis, en quelques adroites manœuvres, il réussit à se faufiler dans les embouteillages, puis à en sortir. Elle ne dit pas un mot pendant le voyage. Elle avait d'abord songé à lui demander de la ramener à l'hôtel. Mais que faire ensuite ? S'asseoir et attendre en se demandant ce qu'eux pouvaient bien être en train de faire ? Non ! Que *lui* s'asseoit et l'attende et se demande ce qu'*elle* pouvait bien être en train de faire. Il l'avait quittée, laissée en tête à tête avec ce garçon. Très bien. Elle allait lui apprendre quel effet cela faisait.

— Les petites voitures, seules choses possibles dans Rome, disait Franco.

Ils empruntèrent des enfilades de ruelles sinueuses avant de s'arrêter devant la terrasse d'un marchand de glaces :

— C'est au sous-sol, expliqua Franco.

Après s'être extirpés de la voiture, il la poussa vers un escalier obscur et exigu :

— Ça vous plaira, affirma-t-il. La meilleure discothèque de Rome.

La maison tout entière semblait vouée aux pioches des démolisseurs. Pourtant ils atteignirent une sorte de cave bondée de couples s'agitant au rythme d'une musique étourdissante et d'un éclairage psychédélique. Apparemment, Franco connaissait tout le monde y compris le barman qui les conduisit à une table au fond de la salle. Franco commanda du vin et entraîna January réticente vers la piste de danse.

Elle était mal à l'aise parce qu'elle ne connaissait pas les dernières danses à la mode. Tout autour d'elle, les filles ondulaient sans sembler prêter la moindre attention à leur cavalier. La piste offrait le spectacle d'un grouillement de vers de terre, qui se trémoussaient, se tortillaient, se contorsionnaient. Elle n'avait jamais connu une chose pareille. Au cours de son dernier trimestre à l'institution de miss Haddon, elle n'avait délibérément accepté aucun rendez-vous, puisque Mike était à New York et qu'elle lui avait consacré tous ses week-ends.

Mais Franco dissipa ses appréhensions d'un rire gentil. Le rythme de la musique était bien marqué et, avec son aide, elle commença à danser, lentement d'abord, encore hésitante. Franco l'encourageait de la tête et marquait le tempo. Son sourire communiquait littéralement

24

la confiance et l'approbation. Peu à peu, elle commença à imiter les autres filles avec plus ou moins de bonheur. Sur les encouragements de Franco, ses bras oscillaient en l'air, ses hanches ondulaient. Elle se laissa conduire et le rythme de la musique s'accentua ; bientôt, elle s'abandonna à la danse sans retenue.

Lorsque la musique s'arrêta, ils tombèrent presque de fatigue dans les bras l'un de l'autre. Il la ramena à la table et, d'une seule gorgée, elle but un plein verre de vin. Franco commanda une autre bouteille et lui remplit son verre. Des amis vinrent les rejoindre à leur table et ils se retrouvèrent vite toute une bande.

Elle se serait bien amusée sans l'irritant souvenir de Melba et de son père, de la façon dont leurs regards se rencontraient. January but un autre verre de vin. Melba ne comptait pas pour son père. Elle n'était que la vedette du film. Il veillait à ce qu'elle soit en forme. Ne lui avait-il pas expliqué que c'était pour ça qu'il allait lui murmurer quelques mots entre chaque prise ? Mais au fait, qu'est-ce qu'il lui murmurait au juste ?

Elle but une autre gorgée de vin et acquiesça d'un hochement de tête à l'invitation d'un autre beau garçon. La musique s'enflait à crever les tympans. January se mouvait avec la même assurance que les autres danseurs. (Peut-être Melba et son père étaient-ils assis côte à côte, quelque part, à écouter de la bonne musique — de la musique tendre — tous les deux, dans un endroit paisible, au son des violons ?) Soudain, elle s'arrêta de danser et quitta la piste. Le garçon courut derrière elle, baragouinant en italien, l'air interrogateur.

— Expliquez-lui que je suis simplement fatiguée, demanda January à Franco.

Elle s'assit en écoutant les propos qu'ils échangeaient en italien. Bientôt son cavalier se dérida, haussa les épaules et invita une autre fille à danser. Vers une heure du matin, leur groupe commença à se disloquer. Elle se demandait si Mike était rentré. Etait-il inquiet de la savoir dehors à une heure aussi tardive ? Mais peut-être n'était-il pas encore de retour. Elle termina son verre, tendit la main vers la bouteille. La bouteille était vide et Franco en commanda immédiatement une nouvelle, mais le barman refusa d'un geste de la tête. Une vive discussion s'ensuivit. Et pour finir, Franco se leva en laissant de l'argent sur la table :

— Ils ferment, dit-il. Venez, allons ailleurs.

Ils remontèrent l'escalier.

— A quel endroit les gens vont-ils à cette heure-ci ? demanda January. Je veux dire, les gens qui se couchent tard ? Y a-t-il un coin comme, par exemple, notre P.J. à New York ?

— Vous voulez dire un endroit où tout le monde se retrouve ?

Pas vraiment, parce qu'il n'y a que les Américains qui restent dehors aussi tard. Les Italiens ne traînent pas la nuit et ne vont guère dans les boîtes de nuit. L'essentiel de leur vie se passe chez eux, à la maison.

— Alors...

Elle marqua un temps au moment où ils émergeaient au niveau de la rue. Cela signifiait que Mike était sur le point de rentrer.

— Ecoutez, dit Franco, nous pouvons aller chez moi. J'ai le même vin que celui d'ici, dans ma propre cave.

Il se tourna vers un autre couple qui sortait en même temps qu'eux :

— Vincente et Maria, vous venez avec nous ?

Vincente refusa l'invitation d'un clin d'œil et s'éloigna, son bras autour de sa compagne. Franco ramena January à la voiture. Brusquement elle décida :

— Je crois qu'il vaut mieux que je rentre moi aussi. J'ai passé une excellente soirée, Franco... Vraiment, c'était très agréable.

— Oh ! non. Allons prendre un dernier verre. Votre père va penser que je suis un bien mauvais guide si je vous ramène de si bonne heure.

Elle éclata de rire :

— C'est donc ça que vous êtes ? Un guide touristique ? Engagé par mon père ?

Le visage du garçon se rembrunit. Il écrasa l'accélérateur et fila à travers les rues en prenant ses virages à une vitesse folle.

— Franco, vous allez nous tuer ! Je vous en prie... Est-ce que je vous ai vexé ?

— Bien sûr que oui. Vous me traitez en gigolo.

— Allons, vous savez que je plaisantais...

Il freina dans une petite rue latérale :

— Ecoutez, dit-il d'un air grave. Nous allons mettre au point quelque chose : votre père est un homme important, c'est vrai ; mais moi, je suis un bon acteur. Je suis très photogénique. J'ai vu les rushes. Je réussirai, j'en suis sûr. Zeffirelli veut que je fasse un bout d'essai pour son prochain film. Ça va marcher, vous voyez. Dans le film de votre père, je n'ai plus qu'une ou deux scènes à tourner, alors je ne cherche pas à faire du zèle. Si je sors avec vous ce soir, c'est parce que vous êtes belle, parce que j'ai envie de vous voir. Votre père parlait beaucoup de vous, et moi, je n'y ai pas cru ; mais quand je vous ai vue cet après-midi, alors, j'y ai cru !

— D'accord, Franco, acquiesça-t-elle en riant. Maintenant, tout de même, admettez que les gigolos, c'est dépassé ! Et essayez d'être un peu moins susceptible.

— Comment appelez-vous un homme qui s'achète ?

Elle haussa les épaules.

26

— Aucun homme digne de ce nom n'est à vendre ni ne se laisse entretenir. Quant à ceux qui le font, j'imagine qu'on dit que ce sont des play-boys ou des minets ou des gigolos.

— Je ne suis pas un gigolo.

— Je n'ai jamais prétendu une chose pareille...

Il relança la voiture, mais conduisit plus lentement :

— A Naples, où je suis né, on apprend à se battre pour obtenir ce qu'on veut : les femmes, l'argent, ou simplement pour garder la vie ; mais nous ne nous laissons jamais acheter par les femmes. Nous sommes des *maschio* !

Il sourit :

— O.K., c'est fini, n'en parlons plus. Je vous pardonne... si vous venez boire mon vin !

— C'est-à-dire que...

— Sinon, je serai convaincu que vous n'êtes avec moi que pour plaire à votre papa. Sauf si nous prenons un verre chez moi.

— D'accord, alors. Mais... juste un !

Il roula à travers les rues étroites, sur les pavés sonnants, le long de bâtisses énormes et sombres, ramassées sur leurs cours intérieures. Finalement il s'arrêta devant une vieille maison imposante :

— Autrefois, c'était le *palazzo* privé d'une vieille dame riche. A un moment, Mussolini y habitait avec sa maîtresse. Maintenant ça tombe en ruines et c'est partagé en appartements.

Elle le suivit dans la cour obscure aux bancs de marbre fendillé et à la fontaine hors d'usage. Il glissa sa clé dans la serrure d'une porte en chêne massif :

— Entrez. C'est chez moi. Pas très rangé, mais sympathique... Non ?

L'entrée montrait l'étrange contraste d'un désordre bien contemporain opposé au cadre de la vieille Europe : hauts plafonds, sol en marbre usé, sofa jonché de journaux, cendriers en fer-blanc débordant de mégots, cuisine minuscule et envahie d'assiettes sales, porte de la chambre à coucher ouverte sur un lit défait. Il vivait là dans le laisser-aller caractéristique d'un célibataire.

Le fouillis qui régnait n'avait pas l'air de gêner beaucoup Franco. Il alluma la chaîne haute-fidélité et la musique jaillit de toutes parts. Ce qui pouvait manquer en mobilier était compensé par la multiplicité des haut-parleurs. Elle regarda avec curiosité les moulures, le dessin du marbre, pendant qu'il s'activait à déboucher la bouteille.

— Ce vin-là, c'est le même que l'autre, assura-t-il en déposant les verres. Il l'entraîna vers le divan, balaya les journaux d'un revers de main et la fit asseoir. Le capitonnage ainsi qu'un ou deux ressorts faisaient saillie. Pourtant, il y avait de la fierté dans sa voix lorsqu'il lui dit :

— Tous mes meubles, offerts par des amis !

— C'est un merveilleux divan, dit-elle. Si vous le faisiez refaire...

Il haussa les épaules :

— Quand je serai une grande vedette, je meublerai cet endroit impeccable. Peut-être...

— Pourquoi, peut-être ?

— Parce que, si je deviens vraiment célèbre, ils me demanderont de venir en Amérique. C'est là qu'il y a vraiment l'argent, non ?

— Melba Delitto est une grande vedette et elle ne part pas.

Il rit.

— Melba est déjà très riche. Et puis, elle a trente et un ans ; c'est trop vieux pour partir.

— Mais elle a gagné tout cet argent en travaillant ici ?

— Non. C'est avec ses amants. Elle a eu beaucoup d'amants, beaucoup de diamants... Elle a gagné beaucoup d'argent avec les films, mais plus encore avec ses amants. Vous voyez, pour une femme, ce n'est pas pareil. Votre père lui a déjà offert une grande broche en diamants...

Elle se leva.

— Je crois qu'il faut que je rentre.

— Vous venez d'arriver ! Et vous n'avez pas bu tout le vin ; j'en ai ouvert une pleine bouteille.

— Franco, il se fait tard et...

Il la retint sur le divan.

— Buvez d'abord.

Il lui tendit son verre. Elle but lentement, à petites gorgées. La main de Franco glissa du dossier sur ses épaules. Elle fit semblant de ne pas s'en apercevoir, mais la main se fit pressante, comme si elle était animée d'une vie propre. Les doigts se mirent à jouer sur sa nuque.

Ele fit un effort pour boire encore un peu. Puis elle se leva :

— Franco, j'aimerais bien rentrer maintenant.

Il se leva en lui tendant les bras :

— Venez danser. A la manière d'autrefois.

— Franchement, je n'ai pas envie...

Mais il l'avait enlacée étroitement et l'entraînait dans un slow. Elle sentit la fermeté de son corps, son ventre dur contre le sien, il se pressait contre elle, balançant les hanches au rythme de la musique. Sa mince robe de Pucci lui semblait en papier. Soudain, il l'embrassa. Sa langue lui desserra les lèvres de force. Elle essaya de le repousser,

28

mais il lui étreignait la nuque d'une main et, de l'autre, il s'attardait sur sa poitrine. Elle le repoussait toujours, mais il s'amusait de ses efforts. Puis, d'un geste rapide, il la souleva, l'emporta dans la chambre, et la lâcha avec douceur sur le lit défait. Avant qu'elle ait pu esquisser le moindre geste, il avait soulevé sa robe et commençait à ôter ses sous-vêtements. Elle hurla en sentant ses mains sur sa peau nue.

Il la regarda avec stupéfaction :

— Qu'est-ce qu'il y a ? Qu'est-ce qui ne va pas ?

Elle sauta du lit en rajustant sa robe. Elle était trop furieuse pour pleurer.

— Comment osez-vous ? Comment avez-vous osé ?

Elle courut vers le vestibule, saisit son sac et s'enfuit vers la porte. Il la dépassa d'un bond et lui barra le passage :

— January, qu'est-ce qui ne va pas ?

— Ce qui ne va pas ? s'indigna-t-elle d'un ton rauque. Ce qui ne va pas ? Vous m'invitez à boire un verre et puis vous cherchez à me violer et puis...

— A te violer ? Il la regardait d'un air surpris. Mais je veux simplement faire l'amour avec toi.

— Pour vous, évidemment, c'est la même chose.

— Comment ça, la même chose ? Le viol, c'est un crime ; faire l'amour, c'est ce qui se passe entre deux personnes qui ont envie l'une de l'autre. Tu étais bien d'accord pour venir chez moi, non ?

— Pour prendre un verre... et pour.. enfin, j'ai cru que vous étiez vraiment vexé.

— Peut-être que j'ai mauvais caractère. Mais toi, tu te conduis comme une petite Américaine gâtée.

— Mais je suis une petite Américaine.

— Pour ça, oui. Mais tu es aussi la fille d'un *maschio*. Ça fait une énorme différence. Il paraît que les filles américaines... elles ont leur rite : premier rendez-vous, peut-être un baiser pour dire bonsoir ; deuxième rendez-vous, peut-être quelques caresses ; au troisième, on va un peu plus loin... mais on ne fait jamais l'amour avant la quatrième ou la cinquième rencontre ! Et les hommes, en Amérique, respectent cette cérémonie. Mais Mike Wayne, lui, dicte ses propres conditions. Et je croyais que sa fille était comme lui.

— Si je comprends bien... Comme ça, vous pensiez que j'allais coucher avec vous ?

Il rit.

— Enfin.. comme ça... tu as accepté de prendre un verre chez moi... tu as dansé avec moi. Tout cela est très bien et très normal. Ensuite on fait l'amour.

Il se pencha vers elle et lui caressa la poitrine.

— Tu vois, les pointes de tes seins sont toutes dures. Je les sens à travers ta robe. Ils ont envie de Franco même si toi tu ne veux pas. Pourquoi ne me laisses-tu pas les caresser ?

Elle écarta ses mains :

— Franco, s'il vous plaît, raccompagnez-moi.

Il se pencha et l'embrassa en la plaquant contre la porte. Elle résista avec violence, à coups de pied, en lui tirant les cheveux, mais tout cela le faisait rire, comme s'il ne s'agissait que d'un jeu. D'une main, il lui saisit les bras et les emprisonna derrière son dos ; de l'autre, il essaya d'ouvrir la fermeture à glissière de sa robe. Malgré sa panique, elle remercia le ciel de ce que sa fermeture ne s'ouvrait que d'une dizaine de centimètres. Il tirait dessus, tiraillait. Puis, tout d'un coup, il réussit à la défaire et retourna la robe par-dessus sa tête. Elle ne portait pas de soutien-gorge et sentit soudain les lèvres de Franco sur sa gorge ; malgré sa fureur, elle ressentit alors une étrange sensation au bas de son ventre. Il glissa une main sous ses vêtements et s'escrima entre ses cuisses :

— Tu vois, January, ma douce, tu es tout imprégnée de désir, du désir de moi.

D'un élan désespéré, elle se libéra et rabaissa sa robe à tâtons tout en suffoquant entre deux sanglots :

— S'il vous plaît... je vous en prie, laissez-moi partir.

— Pourquoi diable pleures-tu ?

Sa surprise n'était pas feinte. Il tenta de la reprendre dans ses bras et elle se remit à hurler.

— January, qu'est-ce qui ne va pas ? Je serai un amant très doux. Je t'en prie. Déshabille-toi et viens te coucher avec moi.

Il bataillait avec la boucle de la ceinture. Il se dégagea de son pantalon. Son sourire s'était fait enfantin, comme pour cajoler une petite fille boudeuse :

— Viens ! regarde comme je te désire. Je t'en prie, regarde !

Il se dressait devant elle, à moitié nu.

— Tu sens comme je te veux, dis ? Tu vois qu'il faut nous aimer ?

— Non...

C'était tout à la fois une prière et un gémissement.

— Oh ! Seigneur, non ! Pas comme ça...

Il semblait sidéré. Puis il jeta un regard sur la chambre à coucher.

— Ah ! C'est à cause du lit ? Ecoute, je n'ai jamais fait l'amour dans ces draps. J'y ai seulement dormi.

— S'il vous plaît... je vous en prie, laissez-moi partir...

Les larmes lui brouillaient les yeux. Elle était recroquevillée, comme pour se protéger, en cachant son visage pour ne pas le voir.

Soudain, il l'examina de plus près, s'avança et tendit la main pour lui toucher la joue comme s'il ne pouvait se résoudre à croire qu'elle versait de vraies larmes. Une étrange expression se peignit sur son visage :

— January, est-ce que tu as déjà fait l'amour ? lui demanda-t-il doucement.

Elle secoua la tête.

Il ne dit rien pendant un moment. Puis il se rapprocha d'elle, défroissa sa robe et essuya les larmes de son visage :

— Je suis désolé, murmura-t-il. Je ne savais pas. Tu as bien quand même vingt-et-un, vingt-deux ans ?

— Dix-sept ans et demi.

— *Mamma mia.* Il se frappa le front. Tu as l'air si... si affranchie, tellement... comme les Américains disent, tellement délurée. La fille de Mike Wayne, vierge.

A nouveau, il se frappa le front.

— S'il vous plaît, ramenez-moi.

— Tout de suite.

Il remit son pantalon, empoigna sa chemise et sa veste, et lui ouvrit la porte. Il lui prit le bras pour la conduire jusqu'à sa voiture. Ils roulèrent en silence par les rues désertes. Il n'ouvrit pas la bouche jusqu'à la via Veneto. Puis il dit :

— Vous aimez quelqu'un aux Etats-Unis ?

— Non.

Il se tourna vers elle.

— Alors, laissez-moi... Oh, pas ce soir ! ni demain... pas avant que vous le désiriez : je ne vous toucherai que lorsque vous me le demanderez, c'est promis !

Comme elle ne répondait pas, il dit :

— Vous n'avez pas confiance en moi ?

— Non.

Il rit.

— Ecoutez, jolie petite vierge américaine. A Rome il y a des tas de belles filles italiennes, des actrices, des mannequins, des femmes mariées. Toutes, elles veulent Franco. Même, elles font mon lit, ma cuisine, elle m'apportent à boire. Vous savez pourquoi ? Parce que Franco est un bon amant. Alors, si Franco demande à vous revoir, et qu'il dit qu'il ne se passera rien, vous devez le croire. Ah ! je n'ai pas besoin de me battre pour avoir de l'amour. Il y en a partout. Mais je veux vous demander pardon. On repart à zéro. Comme s'il ne s'était rien passé.

Elle demeurait silencieuse. Elle ne voulait pas dire quoi que ce soit, de peur de le mettre en colère. Ils étaient tout près de l'hôtel. Et

31

tout ce qu'elle voulait, c'était sortir de sa voiture et s'éloigner de lui.

— C'est triste que vous ne vouliez pas de moi, dit-il doucement. Surtout si vous êtes vierge. Vous savez, petite January, la première fois qu'une jeune fille se donne à un monsieur, ce n'est pas toujours très agréable. Ni pour elle, ni pour le monsieur. Sauf si le monsieur est adroit et très gentil. Moi, je serai vraiment tendre. Je vous prendrai très doucement. Je vous donnerai même la pilule.

Il avait l'air si sérieux que les craintes de January s'évanouirent. Et le plus extraordinaire, c'est qu'il était convaincu de n'avoir rien fait de mal :

— Ce soir, j'ai tout gâché, reconnut-il. J'ai été un peu brusque parce que je croyais que peut-être ça faisait partie du jeu. Une Américaine, que j'ai connue, m'obligea à la poursuivre à travers la suite qu'elle occupait à l'hôtel Hassler. Finalement elle s'était enfermée dans la salle de bain. J'allais partir, quand elle cria : « Non, Franco ! Il faut que tu enfonces la porte et que tu arraches mes vêtements... »

Il se frappa le front, mais il souriait :

— Vous avez déjà essayé d'enfoncer une porte dans un hôtel italien ? On dirait de l'acier blindé ! Elle a fini par m'ouvrir et je l'ai poursuivie encore et j'ai arraché ses vêtements. Oh ! là là, des boutons, des dentelles, ses collants déchirés, tout sens dessus-dessous : c'était dingue ! On a fait l'amour toute la nuit. Elle, c'est l'épouse d'un acteur américain très célèbre, aussi je vous dis pas son nom ; lui, il aime le faire comme ça aussi. Mais vous voyez, je suis un gentleman : je ne dis jamais avec qui je couche. C'est secret. D'accord ?

Elle se surprit à sourire. Puis elle recommença à fixer le vide, droit devant elle. Il était fou. Cet homme venait de lui arracher ses vêtements, d'essayer de la violer, et maintenant il voulait lui faire approuver ses exploits antérieurs ! Il devina sans doute ses pensées, car il lui sourit en lui tapotant la main, d'un air quasiment condescendant :

— Vous me demanderez de vous faire l'amour. Je le sais bien. En ce moment même, je vois la pointe de vos seins se durcir sous votre robe. Vous avez beaucoup d'appétit sexuel...

Elle croisa les bras sur sa poitrine. Elle aurait dû mettre un soutien-gorge. Elle ne s'était pas rendue compte que sa robe était si mince.

— Vous avez de jolis petits seins, dit-il plaisamment. Ça me plaît.

— Franco, ça suffit !

Encore une fois, le geste familier de se frapper le front :

— Oh ! la la, comment la fille de Mike Wayne peut-elle être si... tellement... prude ?

— Je ne suis pas prude.

32

Elle se sentait enfin sauvée, car ils entraient dans l'allée de l'Excelsior.

— Je n'ai pas de rendez-vous pour demain, dit-il en descendant de voiture pour lui ouvrir la porte.

Il aida January à mettre pied à terre.

— On se voit, non ?

— Non.

— Pourquoi ? Vous n'êtes pas fâchée tout de même ?

— Pas fâchée ? Franco, vous m'avez traitée comme... comme...

— ... Comme on traite une jolie femme, dit-il en souriant. S'il vous plaît... je vais vous dire : tâchez de bien dormir ; je vous appelle demain, et on passe la journée ensemble...

Il ouvrit largement les bras :

— Pas un geste de trop, je vous le jure ! Nous faisons un tour sur ma moto, et je vous montre Rome.

— Non.

— J'appelle demain. *Ciao*.

Elle traversa le hall désert. Il était près de trois heures du matin. Mike devait être dans tous ses états, l'attendant sans doute en rongeant son frein.

Eh bien, elle ne lui dirait pas la vérité. Elle lui raconterait simplement qu'elle ne voulait plus s'embarrasser de la compagnie de Franco. Elle lui dirait qu'il s'était mal conduit. C'est à cela qu'elle pensait dans l'ascenseur grinçant manœuvré par un liftier ensommeillé.

Elle introduisit l'énorme clé dans la serrure. Mike n'était pas encore couché. Elle pouvait voir le rai de lumière sous la porte. Elle entra :

— Mike...

Puis elle regarda autour d'elle. La porte de chambre était fermée. Il y avait une liasse de billets de banque et un mot appuyé contre la lampe de son bureau.

« T'ai attendue jusqu'à deux heures, princesse. J'espère que tu t'es bien amusée. Fais la grasse matinée. Souviens-toi que toutes les boutiques sont fermées entre treize et seize heures. Alors contente-toi de visiter la ville au début de l'après-midi. Va voir la place d'Espagne. Un type appelé Axel Munthe posséda la petite maison qui se trouve là-bas et y collectionnait des bestioles. Un autre type appelé Keats vivait aussi à cet endroit. Tu peux visiter son appartement. Vers quatre heures, va à la via Sistina. Melba prétend qu'il y a là quelques boutiques formidables. Si tu as dépensé tout ton argent, tu pourras toujours te faire livrer les choses à l'hôtel avec leurs factures. Dors bien, mon ange. Je t'embrasse. Papa ».

Elle contempla ce mot, puis la forte fermée. Il s'était endormi.

Il ne s'intéressait même pas à ce qui lui arrivait. Mais aussi, comment aurait-il pu imaginer que Franco aurait l'audace d'y aller aussi fort.

Elle gagna sa chambre. Une bonne partie de sa colère s'était dissipée. S'il l'avait attendue jusqu'à deux heures, cela voulait dire qu'il était rentré vers une heure, peut-être plus tôt. De sorte qu'il avait sans doute tout juste pris un dernier verre avec Melba. Rien de plus. Il n'y avait de grande histoire d'amour que dans l'imagination de Franco. Melba était vieille... enfin, vieille pour une actrice de cinéma : la trentaine. Elle avait besoin de sommeil ; elle ne pouvait s'offrir le luxe de traîner trop longtemps avec Mike ; elle pensait trop à sa carrière.

January alla se faire couler un bain. Et la broche en diamants ? Bon, qu'est-ce que ça prouvait ? Mike offrait toujours de somptueux cadeaux aux vedettes de ses films. C'était évident... Tout le reste ne se passait que dans l'imagination de Franco. L'ensemble de la soirée s'était déroulé comme dans un rêve. Elle se déshabilla et examina sa poitrine. Pourtant, cette soirée avait vraiment existé. Franco lui avait caressé les seins, les avait mordillés ; ses doigts s'étaient posés entre ses cuisses. Elle entra dans la baignoire et se frotta la peau avec violence.

Un peu plus tard, couchée dans cette chambre inconnue, elle s'était sentie bien réveillée. Elle regardait la porte de sa chambre. De l'autre côté, il y avait le salon. Et puis il y avait sa porte à lui. C'était là qu'il dormait. Oh ! mon Dieu, si seulement elle avait pu se glisser dans ses bras comme au temps où elle était petite fille et qu'elle faisait un cauchemar. Pourquoi ne pouvait-elle plus se faufiler tout contre lui et lui raconter les choses affreuses qui lui étaient arrivées cette nuit ? Il l'aurait tenue étroitement serrée et lui aurait dit que tout allait bien, qu'il était toujours son père. Pourquoi ne fallait-il plus le faire maintenant ? Bien sûr, elle savait que ce n'était plus possible. Etait-ce parce qu'elle *désirait* sentir le corps de Mike contre le sien ? Oui. Mais chastement. Elle désirait sentir la force rassurante de ses bras. Elle désirait embrasser sa joue, surtout là où se formait une espèce de fossette. Elle voulait l'entendre dire : « Tout va bien, ma chérie ».

Il n'y avait rien de mal à cela. Elle se leva doucement et sortit. Elle traversa le grand salon et manœuvra sans bruit la poignée de la porte, qui s'ouvrit facilement. D'abord, elle ne discerna rien dans l'obscurité ; mais peu à peu, elle distingua les contours du lit dans la pièce. Comme une aveugle, elle longea le mur sur la pointe des pieds pour l'atteindre, et elle ouvrit les draps pour s'y glisser. Son côté du lit était frais et les draps crissants. Centimètre par centimètre, elle

34

s'approcha de lui. Mais sa main ne rencontra qu'un autre oreiller raide et froid : le lit était vide !

Elle s'assit et alluma la lampe de chevet. Le lit n'avait pas été défait. Et il n'était pas là. Elle se leva, retourna au salon. Elle regarda la lettre et puis l'argent. Franco avait donc raison : il était avec Melba. Mais pourquoi lui avoir dit... pourquoi lui avoir menti... pourquoi avoir laissé ce mot prétendant qu'il l'avait attendue. Elle le relut. En fait, il n'avait pas écrit qu'il était resté *debout* à cause d'elle. Il disait qu'il l'avait attendue « jusqu'à deux heures ». Evidemment, lui et Melba avaient attendu jusqu'à deux heures ; puis ils étaient repartis. En ce moment, ils étaient sans doute en train de faire l'amour.

Elle retourna dans sa chambre. Mike avait parfaitement le droit de sortir avec Melba. Pourquoi avait-elle tendance à en faire un drame ? Il avait toujours eu toutes sortes de filles ; mais elle était la seule qui comptât dans son cœur. Leur amour à eux deux se situait bien au-delà du sexe. Les gens ont des relations sexuelles sans amour ; les animaux aussi ont des relations sexuelles, et ne sont pas amoureux pour autant : ils s'accouplent, c'est tout. Comme la petite chienne qu'elle possédait lorsqu'elle avait cinq ans : on l'avait fait couvrir, et elle n'avait même pas accordé un regard au mâle lorsque ce fut terminé ; et lorsque ses chiots étaient venus au monde, elle les avait aimés jusqu'à l'âge de trois mois. Ensuite, à la grande surprise de January, sa mère lui avait dit qu'il fallait écarter les petits caniches de leur mère, car, pour elle, ils n'étaient plus ses enfants, mais simplement des mâles comme les autres. Et Melba n'était rien de plus pour Mike : tout juste quelqu'un avec qui avoir des relations sexuelles.

January retourna au lit pour essayer de dormir. Elle étreignait son oreiller comme elle le faisait si souvent, enfant, lorsqu'elle se sentait seule. Mais soudain, elle le repoussa : son oreiller avait toujours été le symbole de Mike, du réconfort ; et maintenant Mike tenait Melba dans ses bras... Il fallait absolument qu'elle cesse de penser ainsi ! Après tout, comment imaginait-elle qu'il avait vécu depuis la mort de sa mère ? Seulement elle n'avait jamais été *là*. Et maintenant elle était *là*. Et il fallait qu'elle se fasse à l'idée qu'elle était adulte et qu'elle serait pour lui une grande amie, un soutien. Il était seul depuis si longtemps et il avait pris l'habitude de la solitude.

Quand elle s'endormit, elle fit des rêves étranges et décousus : elle était au parc d'attraction de Coney Island où son père l'avait emmenée quand elle était petite. Mais maintenant, il y avait une musique trépidante de discothèque qui l'assourdissait. Elle se regardait en riant dans un miroir déformant : d'abord, elle était longue et maigre ; ensuite, courte et replète... Au-dessus de son épaule, elle apercevait le reflet de Melba. Mais le visage de Melba n'était pas déformé. Il

35

était beau, souriant. Et son visage à elle devenait de plus en plus long, jusqu'à emplir tout le miroir. Melba riait toujours. Puis elle entendit le rire de Franco. Son visage à lui était dans le miroir à côté de celui de Melba et ils désignaient January du doigt en se moquant de son image écrabouillée et grotesque. Pourquoi les miroirs de la foire la rendaient-ils ridicule alors que Franco et Melba restaient beaux ? Elle cherchait Mike du regard. Il était au stand de tir. Melba allait vers lui, s'approchait de lui, posait une main sur sa cuisse.

— Papa, criait January, viens, ôte-moi de ce miroir !

Mais il répondait en riant :

— Franco n'a qu'à t'aider. Moi, je suis en train de fracasser toutes les pipes, de faire dégringoler tous les canards d'argile. Je fais tout ça pour toi, ma chérie. Je vais ramasser tous les prix pour les déposer à tes pieds.

Et il continuait à tirer. Et chaque fois qu'il touchait l'œil du taureau, la cloche sonnait, sonnait.

Elle ouvrit les yeux. Coney Island et le parc d'attractions n'étaient plus là. Un peu de soleil s'était frayé chemin jusqu'au tapis à travers les tentures. Dès qu'elle fut bien réveillée, elle fut assourdie par l'incroyable cacophonie que faisait la circulation romaine : des klaxons s'apostrophaient sur toute la gamme, klaxons aigus, klaxons barytons, klaxons sopranos... Et à travers ce vacarme, une sonnerie insistait. C'était le téléphone du salon. Elle y entra d'un pas mal assuré. La pendule de marbre, sur la cheminée, carillonnait doucement : onze heures. Elle souleva le récepteur.

— Allô, c'est Franco, proclama une voix pleine d'entrain.

Elle raccrocha.

Puis elle appela le service de l'étage et demanda du café. La porte de la chambre de son père était entrouverte. La lampe de chevet était toujours allumée, comme elle l'avait laissée cette nuit. Elle l'éteignit et, poussée par un réflexe irrépressible, froissa les draps. Elle ne voulait pas que la femme de chambre s'aperçoive qu'il n'était pas rentré. C'était pourtant ridicule. Il y avait sans doute eu bien d'autres nuits où ce lit n'avait pas été défait. Ou alors si, mais défait par Melba.

Le téléphone retentit de nouveau. Elle espérait que ce serait Mike. Il lui fallait avoir l'air de rien : en pleine forme, ou endormie ; oui, endormie, comme si elle avait passé une excellente soirée. Elle décrocha.

— Allô, c'est Franco, je crois qu'on a été coupés.

— Oh...

Elle ne chercha même pas à cacher sa déception.

— Imbécile de standardiste ! Elle nous a coupés.

— Non, c'est moi qui ai raccroché.

— Pourquoi faites-vous ça ?

— Parce que je n'ai pas encore pris mon café et...

Elle marqua un temps de pause.

— ... Enfin bon sang, pourquoi ne le ferais-je pas ?

— Parce qu'il fait une journée merveilleuse. Je viens vous chercher. Nous allons déjeuner dans un petit coin tranquille...

— Ecoutez Franco, commença-t-elle à bredouiller. Ce que vous avez fait hier soir était... Enfin, c'était terrible. Et je ne veux plus jamais vous revoir.

— Mais hier soir, je ne savais pas que vous étiez une enfant. Aujourd'hui je vous traite comme une enfant. D'accord ?

— Non.

— Mais vous vous fâchez si je vous traite comme une jolie femme. Ecoutez, j'ai briqué ma Honda pendant deux heures. Elle est vraiment bien... Je vais vous dire : pas de petit coin tranquille pour déjeuner ; nous allons chez Doney, comme des touristes. Nous nous installerons sur la terrasse. Je vous offre un café et on va faire une balade. *Ciao !*

Il raccrocha avant qu'elle ait pu répondre.

Le café de l'hôtel ne lui fut jamais servi et lorsque Franco l'appela depuis la réception, elle jugea qu'elle pouvait bien l'accompagner chez Doney. Après tout, elle avait envie de boire son café. Elle rafla l'argent que Mike avait laissé. Puis, par une impulsion soudaine, le remit à côté du petit mot de la veille. Elle appela la femme de chambre pour lui demander de faire son lit rapidement. Qu'il revienne et se demande à quel endroit *elle* avait couché hier au soir !

Il était impossible de rester longtemps fâché avec Franco. Il commanda pour elle du café et des croissants. Franco était chaleureux et primesautier. Et il semblait que la moitié de Rome s'arrêtait à la table pour lui parler. Peu à peu son enthousiasme sans frein vint à bout de la réserve de January et elle se prit à rire et à savourer son petit déjeuner. Ce garçon rayonnant et sûr de lui faisait oublier le Franco de la veille. Elle comprit qu'il cherchait à se faire pardonner et à lui plaire et qu'il serait amusant de visiter Rome avec lui. Elle portait une salopette et elle se rendit compte qu'elle avait déjà choisi inconsciemment de l'accompagner sur sa moto.

La Honda était d'un rouge éclatant. Franco donna à January une paire de lunette trop grandes et lui enjoignit de s'installer derrière lui :

— Cette fois, c'est vous qui allez me serrer de près, affirma-t-il en riant.

Il se dirigeait prudemment à travers la circulation, signalant au passage les églises et les édifices importants :

— La semaine prochaine, on visite le Vatican, promit-il. Et je vous emmène aussi dans quelques églises. Il faut que vous voyiez les statues de Michel-Ange.

Au bout d'un petit moment, ils quittèrent la ville en direction de la voie Appienne. Il ne roulait pas vite. Il lui laissait apprécier la suspension de l'engin, le vent qui soufflait dans ses cheveux et rafraîchissait son visage. Il lui désigna les villas célèbres, les pans de ruines, la maison d'une actrice de cinéma. Puis il prit un raccourci par un tortueux chemin de campagne. Ils s'arrêtèrent devant un petit restaurant d'allure familiale. Tout le monde (y compris le chien, par ses aboiements) l'accueillit avec chaleur. Les gens l'appelaient par son prénom et dédiaient à January leur plus radieux sourire. Ils apportèrent du pain, du fromage et du vin rouge.

— La voie Appienne, c'est la route de Naples, rappela-t-il. Il faut absolument que nous allions jusque-là un de ces jours. Et à Capri.

Il envoya un baiser du bout des doigts vers le ciel.

— Demain, je tourne ; mais je vous conduis à Capri dimanche. Nous verrons la *grotto azura* et... oh, nous avons tellement de choses à voir !

Plus tard, comme ils revenaient vers la Honda, il lui entoura les épaules de son bras, d'un geste fraternel. Au moment où ils allaient enfourcher la moto, elle se tourna soudain vers lui :

— Franco, je tiens à ce que vous sachiez que j'ai passé une merveilleuse journée. Vraiment parfaite. Merci infiniment.

— Ce soir je vous emmène dîner dans un endroit formidable. Vous avez déjà goûté des praires à la Posillipo ?

— Non, mais je ne peux pas dîner avec vous ce soir.

— Pourquoi ? J'ai tenu ma promesse de ne pas vous toucher.

— Ce n'est pas ça... Je... veux rester avec mon père.

— Vous voulez faire quoi ?

— Rester avec mon père : je ne l'ai pas vu depuis hier soir.

— O.K. Vous allez le voir maintenant, quand nous serons rentrés. Puis, à neuf heures, vous dînez avec moi.

— Je veux dîner avec mon père.

— Peut-être que votre père a d'autres projets...

— Non, je suis sûre qu'il compte dîner avec moi.

— Avant votre venue, il dînait chaque soir avec Melba.

— Mais je suis là maintenant.

— Et vous pensez dîner tous les soirs avec votre père ?

Il ne souriait plus.

— Peut-être...

Il mit le moteur en marche.

— Montez. Je vois ce que c'est, maintenant.

— Qu'est-ce que vous voyez ?

— Aucune fille ne veut seulement dîner avec son papa. Vous avez certainement un autre rendez-vous.

— Franco, pour l'amour du ciel, je n'ai aucun autre rendez-vous !

Il lui saisit le poignet.

— Alors vous dînez avec moi ce soir, comme j'ai dit.

— Non.

Il lui lâcha le bras.

— Montez, dit-il d'un ton bref. Je vous ramène. Ah ! et moi qui marchais dans cette histoire que vous êtes vierge... Maintenant, je sais : Franco ne vous plaît pas.

Ils dévalèrent le chemin de campagne. Il conduisait vite, bondissant par-dessus les ornières et les cailloux. A plusieurs reprises, elle fut presque désarçonnée. Elle s'accrocha à lui lorsqu'ils pénétrèrent sur la voie Appienne. Un autocar d'excursion passait, bourré de touristes japonais. Il le doubla follement, juste devant les roues. Le chauffeur se mit à hurler des insanités... Franco lui montra le poing et redoubla de vitesse.

January lui cria de faire attention. Mais sa voix se perdait dans le bruit du moteur et dans le vent. Maintenant, elle était affolée. Il y avait de la violence dans sa façon de conduire. Elle le conjura de ralentir jusqu'à extinction de voix. En fin de compte, il n'y avait rien d'autre à faire que de s'agripper à lui et prier. Comme ils attaquaient un virage, elle vit une voiture essayant d'en doubler une autre. Il la vit aussi et voulut arracher sa moto vers le bas-côté de la route. La moto se cabra comme un cheval dressé sur ses pattes de derrière. Elle se sentit projetée en l'air. Et dans la fraction de seconde qui précéda son évanouissement, la seule chose qu'elle éprouva fut la stupéfaction de constater qu'elle ne souffrait pas en s'écrasant contre le mur de pierres.

Lorsqu'elle ouvrit les yeux, January vit son père. Elle le voyait en double, en triple... Elle referma les yeux, parce que tout se brouillait. Elle essaya de le toucher, mais son bras lui semblait de plomb. Elle rouvrit les yeux. A travers la brume, elle aperçut à peine sa jambe accrochée à une sorte de palan. Alors elle se souvint de l'accident : la course sauvage, le mur de pierres blanches... et maintenant, elle se retrouvait à l'hôpital avec une jambe cassée. L'été serait fichu, mais elle était heureuse d'avoir survécu. Et puis, à notre époque, les médecins savent vous arranger de manière à pouvoir se déplacer avec une jambe dans le plâtre, n'est-ce pas ? Elle essaya de bouger, mais tout son corps était comme transformé en ciment. Elle s'obligea à ouvrir les yeux, mais la lumière les faisait pleurer. Pourquoi son corps était-il si raide ? Pourquoi ne sentait-elle pas son bras droit ? Seigneur, peut-être que c'était plus grave qu'une simple jambe cassée.

Mike se tenait de l'autre côté de la pièce et s'entretenait avec plusieurs docteurs. Une infirmière s'affairait. Tous chuchotaient. Elle voulut lui faire comprendre qu'elle était réveillée.

Elle appela : « Papa... »

Elle essaya de nouveau. Elle avait l'impression de hurler. Mais il ne bougeait pas. Personne ne bougeait. Elle criait, mais aucun son ne sortait de ses lèvres. Elle criait, mais sa bouche restait immobile. Elle criait intérieurement ! Elle essaya de bouger son bras gauche. Elle agita ses doigts, et puis tout se dilua dans un sommeil gris et flasque.

Lorsqu'elle rouvrit les yeux, il n'y avait plus qu'une petite lumière dans le coin le plus éloigné de la pièce. Une infirmière lisait une revue. Il faisait nuit, maintenant. La porte s'ouvrit. Son père et l'infirmière se mirent à chuchoter.

Il donna congé à l'infirmière et approcha une chaise de son lit. Il lui tapota la main :

— Ne te fais pas de soucis, ma chérie. Tout ira très bien.

Elle essaya de remuer les lèvres. Elle tendit chacun de ses muscles, mais aucun mot ne se forma. Il continuait à parler :

— Ils m'affirment que même quand tu as les yeux ouverts, tu ne me vois pas. Mais ils ne savent pas tout. Tu vas t'en sortir. Pour moi !

« S'en sortir ! » De quoi parlait-il ? Il fallait qu'elle lui dise qu'elle allait bien. Une jambe cassée, ça se remettrait. Elle était désolée. Voilà qu'elle lui causait tous ces ennuis. Elle lui avait fait manquer sans doute toute une journée de tournage, simplement parce que Franco avait perdu son sang-froid cet après-midi. Mais il était inutile de s'inquiéter autant. Pourtant, pourquoi ne pouvait-elle parler ? Elle remua le petit doigt de la main gauche. Ça marchait. Elle essaya de le lever. Ça marchait aussi. Il regardait dans le vide. Elle étendit le bras et lui toucha l'épaule. Il faillit en tomber à la renverse :

— January ! MADEMOISELLE ! Oh ! mon poussin, tu as bougé ! Tu as bougé ton bras ! MADEMOISELLE !

Elle essaya de lui dire qu'elle allait bien, mais soudain se sentit tomber dans le vide. Le lourd sommeil gris cherchait à la reprendre. Elle ne voulait pas dormir ! Elle lutta. Soudain, la chambre s'était emplie de monde. Deux hommes en blouse blanche s'approchaient d'elle. L'une des blouses blanches lui souleva le bras droit et le laissa retomber. L'autre y planta une aiguille. Elle la vit plus qu'elle ne la sentit. C'était étrange : elle ne sentait rien. Un autre docteur planta une aiguille dans sa cheville gauche. Brrr ! Ça oui, elle le sentait ! Et puis le sommeil gris reprit le dessus.

Lorsqu'elle ouvrit les yeux, elle vit un grand bocal de liquide suspendu au-dessus de sa cheville. Tous les docteurs étaient partis mais son père se penchait sur elle :

— Fais-moi signe si tu m'entends, ma chérie.

Elle essaya. Oh, Seigneur ! Est-ce qu'ils lui avaient attaché la tête au montant du lit ? C'était comme une pierre.

— Cligne des yeux, January. Cligne des yeux si tu comprends.

Elle cligna des yeux.

— Oh, ma chérie !

Il enfouit sa tête sur l'épaule de la jeune fille.

— Je te promets que tout ira bien.

Alors elle sentit son cou se mouiller : des larmes, *ses* larmes. De sa vie, elle n'avait jamais vu Mike Wayne verser une larme. Et personne d'autre ne l'avait vu. Et pourtant il pleurait à cause d'elle. Et soudain, pour ce seul instant, elle se sentit plus heureuse qu'elle ne l'avait jamais été. Elle ne s'inquiétait ni de sa jambe, ni de son bras. Il l'aimait. Il tenait tellement à elle ! Elle allait guérir. Elle se remettrait très vite ! Ils auraient leur été ensemble... Sur des béquilles, avec un plâtre, mais ça n'avait aucune importance. Elle tendit le bras pour lui toucher la tête, pour lui faire signe mais son sens des distances était faussé et ce fut sa propre tête qu'elle toucha, et lui sembla être en pierre. Mike se leva. Il avait repris bonne figure. Il vit son bras gauche osciller au-dessus de sa tête.

Sa tête ! Qu'était-il arrivé à sa tête ? Peut-être son visage était-il blessé, lui aussi. La panique la saisit ; une montée soudaine de nausée lui tordit l'estomac. Mais elle se força à porter la main à son visage.

Il comprit son geste frénétique tout de suite :

— Ton visage est intact, ma chérie. Il a fallu te raser la tête, mais tes cheveux repousseront.

ILS LUI AVAIENT RASÉ LA TÊTE !

Il lut sa panique au fond de ses yeux, lui prit la main et la serra très fort :

— Ecoute, je vais tout te dire, parce qu'il va falloir que tu en mettes un grand coup. Nous le ferons ensemble. Alors, je ne vais pas te raconter des histoires : tu as une fracture du crâne et une commotion cérébrale ; ils ont dû t'opérer pour évacuer du sang ; ils avaient peur qu'il ne se forme un caillot ou quelque chose du même genre. Mais ça va bien maintenant. L'opération a parfaitement réussi.

Ta colonne vertébrale est brisée : deux vertèbres, mais elles se res-souderont. Tu as aussi ce qu'ils appellent des fractures multiples à la jambe. Tu es entièrement dans le plâtre et c'est pourquoi il ne faut pas bouger. Tu ne peux pas bouger le bras droit à cause de la commotion cérébrale, mais ils disent que ça reviendra comme avant.

Il tenta de sourire.

— A part ça, ma chérie, tu es en grande forme.

Il se pencha pour l'embrasser.

— Tu ne sais pas à quel point c'est merveilleux de te voir me regarder. C'est la première fois que tu me regardes vraiment depuis dix jours...

DIX JOURS ! Dix jours depuis qu'elle était tombée de la moto ! Franco était-il blessé ? Combien de temps devrait-elle rester ici ? Encore une fois, elle essaya de parler, mais aucun mot ne se forma. Il lui prit la main et lui dit :

— C'est le contrecoup de la commotion, ma chérie. Le côté de la tête qui a été touché affecte la zone du langage. Ne t'affole pas. Cela reviendra. Je te le jure...

Elle voulait lui dire qu'elle ne s'affolerait pas. Tant qu'il serait près d'elle, tout irait bien. Elle voulait lui dire de retourner au studio, qu'il avait son film à faire... Elle voulait lui faire bien comprendre tout cela, que tant qu'ils seraient l'un à l'autre, tant qu'elle saurait qu'elle le retrouverait chaque soir, qu'il l'aimait et qu'il pensait à elle, rien ne pourrait l'arrêter. Elle gratta furieusement de la main gauche : elle voulait un crayon, il fallait qu'elle lui dise tout cela. Des larmes de dépit lui ruisselaient sur le visage : elle voulait un crayon, mais il ne comprenait pas.

— Mademoiselle ! appela-t-il, venez vite... Elle souffre peut-être !

(Papa, je ne souffre pas... Je veux simplement un crayon).

L'infirmière était emplie d'un zèle efficace. January sentit l'aiguille s'enfoncer dans son bras ; la torpeur l'envahit et elle entendit dans le lointain la voix de son père :

— Repose-toi, mon poussin. Tout ira pour le mieux.

I

Lorsque Mike Wayne pénétra dans la salle d'attente de l'aéroport Kennedy réservée aux personnalités, l'hôtesse eut la conviction qu'il était acteur de cinéma. Il ressemblait à quelqu'un que l'on a vu souvent mais que l'on sait n'avoir jamais rencontré.

— Le vol Swissair numéro sept est toujours attendu pour cinq heures ? interrogea-t-il en signant le registre.

— Je vérifie tout de suite, dit-elle en lui prodiguant son sourire le plus chaleureux.

Il lui rendit son sourire, mais elle savait d'expérience que c'était là le sourire d'un homme déjà pourvu d'une petite amie. La fille qui arrivait par le vol numéro sept. Certainement l'une de ces beautés germano-suisses qui ces derniers temps surchargeaient le marché. De sorte qu'une simple hôtesse autochtone n'avait pas la moindre chance.

— Une demi-heure de retard, le vol est attendu pour cinq heures trente, annonça-t-elle avec un sourire désolé.

Il remercia de la tête et se dirigea vers les fauteuils de cuir proches de la baie vitrée. Elle déchiffra son gribouillis sur le registre : Michael Wayne ; elle avait entendu prononcer ce nom et elle *connaissait* ce visage, mais elle ne parvenait pas à l'identifier. Peut-être dans l'un de ces feuilletons de télévision, comme ce beau garçon qui jouait dans *Mannix* qu'elle regardait le samedi soir quand elle n'avait pas de rendez-vous.

Il était plus âgé que les hommes avec lesquels elle sortait en général. La quarantaine, sans doute. Mais pour M. Michael Wayne, avec ses yeux bleus à la Paul Newman, elle aurait consenti bien volontiers à faire abstraction du fossé entre les générations. Dans un dernier effort pour attirer son attention, elle lui apporta des revues, mais il refusa d'un signe et se remit à contempler les avions que l'on ravitaillait au sol. Elle revint vers son bureau en soupirant : *rien à faire !* Cet homme-là avait décidément autre chose en tête.

Mike Wayne avait en effet plein de choses en tête : elle rentrait ! Après trois ans et trois mois d'hôpital et de soins, elle rentrait enfin.

Quand January était tombée de moto, sa propre chute à lui avait commencé. Tout d'abord, le film avec Melba avait fait un bide. Il en avait pris seul la responsabilité. Quand votre petite est mise en miettes, allez donc vous tracasser pour un western-spaghetti. Et les pronostics sur l'état de January avaient commencé par être alarmants : aucun chirurgien ne donnait le moindre espoir qu'elle marcherait à nouveau.

La paralysie était imputable à la commotion et réclamait un traitement physiologique immédiat. Pendant des semaines, il avait scruté des radios auxquelles il ne comprenait rien, des électro-encéphalogrammes, des clichés de la colonne vertébrale.

Il avait fait venir par avion deux chirurgiens de Londres et un éminent neurologue allemand. Ils tombèrent d'accord avec les spécialistes de Rome : tout retard dans le traitement diminuait les chances de guérir la paralysie, bien que l'on ne puisse rien faire tant que les fractures ne seraient pas ressoudées.

Il passait le plus clair de son temps à l'hôpital et n'alla au studio que pour s'assurer que l'on avait bien éliminé du film l'essentiel du rôle de Franco. Il n'avait pas cru un seul mot de la version que Franco lui avait racontée : (que c'était January qui avait insisté pour qu'il roule plus vite) et quand il en parla à January, elle refusa de démentir ou de confirmer. Mais il mit Franco à la porte et laissa au metteur en scène le soin de couper et de monter le film. Il voulait quitter Rome. Et emmener January avec lui.

Mais trois mois plus tard, elle était encore partiellement dans le plâtre et incapable de parler. Le film sortit à Rome avec d'exécrables critiques et de médiocres entrées.

Présenté à New York, il fut expulsé de l'affiche d'un cinéma d'exclusivité en moins d'une semaine et immédiatement relégué dans un cinéma de la Quarante-deuxième rue où il partagea l'affiche avec un autre long-métrage qui était supposé tenir la vedette. En Europe, la presse étiqueta Mike Wayne comme étant le seul homme qui ait jamais réussi à priver Melba Delitto de tout sex-appeal.

Il s'efforça de prendre les choses avec philosophie. Tout le monde doit faire un bide tôt ou tard. Et cela lui pendait au nez depuis longtemps. Il faisait partie du camp des triomphateurs depuis 1947. Il se le répéta à lui-même. Il le répéta aux journalistes. Et pourtant, lorsqu'il était assis au chevet de sa fille, une pensée le tarabustait comme un nerf à vif : est-ce que c'était un simple bide isolé, ou bien sa chance avait-elle tourné ?

Il avait encore deux films à réaliser pour la *Century* et il pouvait couvrir les pertes du premier avec les bénéfices des deux autres. Et il ne voyait pas comment son prochain film pourrait ne pas marcher : c'était une histoire d'espionnage, tirée d'un best-seller. Il commença les premières prises de vue importantes à Londres en octobre. Chaque week-end, il prenait l'avion pour Rome et se forçait à entrer dans la chambre d'hôpital avec un sourire, en réponse à celui qu'elle lui dédiait toujours.

Il s'efforçait de ne pas se laisser décourager par l'absence de tout progrès. Elle s'en sortirait, il le fallait. Pour son dix-huitième anniversaire, elle lui fit la surprise de hasarder quelques pas laborieux avec l'aide de béquilles et celle de son rééducateur. Son bras droit avait fait des progrès, mais elle traînait toujours la jambe gauche. La parole lui revenait. A certains moments, elle s'arrêtait ou bien elle butait sur un mot. Mais il savait que c'était une simple question de temps. Alors, bon sang ! Si elle pouvait parler à nouveau et utiliser son bras droit, qu'est-ce donc qui empêcherait sa jambe de progresser ? Certainement pas les séquelles de la commotion cérébrale.

De toute façon, le sourire de January était toujours éclatant et victorieux. Ses cheveux avaient repoussé, courts et ébouriffés, au point qu'elle ressemblait à un frêle garçonnet. Lui avait la gorge serrée. Il se sentait crispé à force de sourire. A dix-huit ans, perdre de si longs mois !

Après son anniversaire, il dut partir pour les Etats-Unis tourner les scènes de poursuites à New York et San Francisco. Puis il y eut le montage et le mixage à Los Angeles. Il fondait les plus grands espoirs sur ce film ; il lui trouvait comme un parfum de succès et en quelque sorte, il associa ses espoirs de réussite pour le film avec le rétablissement de January. C'était comme un pari avec soi-même : si le film marchait à tout casser, le rétablissement serait rapide.

La première eut lieu à l'occasion d'un grand gala de charité à New York. Un scintillement de flashes, le Tout-New York rassemblé, Barry Gray s'était déplacé pour interroger les vedettes. Le public applaudit et éclata de rire aux bons endroits. Quand les lumières se rallumèrent, les dirigeants de la *Century* remontèrent l'allée centrale avec lui, lui administrant de grandes claques dans le dos et souriant largement.

Ce fut au cours de la fête qui suivit à l'*Americana* que le bruit courut que les premiers commentaires à la télévision avaient été mauvais. Mais tout le monde affirma que ça n'avait aucune importance : ce qui comptait, c'était le *New York Times*. A minuit, ils apprirent que le *New York Times* avait descendu en flammes le film (c'est à ce moment-là que les dirigeants de la maison de production quittèrent la soirée). Le chef de publicité de la *Century*, un bonhomme optimiste nommé Sid Goff, haussa les épaules :

— Bah ! qui lit le *New York Times* ? Pour le cinéma, il n'y a que le *Daily News* qui compte.

Vingt minutes plus tard, ils apprirent que le *Daily News* n'avait décerné que deux étoiles ; pourtant, Sid Goff se montrait toujours optimiste :

— J'ai entendu dire que le type du *Post* avait beaucoup aimé. Et puis, le bouche à oreille fera le succès.

Mais ni le *Post* ni le bouche à oreille ne furent favorables. L'affaire se présentait mal ; mais Sid Goff se montrait toujours encourageant :

— Attends un peu qu'on le montre en province. Les gens aimeront beaucoup ça. Et c'est tout ce qui compte.

Le film reçut un accueil mitigé au *Chinese* de Los Angeles. Il marchota à Détroit. Il se fit éreinter impitoyablement à Chicago. Et Philadelphie et plusieurs autres villes importantes refusèrent de le présenter dans leurs salles d'exclusivité.

Mike ne pouvait arriver à y croire. Il avait eu une telle confiance dans son film. Deux bides de suite. Et maintenant il devait affronter la vieille superstition du monde du spectacle : jamais deux sans trois ; morts, accidents d'avion, tremblements de terre, aucune catastrophe ne vient jamais seule, et encore moins les échecs cinématographiques. De toute évidence, les dirigeants de la *Century* pensaient de la sorte, car lorsque Mike appelait, tout le monde était toujours en conférence ou « venait tout juste de quitter le bureau ». Et le coup de grâce, ce fut lorsque la nouvelle arriva du bureau de New York qu'ils ne lui alloueraient pas plus de deux millions de dollars (publicité comprise) pour son troisième film.

Il ne pouvait pas s'en sortir avec un tel budget à moins de se résigner à prendre des acteurs en déclin et un metteur en scène débutant ou bien un vieux metteur en scène avec une kyrielle de bides derrière lui. Mais il n'avait pas le choix. Il fallait qu'il fasse ce film, c'était inscrit dans son contrat : il avait signé pour trois films. Enfin, puisque les cartes étaient mauvaises à ce point, il n'avait plus qu'à se débarrasser du troisième bide, le livrer, retourner à New York et monter à Broadway un show retentissant. Plus il y pensait, plus sa confiance grandissait : sa rentrée à Broadway serait un événement. L'argent ne posait pas de problème. Que diable, il financerait tout lui-même. Il valait plusieurs millions de dollars sur le marché. Que représentaient quelques malheureuses centaines de milliers de dollars ? Un seul problème : il fallait qu'il débarque avec un sujet du tonnerre.

Voilà quels étaient ses sentiments en cet été 1968 où il débutait son troisième tournage. Il était plein d'optimisme quand il prit l'avion pour aller voir January à Rome, mais quand il la vit clopiner vers lui, traînant toujours la patte, pour la première fois l'idée qu'elle pourrait bien ne jamais plus marcher normalement le frappa. Le sourire éclatant de January, son entrain manifeste ne faisaient qu'aggraver les sentiments désespérés de Mike. Elle voulait tout savoir sur son nouveau film : pourquoi avait-il choisi des inconnus ? Qui aurait la vedette ? Quand pourrait-elle lire le découpage définitif ? Il se força à inventer des explications et à bavarder avec un enthousiasme qui devenait difficile. Il refréna sa panique jusqu'à ce qu'il se retrouve seul avec les médecins. Alors sa colère et sa peur explosèrent : qu'est-ce que c'était que toutes ces balivernes à propos des progrès réguliers de sa fille ? Et tous ces rassurants bulletins de santé qu'il avait reçus au cours des derniers mois ? Elle n'avait pas progressé d'un iota.

Ils convinrent qu'elle ne réagissait pas aussi vite qu'ils l'avaient espéré. Mais il fallait qu'il se rende compte... Il leur avait été impossible de commencer le traitement aussi vite qu'il l'aurait fallu. Alors, ils lui dirent la vérité. Elle progresserait. Mais elle boiterait toujours et peut-être même aurait-elle besoin d'une canne.

Ce soir-là, il se saoûla magistralement avec Melba Delitto. Et quand ils échouèrent dans l'appartement de la comédienne, il se mit à marcher de long en large en s'indignant contre les médecins, contre l'hôpital, contre l'absence de tout espoir.

Melba entreprit de le calmer :

— Mike, je t'adore. Je ne t'en veux même pas d'avoir pris mon grand bide avec toi. Mais maintenant, voilà que tu as fait un autre mauvais film. Il ne faut pas que le malheur arrivé à ta fille gâche ta vie. Ton prochain film doit être bon.

— Qu'est-ce que tu veux que je fasse ? Que je me remette tout simplement au travail en oubliant tout ce qui la concerne ?

— Non, il ne s'agit pas d'oublier. Mais tu dois vivre ta propre vie. Cesse de te battre pour l'impossible.

Sa colère le rendit immédiatement sobre. Toute sa vie n'avait été qu'un combat pour obtenir l'impossible. Fils d'une mère qui l'avait abandonné quand il avait trois ans. Son père, un boxeur irlandais qui vivait de ses primes et mourut d'un coup de poing servant la chance d'un gamin de troisième ordre. Il s'était élevé tout seul dans les quartiers sud de Philadelphie. Engagé dans l'armée de l'air à dix-sept ans parce que tout y semblait meilleur que le monde qu'il connaissait. Et la guerre, en plein cœur de la tourmente, voir des gars avec qui vous viviez et dont vous partagiez la chambrée prendre une balle tout à côté de vous, se demander pourquoi ils avaient morflé *eux* et pas vous. *Eux* avaient des familles qui attendaient leur retour à la maison. Des familles et des petites amies qui écrivaient de longues lettres et envoyaient des colis. Et peu à peu, l'idée vous vient qu'ils ont peut-être pris la balle qui *vous* était destinée parce que là-bas, à l'arrière, il y avait quelque chose qui attendait, quelque chose qui devait être fait par *vous*. Et c'était votre devoir de retourner le faire. Il sentit qu'il avait été choisi par la chance, la chance qui permettait d'accomplir l'impossible. Et il fallait qu'il fasse en sorte que le gars qui avait pris la balle à sa place aurait compris. Il n'était pas religieux, mais il croyait qu'il faut payer ses dettes. Cela avait toujours été sa philosophie et ça l'était encore :

— Ma gosse marchera, affirma-t-il tranquillement.

— Alors, essaie Lourdes. Ou, si tu veux vraiment claquer de l'argent, emmène-la à la clinique des Miracles...

— Qu'est-ce que c'est que ça ?

— C'est en Suisse, dans un trou perdu des Alpes. C'est très cher mais ils ont accompli de grandes choses. Je connais un pilote de courses qui a eu un accident à Monte-Carlo. On disait qu'il était paralysé pour la vie. Il est allé à la clinique des Miracles, et ils l'ont fait marcher.

Le lendemain, Mike prenait l'avion pour Zurich, puis il roula jusqu'à un château baroque dissimulé au creux des montagnes et rencontra le docteur Peterson, un homme d'apparence fragile qui semblait incapable de provoquer le plus petit miracle.

C'était donc toujours la même quête déraisonnable. Une impasse de plus. Mais enfin, il était là. Aussi fit-il le tour de la clinique en compagnie du docteur Peterson. Il vit de vieilles gens qui avaient été frappés par une attaque adresser au docteur des signes joyeux, tout en s'escrimant avec des béquilles et des appareils orthopédiques. Il suivit le docteur dans une pièce où chantaient de jeunes enfants. Au premier coup d'œil cela semblait une chorale comme les autres, jusqu'à ce qu'il se soit rendu compte que chaque enfant luttait contre quelque handicap : certains avaient le palais fendu, d'autres portaient des prothèses auditives, d'autres souffraient de paralysies faciales. Mais tous souriaient et obligeaient quelques notes à sortir de leurs lèvres.

Dans une autre aile du bâtiment, il y avait de petites victimes de la thalidomide, qui s'affairaient avec leurs membres artificiels et souriaient lorsqu'ils parvenaient à faire quelque infime progrès grâce à une nouvelle et lourde prothèse. Mike sentit que son humeur changeait. Au début, il ne comprit pas vraiment pourquoi. Mais ensuite, tout s'éclaira : partout où il allait, le désespoir brillait par son absence. Partout où il regardait, il ne voyait que l'effort de réussir. Le combat pour obtenir l'impossible.

— Vous voyez, expliqua le docteur Peterson, chaque moment de libre est consacré à guérir. A lutter pour aller mieux. Nous avons là un petit garçon dont les deux bras ont été arrachés par un tracteur dans une ferme. Avec ses bras artificiels, il a appris à jouer de la guitare. Nous chantons tous les soirs à la veillée. De temps à autre, nous montons des pièces de théâtre et des ballets, qui font eux aussi partie du traitement. Mais il n'y a ni télévision ni radio.

— Pourquoi se couper du monde extérieur, demanda Mike. Ne sont-ils pas déjà séparés de la vie normale par leur maladie ?

Le docteur Peterson sourit :

— La clinique est un monde en soi. Un monde où chaque malade aide son prochain. Les nouvelles du monde extérieur ne parlent que de guerres, de conflits sociaux, de pollution et d'émeutes... Si ce n'est pas un monde où peuvent se plaire les gens bien portants, pourquoi nos malades voudraient-ils surmonter des obstacles infranchissables à seule fin d'y retourner ? Ainsi, un enfant né sans jambes et qui s'est acharné pendant six mois pour faire deux pas pourrait-il se sentir découragé de constater la violence ou l'indifférence des gens qui sont nés avec plus de chance que lui. La clinique des Miracles, c'est un monde d'espérance et de volonté de guérir.

Mike paraissait songeur.

— Mais il n'y a personne ici avec qui ma fille pourrait devenir amie. Vos malades sont tous très vieux ou... extrêmement jeunes !

— Quels amis s'est-elle faits dans sa chambre d'hôpital à Rome ?

— Aucun. Mais elle n'est pas non plus entourée de malades et d'estropiés.

Le docteur Peterson parut songeur :

— Quelquefois, voir des plus déshérités que soi aide quelqu'un à guérir. Un garçon arrive ici avec un seul bras et voit un garçon qui n'a pas de bras du tout. Soudain, avoir un seul bras ne paraît plus la fin de tout. Et le garçon auquel manquent ses deux bras mettra un point d'honneur à aider le garçon qui n'a pas de jambes. Et c'est comme cela que ça se passe ici.

— Une simple question, docteur Peterson : croyez-vous vraiment que vous puissiez faire quelque chose pour ma fille ?

— Il faut d'abord que j'étudie son cas et le dossier établi par les médecins traitants. Nous n'acceptons personne que nous ne puissions soigner. Et malgré cela nous ne pouvons jamais promettre une rémission complète.

Trois semaines plus tard, Mike loua un avion et accompagna January à la clinique des Miracles. Il ne lui avait pas peint la situation en rose. Il lui avait raconté ce qu'elle trouverait, l'état de certains des malades. Mais au moins — là — elle aurait une chance d'aller mieux. Il ne lui avoua pas que le docteur Peterson avait quelques réserves à l'égard de sa complète guérison.

Le village le plus proche était à huit kilomètres de la clinique. Il s'installa à l'auberge et resta une semaine pour voir comment elle prendrait les choses. Si elle ressentit la moindre répulsion, elle ne le montra pas. Son sourire était toujours radieux et elle apprécia tout le monde à la clinique.

Il retourna en Californie et s'occupa d'en finir avec le tournage de son dernier film. C'était un navet et rien ne pouvait le sauver. Mais il avait d'ores et déjà lancé la publicité relative à sa « rentrée à Broadway ». Les agents, les acteurs et les metteurs en scène commençaient à téléphoner. Chaque soir il s'enfermait dans son bungalow de l'hôtel Beverly Hills et lisait des textes. Des projets tirés de pièces de théâtre déjà reconnues, de jeunes auteurs, des amateurs. Il lisait tout, y compris les épreuves de romans à paraître. Son attaché-case en était bourrée quand il reprit l'avion pour la Suisse. January était à la clinique depuis deux mois. Elle s'exprimait à la perfection. Son bras droit était aussi robuste qu'avant l'accident. Mais sa jambe gauche posait toujours un problème : elle marchait mieux mais avec une claudication sensible.

Le film fut terminé en décembre. Il laissa au metteur en scène le soin du montage et du mixage et s'en désintéressa. Il eut un long entretien avec son directeur financier. Il vendit son avion et quelques paquets d'actions. Mais il refusa de renoncer à sa suite au Plaza.

A la veille de Noël, il emporta en Suisse pour cinq cents dollars de bagages en supplément, avec trois malles bourrées de jouets pour les enfants. Il offrit à January un électrophone et des albums contenant tous les airs de comédies musicales à succès des dix dernières années.

Ils fêtèrent son dix-neuvième anniversaire dans la petite salle à manger de l'auberge. Elle jacassait à propos des albums : combien elle les aimait, combien elle regrettait d'avoir manqué les spectacles de l'an dernier. Puis son visage se fit sérieux, elle se leva et lui prit la main :

— Tu sais quoi, la prochaine fois que tu viendras, je serai capable de danser avec toi. C'est une promesse.

50

— Vas-y doucement, dit-il en riant. Il y a longtemps que je n'ai plus dansé.

— Eh bien, entraîne-toi, dit-elle. Parce que je compterai sur toi. (Elle sourit). Oh, je ne parle pas des trucs de discothèque. Mais peut-être bien une petite valse lente. Au moins, ça c'est quelque chose qui vaut le coup.

Il acquiesça et parvint à sourire. Ce même jour il avait eu une longue conversation avec le docteur Peterson, qui s'inquiétait lui aussi de l'absence de progrès de sa jambe. Le docteur Peterson avait suggéré d'appeler en consultation l'un des plus grands chirurgiens-orthopédistes de Londres.

Quelques jours plus tard, Mike eut un rendez-vous avec le docteur Peterson et Sir Arthur Rylander, le spécialiste anglais. Après avoir examiné les radios, Sir Arthur estima que l'os était mal ressoudé. La seule chance de guérison était de rouvrir la fracture et de la réduire à nouveau.

Lorsque Mike en parla à January, elle n'hésita pas :

— Allons-y pour rouvrir la fracture. J'ai toujours pensé que porter un plâtre dans les Alpes était du dernier chic. Tu n'as pas fait un film comme ça, dans lequel les héroïnes paraissaient si belles, assises dans leurs vêtements d'après-ski ?

— J'en ai fait au moins trois, dit Mike en riant. Et toutes mes héroïnes se sont toujours rétablies. Enfonce-toi bien ça dans la tête.

L'opération se déroula à l'hôpital de Zurich. Deux semaines plus tard, elle était de retour à la clinique des Miracles. Tous ceux qui étaient en mesure de le faire posèrent leur paraphe sur son plâtre et le cran fantastique de January fit que Mike Wayne rentra aux Etats-Unis avec une résolution nouvelle. Quiconque avait un courage comme le sien méritait d'avoir un royaume qui l'attendait à son retour. Désormais, rien ne pourrait plus l'arrêter.

Il alla en Californie, vida son bureau de la *Century* et alla aux courses de Santa Anita. Il prit un gros risque et gagna cinq mille dollars. Cela ne le surprit pas vraiment car il savait que sa chance était revenue. Et cette même nuit, il lut le script d'un jeune auteur et il sut qu'il avait trouvé son sujet. Il décida de le commanditer lui-même. Il revint à New York, fit poser des téléphones supplémentaires dans ses appartements du Plaza, prit un somptueux bureau dans l'immeuble Getty et organisa une conférence de presse : Michael Wayne était de retour à Broadway !

Pendant les quelques mois qui suivirent, ce fut un déferlement d'énergie frénétique. Il y eut des pourparlers avec des décorateurs, des metteurs en scène et des acteurs, des interviews chez Sardi, des apparitions à la télévision, de rapides dîners au *Dany's Hide a Way*, pour expédier des comédiens, des passages dans l'émission radiophonique de Long John Nebel, à laquelle il assistait la moitié de la nuit...

Son retour provoquait la même excitation que celui d'une superstar. La presse l'aimait bien. Son enthousiasme et son charme « bourru » étaient communicatifs et se propageaient à tout son entourage. Quand les répétitions commencèrent, il se mit à envoyer des comptes rendus quotidiens à January. Il lui envoya le script, les articles des journaux, lui raconta les répétitions, et la tint informée du moindre détail de « leur » projet. La seule chose qu'il négligea de lui dire était que la jeune première s'était installée chez lui après la première semaine de répétitions.

La pièce fut présentée en octobre à Philadelphie et reçut un accueil mitigé. Des modifications y furent apportées et la jeune première perdit deux de ses meilleures scènes et n'adressa plus la parole à Mike. Puis ce fut Boston, où l'accueil fut excellent. Trois semaines plus tard, ce fut la présentation à New York au milieu d'une ovation délirante et de critiques meurtrières. L'avis général se résumait à « vieillot », « lourd », « mal ficelé ». L'auteur passa à la télévision où il déclara que Mike avait trahi l'esprit de son œuvre en escamotant toute sa dimension mystique. La jeune première passa à la télévision et déclara que l'auteur était un génie et que Mike avait dénaturé son œuvre (elle avait déjà quitté le Plaza pour se mettre en ménage avec l'auteur).

Mike refusa de retirer le spectacle de l'affiche. Les rôles furent abrégés et payés au cachet minimum. Il engloutit encore deux cent mille dollars en panneaux sur les autobus et le métro, en pleines pages de publicité dans le *New York Times*, en placards dans les journaux spécialisés et dans l'hebdomadaire *Variety*, en annonces radiophoniques et « spots » de télévision. Il reproduisit les critiques de Boston sur des pages entières de journaux de banlieue. Il remplit la salle de billets de faveur et fit les choses en grand comme il l'avait toujours fait pour ses précédents « tabacs ». Il prit l'avion pour la Suisse et raconta à January que c'était un triomphe, qu'on le jouerait indéfiniment et qu'il y aurait au moins trois compagnies au grand complet pour le montrer en tournées.

Deux mois plus tard, après une longue conférence avec son conseil financier, il fut obligé de fermer. L'audience était épuisée, mais il céda encore des titres en bourse et arriva en Suisse pour le vingtième anniversaire de sa fille l'air vainqueur, et traînant l'habituel excédent de bagages sous forme de cadeaux.

Et lorsque January entra dans le salon sans béquilles et sans la moindre trace de claudication, il se sentit comme le gagnant d'autrefois. Elle allait d'un pas lent et mesuré, mais elle marchait. Il serra les dents et avala avec peine sa salive. Elle était si belle avec ses grands yeux noirs et ses longs cheveux répandus sur les épaules.

Puis elle fut dans ses bras, tous deux parlant et riant à la fois. Plus tard, après le dîner à l'auberge, elle dit :

— Pourquoi m'as-tu raconté que le show avait si bien réussi ?

— Il était bien réussi pour moi ! Tout juste un peu trop bien pour le public.

— Mais c'est ton argent que tu as mis dedans...

— Et alors ?

— Eh bien, tu as eu trois bides au cinéma...

— Qui t'a dit ça ?

— *Variety* l'a dit.

— Où diable as-tu dégoté *Variety* ?

— Tu l'as laissé ici la dernière fois que tu es venu. Le docteur Peterson me l'a donné en pensant que tu pourrais vouloir le récupérer. Je l'ai lu de A jusqu'à Z. Mais pourquoi m'as-tu raconté que ça avait réussi ?

— Il avait réussi... à Boston. Ecoute, oublie cette histoire. Parlons plutôt des choses importantes. Le toubib dit que tu seras parée pour sortir dans six mois.

— Papa...

Elle se pencha vers lui et le regarda dans les yeux.

— Tu te rappelles quand j'ai eu treize ans, tu m'as dit que c'était une nuit pas comme les autres. Eh bien, cette nuit-ci, je suis sortie de l'adolescence. J'ai vingt ans. Je suis une grande fille, maintenant. Je sais que la clinique coûte plus de trois mille dollars par mois. Eric, le petit garçon qui m'a appris à jouer de la guitare, a dû s'en aller parce que c'était trop cher. Alors, j'ai pensé que...

— La seule chose à laquelle tu dois penser, c'est à te porter mieux.

— Et en ce qui concerne l'argent ?

— Du diable, j'ai gagné de l'argent avec les films ratés. J'avais un pourcentage sur le chiffre d'affaires, ma chérie. J'ai touché le maximum.

— C'est bien vrai ?

— C'est bien vrai.

Il avait repris l'avion résolu à « tout jeter par-dessus les moulins ». Son entretien avec le docteur Peterson avait été troublant. (« M. Wayne, il faut que vous pensiez à l'avenir de January avec beaucoup de précautions. Elle est extrêmement belle mais aussi extrêmement candide. Elle parle d'être actrice, ce qui est bien normal puisque vous êtes dans la partie. Mais il faut vous rendre compte à quel point elle a été à l'abri dans le monde de notre clinique. Elle doit se réintégrer dans votre monde, mais pas trop brusquement. »)

Mike pensait à ça dans l'avion. D'une manière ou d'une autre, il fallait qu'il se débrouille pour trouver un univers à mettre à ses pieds. Quand ils furent pris par le mauvais temps, il lui vint la folle pensée qu'un accident d'avion arrangerait tout, jusqu'à ce qu'il se rappelle qu'il venait juste de résilier son contrat d'assurance.

Un « tabac » à l'écran, c'était la seule solution. Peut-être que la série noire étant passée, le moment était opportun. Il retourna à Los Angeles et se terra une fois de plus à l'hôtel Berverly Hills, lisant des scénarios et des synopsis. Assez curieusement, il en trouva un presque tout de suite. C'était d'un auteur qui n'avait eu aucun grand succès depuis dix ans. Mais dans les années cinquante, il avait remporté succès sur succès. Il avait assez d'Oscars pour les faire monter en lampes. Et ce texte lui en vaudrait un de plus : tout y était, une grande intrigue amoureuse, de l'action, une course-poursuite effrénée. Il rencontra l'auteur et lui versa mille dollars pour garder une option pendant un mois.

Puis il alla voir les dirigeants des grandes sociétés de production.

A sa grande surprise, il ne put décrocher pour ce script ni argent ni le moindre signe d'intérêt. La réponse était la même partout. Le cinéma était en plein marasme. Un travail de scénariste ne voulait plus rien dire. Evidemment, s'il avait les droits d'un *best-seller*, on pourrait peut-être voir. Mais des scénarios, on marchait dessus dans les studios...

Tout le monde semblait saisi d'une douce panique. Des bouleversements survenaient un peu partout. De nouveaux directeurs étaient arrivés et d'autres étaient partis. Dans certaines affaires, Mike ne connaissait même pas les nouveaux responsables. Les principaux producteurs indépendants refusèrent aussi de le soutenir. Ils pensaient que Mike leur ferait courir trop de risques et que son auteur était passé de mode. A la fin du mois, il lui fallut renoncer à son option. Trois jours plus tard, deux types d'une vingtaine d'années, qui avaient en tout et pour tout monté un film somnifère l'année précédente, se précipitèrent pour reprendre l'option et obtinrent immédiatement le financement d'une célèbre maison de production.

Il retourna à New York en y cherchant désespérément une activité quelconque. Il investit cent mille dollars dans le show qu'un grand producteur avait commencé à répéter. Les ennuis débutèrent lorsque le principal financier se retira pendant la seconde semaine des répétitions. L'avant-première en province fut un cauchemar, suivie de six semaines d'hystérie, de bagarres, de changements d'interprètes, jusqu'à ce Mike décide d'arrêter le show sans même le représenter.

Après cela, il consacra deux mois et investit de l'argent pour un projet de feuilleton télévisé. Il travailla avec les scénaristes ; il fit réaliser l'épisode « pilote » à ses propres frais, dépensant plus de trois cent mille dollars. Les chaînes de télévision visionnèrent le résultat, mais ne s'y intéressèrent pas. Sa seule chance, de rentrer dans une partie de ses fonds, serait d'en tirer un programme « bouche-trous » à diffuser au milieu de l'été.

Quelques semaines plus tard, il assista à la projection privée du film qu'il n'avait pu monter lui-même. La salle était bondée de jeunes gens barbus, en T-shirts, aux cheveux descendants jusqu'au dessous des aisselles. Les filles ne portaient pas de soutien-gorge et leurs cheveux étaient frisottés comme des moutons ou longs et raides. Mike se sentit malade rien qu'à voir le film : ils avaient bousillé un grand sujet. Ça commençait par la fin, foisonnait de flashes-back et de flous prétendus artistiques. La grande scène d'amour s'était transformée en rêve psychédélique, filmée avec caméra à l'épaule, avec tout le bazar du *cinéma-vérité* [1]. Evidemment, il était difficile de faire autrement avec les veaux qui passaient pour des comédiens et des comédiennes en cette lamentable époque. On ne faisait plus de visages comme ceux de Garbo ou Crawford, ni de comédiens comme Gable ou Bogart. Aujourd'hui le monde appartenait aux Affreux. C'est comme ça que tout lui apparaissait, et il n'arrivait pas à comprendre pourquoi.

Une semaine plus tard, il assista à une projection à huis clos dans la Quatre-vingt-sixième rue. La même faune était là, renforcée d'étudiants et de jeunes cadres mariés et travaillant dans la publicité. L'assistance acclama le film.

Trois semaines plus tard, lorsqu'il sortit dans les circuits d'exploitation, il battit le record des recettes dans tout le pays. Cela porta un rude coup à Mike. Parce que cela voulait dire qu'il ne reconnaissait vraiment pas ce qui était bon de ce qui était mauvais. Pas pour le public actuel. Trois ans plus tôt, il lui aurait suffi d'annoncer qu'il était disponible. Les maisons de production avaient confiance en lui. Et, chose plus importante, il avait lui-même confiance en lui.

Il était temps de passer la main. Mike Wayne avait fait son temps. Comment la mystérieuse alchimie avait-elle changé aussi rapidement ? Il avait toujours le même corps, toujours le même esprit. Peut-être que l'explication était là : il n'avait pas suivi le mouvement, le triomphe du nu, les pièces et les films dénués de sujet, la nouvelle folie de l'uni-sexe.

---

1. En français dans le texte.

Bon. Il avait cinquante-deux ans. Il avait vécu quelques grandes heures. Il avait connu la sensation de pouvoir arpenter Broadway sans avoir à s'inquiéter d'être agressé. Il avait connu New York à une époque où il y avait des boîtes de nuit et des brochettes de jolies filles, pas seulement des films porno et des officines de massages spéciaux. Mais une chose l'attristait plus que tout cela : le fait que c'était dans ce monde-là que sa fille allait revenir.

Mike était assis dans le salon d'honneur et regardait le ciel gris. C'est à travers cette chape de plomb terne qu'elle volait vers lui. Il lui avait toujours promis un monde brillant et ensoleillé. Eh bien, nom de nom, il tenait sa promesse !

L'hôtesse souriante était de retour. Elle annonçait que le vol numéro sept était sur le point d'atterrir. Il avait pris des dispositions pour que January soit accueillie avec les honneurs de l'aéroport. Un fonctionnaire l'attendrait pour lui faciliter le passage à la douane. Que diable une gosse qui venait de passer trois ans dans des hôpitaux pourrait bien avoir à déclarer ? Il sortit de la salle et ne s'aperçut même pas que l'hôtesse s'était levée d'un bond pour dire au revoir. En temps normal il y aurait été sensible parce que c'était une jolie fille. Mais, pour la première fois de sa vie, Mike Wayne avait peur.

Il la repéra au moment où elle entrait dans l'aéroport. Par le diable, personne n'aurait pu la manquer. Grande, bronzée, de longs cheveux flottants, elle aurait retenu son attention même si elle n'avait pas été sa fille. Elle ne semblait pas remarquer les hommes qui se retournaient sur elle. Un petit bonhomme courait presque pour suivre ses longues enjambées, pendant qu'elle scrutait l'aéroport. Alors elle vit Mike et soudain il se trouva enveloppé, étouffé, couvert de baisers et elle riait et pleurait tout à la fois :

— Oh, Papa, tu es superbe ! Est-ce que tu te rends compte que je ne t'avais pas vu depuis le mois de juin ? Oh, mince ! Qu'est-ce que c'est bon d'être rentré chez soi, et d'être avec toi.

— Tu es en beauté, mon poussin.

— Et toi, donc ! Et... Oh... Voici Monsieur Higgens.

Elle se retourna pour présenter le petit bonhomme :

— Il a été si gentil avec moi. Je n'ai même pas eu à ouvrir mon sac ni...

Mike échangea une poignée de mains avec le douanier, qui portait le sac de voyage de January :

— Je vous remercie infiniment, M. Higgens.

Il reprit le sac.

— Si vous voulez bien me dire où se trouvent le reste des bagages de ma fille, je les ferai porter jusqu'à la voiture.

— C'est tout ce qu'il y a, M. Wayne. Et c'était un plaisir pour
moi. Et je suis enchanté de vous avoir rencontré, Mademoiselle
Wayne.

Il leur serra successivement la main et s'évanouit dans la foule.
Mike souleva le sac de voyage :

— C'est tout ce que tu as ?

— Eh oui ! Mon plus bel ensemble, je l'ai sur le dos... Il te
plaît ?

Elle s'écarta pour virevolter.

— Je l'ai trouvé à Zurich. Ils m'ont dit que tout le monde portait
des tailleurs-pantalons, maintenant. Et cet ensemble en daim me
coûte trois cents dollars.

— Il est splendide. Mais...

Il baissa les yeux sur le petit sac qu'il transportait :

— Pas d'autres vêtements ?

Elle rit :

— Oh ! c'est bourré de vêtements. Par exemple trois blue-jeans,
une paire de chemises pastel, quelques pull-overs, des espadrilles et...
et une somptueuse nuisette ultra-courte que j'ai dénichée à Zurich.
Je n'avais plus d'argent, sinon j'aurais acheté la robe de chambre
qui va avec. Mais à part cette légère omission, je suis parée pour
toutes les circonstances.

— Nous nous occuperons de t'habiller demain.

Elle glissa son bras sous le sien et ils allèrent vers la sortie.

— J'ai vu tellement de longueurs de jupe différentes dans l'avion,
Mike, que portent les gens *au juste* ?

— Mike ? s'étonna-t-il. Et alors, où est passé le vieux *Papa* ?

— Oh ! tu es trop superbe pour que je t'appelle Papa. Tu es
superbe, tu sais. J'aime les pattes que tu t'es laissé pousser et plus
encore le fait qu'elles grisonnent.

— Elles blanchissent ; et je suis un vénérable vieux monsieur.

— On en reparlera. Eh, regarde cette fille qui porte une robe
indienne. Penses-tu qu'elle est costumée pour un spectacle ou quelque
chose de ce genre-là, avec le bandeau et les nattes et tout le reste ?

— Viens, tu sais bien que les gens s'habillent de manière farfelue
par les temps qui courent, dit-il.

— Comment le saurais-je ? Tous mes amis portaient des peignoirs.

Il s'arrêta brusquement et la regarda :

— Dieu du Ciel, c'est vrai ! Pas de télévision, ni rien ?

— Ni rien.

Il l'entraîna à l'extérieur vers la voiture.

— Eh bien, tout le monde s'habille comme pour aller à un bal masqué, par les temps qui courent. C'est-à-dire, les gosses de ton âge.

Mais elle n'écoutait pas. Elle contemplait la voiture. Elle émit un sifflement sourd :

— Oh ! la la, je suis impressionnée.

— Tu es déjà montée en voiture de maître, voyons.

— J'ai passé ma vie là-dedans. Mais ça, ce n'est pas une voiture de maître, c'est une voiture de seigneur.

Elle lui dédia un sourire appréciateur :

— Une Rolls-Royce platinée, le *seul* moyen de locomotion qui convient à une jeune fille.

Elle monta à l'intérieur et opina :

— Super-beau ! Uniforme de chauffeur assorti aux banquettes, bar, téléphone, toutes les commodités indispensables *si* vous êtes Mike Wayne.

Et puis elle l'entoura de ses bras :

— Oh, Papa, je suis tellement contente pour toi !

Elle s'enfonça dans la banquette pendant que la voiture se mouvait silencieusement vers la sortie de l'aéroport. Elle s'exclama :

— C'est tellement formidable d'être de retour. Si seulement tu savais combien de fois j'ai rêvé de cet instant. Même quand je croyais que peut-être il n'arriverait jamais plus, je continuais à rêver ce rêve, celui de *marcher* vers toi, de nous deux ensemble à New York. Et tout arrive exactement comme je l'ai rêvé. Tout est exactement pareil.

— Tu te trompes, ma chérie, rien n'est plus pareil. A commencer par New York.

Elle montra la circulation pendant que la voiture se faufilait jusqu'à la voie rapide de l'autoroute :

— Ça, en tout cas, ça n'a pas changé. Et j'aime tout ça : les embouteillages, le bruit, la foule, même la pollution. C'est tout simplement merveilleux après toute cette neige hygiénique en Suisse. Je meurs d'impatience d'aller au théâtre avec toi. Je veux me promener dans *Schubert Alley*, voir les fourgonnettes bondir hors de l'immeuble du *Times*. J'ai envie d'encrasser mes jolis poumons trop proprets.

— Ça ne tardera pas. Mais tout d'abord, nous avons une foule de choses en retard à rattraper.

Elle se blottit contre lui :

— Et nous allons les faire. Je veux m'asseoir à notre table chez Sardi ; je meurs d'impatience de voir *Hair* ; je veux descendre la Cinquième avenue, lécher les vitrines. Mais pour ce soir, tout ce dont

58

j'ai envie, c'est de rester à la maison et vivre notre grande scène du caviar et du champagne. Je sais bien que ce n'est pas un anniversaire. Mais tu conviendras que c'est quand même une occasion qui le mérite. Et par-dessus tout, je veux savoir tous les détails sur ton formidable « tabac ».

— Mon formidable « tabac » ? Qui t'a parlé de ça ?

— Personne. Mais je sais comment tu procèdes. Quand j'ai reçu toutes ces cartes postales d'Espagne, l'été dernier, avec de mystérieuses allusions à un nouveau grand projet... Eh bien, j'ai compris que ça devait être un film et que tu avais peur de le faire rater si tu m'en parlais. Mais maintenant, quand je vois tout ça...

Elle fit, de la main, le tour de la luxueuse cabine :

— Allez, vas-y, raconte-moi.

Il la regarda. Et cette fois, il ne souriait pas :

— C'est toi qui va *me* dire quelque chose. Es-tu encore la fille la plus vive pour s'adapter au monde ? Parce que tu vas bientôt affronter d'importants changements et que...

— Nous sommes ensemble, dit-elle. Et tant que ça, ça ne changera pas, rien d'autre n'aura d'importance. Maintenant dis-moi : est-ce un film ou une pièce ? Et puis-je travailler avec toi ? A n'importe quel poste, figurante, script-girl, balayeuse...

— January, ne t'est-il jamais venu à l'esprit qu'il existe des choses plus importantes dans la vie que le théâtre et la perspective de traîner dans mon sillage ?

— Cite-m'en une !

— Eh bien, comme de trouver le garçon qui te convienne, de te marier, de faire de moi un heureux grand-père.

Elle rit.

— Pas avant longtemps ! Ecoute, pour commencer, tu es assis à côté d'une dame qui a consacré trois années entières uniquement à réapprendre à parler et marcher.

Elle se pencha pour lui caresser tendrement le visage :

— Oh, Mike...

Elle avait l'air si heureuse.

— Je veux faire toutes les choses que nous avons toujours rêvé de faire ensemble.

— Parfois, nous changeons nos rêves, dit-il. Ou, plutôt, je devrais dire que nous changeons de rêves.

— Parfait. Qu'est-ce que tu as en tête ?

— Bon, comme tu sais, j'étais en Espagne, dit-il lentement. Mais ce n'était pas pour un film.

— Un feuilleton de télé, dit-elle. C'est de ça qu'il s'agit ! Pas vrai ?

Il regarda à travers la vitre. Ses mots étaient pesés :

— J'ai pris quelques bons tournants dans ma vie et celui-ci est sans doute le meilleur que j'aie jamais pris. J'ai une grande surprise à te faire. Ce soir, tu vas...

Elle lui coupa la parole :

— Oh, Mike, s'il-te-plaît, pas de surprise ce soir. Juste toi et moi et le champagne. Si tu savais depuis combien de mois j'ai rêvé de me retrouver avec toi dans notre suite au Plaza, à regarder le parc à l'extérieur, à voir la vieille colline où je faisais toujours des vœux et à lever mon verre à...

— Est-ce que l'hôtel Pierre te conviendra ?

— Qu'est-ce qui est arrivé au Plaza ?

— Le maire Lindsay en a fait cadeau aux pigeons.

Elle sourit, mais il vit la déception dans ses yeux.

— Le paysage est presque le même, s'empressa-t-il de dire. Mais j'ai peur qu'il te faille renoncer à la colline de ton enfance. Les ivrognes et les détritus se la sont appropriée. Ils la partagent avec quelques gros chiens qui y font leurs besoins. Tout le monde a de gros chiens, maintenant. Pas par amour des bêtes, par amour de sa tranquillité.

Il savait qu'il parlait trop. Il s'arrêta et regarda l'horizon de gratte-ciel qui s'approchait, l'incomparable beauté des immeubles couronnés de fumées. Des lumières commençaient à scintiller par les petits orifices carrés des fenêtres. Le soir descendait sur New York.

Puis la première ligne de gratte-ciel fut franchie et ils débouchèrent au cœur de la circulation new-yorkaise. Comme ils se frayaient un chemin à travers la Soixantième rue, Mike interpella le chauffeur :

— Arrêtez-vous devant ce bureau de tabac qui fait le coin en face de Bloomingdale.

Ils freinèrent, et avant que le chauffeur n'ait eu le temps de sortir pour lui ouvrir la porte, Mike avait sauté de la voiture :

— Je n'ai plus de cigarettes, expliqua-t-il.

Il s'adressa au chauffeur :

— Vous ne pouvez pas rester ici en double file. Faites le tour du pâté de maisons avec Mademoiselle. Je serai ressorti d'ici votre retour.

Il était debout au coin de la rue quand la voiture vira devant l'immeuble. Il alluma une cigarette une fois installé à l'intérieur. Soudain il tendit le paquet comme pour réparer un oubli :

— Tu fumes ?

— Non, merci. Mais as-tu vraiment...

— Est-ce que j'ai quoi ?

60

— Donné ton coup de fil ?
— Quel coup de fil ?
Elle rit :
— Oh, Mike... Il y a une pleine cartouche de cigarettes dans le compartiment du bar de la voiture.
Sa mâchoire se serra :
— D'accord, quel coup de fil ai-je donc donné ?
Elle glissa son bras sous le sien.
— Tu as commandé le caviar et le champagne. Rien qu'à voir ta figure, je peux deviner que tu avais oublié.
Il soupire :
— Peut-être que j'ai oublié bien des choses.
Elle lui posa les doigts en travers des lèvres.
— Dis-moi seulement une chose. Est-ce que j'avais deviné juste, pour ce coup de fil ?
— Ben oui, tu avais deviné juste.
La voix de January se fit anormalement douce :
— Mike, tu n'avais rien oublié du tout...

Quand elle ouvrit les yeux, elle crut qu'elle était toujours à la clinique. Pourtant les ténèbres de la pièce ne lui étaient pas familières ; les silhouettes sombres des meubles étaient différentes. Alors elle reprit conscience et réalisa qu'elle était dans sa nouvelle chambre au Pierre. Elle alluma la lampe de chevet. Minuit. Cela voulait dire qu'elle n'avait dormi que deux heures. Elle s'étira et contempla la chambre. Elle était vraiment somptueuse. Elle ne ressemblait pas du tout à une chambre d'hôtel. L'ensemble de la suite était immense et luxueux. Plus vaste encore que toutes celles que Mike avait eues. Il lui avait expliqué que l'hôtel avait cédé ses appartements en co-propriété et que certains sous-louaient leurs suites. Eh bien, ceux qui possédaient celle-là avaient vraiment bon goût. Le salon avait paru si beau quand elle était entrée : des chandelles, caviar et champagne dans la glace, la pénombre veloutée du parc, bien des étages en-dessous...

Ils s'étaient mutuellement préparé leurs toasts, avaient mangé le caviar... Et après une simple coupe de champagne, elle s'était sentie toute engourdie et il s'en était aperçu immédiatement :
— Ecoute, mon poussin. Ici il n'est que neuf heures, mais à l'heure suisse, il est deux ou trois heures du matin. Tu vas filer tout droit au lit. Moi, je vais faire un petit tour, prendre les journaux, regarder un peu la télévision et me coucher de bonne heure, aussi.

— Mais nous n'avons pas encore parlé de toi... de ce que tu fais, ni rien de tout ça !

— Demain. (Sa voix était impérative.) Rendez-vous au salon à neuf heures. Nous prendrons notre petit-déjeuner ensemble, et nous parlerons de *plein* de choses.

— Mais, Mike...

— Demain !

De nouveau, cette intonation bizarre dans la voix. Presque tranchante. Une étrange et nouvelle dureté. Comme avec ce reporter, dans le hall, qui les avait pris en photo. Il avait pourtant l'air d'un gentil jeune homme. Il les avait suivis jusqu'à l'ascenseur et demandé :

— Dites-moi, Monsieur Wayne, quel effet cela fait-il à votre fille d'être devenue...

Mais sa phrase était restée en suspens. Mike Wayne avait poussé January dans l'ascenseur et lancé :

— Tire-toi ! Ce n'est pas le moment pour une interview improvisée.

Maintenant qu'elle repensait à l'incident, tout cela ressemblait bien peu à son père. La publicité avait toujours été partie intégrante de sa vie : January et lui avaient eu les honneurs de la couverture d'une revue, quand elle avait neuf ans. Aussi se sentit-elle très confuse pour ce jeune homme dans le hall.

Quand elle s'en ouvrit à son père, il haussa les épaules :

— C'est depuis Rome, je pense. Je ne peux plus sentir ces types qui prennent des photos pour des revues professionnelles mais que l'on retrouve ensuite n'importe où, dans n'importe quel sale magazine. Je suis tout à fait d'accord pour organiser une interview ou poser pour un photographe qui illustre un *véritable* reportage. Mais je n'aime pas ces types qui vous sautent dessus de derrière les encoignures de portes.

— Mais il attendait dans le hall. Il avait l'air bien gentil.

— N'y pense plus.

Il avait déjà eu cette intonation résolue exprimant une froide détermination. Ensuite, il avait débouché le champagne. Lorsqu'elle avait levé son verre en disant : « A nous ! » il avait secoué la tête :

— Non. *A toi* ! C'est ton tour, maintenant, et je ne suis là que pour te voir le vivre...

Elle était couchée dans le noir. Elle avait encore une longue nuit devant elle. Il fallait qu'elle essaie de se rendormir. Mais elle était bien réveillée et elle avait soif. Elle avait toujours soif après avoir mangé le caviar. Elle se leva pour gagner la salle de bain. L'eau du robinet était tiède. Elle décida de renoncer à boire et de retourner au lit. Elle brancha le récepteur de chevet sur un programme musical. Elle allait sombrer dans le sommeil quand arriva le « flash » de publicité et qu'un présentateur enthousiaste se mit à vanter une nouvelle boisson gazeuse. A entendre la façon dont il faisait l'article pour son maudit soda, il lui fut brusquement indispensable de prendre un verre d'eau fraîche !

Elle sortit du lit. La suite comportait une grande cuisine. Elle y trouverait de la glace... Elle se précipita vers la porte, mais s'arrêta : elle n'avait pas de robe de chambre ! Et elle n'avait sur le dos que la courte nuisette transparente. Avec précaution, elle ouvrit la porte de la chambre et appela :

— Papa ?

Le salon était vide. Elle traversa sur la pointe des pieds. Elle scruta l'obscurité de la salle à manger, le bureau, le long corridor vers la cuisine. Mike lui avait dit qu'il y avait un office. Mais l'appartement était vide. Elle gagna la chambre de son père et frappa. Puis elle ouvrit. Vide. L'espace d'une seconde, elle se rappela Rome... et Melba ! Mais il n'aurait pas fait ça, pas pour sa première nuit à la maison. Il était sans doute allé faire un tour et il avait rencontré des amis.

Elle entra dans la cuisine. Le réfrigérateur était bourré de coca-colas, de *seven-ups,* de ginger-ales ainsi que de toutes les variétés existantes de limonades. Elle se versa un verre de coca-cola et revint au salon. Elle contemplait le parc. Les petites lumières scintillantes le faisaient ressembler à un arbre de Noël. Il était impossible de croire qu'il y ait quoi que ce soit de dangereux dans cette pénombre douce.

Elle entendit un déclic. Son père introduisait la clé dans la serrure. Son premier mouvement fut de courir à sa rencontre. Puis elle regarda sa chemise de nuit. Il était ridicule de sa part d'avoir acheté quelque chose d'aussi court et d'aussi léger. Mais après trois ans de pyjamas de flanelle à la clinique, cette chemise diaphane lui avait semblé un symbole. Celui de la guérison et du retour à la vie normale. Enfin, elle lui demanderait de garder les yeux fermés et de lui prêter une de ses robes de chambre.

La porte s'ouvrit et elle entendit la voix féminine. Oh, Seigneur ! Il n'était pas seul. Elle regarda désespérément le salon. Si elle voulait regagner sa chambre, il lui faudrait traverser le vestibule, et se retrouver nez à nez avec eux. La porte la plus proche donnait sur la chambre de Mike. Elle s'y glissa à l'instant même où ils entraient dans le salon. La chambre était dans le noir. Oh ! Ciel... où était donc la lumière ? Elle tâtonnait le long du mur pour trouver le commutateur :

— Mike, je trouve parfaitement ridicule pour moi d'avoir à entrer ici subrepticement.

La voix de la femme était vive :

— Après tout, ce n'est plus une enfant.

— Dee, (sa voix à lui était ferme, mais enjôleuse) il faut que tu comprennes. Pendant trois ans, elle n'a pensé qu'à la façon dont elle voulait passer la première soirée de son retour...

Sa compagne lâcha un soupir :

— Et qu'est-ce que tu crois que j'ai éprouvé quand tu m'as appelée pour me demander de déguerpir de l'appartement, après tout le mal que je m'étais donné pour me procurer le meilleur caviar et la bonne marque de champagne. Ce devait être ma « soirée de rencontre avec January ». Au lieu de ça, je suis congédiée comme une quelconque chanteuse de music-hall. Dieu merci, j'ai réussi à mettre la main sur David. Nous sommes restés dans ce bar du Sherry pendant des heures. Je suis sûre que je l'ai arraché aux bras de quelque jolie fille...

— Viens, dit Mike doucement.

Il y eut un silence et January comprit qu'il embrassait cette femme. Elle ne savait que faire. Ce n'était pas bien de rester ainsi dans l'ombre à écouter. Si seulement elle avait une robe de chambre !

Son père parlait doucement :

— January et moi, nous prendrons le petit-déjeuner ensemble demain matin. Je veux avoir une longue conversation avec elle avant que vous vous rencontriez. Mais crois-moi, j'ai eu raison... de procéder comme je l'ai fait ce soir.

— Mais Mike.

— Pas de mais. Viens, nous n'avons déjà perdu que trop de temps.

La femme rit.

— Oh ! Mike, tu as massacré ma coiffure. Oh ! s'il te plaît, sois un amour et va me chercher mon sac... Je l'ai laissé sur la table, près de l'entrée.

January était immobile. Ils allaient venir dans la chambre à coucher. La porte s'ouvrit et la lumière jaillit soudain. La femme venait de tourner le commutateur. Pendant un instant, elles se dévisagèrent. Pour une raison ou pour une autre, elle parut à January étrangement familière. Elle était grande et mince, les cheveux laqués, une peau incroyablement belle. C'est elle qui reprit la première ses esprits et appela :

— Mike, viens donc par ici. On dirait que nous avons de la visite

January ne bougea pas. Elle n'aimait pas l'étrange sourire de circonstance sur le visage de la femme, comme si elle tenait la situation bien en main et connaissait parfaitement le prochain geste qu'elle allait faire.

La première réaction de Mike fut la surprise. Puis ses yeux prirent une expression que January ne leur avait jamais vue auparavant. De contrariété. Quand il parla, sa voix était froide :

— January, que diable es-tu en train de fabriquer par ici ?

— Je... j'étais en train de boire un coca-cola, dit-elle en désignant de la main le salon où elle avait laissé son verre.

— Mais qu'est-ce que vous faites ici, dans le noir et sans votre verre ? demanda la femme.

January regarda son père, attendant de lui qu'il mette un terme à cette horrible scène. Mais il se tenait près de la femme, attendant la réponse.

Elle avait la gorge sèche :

— J'ai entendu la porte, et des voix...

Les mots sortaient à grand peine :

— Je n'avais pas de robe de chambre, alors je me suis faufilée ici.

C'est alors qu'ils remarquèrent tous les deux la chemise de nuit transparente. Son père marcha promptement à la salle de bain et revint avec l'une de ses propres vestes d'intérieur. Il la lui jeta en détournant les yeux. Elle l'enfila avec difficulté et se dirigea vers la porte. La voix douce de la femme la rappela :

— Un instant, January... Mike, vous ne pouvez pas laisser repartir votre fille sans nous avoir présentées.

January leur tournait le dos, immobile, attendant sa libération :

— January (la voix de son père parut soudain soucieuse), je te présente Dee.

January se força à faire un léger signe de tête en direction de la femme.

— Oh ! écoute Mike (la femme passa son bras sous le sien) ceci n'est vraiment pas une présentation exacte.

Mike regarda sa fille et dit tranquillement :

— January, Dee est ma femme. Nous nous sommes mariés la semaine dernière.

Elle s'entendit les féliciter. Ses jambes pesaient des tonnes, mais elle parvint mystérieusement à quitter quand même la pièce, à traverser le salon, et à se réfugier dans sa propre chambre. C'est à ce moment-là seulement que ses genoux se mirent à trembler. Elle se précipita dans la salle de bain. Atrocement malade.

II

Elle passa le reste de la nuit assise près de la fenêtre. Rien d'étonnant à ce que cette femme ait semblé familière. Dee, ce n'était pas seulement Dee. C'était Deirdre Milford Granger, à qui l'on prêtait la sixième fortune du monde ! Personne ne savait exactement si c'était la sixième ou la septième. C'était de toute évidence une étiquette forgée par quelque journaliste, et qui était restée. Les filles chez miss Haddon faisaient toutes sortes de plaisanteries au sujet de ce titre de gloire chaque fois que sa photo paraissait dans un journal ou une revue. En ce temps-là, les mariages de Deirdre défrayaient la chronique : il y avait eu d'abord un chanteur d'opéra ; puis un écrivain, suivi d'un styliste célèbre. Ce dernier mariage avait eu les honneurs de *Vogue* à l'époque. Le mari s'était tué quatre ans plus tard au cours d'un accident de voiture à Monte-Carlo. Des reportages photographiques sur Deirdre l'avaient montrée dans ses lourds voiles de deuil à l'enterrement, sanglotant que le défunt était le seul homme qu'elle ait jamais aimé, et jurant qu'elle ne se remarierait jamais plus. Malencontreusement, elle avait changé d'avis.

Ou alors, c'était Mike qui lui avait fait changer d'avis ! C'était elle, son nouveau grand projet. Toutes ces cartes postales d'Espagne... Dee avait une villa à Marbella — January avait vu ça dans *Vogue*. Dee avait aussi une propriété à Palm Beach où elle entretenait quarante domestiques — January avait vu ça dans *Ladie's Home Journal*. Et il y avait un yacht en rade de Cannes — on en avait parlé dans la presse quand Karla avait été l'invitée de Dee en croisière.

Karla avait quitté le cinéma en 1960. Elle vivait plus retirée du monde que Greta Garbo ou Howard Hughes. En sorte que son apparition sur le yacht de quiconque donnait matière à écho dans le magazine du *Times*. Toutes les filles, chez miss Haddon, étaient des « fans » de la vedette polonaise. En 1963, January atteignit le sum-

67

mum de sa gloire au pensionnat quand son père offrit un million de dollars à la grande Karla pour qu'elle accepte de sortir de sa retraite. Celle-ci n'avait jamais accepté ni refusé, mais cela avait valu à Mike une magnifique publicité. Plus tard, son père lui avoua que l'un des grands rêves de sa vie avait été de rencontrer la grande Karla.

A n'en pas douter, il allait la rencontrer, maintenant. Si ce n'était déjà fait.

Ainsi, le nouveau grand projet, c'était Deirdre Granger ! Dans le genre poupée de porcelaine, Dee était belle. Mais elle paraissait fragile et exsangue. Mike avait-il vraiment pu tomber amoureux d'elle ? Elle semblait si froide, si peu capable d'offrir de la tendresse. Mais, c'était peut-être là le côté fascinant. Mike avait toujours aimé relever les défis.

Elle demeura près de la fenêtre jusqu'à ce que filtrent les premiers rayons de l'aube. Elle regarda le ciel noir virer au gris. Elle savait que les rayons du soleil commençaient à escalader les grands immeubles résidentiels en haut de la Cinquième avenue. Tout n'était que silence — cet étrange interlude entre la nuit et le jour.

Elle enfila une paire de jeans, un sweater, des espadrilles et se glissa hors de l'appartement. Le liftier la salua d'un mélange de hochement de tête et de bâillement. Le réceptionniste lui dédia un œil manifestement indifférent. Un homme en blouse lavait le dallage de l'entrée. Il s'arrêta pour la laisser passer.

Les contours de New York étaient toujours indécis. Vides, désolés : une ville abandonnée. Dans la grise lumière matinale, les rues semblaient curieusement propres. Elle se dirigea vers le Plaza et resta un long moment la tête levée vers la suite en angle qu'elle contemplait. Puis elle traversa la rue et entra dans le parc. Une femme déguenillée, qui portait un pardessus d'homme fouillait une poubelle. Ses jambes, enflées jusqu'au double de leur taille normale, étaient enveloppées de chiffons sales. Des ivrognes dormaient sur les bancs, des bouteilles d'alcool vides jonchant le sol à leurs pieds. D'autres dormaient dans l'herbe, en chien de fusil.

Elle marchait rapidement, vers le zoo, en direction du Carrousel. Le soleil se frayait un passage à travers le brouillard et luttait pour nettoyer le ciel. Deux jeunes gens en survêtements passèrent au petit trot. Les pigeons se mirent à picorer l'herbe en quête de leur petit-déjeuner. Un écureuil vint à elle, les pattes tendues en forme de coupe, ses petits yeux brillants quémandant une noisette. Elle haussa les épaules en montrant ses mains vides et il décampa. Trois filles noires à bicyclette agitèrent le bras, brandissant leurs doigts en forme de V, en signe de paix. Elle continua à marcher. Les ivrognes endormis commencèrent à s'ébrouer. Une femme entra dans le parc, un vieux teckel dans les bras. Elle le posa doucement par terre et lui dit :

— Allons, mon chéri... fais ton petit caca...

Ni la femme, ni le chien ne regardaient January. Le chien s'exécuta, la femme lui fit des compliments, le reprit dans les bras, et quitta le parc.

Les ivrognes faisaient maintenant des efforts pour se remettre sur pied. Ceux qui titubaient se faisaient soutenir par les autres. Soudain le parc s'anima d'un peuple de chiens : un promeneur professionnel en avait six, formant une gamme complète ; un homme suivait un basrouge, une femme en bigoudis tenait un cocker grassouillet en laisse.

Ce parc, qui semblait tapissé de velours la nuit dernière, avait maintenant l'air sec et crasseux. Le soleil jetait des lueurs étincelantes sur les boîtes de bière, les tessons de bouteilles, le papier à sandwichs. Du vent secouait les arbres et les feuilles mortes en tombant créaient une ambiance doucement crépusculaire qui contrastait avec les beuglements tonitruants des énormes autobus. Il y eut des bruits de klaxons, acharnés, déchirants : le monstre de pierre s'était réveillé.

Maintenant les bébés arrivaient au parc. Des bébés en poussettes conduits par de jeunes mères qui semblaient pâles et soucieuses. Parfois un vieux chien se traînait derrière, attaché à la poussette, évoquant avec jalousie les jours heureux où c'était lui le principal centre d'intérêt de la famille. Il y avait d'autres voitures d'enfants où un nourrisson sommeillait alors que son aîné de deux ans oscillait dangereusement sur son perchoir pendant que la mère se frayait un chemin vers le terrain de jeux.

Et puis, ce fut l'escadron de la Cinquième avenue qui afflua : un défilé d'élégants landaux anglais où des couvertures en pure soie brodées de monogrammes calfeutraient de minuscules nouveaux-nés. Des nurses en uniforme empesé roulaient ces fringants attelages vers les bancs les plus proches où elles se retrouvaient et bavardaient pendant que somnolaient leurs petits protégés.

January regardait ceux-là avec envie. Ces petits fétus d'homme dont chacun se sentait comme chez lui dans ce parc. Ils appartenaient à cette ville. Chacun y avait une identité, un nom, un foyer.

Elle marchait à l'aventure quand elle se rendit compte qu'elle se dirigeait vers la colline des vœux. C'était un si petit monticule. Et pourtant, quand elle était petite, cela lui semblait une montagne. A cinq ans, elle s'était hissée jusqu'au sommet triomphalement, et son père l'avait soulevée dans ses bras en signe de victoire, en lui disant :

— Maintenant, cette colline est à toi. Ferme les yeux et fais un vœu... et il se réalisera.

Elle avait silencieusement demandé une poupée. Alors il l'avait amenée prendre un chocolat chez Rumpelmayer et, en partant, il lui avait acheté la plus grande poupée du magasin. Depuis ce temps-là, la colline était restée à ses yeux chargée de pouvoirs.

Mais maintenant, la colline lui paraissait si désolée et vilaine. Elle poussait les feuilles mortes du pied en la gravissant. Elle s'assit recroquevillée, les bras autour de ses genoux, et elle ferma les yeux. Assez bizarrement, c'était comme si le bruit de la vie autour d'elle s'était intensifié : le vacarme de la circulation, l'aboiement des chiens, dans le lointain... Puis elle entendit des feuilles crisser et elle sut que quelqu'un s'approchait. Toutes les histoires de violence dont elle avait entendu parler lui revinrent en mémoire. C'était peut-être quelqu'un avec un couteau. Elle ne bougeait pas. Peut-être que si elle gardait simplement les yeux fermés, tout serait terminé. Vite et sans douleur.

— January...

Son père se dressait à côté d'elle. Il lui tendit la main pour l'aider à se relever.

— C'est la troisième fois que je repasse devant la colline des vœux depuis une demi-heure, dit-il. Je savais bien que tu y viendrais.

Il lui prit le bras et la conduisit vers la sortie. Ils traversèrent la rue et s'arrêtèrent devant l'*Essex House*.

— Ils font un café potable, ici. Viens, prenons le petit-déjeuner.

Sans parler, ils restèrent assis dans la salle à manger impersonnelle, des œufs intacts devant eux. Soudain il lança :

— Bon, ça va ! mets-toi en colère ! Mais, par pitié, dis quelque chose.

Elle allait répondre, mais le maître-d'hôtel surgit et demanda si les œufs n'étaient pas bons.

— Non. Nous n'avons simplement pas faim, dit Mike. Remportez-les et laissez seulement le café.

Il attendit que le garçon soit parti, puis se tourna vers elle.

— Pourquoi aller dans le parc ? Seigneur, pourquoi ? Tu aurais pu te faire assassiner !

— Je ne pouvais pas dormir.

— Personne ne pouvait ! Pas même Dee. Elle a dû prendre un comprimé de somnifère de plus. Mais personne ne va se promener dans New York à l'aube. J'ai passé la nuit assis, à attendre le matin. J'ai bien grillé deux paquets de cigarettes en attendant...

— Tu ne devrais pas, dit-elle d'une voix sans timbre. Les cigarettes sont mauvaises pour ta santé.

— Ecoute, laisse tomber ma santé pour le moment. Bon sang, quand j'ai trouvé ta chambre vide, je suis devenu fou. Dee s'est réveillée juste quand j'allais appeler la police. Elle m'a calmé et expliqué que tu étais sans doute sortie pour penser à tout cela. C'est alors que l'idée de la colline des vœux m'est venue.

Elle ne répondit pas, il tendit la main et saisit la sienne :

— January, parlons de tout cela.

Comme elle ne répondait toujours pas, il la regarda et lui dit doucement :

— Je t'en prie, ne me force pas à te supplier.

— Je n'étais pas en train de fureter ou d'écouter volontairement aux portes, hier soir.

— Je sais. J'ai simplement été pris de court. C'est à moi que j'en ai voulu, pas à toi. Je...

Il hésita et prit une autre cigarette.

— A propos de Dee, j'ai voulu t'écrire.

— Oh ! Mike, pourquoi ne l'as-tu pas fait ?

— Parce que, jusqu'au dernier moment, je ne savais pas si j'allais vraiment épouser Dee. Et quand les journaux se sont tous mis à parler de nos relations, j'ai eu peur que ça te blesse. J'ai remercié le Ciel que le docteur Peterson et son règlement rejette le reste du monde à l'extérieur. Parce que c'était quelque chose dont il fallait que je te parle moi-même. J'avais l'intention de te le dire dans la voiture, en revenant de l'aéroport. Mais quand tu m'as dit que tu avais attendu si longtemps ce moment, que tu tenais à rester en tête à tête avec moi, eh bien, sacré nom, j'ai pensé que tu avais mérité de passer ta première soirée comme tu l'avais prévue. Alors j'ai donné ce coup de fil et expliqué à Dee qu'il fallait qu'elle s'en aille. J'avais pensé que je pourrais te parler aujourd'hui au petit-déjeuner.

— Et quand es-tu tombé amoureux d'elle ?

— Qui parle d'être amoureux ?

Il la regardait franchement :

— Ecoute, je te rappelle que la seule fille que j'aie aimée de ma vie — et que j'aimerai jamais — c'est toi !

— Alors, pourquoi ? Mais *pourquoi* ?

— Parce que j'étais lessivé. Complètement !

— Qu'est-ce que tu racontes.

— Liquidé. Fichu. Après trois ans de bides ininterrompus, plus moyen de trouver un sou, même pour un spectacle *off Broadway*. Sur la côte californienne, on me traitait comme si j'étais un pestiféré. Et à ce moment-là, la clinique m'annonce la grande nouvelle : ils te laissent sortir en septembre. Seigneur, c'était le moment... pour lequel nous avions tous les deux... et j'étais complètement dans les choux. Tu sais où j'étais quand j'ai reçu la nouvelle ? En ménage avec Tina St. Claire, en Californie.

— Tu l'as prise dans un de tes films, une fois.

— Eh oui, quand elle avait dix-sept ans. Aucun talent, mais jolie fille. Du talent, elle n'en a toujours pas, mais elle joue dans un feuilleton télévisé classé dans les dix premiers et qui n'est pas près de s'arrêter. Elle a décroché une immense baraque, des domestiques, et des pique-assiettes. Voilà ce que j'étais, moi — le pique-assiettes de luxe numéro un. Et, pourquoi pas ? Elle avait une chouette maison, un bar bien fourni et je n'avais rien d'autre à faire qu'à plaire à Tina.

Il fit une pause.

— Voilà une drôle de façon pour un père de parler à sa fille, pas vrai ? Mais nous n'avons pas le temps de répéter en costumes. Je suis parti pour te donner tout juste le scénario, tel quel.

Il écrasa sa cigarette.

— Bon, j'étais donc là, au bord de la piscine de Tina à me dorer au soleil comme un maître-nageur. Un larbin chinois pour me servir à boire, un sauna pour me relaxer. J'avais tout ce qu'un homme peut désirer, sauf le pognon. Ça se passe en juillet. Et je reçois la nouvelle que tu pourras sortir en septembre. Et, comme je disais, je n'ai rien d'autre à faire qu'à bronzer en me demandant ce que je pourrais faire. Et paf ! Une nuit, c'est Tina qui me donne l'idée. C'était à une première. Les vieux trucs à grands flaflas ne se font plus maintenant, mais de temps en temps ils font un effort, et je me retrouve comme un paumé à fouler le tapis rouge avec elle — au titre de chevalier-servant de Madame — et pendant qu'elle se carre dans son fauteuil à côté de moi, la voilà qui se met à me dire qu'elle ne savait pas ce qu'elle deviendrait si jamais je la quittais. Elle continue à m'assommer en serinant comme il est difficile de se trouver un bonhomme, comment elle avait été sevrée d'amour pendant un mois lorsque je suis arrivé. Et la voilà qui me dit : « On forme un si joli couple ensemble, et j'ai assez d'argent pour nous deux. Qu'est-ce que tu dirais si on se mariait ? Comme ça, au moins, je serais sûre d'avoir quelqu'un pour m'accompagner à la remise des grands prix de télévision de l'année prochaine... »

Son regard se perdait derrière sa fille.

— A ce moment-là, je me suis rendu compte que j'étais au bout du rouleau. Elle approchait seulement de la trentaine et elle voulait me garder. J'ai eu l'impression de jouer le contrepoint du film *Boulevard du Crépuscule*. Le lendemain, je me suis installé à ma place habituelle, au bord de la piscine et j'ai recherché la solution. Je décidais que si je devais me faire entretenir, ce ne serait certainement pas en échange du couvert et de la piscine d'une Tina St. Claire. S'il n'y avait pas d'autre recours, du moins je sortirais en beauté. Et je me pris à réfléchir : Barbara Hutton était mariée ; Doris Duke, je ne savais rien d'elle ; la baronne de Fallon était une mégère... Et alors j'ai pensé à Deirdre Milford Granger. Nous nous étions rencontrés une fois, au temps de mon apogée, et elle n'était pas mal dans le genre fadasse.

Il s'arrêta :

— Charmante histoire, n'est-ce pas ? Enfin, au moins, je ne te raconte pas de bobards. Je ne te fais pas le coup du « j'ai-rencontré-une-créature-dont-je-suis-tombé-éperdument-amoureux-et-j'ai-tout-lâché-pour-la-rendre-heureuse ». Ça non. J'ai fait d'elle ma prochaine affaire. J'ai appris qu'elle se trouvait à Marbella. J'ai vendu tout ce que je possédais : ma voiture, mes montres Patek Philippe, le reste de mes actions IBM. Ça a fait en tout un lot de quarante-trois mille dollars. C'était un gros coup de dés,, et j'allais jouer le tout pour le tout. J'ai débarqué à Marbella pour faire ma cour à la dame...

A ce souvenir il fronça les sourcils :

— Je n'ai pas su qu'après notre première rencontre, elle avait fait prendre des renseignements sur mon compte. Elle s'installait confortablement et me regardait d'un air indifférent distribuer aux maîtres d'hôtel des pourboires de vingt dollars, je ramassais dans les boîtes de nuit des additions de huit cents dollars laissées par sa bande d'amis. Après trois semaines de ce petit jeu, je n'avais pas réussi à me rendre assez proche d'elle pour lui faire la bise au moment du bonsoir, encore moins pour l'inviter à un dîner sentimental aux chandelles. Non, c'était le genre voyage organisé. Pendant la journée, je confectionnais des cocktails pour n'importe qui et la regardais jouer pour me faire tourner en bourrique. C'est à ce moment-là, commençant à transpirer l'échec, que j'arrivai un jour à sa villa à l'heure de l'apéritif, m'attendant à y trouver la foule habituelle ; mais elle était seule. Elle me tendit un verre et me dit : « Mike, je crois que vous feriez mieux de me demander en mariage tout de suite puisque vous n'avez plus que deux mille six cents dollars à votre compte. »

L'expression de January le fit sourire.

— Eh oui ! elle connaissait la position de mon compte au centime près. Elle ajouta : « Mais, tout d'abord, il faut que vous sachiez que je ne commanditerai jamais aucun de vos projets — que ce soient des films *ou* des pièces. Alors, vous voulez toujours m'épouser ? »

Il alluma une autre cigarette.

— Oh ! tu ne sais pas le plus beau, dit-il avec un triste effort pour sourire. Quand la dame eut fait connaître son profond mépris pour le monde du spectacle et tout ce qu'il impliquait, je lui ai naturellement sorti tout ce que je tenais en réserve, du genre : « Ecoutez, Dee, peut-être bien que c'était ce que j'avais en tête au début, mais maintenant je suis vraiment mordu et j'aimerais avoir trois spectacles en train de triompher à Broadway, parce qu'alors je pourrais vous demander votre main. »

Il s'arrêta.

— Est-ce que ça te donne la nausée ? Parce que c'est l'effet que ça me fait, rien que d'en parler.

— Continue, dit January. Est-ce qu'elle t'a cru ?

— Eh bien, au moins elle ne s'est pas conformée au scénario habituel avec gloussements et minauderies. Le moins qu'on puisse dire c'est que ce n'est pas une femme ordinaire. Elle a souri en me disant : « Allons, Monsieur Mike Wayne, si vous les aviez ces trois succès, vous n'auriez probablement jamais seulement pris un rendez-vous avec moi. »

Il s'arrêta, pensif :

— Je ne sais pas de quoi il retourne. Elle a quelque vieux compte avec le monde du spectacle. Peut-être qu'il y a longtemps, un acteur l'a laissée tomber, ou peut-être que c'est simplement du snobisme, en tout cas j'ai dû promettre d'abandonner définitivement le spectacle si elle m'épousait. Et voilà où j'en étais, à me faire dicter ses conditions. Avant d'accepter, je lui ai parlé de toi. Mais bien entendu, elle savait déjà tout à ce propos aussi. Je lui ai expliqué que ton avenir était ce qui comptait le plus. Et quand elle en a convenu, c'était fait !

— Où ont eu lieu les noces ? demanda-t-elle.

— Nous nous sommes mariés à la fin août, très simplement et en secret, à Londres. Mais la nouvelle a filtré et les réceptions en notre honneur ont démarré. Et soudain *Boulevard du Crépuscule* s'est transformé en film de Fellini ! Contessas, têtes à moitié couronnées, grands mannequins internationaux mêlées à quelques authentiques princesses ; c'est un monde où les femmes sont sveltes, superbes et dépourvues de titre, où les hommes n'ont pas de fesses et où tout le monde parle l'anglais comme sa langue maternelle. Elle fréquente ce genre de gens à New York aussi. Personne ne joue au golf, c'est le tennis qui est de rigueur ; quant au gin rummy, c'est un jeu de pécores : le jeu de la vérité, ça, c'est leur jeu.

Il soupira :

— Et voilà la fin de l'histoire. Tu as des questions à me poser ?

— Rien qu'une. Est-ce que chaque vendredi, il nous faudra faire la queue tous les deux, pour toucher notre argent de poche ?

Leurs yeux se rencontrèrent et il dit :

— Où as-tu appris à faire aussi mal ?

Elle ravala ses larmes et ne baissa pas les yeux :

— Enfin, c'est la vérité, n'est-ce pas ? Dee t'entretient — comme tu dis — en beauté.

— En grande beauté, mon trésor, admit-il d'une voix dure. Mais elle le fait avec classe. Elle m'a bombardé directeur de l'une de ses sociétés. Bien sûr, ce n'est qu'un titre honorifique. Que diable puis-je connaître à l'immoblier ou aux pétroliers ? Mais je donne ma signature une fois par semaine et tout le monde au bureau fait comme si ma présence était nécessaire.

Il sourit :

— Tout homme a besoin d'aller au bureau. Tu serais étonnée de savoir à quel point ça meuble la journée. J'y vais et je ferme la porte pour que ma secrétaire s'imagine que je suis occupé. Puis je lis les nouvelles du métier. Le mercredi est le grand jour : la parution de *Variety*, ce qui me prend toute la matinée. Et en descendant, je m'arrête chez les courtiers qui occupent le même immeuble, je me fais cirer les chaussures, et en route pour le *Friars Club* où je déjeune et fais une partie de gin. Et je suis payé aussi (mille dollars par semaine, dans le temps je dépensais plus que ça rien qu'en pourboires) mais enfin, c'est une bonne vie. Je dispose de l'appartement de New York, des maisons, d'un chauffeur... J'ai tout ce qu'un homme peut désirer.

— Tais-toi, gémit-elle. Oh ! Seigneur, tais-toi. Je regrette ce que j'ai dit. Je sais que tu as fait tout ça pour moi.

Les larmes lui obstruaient la gorge, mais elle se força à poursuivre :

— N'aurions-nous pas pu prendre un petit appartement quelque part. Peut-être que j'aurais trouvé un emploi.

— A faire quoi ?

— Du théâtre, peut-être, ou bien travailler pour un producteur, lire des scénarios.

Il secoua la tête :

— Tout ce secteur a changé. Quelques-uns des plus grands auteurs refusent d'écrire pour le théâtre, maintenant. Pourquoi le feraient-ils ? Pour se crever pendant deux ans et voir un type du *New York Times* fermer leur spectacle en une soirée ? Bien sûr, il y a toujours Neil Simons qui ne rate pas souvent son coup ; mais même les plus grandes vedettes font la queue pour être prises dans l'une de ses pièces. Et puis, il y a le *off Broadway*, les spectacles de la périphérie et même le *off off Broadway*, à la périphérie de la périphérie. Mais c'est une autre civilisation. Et je n'y connais rien. Et ce n'est pas ce que je veux pour toi.

— Qu'est-ce que tu veux pour moi ? demanda-t-elle tranquillement.

— Je veux faire en sorte que le monde t'appartienne.

— Et tu crois que c'est en épousant Deirdre Granger que tu as fait ce qu'il fallait pour me l'offrir ?

— Au moins je t'apporte un monde brillant et nouveau. Un monde où l'on parle d'autre chose que de théâtre et de recettes quotidiennes. Ecoute, le monde du spectacle, pour toi, pourrait être comme une grande friandise. Quelque chose que tu apprécieras peut-être quelques soirées par semaine. Mais ça ne peut pas remplir ta vie. D'un autre côté, tu ne l'as vu qu'en tant que la fille de Mike Wayne. Quand tu allais dans les coulisses, tu ne voyais que la loge de la vedette. Jamais les piaules sordides du troisième étage, à Baltimore ou Philadelphie. Tu as vu la réussite, ma chérie. La face brillante de la lune. Il est tout à fait normal de ta part de croire que c'est ton univers. Quel autre horizon t'ai-je jamais donné ?

— Et pourquoi voudrais-je un autre univers ? Tu aimais le show-business. Je sais que tu l'aimais.

— Mais non, j'aimais tout autant les courses. Ce que j'aimais dans un spectacle ou dans un film, c'était la partie à jouer. J'aimais l'argent, la célébrité, les souris. Ecoute, tu ne crois quand même pas que je t'amenais au théâtre chaque samedi parce que j'aimais ça ? Du diable, je t'amenais là parce que je ne savais quoi faire d'autre avec toi. Maintenant, ne te mets pas en colère, dit-il en voyant son visage se colorer. Mais que veux-tu qu'un homme fasse avec une petite fille, chaque week-end ? Je n'avais pas de vraie vie personnelle. Juste des souris que je trimbalais avec moi. Certaines étaient divorcées, avec des enfants de ton âge qui m'appelaient « Tonton Mike ». Ça aurait fait du propre avec toi, pas vrai ? Seigneur, c'est un miracle que tu sois devenue la jeune fille parfaite que tu es. Car une chose est certaine, c'est que je n'ai rien fait pour. Mais tout a changé, maintenant. Au moins, je te donne une chance d'accéder à un autre genre de vie. Tout ce que je te demande, c'est de faire une tentative dans ce sens.

— Et quel est ce sens ?

— Regarde vivre d'autres gens. Fréquente les amis de Dee. Mets-y du tien. Si tu ne le fais pas, alors j'ai perdu sur toute la ligne.

Elle réussit à sourire :

— Bien sûr que je vais essayer.

— Et fais aussi un effort avec Dee. C'est une sacrée bonne femme. Je n'ai jamais bien compris ce qu'elle attendait de moi.

— Exactement ce que voulait Tina St. Claire, dit January. Et Melba Delitto... et sans doute toutes les filles que tu as rencontrées.

Il secoua la tête.

— Les rapports sexuels ne sont pas tout ce qui compte pour Dee.

Il semblait pensif :

— Je suis arrivé à la conclusion qu'avec moi, elle attendait davantage que ça. Une camaraderie peut-être, être ensemble, être des partenaires. C'est une façon de vivre que je ne connais guère. Mais, s'il te plaît, fais un effort avec Dee. Si tu avais pu voir le mal qu'elle s'est donné pour organiser le dîner de ce soir. Elle a invité son cousin, David Milford, pour être ton cavalier.

— Est-ce que David Milford est l'une des six grandes fortunes du monde ?

— Non. C'est le père de Dee qui avait tout l'argent. Et...

— Et il est mort quand elle avait dix ans, psalmodia January. Et six mois plus tard, la jeune et belle maman de Dee s'est suicidée de désespoir. Oh ! Papa, chez miss Haddon nous avons toutes lu l'histoire de la vie de Dee chaque fois qu'elle se mariait. Les magazines l'appelaient « La petite princesse solitaire », toujours à la recherche du bonheur.

Elle fit une pause :

— J'ai l'air vache et je ne le voudrais pas. Mais c'est que je suis restée coupée du monde pendant les trois dernières années, mais, à la pension de miss Haddon, Deirdre Milford Granger, c'était presque une institution. Certaines filles avaient des mères qui connaissaient quelqu'un qui la connaissait. J'ai grandi en sachant tout ce qui la concernait — sauf qu'elle finirait par épouser mon père.

Il était silencieux et fit signe au garçon d'apporter l'addition. Elle esquissa un sourire :

— Mike, pardonne-moi.

Elle avait adouci sa voix et lui caressait les doigts du bout de ses phalanges :

— Allons, parle-moi de David. Tu l'as déjà rencontré ?

— Plusieurs fois, dit-il lentement. Il a belle allure. Il approche de la trentaine. Dee n'a jamais eu d'enfants. Sa mère et le père de David étaient frère et sœur. Les Milford n'ont pas vraiment d'argent. Oh, ils vivent à l'aise. En fait, ils vivent même très à l'aise.

Il paya la note :

— Il travaille chez un agent de change. Il s'occupe des affaires de Dee. Son père est avocat et a son propre cabinet et David est le principal héritier de Dee...

— Eh bien ! dit doucement January. Tu as fait d'une pierre deux coups : une fille pour toi ; un garçon pour moi...

Les yeux de Mike fulgurèrent :

— Ma parole ! Le diable m'emporte si tu n'es pas ma fille ! Toujours à l'endroit le plus sensible. Mais, pour commencer : je n'ai pas de projet pour toi et David. Je suppose que David a sa propre idée sur la personne qu'il veut épouser. Mais je serais un menteur si je ne reconnaissais pas espérer que grâce à Dee tu rencontreras quelqu'un de bien. David a sans doute une foule d'amis. Il te présentera un peu partout. De cette manière peut-être rencontreras-tu quelqu'un qui te plaise vraiment, quelqu'un que tu épouseras le cas échéant. Je serais heureux d'avoir un et peut-être même deux petits enfants, voire trois. Vraiment, ça me plairait. Mais je vais te dire ce qui ne me plairait pas : ce serait de te voir transformée en équivalent femelle de ce que je suis.

— C'est bien dommage, dit-elle doucement. Parce que c'est exactement ce que je suis. Et qui plus est, c'est comme ça que j'ai décidé d'être.

— Pourquoi ? fit-il d'une voix grondeuse. Quelle sorte de modèle suis-je ? Moi qui de ma vie n'ai jamais été correct avec une femme. Mais je serai irréprochable avec Dee. Il est grand temps que je commence à payer mes dettes. Et, de toi à moi, j'en ai des masses.

Pendant un moment, elle resta silencieuse. Quand elle parla, elle regardait le vide, par-dessus son épaule :

— Tes dettes à mon égard sont réglées. Peut-être aurais-je pu t'apporter un peu de chance. Ensemble, on aurait pu essayer....

Puis elle sourit.

— Mais ça, c'est le passé. Je suis sûre que David Milford me plaira et je ferai de mon mieux pour lui plaire afin qu'il me présente à tous ses amis distingués. Alors, pour commencer, ce que j'ai de mieux à faire est d'acheter quelque chose de ravissant à porter ce soir.

Soudain elle s'arrêta net.

— Ne t'inquiète pas : tout est arrangé. Non, ce n'est pas ce que tu crois.

Il fouilla dans sa poche et en sortit une carte :

— Voilà, va à cette banque et demande une certaine mademoiselle Anna Cole. Tu auras quelques signatures à donner. Il y a de l'argent placé pour ton compte. Tu peux te faire ouvrir un compte courant immédiatement.

— Mike, je ne...

— Ce n'est pas l'argent de Dee, dit-il sèchement. Lorsque ta mère est morte, elle avait laissé une petite assurance sur la vie : quinze mille dollars. Je les ai placés — à ton nom. Dieu merci, car sinon j'aurais dissipé ça avec le reste. Avec les intérêts et tout, il

78

devrait y avoir dans les vingt et un ou vingt-deux mille dollars qui t'attendent. Bon, va dévaliser *Bonwit* et *Saks*.

Ils descendirent la rue et s'arrêtèrent devant le Pierre. Machinalement, ils levèrent simultanément la tête, s'attendant à moitié à voir Dee à la fenêtre. Mike se mit à rire :

— Elle a pris un autre cachet pour dormir quand je suis parti. D'ailleurs elle se lève rarement avant midi. Ah ! voici la clé de la suite. Nous avons signalé ta présence, alors pense à vérifier au bureau si tu as des messages...

Elle rit :

— Mike, tu es la seule personne que je connaisse à New York. C'est pourquoi tu ferais peut-être bien de me laisser un message...

— Pas la peine. Je crois que tu en as déjà.

Il lui tourna le dos et entra dans l'édifice.

III

Elle retourna à l'hôtel Pierre, épuisée. Il était près de quatre heures et elle ne rapportait qu'un seul grand carton. Le choix n'avait pas été facile. Elle ne savait comment s'habiller pour le dîner de Dee. Chez Bergdorf, une vendeuse lui avait affirmé que la mode était aux jupes midi, et que la mini, c'était fini. Mais à l'heure du déjeuner, des essaims de filles qui sortaient des bureaux, emplirent la Cinquième avenue de mini et même de super-mini jupes. Dans Lexington avenue, elle vit des serre-têtes indiens, des blue-jeans, des knickers et de longues jupes de grand-mère. On aurait dit un défilé de carnaval. Finalement elle choisit une jupe longue en patchwork et une blouse en jersey rouge qu'elle remarqua sur un mannequin en vitrine chez Bloomingdale. La vendeuse l'assura que cela conviendrait en toutes circonstances.

En entrant dans le hall, elle pensa à s'arrêter à la réception pour demander si on lui avait laissé un message. A sa grande surprise, l'employé lui tendit deux feuilles de papier. Son paquet coincé entre le bras et le menton, elle les examina en attendant l'ascenseur. L'un d'eux était arrivé à trois heures, l'autre à trois heures et demie. L'un et l'autre lui demandaient de rappeler le même numéro au Plaza, au poste 36. Elle vérifia le nom du destinataire. C'était bien le sien. Elle se prit à sourire. Bien sûr : ce numéro au Plaza, c'était certainement celui du bureau de Mike. En entrant dans l'appartement, elle trouva la bonne qui époussetait les petits éléphants de jade sur le dessus de la cheminée. En plein jour, l'appartement était encore plus beau. Le soleil se reflétait sur les cadres en argent qui s'étalaient sur le piano : il y avait tant de photos ! Elle reconnut un sénateur des Etats-Unis, Nureyen, un ambassadeur et le visage remarquable de Karla. Elle s'approcha pour examiner les pattes de mouche enfantines dont l'encre avait passé : « Pour Deirdre, Karla. » January contempla les pommettes hautes, les yeux extraordinaires. La bonne s'approcha :

— Il y a trois princes, ici à gauche, dit-elle. Et un Maharadjah.

January acquiesça :

— Je regardais la photo de Karla.

— Oui, elle est très belle, approuva la femme de chambre. Oh, au fait... Je m'appelle Sadie. Et je suis enchantée de faire votre connaissance, Mademoiselle.

January sourit. La femme avait soixante-cinq ans environ, et devait être d'origine scandinave. Ses cheveux d'un blond délavé étaient réunis en un maigre petit chignon et son visage était propre et luisant. Elle était sèche, osseuse et solide :

— Madame m'a dit de suspendre vos vêtements. Je me suis permise de ranger vos tiroirs. Quand recevrez-vous vos malles ?

— Il n'y en a pas, répondit January. Je n'ai que ce que vous avez vu, à part ce nouvel ensemble de chez Bloomingdale.

— Je vais vous le repasser. Madame est sortie pour l'instant. Et si vous avez besoin de quelque chose, la sonnette est près de votre lit. Elle est reliée à la cuisine et ma chambre est juste derrière. Où que je sois, je l'entendrai. Je ne sais pas si vous fumez, mais j'ai mis des cigarettes dans toutes les boîtes de votre chambre. Si vous avez une marque préférée, dites-le moi.

— Non, merci, je ne fume pas. Je crois que je vais prendre un bain et me reposer.

— J'ai aussi apporté dans votre chambre tous les derniers journaux de mode. Madame a pensé que cela vous intéresserait. Elle m'a dit que vous aviez grand besoin de vous mettre au courant, ou quelque chose de ce genre.

Sadie prit le carton de chez Bloomingdale et quitta la pièce. Une seconde plus tard, elle repassa la tête.

— Ernest vient à six heures, si vous avez besoin de lui.

— Ernest ?

— Oui, le coiffeur de Madame... Il vient tous les après-midi à six heures.

Soudain January se rappela les messages téléphoniques qu'elle tenait à la main. Elle alla dans sa chambre, se jeta sur le lit et demanda le numéro au standard. Après trois sonneries, un autre standard répondit et January réclama le poste 36.

Il y eut un silence... un déclic... un autre voix :

— Le bureau de miss Riggs, à votre service ?

— De qui, s'étonna January, en s'asseyant.

— Qui est à l'appareil ? Le son de la voix était irrité.

— January Wayne. Qui est miss Riggs ?

— Oh... Je suis la secrétaire de miss Riggs ! Un instant, miss Wayne ; nous avons essayé de vous joindre. Je vous passe miss Riggs.

Il y eut encore des déclics, puis une voix traînante :

— January, c'est bien toi ?

C'était une voix atone, distinguée, douce et calme. January essayait de l'identifier.

— Mais qui est à l'appareil ? demanda-t-elle.

— C'est moi... Linda, Linda Riggs !

— Linda... de chez miss Haddon ?

— Bien sûr ! Tu en connais une autre ?

— Eh bien... Tout ça est si vieux ! Comment vas-tu Linda ? Comment m'as-tu retrouvée ? Et qu'est-ce que tu deviens ?

Linda se mit à rire.

— C'est moi qui devrais te demander cela. Mais, d'abord, dis-moi une chose : pourquoi ton père a-t-il envoyé Keith Winters sur les roses ?

— Keith ?

— Keith Winters, le photographe !

— Ah ! Celui d'hier soir ? (Seigneur Dieu, tout cela ne remontait qu'à hier soir ?)

— Oui, je l'avais envoyé prendre une photo de toi pour notre magazine.

— Quel magazine ?

Il y eut un bref silence. Puis, d'une voix qui laissait percer un peu d'irritation, Linda ajouta :

— Voyons, je suis rédacteur en chef du *Gloss,* tu sais et...

— Rédacteur en chef ?

— January, d'où débarques-tu ? J'ai éreinté le show de Mike Douglas, le mois dernier. Et on m'a demandé de couvrir celui de Merv Griffin la prochaine fois que j'irai en Californie.

— Eh bien, moi, j'étais en Europe et...

— Mais enfin, tout le monde est au courant de ce que j'ai fait au *Gloss.* Je suis l'une des rédactrices en chef les plus jeunes et les plus célèbres du monde. Bien sûr, je ne suis pas Gurley Brown. Et puis le *Gloss* n'est pas le *Cosmopolitan* non plus. Mais laisse-moi le temps et je ferai de cette revue la plus grosse affaire sur le marché.

— C'est formidable, Linda. Je me rappelle quand tu es partie de chez miss Haddon. Je devais avoir dix ans. Nous étions toutes très impressionnées d'apprendre que tu étais...

— ... Assistante de rédaction ! Linda finit la phrase à sa place. C'était peut-être impressionnant lorsqu'on était chez miss Haddon, mais ce n'était jamais qu'un joli titre pour désigner une esclave : se mettre à l'affût de bijoux pour une présentation de mode..., appor-

ter le café aux photographes et aux mannequins..., faire les courses des
maquettistes..., aller rapporter une boucle d'oreille oubliée par le directeur artistique, tout ça pour soixante-quinze dollars par semaine ! Mais
à dix-huit ans, c'était marrant. Je dormais quatre heures par nuit et je
me débrouillais pour aller danser au Club tous les soirs. Seigneur...
je me sens épuisée rien que d'y penser. Au fait... quel âge as-tu ?

— Je vais avoir vingt et un ans en janvier.

— Et oui : j'en ai vingt-huit. C'est drôle comme ça fait peu de
différence maintenant, la question d'âge. Quand j'avais seize ans et
que tu en avais huit, c'est à peine si je te considérais comme un être
humain. Maintenant que j'y repense, tu n'étais au fond qu'une des
marionnettes qui me suivaient partout chez miss Haddon, non ?

— Oui, j'imagine, dit January qui ne voyait aucune raison particulière de lui préciser qu'elle n'avait jamais fait partie de « la bande
à Linda ».

— Et voilà pourquoi j'ai envoyé Keith Winters au Pierre. *Cele-
brity Service* a signalé que tu rentrais d'Europe et j'ai pensé publier
une photo de ton père et de toi dans *Gloss,* avec un petit article atten-
drissant sur la rencontre entre la fille de papa et la nouvelle femme de
papa. Ton père a littéralement terrorisé Keith, mais la photo est
quand même bonne : ou bien tu es très photogénique, ou bien tu es
devenue une beauté fatale. Dis-moi, pourquoi ne viendrais-tu pas
faire un saut jusqu'ici demain, disons vers les trois heures ? Je vais
monter un sujet quelconque et on prendra de bonnes photos de toi.

— Je serais ravie de te revoir, Linda. Mais pour ce qui est d'un
article, je ne sais pas...

— Nous en parlerons demain. Tu sais où se trouve le Mosler,
non ? Cinquante-deuxième rue, près de Madison. Nous occupons les
trois derniers étages. Monte jusqu'à la terrasse, à la direction. A
demain. *Ciao* !

January fit couler son bain, s'y plongea et ferma les yeux. Elle
ne s'était pas rendu compte à quel point elle était fatiguée. Elle pensait à Linda, si laide, si avide, si énergique... Et maintenant elle était
— enfin, lui semblait-il — quelqu'un d'important. Elle se sentait très
lasse et allait s'endormir. Elle eut l'impression que quelques secondes seulement s'étaient écoulées lorsqu'elle entendit Sadie chuchoter :

— Mademoiselle, réveillez-vous !

Elle s'assit. L'eau était tiède. Bon Dieu, il était déjà six heures !

— Madame vous fait dire qu'il est temps de vous habiller pour
dîner, expliqua Sadie. J'ai repassé votre robe et je l'ai suspendue
dans le placard de votre chambre.

January avait fini de s'habiller lorsque Dee frappa à la porte et entra dans la chambre. Elles se dévisagèrent toutes deux pendant un moment. Puis, l'air gêné, January lui tendit la main :

— Mes félicitations. Je crains d'avoir oublié de vous les présenter hier soir.

Dee pressa sa joue contre celle de January :

— Ni l'une ni l'autre, nous n'avons beaucoup parlé hier soir. Les conditions n'étaient pas tout à fait idéales pour faire connaissance.

— J'ai... Oh ! mon Dieu !

— Qu'est-ce qui ne va pas ? demanda Dee.

— J'ai oublié de m'acheter une robe de chambre.

Dee se mit à rire.

— Gardez celle de Mike : Elle vous va à ravir ! Il y a des femmes qui sont sensationnelles dans des peignoirs d'homme ; ce n'est pas mon cas.

January décida que Dee était plus séduisante qu'elle ne l'avait trouvée au début. Ce soir, ses cheveux laqués étaient coiffés à la Gilbson. Et January savait bien que les cabochons de diamants accrochés à ses oreilles étaient authentiques. Ses pantalons de soie noire à la turque la rendaient très féminine, et January se demanda tout à coup si sa propre jupe en patchwork était convenable.

Dee recula pour l'apprécier :

— C'est joli... Mais je crois qu'il vous faudrait quelques bijoux. Elle sonna Sadie qui apparut immédiatement.

— Allez chercher mon coffret à bijoux, Sadie.

Celle-ci revint avec un important coffret en cuir, et Dee se mit à disposer des chaînes d'or autour du cou de January. Elle insista aussi pour lui faire porter des anneaux aux oreilles. « Ma chère, cela va très bien avec votre teint bronzé ; cela vous donne un côté gitan. »

January se sentait écrasée sous le poids de quatre chaînes, d'une broche en jade et d'une dent de lion sertie d'or. (Dee lui raconta qu'elle avait personnellement tué le lion, au cours d'un safari.)

— J'aime votre maquillage, dit-elle en s'approchant. Ce sont vos propres cils ! Fantastique ! J'adore cette ostentation avec laquelle vous autres, jeunes filles, ne portez pas de rouge à lèvres. Quant à vos cheveux... Hé bien, ils sont merveilleux. De nos jours, vous, les jeunes, avez gagné ; vous les portez lisses et longs. Quand j'avais votre âge, j'étais truffée de barettes et de permanente, à cause de cette satanée coupe italienne. Ça faisait fureur dans les années cinquante. J'ai souvent répété à Gina que je l'aurais tuée pour avoir lancé ce style. J'ai les cheveux raides et j'ai l'impression d'avoir passé la moitié de ma vie en bigoudis sous le séchoir. Et maintenant que les cheveux longs et lisses sont à la mode, hé bien... on ne peut guère porter les cheveux sur les épaules passé trente-cinq ans. Moi, du moins, je trouve que ce n'est guère convenable... Pourtant Karla n'a jamais changé de coiffure depuis ses dix-huit ans.

— Comment est-elle ?

Dee haussa les épaules.

— Karla est l'une de mes plus anciennes et de mes meilleures amies... Encore que je me demande pourquoi je supporte ses excentricités.

— Chez miss Haddon, dit January, nous regardions tous ses films à la télévision. Pour moi, elle est plus grande encore que Greta Garbo ou Marlène Dietrich, parce qu'elle marche comme une danseuse. Et elle a eu le cran de se retirer à quarante-deux ans et de ne plus revenir sur sa décision.

Dee alluma une cigarette.

— Elle n'a jamais beaucoup aimé jouer. Elle disait toujours que dès qu'elle aurait assez d'argent, elle laisserait tomber. Et elle a économisé depuis le premier centime gagné.

— Où est-elle en ce moment ?

— Je crois qu'elle est de retour en ville. Elle devrait ne pas tarder à faire signe. Elle garde un appartement à l'*East River View*. Un merveilleux immeuble, mais, à part quelques bonnes peintures (qu'on lui a offertes) et quelques beaux tapis (cadeaux également) l'appartement est à peine meublé. Karla est malade à l'idée de dépenser de l'argent. Elle devait venir à Marbella. Votre père était très déçu... Je sais qu'il voulait faire sa connaissance. Jusqu'à l'été dernier, elle était toujours dans les environs. Au printemps, ce pauvre David a hérité de la corvée de nous sortir toutes les deux. Non pas qu'elle sorte beaucoup, mais elle n'aime que les ballets. A part ça, Karla est restée fidèle à sa vieille routine d'actrice : debout à sept heures, quatre heures d'assouplissements de danseuse, longues marches, et au lit à dix heures. Mais elle accepte de dîner avec un ami intime, et adore regarder la télévision. En définitive, elle est assez effacée quand on la connaît bien. De temps en temps, elle fait une fugue. Ça la prend parfois. En juin dernier, par exemple, la voilà qui disparaît sans dire au revoir. Personnellement — Dee baissa la voix — je crois qu'elle est allée se faire tirer le visage. Elle commençait tout juste à se faner un peu... Et il y a peu de chance de voir quoi que ce soit altérer cette charpente de Polonaise, désormais immortelle.

January se mit à rire.

— Maintenant, je me sens très intimidée à l'idée de rencontrer David.

— Au nom du ciel, pourquoi ça ?

— Eh bien, si David a « hérité de la corvée » de sortir Karla pour être agréable, me sortir sera le comble de la complaisance !

Dee sourit.

— Ma chère enfant, regardez-vous dans la glace. Karla a plus de cinquante ans et David en a vingt-huit... Elle éteignit sa cigarette.

— Et maintenant, il est grand temps que j'aille m'occuper de votre père. Tel que je le connais, il regarde le journal télévisé et ne s'est pas encore rasé. Pourquoi les hommes détestent-ils se raser deux fois par jour ? Nous autres, femmes, nous nous maquillons bien aussi souvent. Ah ! Pendant que j'y pense, j'ai dit à tout le monde, David compris, que vous faisiez vos études en Suisse, à l'Institut international. C'est une excellente école.

— Mais pourquoi ?

— Vous parlez français, n'est-ce pas ?

— Oui, mais...

— Ma chère, croyez-moi, il vaut mieux ne pas monter cet accident en épingle. Pourquoi inciter les gens à croire que vous avez une lésion au cerveau ? Et certaines personnes sont médisantes dès qu'elles apprennent que l'on a séjourné en sanatorium. Or, nous voulons vous faire rencontrer des gens bien et vous voir mener une vie agréable... Alors, nous ne tenons pas à ce qu'une maladie terminée vous fasse du tort.

— Mais il s'agissait d'une commotion cérébrale et de fractures ; ce n'est pas une maladie...

— Ma chère, tout ce qui touche au cerveau affole les gens. Je me rappelle Kurt : je l'aurais épousé, s'il ne m'avait dit qu'il avait une plaque d'acier dans le crâne, à la suite d'un accident de ski. Elle frissonna.

— Je ne pouvais pas supporter l'idée de toucher un homme dont la tête contenait de l'acier. Cela me faisait penser à Frankenstein. Et puis, quelqu'un qui a un morceau d'acier dans le cerveau laisse à penser que cela va nécessairement produire un effet quelconque. Suivez mon conseil, ma chère. Bon, maintenant... J'ai demandé à David de venir vingt minutes à l'avance. Restez dans votre chambre jusqu'à ce qu'il arrive. Je vous ferai signe quand ce sera le moment de sortir. Il ne faut jamais manquer son entrée. Elle se dirigea vers la porte et se retourna.

— Vous allez tomber amoureuse de David. Ça arrive à toutes les femmes. Même Karla lui trouve quelque chose de plus qu'une agréable compagnie, et Karla n'est pas femme à s'amouracher de n'importe qui. Alors, ne vous laissez pas désarçonner par sa prestance. Gardez votre sang-froid et déployez votre charme. Je suis sûre que vous en avez. Après tout, votre père en a presque trop.

Elle ouvrit la porte et s'arrêta juste au moment où January se laissait tomber sur le bord du lit :

— Non, non ! Il ne faut pas vous asseoir. Vous allez froisser votre jupe. Soyez parfaite. Maintenant, il faut que je me sauve. Ernest m'attend pour mettre la dernière main à ma coiffure. Restez où vous êtes... jusqu'à ce que ce soit le moment de rencontrer David.

IV

A six heures et demie, David Milford se précipita chez lui pour se changer. Il brancha rageusement son rasoir électrique. Nom de Dieu, qu'il détestait Dee ! Mais tout ce que la cousine Deirdre désirait, la cousine Deirdre l'obtenait. La preuve de son pouvoir avait été pleinement donnée à l'occasion de sa propre promotion à la vice-présidence de chez Herbert, Chasin et Arthur : au milieu d'un marché en crise, quand la plupart des agents de change comprimaient leurs effectifs, lui, avait eu de l'avancement. Et son avenir dans la maison était assuré — tout au moins tant qu'il gérerait le portefeuille de Dee. Maudite soit Dee ! Et maudit soit le père de David, pour n'avoir pas eu de fortune personnelle ! Non, il ne voulait pas dire ça : après tout, le vieux trimait dur et faisait pas loin de cent cinquante mille dollars par an. Mais avec sa mère qui tenait à garder l'appartement de dix pièces sur la Cinquième avenue, trois domestiques et la maison de Southampton... A coup sûr, il ne lui restait pas grand-chose en fait d'héritage. De plus, aucun d'entre eux n'avait à se soucier de faire fortune puisque la cousine Dee en avait une suffisante pour eux tous.

Son mariage avec Mike Wayne leur avait causé un choc. Sa mère était passée par une de ses crises les plus graves : trois jours au librium et en larmes. Les ex-maris de Dee n'avaient jamais constitué une menace. Ils étaient tous taillés sur le même modèle : charmants, bien élevés et insignifiants. Tandis que Mike Wayne n'était pas insignifiant. Et sa conduite passée prouvait qu'il n'avait eu d'intérêt que pour des filles moitié moins âgées que Dee. Mais la principale inquiétude de la famille concernait l'omission de la « cérémonie des dernières volontés ». C'était le père de David qui s'occupait de cette ultime tâche. Dee avait ce qu'ils surnommaient ironiquement entre eux « un testament à feuilles volantes ». Avant chacun de ses mariages, elle et son « promis » ne manquaient pas d'arriver à l'étude et Dee était supposée dicter un nouveau testament assorti d'un généreux héritage pour le nouvel élu de son cœur. Le jour des noces, un exemplaire était présenté à celui-ci. Le jour suivant, Dee reviendrait seule à l'étude et rédigerait un nouveau testatement, allouant une somme définie à son nouveau conjoint au cas où il serait encore son mari au moment de sa mort.

Il y avait presque un mois qu'elle était la femme de Mike. Et le nom de Mike n'avait pas été porté sur le testament à feuilles volantes. Dans l'état actuel des choses, David, son père et Cliff (le plus jeune frère de sa mère, qui travaillait au cabinet paternel) seraient appelés à agir en tant qu'exécuteurs testamentaires de la succession de leur parente. De ce seul fait, chacun d'eux récolterait plusieurs millions de dollars. La masse de l'avoir irait à la Fondation Granger, et David serait nommé président avec des émoluments de cent mille dollars par an.

Bien sûr, Dee était encore bien vivante et la cinquantaine, ce n'est pas vieux. Mais ses facultés d'atteindre un âge vénérable semblaient compromises : depuis des années les journaux rendaient compte avec force détails de ses ennuis de santé. D'abord, il y avait ses évanouissements dont le diagnostic signalait un malaise cardiaque et une tension trop basse. Mais Dee refusait de renoncer à ses comprimés amaigrissants et se complaisait dans sa minceur distinguée. Elle avait aussi subi plusieurs interventions typiquement féminines. Et la grippe qui avait failli l'emporter quelques années plus tôt (il s'agissait en réalité d'une dose massive de somnifères due à quelques mystérieux chagrin d'amour).

Bizarre : David n'avait jamais imaginé que Dee fût capable d'éprouver le moindre désespoir. Mais pourquoi pas ? Lui-même n'avait jamais pensé non plus pouvoir éprouver le moindre sentiment. Il débrancha le rasoir et se tapota les joues avec une lotion. Autant voir les choses du bon côté. Pour le testament, peut-être n'était-ce pas Mike qui menait le jeu, peut-être était-il vraiment amoureux de Dee. Peut-être se moquait-il de son argent. Parce qu'enfin, il y en avait assez pour tous, tant que Wayne n'avait pas les dents trop longues. Mais avait-il besoin d'avoir une fille pour compliquer les choses ? Personne ne soupçonnait même son existence jusqu'au coup de fil de Dee, la semaine dernière :

— David chéri, Mike a cette enfant divine qui va arriver d'un jour à l'autre. Il faut que tu m'aides et que tu la sortes. Il me serait agréable de savoir que quelqu'un que j'aime s'occupe d'elle. Cela me rendrait tellement service !

Un service ? Un ordre, plutôt !

Et une fois de plus, il jura : nom de Dieu, qu'il détestait Dee ! Mais par le diable, il détestait tout et tout le monde, ces jours-ci. Tout et tous ceux qui l'éloignaient de Karla.

Karla ! Un instant, il s'observa fixement dans le miroir. Cela ne paraissait pas possible. Lui, David Milford, était l'amant de Karla ! Il aurait voulu le crier au monde entier, arrêter les gens dans la rue pour le leur dire. Mais il savait qu'un secret absolu était la condition primordiale de ses relations avec Karla.

Karla ! A quatorze ans, il s'était caressé lui-même devant sa photo. Ses copains tapissaient leurs casiers scolaires, d'images suggestives de Doris Day, Marylin Monroe, Ava Gardner et d'autres reines de beauté des années cinquante. Mais pour lui, ç'avait toujours été Karla. A dix-sept ans, la première fille avec laquelle il avait couché était une jeune fille de bonne famille au visage chevalin, coiffée comme Karla. Dans les années qui suivirent, il avait souvent trouvé une fille dont un trait rappelait Karla. Mais, la maturité venant, il prenait les filles pour leur propre charme et l'image de Karla s'était repliée au secret d'une sorte de rêve mystique.

Et soudain, il y avait de ça huit ans, il était tombé sur une photo de presse montrant Karla sur le yacht de Dee. Il avait aussitôt écrit à Dee une lettre passionnée où il la conjurait de le présenter. Elle n'en avait tenu aucun compte. Mais il n'avait jamais manqué de renouveler sa requête quand il la voyait. Et puis, au printemps dernier, alors qu'il avait quasiment renoncé, Dee avait déclaré du ton le plus anodin :

— Oh ! à propos David, Karla est ici. Voudrais-tu nous emmener voir un ballet ?

Il avait été comme un idiot ce premier soir. Il n'avait pu faire le moindre travail de toute la journée, au bureau. Il avait couru chez lui et changé trois fois de costume, avant de décider lequel conviendrait le mieux. Et puis... l'anodine présentation de Dee, la ferme poignée de main de Karla... Il savait qu'il était resté bêtement planté là, contemplant ce merveilleux visage, écoutant la voix grave qu'il avait si souvent entendue à l'écran. Il avait déambulé ce soir-là dans un état de transes, incapable de se convaincre qu'il était enfin assis auprès d'elle, incapable de se concentrer sur le spectacle du ballet, incapable de croire à la manière détachée avec laquelle Dee se comportait en présence de cette femme somptueuse. Mais bien sûr, lorsqu'on possédait l'immense fortune de Dee, peut-être que rien ne vous émerveillait plus. Pour Dee, même Karla n'était qu'une personne « amusante » de plus, un nom à glisser dans un cadre argenté et à ajouter à la galerie de portraits, unique au monde, posée sur le piano.

Le lendemain de la représentation, il avait envoyé à Karla trois douzaines de roses. Sa carte portait le numéro de son bureau, mais il avait ajouté à la main le numéro confidentiel de son domicile. Elle l'avait appelé au moment où il quittait le bureau. La voix froide et grave le remerciait mais lui enjoignait avec fermeté de ne jamais recommencer, car elle était allergique aux fleurs. Elle les avait déjà fait emporter par sa femme de chambre. Quand il commença à bredouiller, elle se mit à rire et dit :

— Mais en contrepartie, je vais vous offrir un verre. Venez chez moi cet après-midi à cinq heures.

Il tremblait comme un écolier en sonnant à sa porte.

Elle ouvrit elle-même et l'accueillit à bras ouverts :

— C'est mon si jeune admirateur ! Venez. Venez. Je vous en prie, ne soyez pas si nerveux, parce que je veux que vous me fassiez l'amour...

Elle l'avait entraîné dans l'appartement tout en parlant. Il ne quittait pas des yeux son visage. Mais il avait conscience de la spacieuse vacuité de la pièce : quelques tableaux, un poste de télé, un grand lit, une cheminée pour feux de bois qui semblait n'avoir jamais servi, un escalier qui conduisait apparemment à un second étage ; mais ce qui l'avait frappé par-dessus tout, c'était de ne trouver aucun reflet de la personnalité de Karla dans cet appartement. C'était presque comme si elle l'avait « emprunté ». Pendant un instant ils se regardèrent l'un l'autre. Puis elle tendit les bras et il n'y eut plus d'écolier. Et quand leurs corps se réunirent, David comprit soudain la différence entre la sexualité et l'amour. En cette fin d'après-midi de printemps, il n'avait d'autre désir que de lui faire plaisir. Et, ce faisant, son propre plaisir semblait étrangement s'intensifier.

C'est plus tard, alors qu'ils étaient allongés côte à côte qu'elle lui dicta ses conditions sacrées :

— Dee ne doit jamais savoir. Si tu veux continuer à me voir, personne ne doit le savoir.

Il promit. Il la tenait serrée contre lui et débordait de dévotion et de promesses... Et il s'entendit dire :

— Ce sera comme tu voudras, Karla. Tu sais, je t'aime.

Elle émit un soupir craintif :

— J'ai cinquante-deux ans. Trop vieille pour l'amour. Et beaucoup trop vieille pour toi !

— J'ai vingt-huit ans. Ce n'est pas un âge de garçonnet.

Elle rit.

— Vingt-huit ans. Et si joli garçon !

Elle lui caressa les joues.

— Vingt-huit ans que tu ne parais même pas. Mais... peut-être pouvons-nous être heureux pendant quelque temps. Je veux dire, si tu fais ce qu'il faut.

— Que veux-tu que je fasse ?

— Je te l'ai dit. Et tu dois aussi me promettre de ne jamais essayer de me joindre. Je ne te donnerai pas mon numéro de téléphone et tu ne devras jamais venir ici sans que je t'y invite.

— Alors, comment vais-je te voir ?

— Je t'appellerai quand j'aurai envie de toi. Et tu ne dois pas parler d'amour. Tu ne dois pas être amoureux de moi, ou tu seras très malheureux.

Il sourit :

— J'ai bien peur que ça n'ait commencé quand j'avais quatorze ans...

Il s'interrompit. Bon Dieu, il avait tort de dire ça, soulignant ainsi leur différence d'âge. Mais elle avait souri :

— Tu es amoureux de la Karla que tu as vue au cinéma ; tu ne connais pas la véritable Karla.

Il la serrait de très près et éprouvait une excitation étrange à sentir sa petite poitrine plate contre son propre corps. Il aimait les poitrines de femmes. Mais chose bizarre, cela ne l'avait nullement gêné qu'elle n'en eût guère. Son corps était solide et ferme : un corps de danseuse. Il avait lu des articles sur la formation à la danse classique qu'elle avait reçue dès son plus jeune âge en Pologne, sur la manière dont elle avait dû s'enfuir à Londres pendant la guerre et était directement passée au cinéma comme comédienne. Sur la façon dont elle travaillait encore à la barre quatre heures par jour. Elle avait changé de studio à plusieurs reprises à cause de photographes qui dénichaient son adresse et la guettaient pour prendre des clichés. Il avait aussi entendu dire qu'elle avait été lesbienne à ses débuts à Hollywood. Toutes ces pensées lui venaient à l'esprit tandis qu'il la tenait entre ses bras. Mais ces histoires faisaient partie de la légende, celle de la femme mystérieuse, la femme que les photographes pourchassaient encore où qu'elle aille. Mais à ce moment, elle semblait lui appartenir complètement. Son ardeur, sa passion étaient juvéniles. Elle se collait à lui quand ils faisaient l'amour. Pourtant, quand c'était terminé, un rideau s'abaissait et Karla, celle de la légende, reparaissait.

Cela avait eu lieu au printemps dernier. Ils avaient passé un mois fantastique ensemble. Un mois pendant lequel il errait distraitement trouvant tout irréel sauf ses rencontres avec Karla. Un mois pendant lequel il s'éveillait chaque matin, sans croire vraiment que ce miracle lui arrivait à lui. Mais il y avait toujours le tourment de ne pouvoir appeler, de se faire monter un sandwich à l'heure du déjeuner par crainte de manquer son coup de fil à elle, de traverser comme en rêve tout travail et toute conversation, jusqu'à ce que le coup de fil arrive enfin.

Et un jour il n'y en eut pas. Il essaya de ne pas s'affoler : peut-être ne se sentait-elle pas bien ; ce pouvait être sa mauvaise période ; diable, une femme est-elle encore réglée à cinquante-deux ans ?

Le jour suivant, il y avait les photos habituelles dans le journal : Karla baissant la tête pour échapper aux flashes à l'aéroport Kennedy. Elle était partie pour l'Europe, destination inconnue. Il avait essayé de retrouver trace de sa réservation d'avion, mais il était évident qu'elle s'était servie d'un nom d'emprunt. Un reporter débrouillard annonça qu'une agence de voyage la croyait en route pour l'Amérique du Sud. Mais tout cela n'était que suppositions. Elle était partie. Il ne savait rien d'autre.

Il avait essayé de prendre un ton naturel, en téléphonant à Dee le soir même. Il l'avait entretenue de la Bourse, du temps, de ses projets de départ pour Marbella... Et comme il avait finalement évoqué la disparition de Karla, Dee avait éclaté de rire :

— Oh, mon cher garçon, elle fait toujours ça. Karla ne veut pas s'enraciner. C'est pourquoi son appartement est à peine meublé. S'il était trop confortable, elle pourrait croire que c'est là qu'elle vit.

— A-t-elle toujours été ainsi ?

Dee parut ennuyée :

— Toujours. J'ai rencontré Karla en Californie au summum de sa gloire. J'étais alors mariée avec Emery et la maison de production de Karla venait d'acheter les droits de son livre. Naturellement, Emery désirait ardemment la rencontrer — beaucoup de gens le désirent encore — mais tu ne peux pas imaginer ce que c'était dans ce temps-là. Or Emery avait dans ses relations un metteur en scène qui connaissait Karla et, un beau jour pour Emery, bien sûr — Karla apparut en personne à un tardif petit déjeuner dominical. C'était, je crois, vers 1954. Je dois dire qu'elle dégageait un magnétisme indiscutable en entrant dans la pièce, quoique d'une timidité attristante, affligeante...

Dee se mit à rire et il la sentit échauffée par le sujet :

— Mais elle entra ce jour-là dans mon orbite, parce qu'elle a un instinct animal, qu'elle savait que j'étais la seule dans cet endroit à ne pas être impressionnée et que cela l'amusait. J'ai été gentille avec elle par égard pour Emery. Et elle nous a invités à venir prendre un verre chez elle la semaine suivante.

Dee soupira :

— Je t'ai parlé de Falcon's Lair. C'était là. Non pas dans le quartier chic de Beverly Hills, mais tout en haut de quelque colline abandonnée de Dieu, entourée d'une muraille de pierre de deux mètres qu'elle avait fait construire. La maison était à peine meublée. On aurait dit qu'elle venait d'y emménager. Je te jure, il y avait encore des caisses dans les couloirs et elle habitait là depuis cinq ans. Personne n'a vu le restant de la maison, mais j'ai l'impression que, à part le salon et la chambre à coucher, elle était vide. Elle n'a pas fait le film d'Emery et des années plus tard, après mon divorce et la retraite de Karla, nous nous sommes rencontrées et sommes devenues amies. Mais il faut prendre Karla comme elle est. La clef de sa personnalité tient en trois S : secrète, sordide et stupide ! Une fois que tu auras saisi cela, tu auras compris Karla.

Dee était partie pour Marbella et David avait essayé de chasser Karla de son esprit. Il était revenu aux mannequins avec lesquels il sortait auparavant. Il s'était lié avec Kim Voren, un superbe mannequin hollandais qui l'adorait mais lui avait déclaré qu'il était un amant égoïste et peu satisfaisant. Il en avait été ébranlé : il avait toujours été un bon amant ; mais avec Karla en tête, peut-être qu'il manquait quelque chose à ses effusions amoureuses. Là-dessus arriva la nouvelle explosive du mariage de Dee, ce qui sema la panique dans toute la famille et le ramena lui-même sur terre. Dee était leur sécurité. Karla était partie et il lui fallait revenir aux affaires de la vie quotidienne.

Il concentra toute son attention sur son travail. Il reporta son charme sur Kim et, au bout de quelques jours, elle revint avec exubérance sur l'opinion qu'elle avait émise quant à la façon dont il faisait l'amour. Et en se réinstallant dans sa routine habituelle, il appréciait presque la sécurité de savoir ce que chaque jour allait lui apporter. Plus d'extases enivrantes, mais pas non plus de dépressions angoissées. Plus besoin de rester assis devant son bureau et d'attendre que le téléphone sonne. Et puis, huit jours plus tôt, il avait sonné de nouveau. Juste au milieu d'un rendez-vous d'affaires décisif. La voix grave, l'accent prononcé : elle était de retour ! Dix minutes plus tard, il pressait la sonnette de son appartement. Quand elle l'accueillit, il ne put dissimuler sa surprise : c'était comme si elle s'était échappée de l'un de ses anciens films. Elle paraissait à peine trente ans. Le visage magnifique n'avait pas une ride, la peau était tendue sur les pommettes. Elle avait ri en lui saisissant les mains :

— Je ne vais pas te raconter que Karla s'est longuement reposée, fit-elle. Je vais t'avouer la vérité. J'étais lasse de ce que mon visage ne corresponde pas à la fermeté de mon corps. Aussi ai-je fait quelque chose : un homme extraordinaire au Brésil...

Elle n'avait pas appelé Dee et lui recommanda de garder le secret au sujet de son arrivée :

— Je ne suis pas disposée à affronter les questions de Dee concernant mon visage. Ni ses bavardages avec ses amies.

Et maintenant, c'était comme si elle n'était jamais partie. Ils se voyaient tous les jours. Ou il allait chez elle à cinq heures, ou ils se retrouvaient pour voir un ballet ou un film étranger. Après quoi, ils retournaient chez elle et regardaient la télévision dans sa cuisine tout en mangeant les steaks qu'ils faisaient cuire ensemble. Karla n'avait pas de domestiques, elle détestait sentir des étrangers l'entourer. Une femme de ménage venait tous les deux ou trois jours à neuf heures et partait à midi.

Elle adorait aussi la télévision. Elle avait un récepteur dans chaque pièce. Les actualités ne l'intéressaient pas : elle détestait la guerre et les films de ce genre lui faisaient horreur. David se rendit compte qu'elle avait traversé la Seconde Guerre mondiale dans un pays occupé. Elle ne voulait pas en parler et jamais il ne l'avait pressée de le faire. Il ne se souciait pas de lui rappeler qu'en 1939, lorsque la Pologne était occupée, il n'était même pas né.

Il finit de s'habiller et regarda sa montre : six heures quarante-cinq. Il gagna le salon et se prépara un Martini dry. Dans moins d'une heure, il lui faudrait être chez Dee pour faire connaissance avec cette belle-fille dont elle venait d'hériter. Dee ne lui avait fait part qu'hier de cette invitation à dîner. Et quand il en avait parlé à Karla, la veille au soir, elle avait souri et dit qu'elle comprenait :

— Ne te tracasse pas. Je pourrai inviter un vieil ami à manger ton steak demain.

Elle ne l'avait pas appelé aujourd'hui. Parce qu'elle n'avait aucune raison d'appeler. Elle lui avait dit de venir à l'heure habituelle le surlendemain. Si seulement il pouvait l'appeler maintenant. C'était le côté le plus décevant de leurs relations : comment jouer son rôle d'homme s'il lui fallait rester assis comme une fille au cœur chaviré par l'amour et attendre que ce soit elle qui donne le feu vert ? Il s'adossa et dégusta son verre. Il se sentait bizarrement mal dans sa peau. Il ne pouvait dire ce qui l'ennuyait le plus : l'idée de ne pas la voir ce soir ou la constatation qu'elle n'en éprouvait pas la moindre contrariété. Et maintenant il était en proie à une sorte de désespoir affreux, une sensation que jamais il n'avait éprouvée avant de rencontrer Karla. Si seulement il pouvait l'appeler pour lui dire qu'elle lui manquait, que peut-être la soirée se terminerait de bonne heure et qu'ils pourraient encore être ensemble. Il vida son verre. Quelle situation impossible que de ne pouvoir l'appeler ; elle avait même pris la précaution d'effacer le numéro du cadran de ses appareils. Cela privait leur liaison d'un peu d'intimité. Quelle intimité ?

Il lui faisait l'amour et cela lui plaisait. Il était seul à y mettre du sentiment. En fin de compte, elle s'en moquait.

Mais peu importait. Il ne vivait que pour être avec elle ce soir. C'était lui qui avait été obligé d'annuler le rendez-vous par la faute de Dee. Dee ne savait pas ce que signifiait un sentiment comme celui-là, et il la détestait !

Il était encore d'humeur massacrante quand il sonna à l'appartement de Dee. Mario, qui servait à la fois de chauffeur et de valet de chambre lorsqu'elle était à New York, vint lui ouvrir. Mike l'accueillit et Mario lui servit un Martini.

Puis la porte s'ouvrit et Dee fit irruption dans la pièce. Elle tendit sa joue à Mike qui y posa un baiser routinier, et s'approcha de David en lui déclarant à quel point elle le trouvait beau. Il lui retourna son compliment en lui disant qu'elle était très en beauté et l'embrassa.

Puis il s'assit sur le coin du divan en échangeant quelques mots d'usage avec Mike qui se demandait où pouvait bien être sa fille.

Il avait presque terminé son Martini quand elle entra dans la pièce. Il s'entendit répondre à la présentation, poser les questions banales : comment s'était passé son voyage ? Avait-elle ressenti le fameux « déphasage des Jets » dont tout le monde parlait ? Il savait qu'il avait l'air parfaitement idiot. Dieu du ciel ! Elle était belle à ravir.

Il s'entendit promettre de l'emmener au Club, au Maxwell Plum, chez Daly's Dandelion — dans tous les endroits qu'elle n'avait pas vus. Et même il disait qu'il prendrait des billets pour Hair. Il alluma une cigarette et se demanda comment il se débrouillerait pour se sortir de toutes les invitations qu'il venait de faire. Il avait parlé sous le coup de l'émotion. Pourtant, il n'était pas de nature émotive mais il ne s'attendait pas à quelque chose de ce genre. Il se rassit et s'efforça de penser raisonnablement : d'accord, January était une jeune fille d'une beauté exceptionnelle ; mais ce n'était pas Karla. D'un autre côté, Karla se ressaisirait un jour et repartirait ; il devait se le mettre dans la tête. Karla n'était que quelque chose de fou et de merveilleux qui était survenu dans sa vie.

Tout à coup, il se rendit compte qu'il restait bouche bée. Il lui fallait dire quelque chose :

— Savez-vous jouer au tric-trac ? demanda-t-il.

— Non, mais j'apprendrais volontiers, dit January.

— Bien. Je serais ravi de vous apprendre...

Il vida son verre. C'était le comble : voilà qu'il allait lui apprendre le tric-trac ! Il aurait mieux fait de se taire et continuer à boire tranquillement son Martini. Il décida de s'en tenir au ton impersonnel et commença à parler des tournois de tric-trac à Las Vegas, Londres et Los Angeles. Dee était la championne de la famille : elle s'en tirait toujours très bien. Il expliqua comment se déroulait ces tournois, les paris qu'ils suscitaient... Soudain il s'interrompit. Il avait le pressentiment qu'elle se moquait du tric-trac comme de l'an quarante et qu'elle ne l'écoutait que pour lui être agréable. C'était impossible ! Il était l'amant de Karla. Et cette jeune fille le faisait sortir de ses gonds. C'était son incroyable froideur, ce demi-sourire décontracté qui le faisait bavasser comme un idiot.

La sonnette retentit et Mario fit entrer deux couples qui étaient arrivés ensemble. David accepta un autre Martini. Il savait qu'il aurait mieux fait de s'abstenir, mais cette fille lui faisait un effet déconcertant. Il observa la nonchalance désinvolte avec laquelle elle répondait aux présentations. Et toujours ce sourire fugitif...

Il remarqua aussi que l'attention de la jeune fille était constamment concentrée sur son père. Elle suivait du regard chacun de ses gestes, et parfois ils échangeaient un clin d'œil comme s'ils partageaient un amusement secret.

Les invités de Dee accablaient January de compliments délirants. Elle les recevait calmement, mais il devinait qu'elle n'était pas impressionnée pour autant. Puis il fut frappé par l'idée qu'elle n'était pas davantage impressionnée par lui-même. C'était une nouvelle expérience, comme lorsque la Hollandaise lui avait déclaré qu'il n'était pas brillant au lit. Etait-il en train de laisser Karla l'avaler tout vivant ? Lui extraire toute sa personnalité ? Tout le restant de la soirée, il fit un effort délibéré pour chasser Karla de son esprit et se concentrer sur January. Cependant, plus la soirée s'avançait, plus il avait la sensation gênante qu'il ne se rapprochait d'elle en aucune façon.

En fait, David faisait à January une impression extrêmement mitigée. Après les « travaux d'approche » de Dee, elle s'était attendue à éprouver de l'antipathie au premier coup d'œil. Au lieu de cela, elle avait trouvé très beau ce jeune homme qui semblait si peu imbu de sa personne. Il était très grand. D'habitude elle n'aimait pas les blonds, mais les cheveux de David étaient châtain foncé et décolorés par le soleil. Il avait le teint hâlé et ses yeux étaient bruns.

Il lui plaisait. Vraiment. Et ce demi-sourire qui le préoccupait était ce qu'elle pouvait faire de mieux pour dissimuler ses sentiments. Les muscles de son visage finissaient par lui faire mal à force de s'appliquer à sourire pendant qu'elle observait Mike jouer « le Mari de Madame ». Il ressortait de l'attitude de chacun — des amis de Dee, et même des garçons et du maître d'hôtel au restaurant —

qu'elle restait Madame Deirdre Milford Granger. Et Mike n'était rien de plus que le dernier en date de ses maris.

Ils dînaient chez Raffles, un restaurant-discothèque contigu à l'hôtel Pierre. Dee dirigeait le choix des places autour de la grande table ronde. Mike était coincé entre deux dames : une certaine Rosa Contalba (dame espagnole d'âge moyen, avec pour cavalier un jeune artiste yougoslave qu'elle parrainait). L'autre femme était quelconque et plutôt du genre volumineux (ses diamants aussi étaient volumineux). Et son mari était énorme. Il était installé à la gauche de January et se croyait obligé de faire la conversation. Il se lança dans une interminable description de leur ranch du Montana. Au début, elle prit l'air intéressé mais s'aperçut bien vite qu'il ne lui fallait pas plus qu'un « vraiment ? » ou « comme c'est intéressant ! »

La conversation générale roulait sur les vacances d'été et les projets d'hiver. Rosa allait participer à un safari-photo en Afrique. La grosse femme endiamantée était trop fatiguée après sa saison à East Hompton pour seulement déjà penser à l'hiver. Et tout le monde demandait à Dee quand elle allait ouvrir le palais d'hiver à Palm Beach.

— En novembre. Mais je veux me dégager un peu des invités. Il faudra qu'ils comprennent que nous allons nous éclipser de temps à autre pour tous ces tournois de tric-trac. Bien sûr, nous serons toujours là aux vacances. January viendra probablement pour les fêtes du Thanksgiving et pour Noël, mais j'imagine qu'elle consacrera le plus clair de son temps à New York et à un emploi divertissant.

Un emploi divertissant ? Avant que January n'ait pu répondre, le gros homme dit :

— Allons Dee, ne me dites pas que cette ravissante créature va travailler !

Dee sourit :

— Stanford, vous ne vous rendez pas compte. De nos jours, les jeunes ont envie de faire quelque chose...

— Oh non, grommela Standford. Ne me dites pas qu'elle est l'une de ces énergumènes qui veulent refaire le monde : rendre les terres aux Indiens, militer pour les femmes et pour le black-power.

— Et que dites-vous de ces fanatiques de religion qui se barbouillent la figure et se rasent le crâne ? ajouta la grosse dame. J'en ai vu un groupe qui jouait du tam-tam en chantant. En pleine Cinquième avenue, en face de chez Doubleday.

— Ils ne sont pas pires que les affreuses gens qu'on voit aux actualités sur les campus universitaires, intervint Rosa. Eux aussi manifestent. En se tenant par la taille, entre garçons et filles, entre garçons... On est incapable de reconnaître les uns des autres sauf si l'un d'entre eux porte la barbe.

— Oh ! cela me fait penser... La grosse femme se pencha sur la table et chacun s'attendit à entendre un commérage croustillant :

— Savez-vous que Pressy Matthews n'est pas aux eaux. Elle a une crise de dépression nerveuse dans un quelconque sanatorium du Connecticut. Il paraît que cet été sa fille est partie avec un Juif. Ils ont acheté une voiture d'occasion, l'ont bourrée de provisions et d'un gros chien bâtard et s'en sont allés à travers le pays, en séjournant dans des communautés. Le psychiatre de Pressy lui a dit de se montrer tolérante, que la petite Pressy purgerait son esprit de toute idée de révolte. Mais pour la rentrée, la petite Pressy ne retournera pas à la pension. Elle va avoir un enfant avec ce Juif et ils ne veulent se marier qu'après la naissance du bébé, parce que la petite Pressy veut que le nouveau-né assiste aux noces. Vous voyez le tableau ! La grande Pressy est tombée dans les pommes, ils essaient de garder le secret, y compris le côté sanatorium de l'affaire... Alors cela doit rester entre nous. » Et puis le gros homme déclara :

— Enfin, au moins, il n'y pas que les guitares et le rock sauvage, regardez January.

Chacun murmura que January était en effet une beauté, mais que, comme Dee l'avait souligné, January avait fait ses études à l'étranger. Rosa lui demanda vers quelles matières elle s'était orientée et Dee répondit rapidement :

— Les langues. January parle français couramment. Puis Dee lança la discussion sur une adorable petite école maternelle où l'on enseignait immédiatement les langues aux tout-petits. January regardait son père, prêt à intervenir avec son Dunhill en or chaque fois qu'une de ses voisines prenait une cigarette. Il allait jusqu'à opiner et sourire à une histoire que débitait l'artiste yougoslave. A coup sûr, il payait ses dettes. Elle observait la façon dont il penchait sa belle tête attentive, tandis que la grosse femme poursuivait sa conversation à bâtons rompus. A un moment, il s'aperçut que January le regardait et leurs regards se rencontrèrent. Il cligna de l'œil et elle sourit. Puis il retourna à son office. Tout à coup, elle entendit Dee qui disait :

— Et January adorera cela.

January adorera quoi ? (on ne pouvait pas lâcher cette conversation une seconde).

Dee souriait et expliquait tous les détails concernant l'école maternelle.

— L'idée consiste à instruire très tôt les bambins. A les rendre bilingues. C'est pourquoi Mary Ann Stokes a eu un tel succès avec l'école maternelle. Mary Ann et moi étions ensemble chez Smith.

La pauvre fille a eu la polio dans sa jeunesse. Et puis, sa famille a tout perdu... Et sans argent et avec un bras estropié... Naturellement les chances qu'avait la pauvre Mary Ann de faire un mariage convenable étaient nulles. Aussi quand elle a voulu ouvrir cette école, il y a quelques années, ai-je consenti à la commanditer. Cela marche pratiquement en auto-financement à présent.

— Oh, Dee chérie, tonna la grosse dame, vous êtes trop modeste. Toutes ces années... Je n'ai jamais su que vous subventionniez Mary Ann. C'est une école divine. Ma petite nièce y va.

Dee hocha la tête :

— Et naturellement, à la minute où je lui ai dit que le français était la seconde langue de January, elle a sauté au plafond. Après tout, cela fait partie des principes : de ravissantes jeunes filles du monde pour enseigner aux tout-petits. Ils adoreront January.

— Moi, enseigner ?

January sentit sa voix se briser. David la regardait attentivement.

— Quand commence-t-elle ? demanda-t-il.

Dee sourit :

— Eh bien, j'ai dit à Mary Ann qu'il faudrait au moins deux semaines pour mettre au point la garde-robe de January. Disons que ce sera pour le début d'octobre. Mary Ann vient prendre le thé demain, et nous règlerons cela.

La musique passa du rock aux succès du moment. January regarda Mike et leurs regards se rencontrèrent. Il lui fit un petit signe de tête et se leva. Mais Dee se dressa au même instant :

— Oh Mike... Et moi qui avais peur que tu ne t'en souviennes pas ! Ils jouent notre chanson.

Mike parut un peu surpris mais il arbora un sourire. Dee se retourna vers la table en l'entraînant vers la piste de danse :

— La Fontaine des amours. C'est ce qu'ils jouaient dans un petit restaurant de Marbella la première fois que nous nous sommes rencontrés.

Tout le monde les regarda s'éloigner. Soudain David se leva. Il tapota l'épaule de January.

— Voulez-vous danser ?

Il la conduisit sur la piste surchargée, où toute danse était impossible. Ils se faufilèrent parmi les autres couples. David la serra de près et murmura :

— Ça va être bientôt fini et nous nous sauverons.

— Je ne crois pas pouvoir faire cela !

Elle regardait en direction de son père qui murmurait quelque chose à l'oreille de Dee.

— Pourtant, c'est ce que vous avez de mieux à faire, dit-il d'une voix neutre.

Une fois la danse terminée, ils retournèrent à leur table. Tout en buvant des cafés et des digestifs, on bavardait encore banalement et la soirée allait s'achever. Tout le monde se leva en félicitant Dee de sa soirée.

— J'emmène January prendre un dernier verre, dit David.

Avant que January ait pu formuler la moindre objection, ils étaient dans un taxi en route vers le Club.

L'endroit était bondé, la musique assourdissante. David connaissait presque tous les gens qui se trouvaient dans la pièce.

Plusieurs couples de ses amis étaient debout, au bar. David leur proposa de se joindre à eux :

— Nous ne resterons pas longtemps, nous n'avons pas vraiment besoin d'une table.

Elle répondit aux présentations, dansa avec quelques-uns des amis de David. Les chaînes de Dee lui pesaient comme une ancre, mais il semblait que toutes les filles sur la piste de danse en portaient. Quelques-unes portaient deux fois son pesant de chaînes mais sans en paraître incommodées.

La longue chevelure des filles oscillait en même temps qu'elles et les colliers cliquetaient en rythme. Elle était menacée de se voir entraînée autour de la piste par un garçon efféminé qui la serrait de trop près et insistait pour obtenir un rendez-vous pour le lendemain soir. Elle s'efforçait d'être poliment évasive, lorsque David intervint :

— Il fallait que je vous arrache à Ned, dit-il. C'est une vraie « folle », mais il se croit obligé de courtiser toutes les jolies filles pour prouver le contraire.

Miraculeusement, la musique changea et des chansons de Bacharach-David se firent entendre. Ils se rapprochèrent. Il dut la sentir se détendre, car il murmura :

— J'aime aussi ce genre de musique. J'ai la plupart de ces disques chez moi.

Elle hocha la tête et sentit sa main lui caresser la nuque :

— J'aimerais coucher avec vous, dit-il.

Ils continuèrent à danser. Elle trouvait incroyable le ton prosaïque dont il s'était servi. Pas de plaidoyer ardent comme Franco. Pas de serments. Juste une constatation. Ne devait-on pas se sentir insultée, si un homme vous parlait ainsi dès la première rencontre ? Chez miss Haddon, on l'aurait été. Mais on n'était pas chez miss Haddon. On était au Club et David était un homme recherché et distingué. D'ailleurs, il avait dit cela non comme une question, mais presque comme un compliment. Elle pensa qu'il valait mieux ne pas répondre.

Une fois de retour au bar, il se mêla à la conversation générale et tout redevint banal. Ils parlèrent des prochaines sélections internationales à venir. Les filles discutèrent de leurs vacances, de la manière dont la « saison » battait son plein, du prix pour faire rallonger un manteau de zibeline — la revue *Women's Wear* annonçant qu'il n'y aurait pas de retour des mini. January faisait semblant de s'intéresser à la conversation et souriait mais, soudain, se sentit très lasse. Ce fut une délivrance lorsque David en vidant son verre, lui proposa de partir. Une fois dans le taxi, elle se lança dans une conversation soutenue :

Comme le Club était amusant ! Comme ses amis avaient l'air gentil ! Pourquoi la musique était si forte ?

Elle ne s'arrêta de parler qu'en apercevant le perron de l'hôtel Pierre. David demanda au chauffeur de l'attendre et descendit avec elle jusqu'à la porte.

— J'ai passé une très bonne soirée, dit-elle.

— Nous en aurons beaucoup d'autres, répondit-il.

Puis, sans préambule, il l'attira contre lui et lui donna un long baiser. Elle sentit la langue du garçon écarter ses lèvres. Elle savait que le portier regardait discrètement dans la direction opposée. Elle fut consternée d'éprouver la même répulsion qui la prenait chaque fois qu'un homme essayait de l'embrasser.

Quand il relâcha son étreinte, il sourit :

— Ce sera formidable entre nous. Je le sens.

Puis il fit demi-tour et remonta dans le taxi.

Mike et Dee étaient penchés sur la table de tric-trac lorsque January entra.

— Je l'ai battue, lui cria-t-il. Pour la première fois, je l'ai battue.

— Il ne respecte aucune règle, grinça Dee. Il a tout bonnement eu une chance incroyable aux dés.

— Je ne respecte jamais de règle, plaisanta Mike.

Dee reporta toute son attention sur January :

— David n'est-il pas divin ?

Mike se leva.

— Pendant que vous ressassez la soirée, moi je vais prendre une bière. Quelqu'un désire-t-il quelque chose. Un coca, January ?

— Non, merci.

Elle commença à enlever les bijoux de Dee.

Au moment où Mike quitta la pièce, Dee disait :

— N'avais-je pas raison au sujet de David. Il est beau, comme un dieu, n'est-ce pas ? Quand le revoyez-vous ?

January pensait qu'il ne lui avait pas fixé de rendez-vous. Elle tendit à Dee les boucles d'oreilles et enleva les chaînes :

— Je vous remercie beaucoup pour les bijoux...

— Ils sont à votre disposition. Maintenant parlez-moi de David. Où êtes-vous allés ?

— Au Club.

— Oh, c'est un endroit amusant. De quoi avez-vous parlé tous les deux ?

January se mit à rire.

— Dee, on ne peut pas parler au Club, à moins d'utiliser un langage par signes. Nous avons dansé et j'ai rencontré plusieurs de ses amis.

— Je suis ravie. David connaît tous les jeunes gens bien et...

— Dee il faut que je vous parle au sujet de la maternelle.

Mike rentrait dans la pièce :

— Quelle maternelle ?

Dee revint au tric-trac.

— Oh, January et moi avons un projet en tête. Prépare le jeu, Mike, il faut que je te batte avant de nous coucher, histoire de prouver que tu ne connais rien au jeu. Dépêchez-vous d'aller dormir, January. Nous avons beaucoup de choses à nous dire, demain.

Elle envoya un baiser à son père et s'enfuit vers sa chambre, mais avant de quitter la pièce, elle contempla Mike Wayne jouant au tric-trac. Elle pensa à David. Peut-être avec « Je veux coucher avec vous » ne voulait-il lui faire qu'un compliment. Et elle s'était braquée à cause de ça. Après tout, ce n'était pas comme s'il avait essayé de la peloter, ou s'il avait employé des mots obscènes.

Mais ce n'était tout de même pas bien !

Ou peut-être bien que non...

Les choses avaient changé depuis son pensionnat. Mike avait changé, le monde entier avait changé. Peut-être était-il temps pour elle de changer !

David était si gentil. Il était si beau garçon. L'avait-elle découragé ? Il l'avait sentie se raidir quand il avait dit cela. Mais il l'avait embrassée en lui disant bonsoir. Elle n'avait pas répondu avec enthousiasme. Mais sans doute ne l'avait-il pas remarqué.

Et s'il l'avait remarqué ?

Il ne lui avait pas fixé d'autre rendez-vous. Il pouvait tout simplement avoir oublié. Après tout, elle-même ne s'en était aperçu que lorsque Dee en avait parlé.

Le téléphone sonna. Elle allongea le bras avec tant de vivacité qu'elle faillit renverser la lampe.

— Salut, mon poussin.

C'était la voix étouffée de Mike.

— Oh, salut papa.

— Dee est dans la salle de bains. Je crois que nous avons des choses à nous dire. Veux-tu qu'on se retrouve pour le petit déjeuner, dans le salon, demain matin à neuf heures ?

— Okay.

— Et ne sois pas si mélancolique. Je te promets que tu n'auras aucun marmot pour élève !

— Oh !

Elle sourit faiblement.

— Tu vois. Je suis toujours là pour mettre les choses au point. Ça va ?

— Ça va.

— Bonne nuit, chérie.

— Bonne nuit, papa.

Mike était assis sur le sofa et lisait le *New-York Times* quand elle entra dans le salon, le lendemain matin. Sans dire un mot, il emplit une tasse et la lui tendit :

— Sadie prépare cela avant d'aller se coucher, dit-il. Dee dort habituellement jusqu'à midi, il n'y a donc pas beaucoup de remue-ménage autour du breakfast par ici.

— Tu te lèves toujours aussi tôt ?

— Seulement depuis ton arrivée.

Elle s'assit et sirota son café.

— Mike, nous avons à parler.

Il sourit.

— Qu'est-ce que tu crois que je fais ici ?

Elle fixa les yeux sur la tasse de café.

— Mike... Je...

— Tu ne veux pas enseigner à l'école maternelle.

Elle le regarda.

— Tu étais au courant ?

— Pas avant que tu n'en parles. Et j'ai réglé ça avec Dee hier au soir. Pas d'école maternelle. Ensuite ?

— Je ne peux pas vivre ici.

Il fronça les sourcils.

— Pourquoi pas ?

Elle se leva et marcha en direction de la fenêtre.

— Oh regarde, d'ici je vois ma colline. Il y a un gros caniche blanc dessus.

Il vint près d'elle.

— Pourquoi ne peux-tu pas vivre ici ?

Elle essaya de sourire.

— Peut-être parce que je ne peux pas supporter de te partager.

— Allons. Tu sais bien que tu ne me partages pas. Ce qu'il y a entre nous nous appartient.

— Non, fit-elle en hochant la tête. Ça ne marchera pas. Je ne peux pas supporter de voir...

Elle s'interrompit :

— Laisse ça de côté.

— Qu'est-ce que tu ne peux pas supporter de voir ? demanda-t-il à mi-voix.

— Je... je ne peux pas supporter de te voir jouer au tric-trac !

Pendant un instant aucun d'eux ne dit mot. Il la regarda et se força à sourire :

— Ce n'est pas un mauvais jeu... vraiment. Il lui prit les mains. Ecoute, elle a refait la chambre pour toi, changé les papiers, mis des cintres spéciaux dans les placards, tout le tremblement. Je pense que tu la blesserais, si tu ne faisais pas au moins un essai. De plus, nous allons partir à Palm Beach au début de novembre. Dans six semaines, tu auras l'appartement pour toi toute seule. Essaie, pour un temps en tout cas. Ensuite, si tu veux déménager, d'accord. Mais au moins fais un effort. Je t'en prie.

Elle réussit à sourire.

— Okay, Mike.

Il se déplaça pour aller se verser une autre tasse de café :

— Comment as-tu trouvé David ?

— Je l'ai trouvé, ma foi, très banal. Elle surprit son regard étonné.

— Tu voulais qu'il me plaise, n'est-ce pas ?

— Bien sûr. Mais je crois être comme tous les pères. Je sais qu'un jour tu tomberas amoureuse, je veux que tu tombes amoureuse, et pourtant quand je l'apprendrai, l'idée m'en sera probablement odieuse.

Il se mit à rire :

— Ne fais pas attention à ce que je te dis. Je n'ai jamais été bien en forme le matin. Maintenant, quel est ton programme ? Veux-tu me retrouver pour qu'on déjeune ensemble ?

— J'aimerais bien déjeuner... un autre jour. Il faut que je m'achète des vêtements. David m'a signalé des boutiques correspondant à mes goûts sur la Troisième avenue. Aussi je file là-bas. Et j'ai un rendez-vous à trois heures avec Linda Riggs.

— Qui est Linda Riggs ?

— C'est cette fille de chez miss Haddon, celle dont tout le monde disait qu'elle deviendrait une vedette. C'est-à-dire, tout le monde sauf toi. Elle est rédacteur en chef du magazine *Gloss* à présent.

— Parfait. Cela remplit ta journée. Ce soir, Dee a des gens qui viennent prendre l'apéritif à sept heures, et ensuite nous irons au

« 21 ». Veux-tu venir avec nous ? Ou es-tu entièrement prise par David ?

Elle rit :

— Hier soir nous sommes allés au Club. C'était bondé. La musique faisait un bruit infernal. David connaissait tout le monde. Impossible d'échanger deux mots. Et voilà... nous avons tout bonnement oublié de prendre rendez-vous. C'est idiot, non ?

Il alluma une cigarette.

— Non, cela arrive.

Il fit une pause :

— Ecoute, mon poussin, ne pense pas trop en ce qui le concerne. Prends les choses tranquillement et décontracte-toi.

— Mike, tu voulais que David me plaise. Quelque chose te tracasse. Qu'est-ce que c'est ?

— Eh bien, je me rends compte maintenant que tu es dans une situation très vulnérable. Tu reviens... New York est étrange... J'ai pris une nouvelle femme... Tu es désœuvrée... Une proie facile pour le premier type un peu séduisant qui se présente. Je suis enchanté qu'il te plaise, mais il y a un tas de femmes ravissantes dans cette ville et c'est un homme très séduisant.

— Alors ?

— Eh bien, il pourrait ne pas avoir *oublié* de fixer un rendez-vous. Il pourrait tout simplement être retenu tous ces temps-ci.

— Mike, tu sais quelque chose ?

Il se leva et alla à la fenêtre.

— Je ne sais rien. Je l'ai vu la semaine dernière sortir d'un cinéma d'art et d'essai avec Karla. Je dois avouer que j'étais très impressionné, parce que c'est une des rares femmes que j'aimerais rencontrer. Je n'en ai tiré aucune conclusion. Mais il y a deux jours je l'ai aussi aperçu attendant dans la Cinquantième rue devant le Carnegie Hall. Dee m'affirme que Karla loue un studio là-bas. Et il est certain qu'ils s'y retrouvent et qu'ils sortent ensemble. Il ne m'a pas vu. Et je n'ai rien raconté à Dee.

— Tu veux donc dire qu'il est avec Karla ?

— Je voudrais te dire aussi qu'il y a un superbe mannequin hollandais, Kim Voren. Elle est sur la couverture de *Vogue* ce mois-ci. Je t'ai peut-être donné l'impression que nous t'apportions David sur un plateau d'argent. Dee voit les choses ainsi. Mais David est son propre maître. Et je ne veux pas que tu aies de la peine. Je voudrais mettre l'univers dans ta poche. La nuit dernière, j'ai beaucoup réfléchi, peut-être parce que je t'ai vue pour la première fois comme une fille superbe à sa première sortie. Une jolie fille est vulnérable. Et je ne veux pas que tu te morfondes à attendre que ce type-là te téléphone.

— Ce n'est pas mon intention. Je veux travailler.

Il traversa la pièce, se versa une autre tasse de café et alluma une nouvelle cigarette :

— Qu'est-ce que tu as envie de faire ?

Elle haussa les épaules.

— Jusqu'à présent j'avais toujours compté être dans le spectacle à cause de toi. D'une certaine manière, j'ai l'impression d'y avoir passé toute ma vie. Je pense pouvoir être comédienne. Mais je n'ai pas d'expérience. Et je sais que la concurrence est grande. Mais il y a des théâtres de périphérie, *off Broadway*. Je pourrais peut-être chercher quelque chose comme aide-régisseur, ou doublure, figurante, n'importe quoi. Dee avait raison sur un point : je veux réellement faire quelque chose.

Il parut songeur :

— La plupart des producteurs et des metteurs en scène que je connais sont sur la Côte en ce moment. Quant aux gens d'*off Broadway,* c'est toute une nouvelle couvée. Tu sais quoi, je vais téléphoner à l'agence Johnson Harris. C'est une bonne agence de spectacle. Samy Tebet est vice-président, responsable du département cinématographique. Il me doit quelques menus services. Je lui demanderai de te présenter à la personne qui s'occupe du théâtre là-bas.

Il regarda sa montre :

— Je vais essayer de le joindre dans une heure.

— Ce serait formidable. Peut-être pourront-ils me recevoir demain.

Elle se leva :

— Et maintenant, je pars pour acheter New York, comme tu me l'as conseillé hier.

Il sourit :

— Et aujourd'hui, tu as l'air disposé à le faire.

Elle hocha la tête.

— Ça te montre simplement l'effet d'une bonne nuit de sommeil.

V

La Troisième avenue était un monde entièrement nouveau. Elle avait déposé à l'hôtel Pierre des cartons bourrés de pantalons, de jupes longues, de chemises, de salopettes — assez pour occuper la plupart de ces lourds cintres en laiton que Dee avait fait installer dans ses placards. A présent sa garde-robe était tout aussi farfelue que celle de n'importe qui à New York.

*
* *

Gloss était une véritable usine de modèles et d'activités frénétique. La réceptionniste l'annonça, puis lui indiqua son chemin à travers un long hall. Les gens s'y agglutinaient, étudiant des maquettes. Des jeunes gens portaient des cartons à dessin. Des jeunes filles passaient en courant avec des croquis. Une brillante lumière artificielle inondait la plupart des bureaux sans fenêtres. Il y avait un air « contemporain » chez chacun d'eux, depuis les filles maigres aux cheveux longs et aux lunettes teintées jusqu'aux gens à la barbe taillée avec soin. January était contente de porter l'un de ses nouveaux costumes.

Elle s'arrêta à l'extrémité du hall devant une grande porte laquée en blanc, portant le nom *LINDA RIGGS* en gros caractères de bois provenant d'une vieille imprimerie. La secrétaire, logée dans le petit box extérieur, introduisit January dans une extraordinaire pièce d'angle aux immenses baies vitrées. Une belle jeune femme était assise derrière le bureau, un récepteur téléphonique coincé entre sa joue et son épaule, écoutant, prenant des notes. Le bureau était moderne et coloré : des murs blancs, des tapis orange sur des parquets en bois teinté de noir, des tableaux qui avaient l'air de planches de tests de Rorschach en couleurs, des chaises de cuir blanc, un divan de velours noir, des tables en plexiglass, des numéros de *Gloss* un peu partout. Malgré le décor, le bureau donnait une impression de grande activité. January s'assit et attendit que Linda en terminât avec le téléphone. La voir avec ses cheveux ébouriffés et son amusant visage dans le décor laqué, paraissait irréel.

Linda lui sourit en lui signifiant que la communication touchait à sa fin. January lui répondit par un sourire compréhensif et regarda les manuscrits empilés sur le rebord des fenêtres. Sur une table s'étalaient *Ladies' Home Journal,* le *Cosmopolitan, Vogue* et d'autres revues concurrentes.

Elle raccrocha enfin le téléphone :

— Je suis désolée. Cette conversation n'en finissait pas. Puis elle regarda January et sourit :

— Eh bien, vous êtes vraiment la beauté en personne. Comment en serait-il autrement avec un père comme Mike Wayne ?

January sourit poliment et se demanda si c'était bien Linda.

Cette femme séduisante et briquée la regardait comme une pièce de musée. January se leva :

— Je dois voir miss Riggs à trois heures et...

La femme partit à rire :

— January ! Qui croyez-vous que je sois ?

January parut abasourdie. Mais Linda rit de plus belle :

— J'ai oublié, Seigneur ! Depuis combien de temps ?

— Pas loin de dix ans, finit par dire January.

Linda acquiesça :

— C'est juste ! Eh bien, tu ne pensais pas que j'allais rester affligée de cette figure-là toute ma vie, non ? Mon appareil dentaire est parti, quelques couronnes ont été ajoutées et, bien sûr, je me suis fait refaire le nez — ça a été mon cadeau de fin d'études — j'ai perdu dix kilos de ce que nous dénommions des « rondeurs juvéniles »...

— C'est incroyable, fit January, Linda, tu es superbe. Je veux dire... ta personnalité a toujours été si forte que les gens te trouvaient belle mais...

— J'avais l'air ébouriffée avant que ce soit dans le vent de paraître ébouriffé. Maintenant que je suis passée à travers tout cela, les laides reviennent à la mode. Je te jure que quelquefois je voudrais retrouver mon ancien nez. Entre parenthèses, Keith ne sait pas que je me suis fait arranger le nez et les dents...

Elle appuya sur un bouton d'interphone et la voix de la réceptionniste se fit entendre dans l'appareil posé sur le bureau :

— Norma, quand Keith Winters arrivera, envoyez-le directement ici. Puis elle se tourna vers January :

— J'aurais préféré que tu portes quelque chose de plus coloré. J'adore ton pantalon et la veste de daim est ravissante... Mais tout cela est un peu trop beige et Keith ne fait que des photos en couleur.

— Linda, je ne suis pas venue ici pour me faire photographier.

Je suis venue pour te voir. Je veux que tu me racontes tout sur toi et la revue. Je trouve cela fabuleux.

Linda quitta son bureau et s'assit sur le divan. Elle saisit un paquet de cigarettes dans une grande coupe de verre :

— Nous avons ici tout ce qu'il est possible de fumer sauf de la marijuana. Alors, sers-toi.

— Merci, je ne fume pas.

— Je voudrais bien en dire autant. Comment fais-tu pour rester aussi mince sans cela ? Je m'inquiète quelquefois, avec tout ce qu'on raconte sur le cancer, mais on prétend que jusqu'à leur ménopause, les femmes possèdent une substance secrète qui les protège. A propos de ménopause, parle-moi de Deirdre Milford Granger.

— Elle est Mme Michael Wayne à présent.

— Bien sûr ! dit Linda en souriant. J'aimerais bien avoir un article sur elle et ton père. Nous visons le public de vingt à trente ans, mais *tout le monde* adore lire ce qui concerne les gens odieusement riches. Nous avons essayé de la joindre à maintes reprises, mais elle nous a toujours éconduit. C'est pourquoi je brûle de faire un article sur toi. Ça va passionner nos lecteurs. Je suis surprise qu'Hélène Gurley Brown ou Léonore Hershey ne se soient pas déjà manifestées auprès de toi. Quoique ce soit davantage un sujet pour *Cosmopolitan* que pour *Ladies' Home Journal*. Je parie qu'Hélène Gurley Brown va me faire retourner chez mon psychiatre.

— Pourquoi ?

— C'est qu'elle réussit très bien. Et tout ça a commencé en écrivant l'histoire d'une pauvre fille qui a dégotté un mari sublime. Et le côté le plus drôle, c'est que personne ne se marie plus, sauf les vieux. En tous cas, c'est l'angle sous lequel je prends les choses. Les sujets ne vous tombent pas tout rôtis dans le bec. Il faut les trouver, être les premiers. C'est pourquoi je suis à mon bureau de huit heures du matin à huit heures du soir. Ce n'est pas facile. Mais c'est le seul moyen. Parce que j'ai l'intention de faire de *Gloss* un magazine plus important que *Cosmopolitan*. Un jour, il dépassera tous les autres.

— Tu ne crois pas au mariage ? demanda January.

— Naturellement pas. Je vis avec Keith et nous sommes très heureux. Nous vivons au jour le jour. Parce que rien ne dure, pas même la vie.

— C'est le photographe ?

Linda sourit.

— En réalité, il est acteur. Photographe, c'est son violon d'Ingres. Je lui donne tous les boulots que je peux. Il est diablement bon. Bien sûr, ce n'est ni Halsman ni Scavullo. Il pourrait l'être, s'il s'y consacrait entièrement, mais il veut devenir le Marlon Brando des années

111

soixante-dix. Il est vraiment merveilleux. Je l'ai vu jouer *Streetcar* dans un spectacle du Syndicat des Acteurs. Mais le malheur veut qu'il n'y ait pas d'emplois. Et il n'a jamais eu la chance de percer à Broadway.

— Je pensais que ce serait toi, la grande star, dit January. Nous le pensions toutes, chez miss Haddon.

Linda secoua la tête.

— J'ai essayé. Mais, même avec le nez arrangé et le reste, rien de sérieux n'est arrivé. Je veux dire que tout était miteux avec les filles faisant le métier de serveuses la nuit pour pouvoir payer leurs cours et courir le cachet dans la journée. J'ai essayé pendant un certain temps. Je suis même devenue serveuse dans une cafeteria. Et puis un jour j'ai rencontré une femme qui cherchait du travail — qui était aussi comédienne, mais qui malheureusement approchait de la trentaine... Alors j'ai compris qu'il était inutile de continuer et je suis entrée à *Gloss*. La revue battait de l'aile et j'avais un tas d'idées pour la faire marcher. Mais personne ne voulait m'écouter. Je suis restée là comme grouillot pendant deux ans. Et puis quelqu'un du service publicité m'a appris que John Hamer allait fermer *Gloss*. Il est président du Conseil d'administration de *Jenrose* : ils possèdent *Gloss* et plusieurs autres revues. Tout le monde cherchait déjà à se recaser ailleurs. Alors, risquant le tout pour le tout, je suis allée le trouver en lui exposant mes idées. Je lui ai dit qu'il fallait cesser de concurrencer *Vogue* pour la haute couture, et s'adresser à la jeune femme, à la fille qui travaille, chercher de la publicité pour les derniers soutiens-gorge, choisir des articles qui n'aient pas obligatoirement une fin heureuse. Ecrire des histoires sur des couples qu'aucun prêtre ni conseiller conjugal ne peuvent sauver, des articles sur « l'autre femme » qui souffre, tandis que l'épouse s'en moque et se paie du bon temps. Il a pris le risque et m'a nommée responsable des sujets spéciaux. Au bout d'un an, nous avions doublé le chiffre de nos ventes. A la fin de cette année-là, je suis passée rédactrice en chef. Nous avons été les premiers à faire un reportage photographique sur la mode sans soutien-gorge sur la Riviera. J'ai fait aussi des articles pour et contre l'accouchement sans douleur, pour et contre les enfants... Nous avons fait des étincelles et notre diffusion ne cesse de grimper. Mais si je veux damer le pion au *Ladies' Home Journal* et au *Cosmopolitan*, il faut que je les devance. Et si je ne peux pas obtenir Deirdre Milford Granger Wayne, alors je veux avoir January Wayne ! Je veux faire un reportage photographique sur toi dans notre numéro de janvier, sous le titre : « January », non pas le mois du même nom mais la fille qui a tout ce qu'elle veut au monde.

— Linda, je ne veux pas qu'on fasse un article sur moi.

Pendant un instant, Linda la regarda fixement :

— Alors, pourquoi es-tu venue me voir ?

— Parce que, eh bien... J'avais espéré que nous pourrions être amies. Je... ne connais personne à New York.

— La petite princesse solitaire ? Allons donc, c'était le lot de ta belle-mère. Du moins jusqu'à ce qu'elle épouse ton père. Ce doit être un chaud lapin. Tu sais quoi ? J'ai toujours eu un faible pour lui.

January se leva, mais Linda lui attrapa le bras :

— Oh, Dieu du ciel, ne sois pas indignée. Ecoute, d'accord, tu es seule. Tout le monde est seul. Et l'unique moyen de ne pas être seule, c'est de coucher avec l'homme qui t'intéresse et de te réveiller le lendemain matin dans ses bras. J'ai trouvé ça avec Keith et c'est une des raisons pour lesquelles je veux cet article. Parce que je pourrais le payer convenablement. Tu vois, je crois que s'il était apprécié pour ses photos, il les prendrait plus au sérieux. Et je n'aurais plus à craindre de le voir partir six mois en tournée avec une troupe quelconque.

L'intensité des sentiments de Linda transformait entièrement son visage, et tout à coup January eut devant elle la Linda de chez miss Haddon. La Linda à la voix éraillée. La Linda de *Annie du Far-West*.

Elles se taisaient toutes les deux. Enfin January dit :

— Linda, si tu tiens tellement à Keith, pourquoi ne vous mariez-vous pas ?

— Parce que je te l'ai expliqué : nous n'y croyons pas !

Elle était redevenue la Linda Riggs de la revue *Gloss* :

— Il est mon compagnon et nous vivons ensemble et c'est bien et...

Elles levèrent toutes deux les yeux car la porte s'ouvrait d'une vive poussée et Keith Winters traversait la pièce. January reconnut aussitôt en lui le photographe du vestibule de l'hôtel Pierre. Ses cheveux étaient longs, ébouriffés, il portait une casquette de marin hollandais, une veste des surplus de l'armée, un tee-shirt, des espadrilles et une salopette.

— Navrée, Keith, dit Linda. Je crains que la commande ne te passe sous le nez. La dame refuse.

Il haussa les épaules et retira l'appareil suspendu à son épaule. Il en avait aussi un autour du cou. January se sentit fautive.

Keith prit un paquet de cigarettes dans la coupe. Puis il se tourna vers Linda :

— Dis donc, il vaut mieux que tu ne m'attendes pas pour dîner.

— Mais, c'est le jour où Evie vient faire le ménage ; et je lui ai dit de préparer une bonne côte de bœuf, comme tu les aimes.

Il secoua la tête :

113

— J'ai rendez-vous avec Milos Doklov. Je dois descendre en ville à cinq heures et demie.

— Qui est-ce ? demanda Linda.

— Simplement l'un des meilleurs metteurs en scène des théâtres *off Broadway*. Il a eu à deux reprises des voix pour un Obie.

Il regarda January ;

— C'est l'un des chefs de file de la périphérie...

Elle sourit faiblement.

— Oh ! Je ne savais pas.

— Rassurez-vous : Linda non plus.

— Keith, je n'ai rien contre *off Broadway*.

— Comment pourrais-tu ? Tu n'y es jamais allée.

— J'irai à la première de ce spectacle-là.

— Calme-toi, fit-il. C'est du super *off Broadway*. Mais si c'est assez bon pour Milos, c'est assez bon pour moi.

— C'est merveilleux, fit Linda avec un enthousiasme forcé. Raconte-moi cela. Quel est ton rôle ? Ça sort quand ?

— Ça se joue déjà et c'est un « tabac » selon les critères d'*off Broadway*. Le jeune premier part sur une autre pièce. Et il se peut que je le remplace.

— Eh bien, c'est formidable. Je mettrai la côte de bœuf au freezer et je t'attendrai. Nous sortirons du pâté et du vin pour fêter ça.

— Je n'aime pas le pâté.

Il regarda January :

— C'est embêtant que vous nous snobiez. J'aurais pu gagner ma croûte et ma pauvre vieille a besoin d'un sujet. Elle ne dort pas la nuit sauf lorsque les ventes montent.

January sentit un courant sous-jacent d'agressivité entre eux. Linda se forçait à sourire et ses mains tremblaient en essayant d'allumer sa cigarette. Tout à coup, January comprit que Linda avait désespérément besoin de ce sujet — et pas seulement pour la revue.

— Linda, peut-être que si je téléphonais à mon père et lui demandais...

— Lui demander quoi ?

Linda gardait les yeux fixés sur Keith.

— Pour l'article, je veux dire à propos de ce que tu voulais faire sur moi.

Linda s'illumina.

— Oh, January, fais-le. Appelle-le maintenant. Prends ce téléphone, sur mon bureau.

January ne connaissait pas le numéro du bureau de son père. Peut-être Sadie l'aurait-elle. Elle appela l'hôtel Pierre. Sadie savait le

114

numéro et lui dit aussi qu'on avait livré deux douzaines de roses. Elle attendit que Sadie ait lu la carte :

— C'est de Mr Milford. C'est la carte de son travail. Il y a écrit : « Merci pour une adorable soirée. Vous appellerai dans quelques jours. D. »

Elle remercia Sadie et composa le numéro du bureau de son père. La secrétaire lui dit d'essayer de le joindre au Friars Club. Elle pensait aux fleurs, tandis qu'elle attendait qu'il soit prévenu. « Vous appellerai dans quelques jours. » Comme le disait Mike, il ne se morfondait pas à attendre après elle. Il était probablement en mains. Et les fleurs lui montraient qu'il pensait à elle.

Quand son père vint au téléphone, il paraissait essoufflé :

— Qu'est-ce qui se passe, mon poussin ?

— Est-ce que je t'ai interrompu dans quelque chose d'important ?

— Sûr ! Une partie de gin terrible et un double Schneid...

— Oh, excuse-moi.

— Ecoute, mon cœur, d'où je suis, je peux voir le type que j'ai battu à plates coutures essayer de regarder mon jeu. Tu veux quelque chose de spécial ? Ou est-ce un appel de politesse ?

— Je suis à la revue *Gloss* et Linda veut faire un article sur moi.

— Et alors ?

— Es-tu d'accord ?

— Bien sûr...

Il s'interrompit :

— C'est-à-dire, si c'est un sujet sur *toi*. Je ne veux pas que Dee soit dans le coup. Ecoute, arrange ça en demandant confirmation écrite que le sujet ne paraîtra pas avant que tu l'aies approuvé.

— D'accord.

— Oh... Et dis-donc, tout est arrangé avec Sammy Tebet pour demain, au bureau de chez Johnson Harris. A dix heures du matin.

— Merci Mike.

— A tout à l'heure, mon poussin.

Elle raccrocha et leur exposa les conditions de Mike. Linda acquiesça :

— Ça marche comme ça. Je vais faire faire immédiatement une lettre. Je mettrai Sara Kurtz sur le texte. Keith, tu peux commencer tout de suite les photos.

Elle appuya sur un bouton d'interphone :

— Janie, prenez' toutes les communications. A moins que Wilhelmine ne rappelle. Je veux ce nouveau mannequin allemand pour la couverture de février... ... Shotzie je ne sais quoi. Mon Dieu, vous savez bien que je ne retiens pas les noms. Quoi ? Non. Et dites à Léon de lâcher l'illustration pour le nouvel extrait de roman. Il faut que je voie ça ce soir, avant de partir. Oui, c'est à cause de ça...

Elle leva les yeux vers une fille laide, à l'allure de volatile, qui entrait timidement dans la pièce en serrant un bloc-notes. Linda lui fit un bref salut de la tête et raccrocha :

— Asseyez-vous, Ruth. Voici January Wayne. Ruth est un as de la sténo. Je vais poser les questions, parce que je sais déjà comment il faut prendre l'article. Et puis, dans quelques jours, nous fixerons un rendez-vous pour te faire rencontrer Sara...

Keith avait fini de charger ses appareils. Il sortit sa cellule photo-électrique, changea une lampe, puis prit un instantané au Polaroïd pour vérifier la composition de son plan. Il l'examina, hocha la tête et se mit à mitrailler avec un autre appareil.

Le sourire de Linda était exclusivement professionnel :

— Parfait, January. Après miss Haddon, où es-tu allée à l'école ?

— En Suisse.

— Dans quel établissement ?

January vit Ruth gribouiller toutes sortes de signes cabalistiques sur son bloc. Elle hésita. Elle ne se rappelait pas le nom que Dee avait donné la veille. Ce que Dee voulait faire croire à ses amis était une chose. Mais elle ne désirait pas mentir sur ce point, dans un texte imprimé. En outre, cela pourrait occasionner des ennuis à Linda. Et pour ajouter à sa gêne, Keith s'agitait tout à coup à travers la pièce, prenant des clichés d'elle sous les angles les plus saugrenus. Elle se tourna vers Linda.

— Ecoute. Concentrons-nous sur *maintenant*. Je ne veux pas qu'on s'étende sur miss Haddon, Dee ou la Suisse. Je commence à chercher du travail demain et... nous partons de là.

— Tu cherches du travail ? se mit à rire Linda. Toi ?

Keith s'approcha et prit un cliché. January sursauta :

— Oubliez-moi, supplia-t-il. Vous et Linda vous continuez votre conversation. Je travaille mieux ainsi.

— Si tu veux du boulot, dit Linda, viens travailler pour moi.

— Ici ?

January commençait à s'agiter. Le cliquetis perpétuel de l'appareil de Keith l'énervait.

— Bien sûr. Je serais enchantée d'avoir ton nom dans mon générique. Tu pourrais être rédactrice-stagiaire, simplement nous ne ferions de toi ni une esclave ni un grouillot.

— Mais je ne sais pas écrire.

— Je ne savais pas non plus, répondit Linda. J'ai appris. Et maintenant je n'en ai plus besoin. J'ai un tas de *rewriters*. Mais tout

116

ce que *toi* tu aurais à faire, ce serait d'obtenir les interviews, d'y aller, de prendre des notes ou de te servir d'un magnétophone. Et puis je chargerai quelqu'un de rédiger.

— Mais pourquoi voudrais-tu m'avoir ?

— Pour ton influence. Ecoute, l'année dernière Sammy Davis Junior était en ville et je n'avais aucun moyen de l'approcher. Si tu avais travaillé avec nous à ce moment là, un coup de téléphone de ton père à Sammy aurait suffit. Mike Wayne s'est peut-être retiré, mais il a encore ses entrées auprès de gens que nous ne pourrions jamais atteindre. En ce moment même, nous recherchons la clientèle de lecteurs d'échos sur les jeunes gens distingués. Tu pourrais avoir une chronique mensuelle sur ce qui se passe dans ce domaine. Et puis ta nouvelle belle-mère connaît la grande Karla. Alors... si nous pouvions avoir un article sur elle !

— Karla n'a jamais donné une interview de sa vie, fit Keith.

— Bien sûr que non, concéda Linda. Mais qui parle d'une interview ? S'il arrive à January de la voir à une des réceptions de Dee et de surprendre quelques perles tombant de cette superbe bouche polonaise...

— January, j'ai six clichés où vous froncez les sourcils, dit Keith. Prenez une autre expression.

January se leva et sortit du champ de la caméra.

— C'est insensé, la façon dont vous vous comportez tous les deux. Je viens pour voir une amie d'enfance et je me retrouve répondant à une interview. Je dis que je cherche du travail et tu me demandes d'être Mata-Hari. Pour parler comme toi, Linda, PAS QUESTION !

— Quel genre de travail veux-tu faire ? demanda Linda.

— Jouer la comédie.

— Grand Dieu ! grommela Linda.

— Avez-vous de l'expérience ? demanda Keith.

— Pas vraiment. Mais j'ai passé ma vie à observer et à écouter. Et au... En Suisse... Je faisais beaucoup de lecture à haute voix. Chaque jour, deux heures : Shakespeare, Marlowe, Shaw, Ibsen.

Keith continuait de mitrailler tandis qu'elle parlait.

— Venez avec moi cet après-midi. Je vous présenterai à Milos Doklov — il a toujours un projet en route. Il peut connaître une autre personne qui monterait quelque chose où vous pourriez auditionner. Vous chantez ou dansez ?

— Non je...

— Quelle bonne idée, fit Linda. Et, Keith, vois si tu peux faire quelques clichés de January avec ce Milos. Prends aussi quelques arrière-plans d'elle au Village...

117

Puis, tandis que Keith commençait à ranger son appareil, Linda lui dit :

— Je te contacterai d'ici un jour ou deux, January. J'aurai fait la lettre dans les termes que ton père désire et je vais arranger un rendez-vous entre toi et Sara Kurtz.

Elle regarda Keith :

— Je tiendrai ta côte de bœuf au chaud jusqu'à huit heures. Tâche de rentrer à ce moment-là.

— J'essaierai. Mais n'y compte pas trop, dit-il. Venez, Mademoiselle la comédienne, ajouta-t-il en prenant January par le bras. Vous êtes sur la bonne voie.

Une fois dehors, Keith dit :

— Maintenant, petite fille de riches, vous allez voyager à la mode des acteurs en chômage.

— Comment cela ?

— Par le métro. Chacun son écot. Vous avez trente cents ?

— Oui, bien sûr. Savez-vous quelque chose ? Je n'ai jamais pris le métro !

Il rit en l'entraînant au bas de l'escalier.

— Continue à parler, chérie. Tu m'épates !

Elle s'assit à côté de Keith, essayant de surmonter une sensation de nausée, tandis que la rame ronronnait à travers la ville. Décidément, il n'y avait rien de merveilleux ni de coloré dans la pauvreté. L'homme assis à son côté sentait la sueur. Une femme, en face d'elle, tenait un grand cabas à provisions logé entre ses jambes et se curait consciencieusement le nez. Il régnait une atmosphère oppressante dans le wagon dont les parois étaient recouvertes de noms et de graffiti.

Elle se tenait très droite, essayant de cacher sa répulsion, tandis que Keith bavardait malgré le bruit. A un moment, il manqua de se rompre le cou en voulant se mettre debout sur un siège de l'autre côté du compartiment, pour la photographier. La rame cahota et il tomba, son appareil glissant à l'autre bout du wagon. January fut frappée de voir combien les gens étaient peu disposés à lui venir en aide. Quand ils descendirent, ce fut un soulagement.

Ils marchèrent deux cents mètres environ jusqu'à un immeuble miteux. Puis ils montèrent cinq étages :

— Le bureau de Milos est là-haut, dans un grenier, expliqua Keith.

Ils s'arrêtèrent plusieurs fois pour souffler avant d'atteindre une porte en fer qui paraissait humide. Keith tira sur le cordon et une voix forte retentit :

— Ce n'est pas fermé. Entrez !

La voix était le seul élément fort chez Milos Doklov. C'était un petit homme maigre à l'air peu soigné, avec une longue chevelure clairsemée qui ne couvrait que par endroits un crâne brillant. Il avait les ongles longs et sales, et son sourire découvrait des dents gâtées :

— Salut, mec. Qui est la poulette ?

— January Wayne. January, voici Milos Doklov.

— Alors, tu rentres au bercail, dit Milos sans se soucier de January.

Keith sortit son appareil et prit un instantané de January qui regardait l'endroit de tous ses yeux.

— Je n'ai pas eu le boulot avec Hal Prince, si c'est ce que tu veux dire, répondit Keith, en arrachant avec ses dents l'enveloppe d'un nouveau rouleau de pellicule.

— Chéri, chéri, dit Milos en sautant sur ses pieds comme un chat. Cette saloperie de *Broadway* tuera tout ce que tu as en toi. Quand tu auras joué ici et compris tout ce que cela signifie, alors tu pourras aller en ville pour une saison, te faire un peu de blé. Mais n'oublie jamais : c'est ici qu'est la scène, c'est ici que ça se passe.

— Arrête de vendre tes salades, Milos... Je vais prendre le boulot.

Milos sourit tristement :

— Tu aurais pu avoir le rôle au début, avec toutes les critiques. Regarde ce qui arrive à Baxter, il part jouer dans *Cendres et Jazz*.

Keith fit cliqueter son appareil une fois de plus :

— C'est encore du *off Broadway*.

— Oui mais il finira par décrocher un Obie.

— Ecoute, j'ai dit que je vais prendre le rôle.

— Rompu avec la « modiste » ?

— Non.

— Alors pourquoi ce revirement de cœur ? Il me semble qu'avant, c'était la principale raison de ton refus de prendre le rôle.

Keith se mit à recharger son second appareil. Il vérifia sa cellule :

— J'avais encore l'espoir de faire l'affaire Hal Prince. Laisse tomber. Quand commencent les répétitions ?

— On n'aura que deux jours. Peut-être lundi ou mardi prochain. Tu n'as qu'à venir voir le spectacle tous les soirs, apprendre le rôle et la mise en places. Ce n'est pas la mer à boire.

— D'accord, Milos.

Il prit un dernier cliché de January.

— Pourquoi les photos ? demanda Milos.

— Pour faire un sujet sur la demoiselle.

— Vous êtes mannequin ? demanda Milos.

— Pas du tout !

Keith rangea son appareil dans son étui :

— Elle est comédienne. Connais-tu quelqu'un qui ait besoin d'une fille dans son genre ?

— Vous êtes bonne ? demanda Milos à January.

— Je crois. Enfin, je crois l'être, fit-elle.

Milos se frotta le menton :

— Ecoutez, une des muses part en même temps que Baxter. J'allais appeler Liza Kilandos. Il n'y a que dix lignes et c'est payé... ah... vous êtes au syndicat ?

— Pas encore.

— Très bien. Allez voir le spectacle ce soir avec Keith. C'est le rôle que joue Irma Davidson.

Il lança la brochure à Keith.

— Potasse ça, mec. Et vous, January, revenez demain à quatre heures pour une lecture du rôle.

Une fois dans la rue, elle saisit le bras de Keith :

— Il a dit ça sérieusement ? Je veux dire, que je pourrais avoir un boulot tout de suite ? N'est-ce pas formidable ?

Le temps avait changé. Il y eut un soudain roulement de tonnerre. Keith regarda le ciel :

— Il va tomber des hallebardes, mais ça ne durera pas. Entrons quelque part pour prendre un café.

Il la poussa vers une sorte de cellier :

— Nous pouvons prendre un sandwich ici et tuer le temps en attendant l'heure d'aller au théâtre. Pas de raison de dépenser de l'argent pour retourner en ville. Avez-vous quelqu'un à appeler pour prévenir que vous ne rentrez pas ?

Elle téléphona à l'hôtel Pierre. Son père n'était pas là et Dee se reposait :

— Dites-leur que je ne pourrai pas dîner avec eux, demanda-t-elle à Sadie. J'ai... j'ai un rendez-vous.

Ce n'était pas tout à fait vrai. Mais cela valait mieux qu'une longue explication.

Elle revint à la table. La pluie tombait drue sur la chaussée. Assis dans le petit box, ils regardaient au-dehors la rue grise et trempée. Ils commandèrent des hamburgers et Keith prit encore quelques photos d'elle dans le restaurant.

— Linda dit que vous êtes un bon photographe, dit January.

— Je m'en tire.

— Elle dit que vous pourriez être un des meilleurs.

— Ecoutez, j'aime mieux être un acteur débile que le meilleur photographe du monde.

Elle ne dit rien. Il ajouta :

120

— La dame se fait trente mille dollars par an. Je ne veux plus de boulots de charité.

— Mais elle dit que vous êtes bon.

— Oui, mais pas avec l'appareil photo.

Elle sentit ses joues s'empourprer et se pencha pour assaisonner son hamburger. Il se mit à lui parler de sa carrière, les quelques rôles convenables qu'il avait eus dans les Festivals, ses rôles *off Broadway,* les *Industriels,* l'émission publicitaire de TV qui lui avait permis de vivre pendant un an.

— Mais tout cela est fini. Mon allocation de chômage est aussi terminée. Et je n'ai nulle intention de battre Avedon et tous les autres.

— Mais vous pourriez apprendre, dit January.

Il la regarda.

— Pourquoi ?

Il hocha la tête :

— Ouais. Pourquoi ? Pourquoi est-ce que je me tuerais à apprendre quelque chose que je ne fais avec aucun plaisir ? Bien sûr le théâtre est rebutant. Mais c'est comme tourner en bourrique pour une fille dont on est amoureux. Vous vous acharnez après elle en espérant toujours qu'elle finira par dire oui. Il faut bien dire qu'on a autant de mal à draguer une fille qui ne vous plaît pas. Vous pigez ?

— Mais vous seriez avec Linda.

Il plongea le regard dans sa tasse de café.

— Pourquoi ne le serais-je pas tout en étant acteur ?

— Mais, je veux dire... Comme acteur vous devez beaucoup vous déplacer et la quitter souvent.

— Avez-vous jamais entendu parler de ce qu'on nomme l'amour propre ? Avant de retrouver quelqu'un tous les soirs, vous avez besoin d'être content de vous. Je connais trop d'acteurs qui se sont vendus pour avoir un boulot, ou qui ont trouvé un protecteur... Et savez-vous quoi ? Ils n'ont jamais fait carrière, parce que cela tue quelque chose en eux.

Elle demeura silencieuse. Soudain il dit :

— Et vous ? A quoi jouez-vous ?

— Que voulez-vous dire ?

— Vous aimez quelqu'un ?

— Oui. Ou, plutôt, non.

— Qu'est-ce que vous entendez par oui... et puis non ?

— Eh bien, j'aime mon père. Je sais que ce n'est pas la même chose que d'être amoureuse, pas vrai ?

— J'espère que non.

— Et puis j'ai rencontré quelqu'un. Mais quand je pense à l'amour...

Elle secoua la tête.

— Je ne suis pas bien sûre de ce qu'on éprouve quand on est amoureux. Il me plaît, mais...

— Vous n'êtes pas amoureuse. C'est tout le drame de ma vie : je n'ai jamais été amoureux.

— Jamais ?

Il secoua la tête :

— Pour moi, l'amour, ce sera quand je me tiendrai sur la scène et que je saurai que toute cette fichue salle est uniquement là pour me voir. Ça, c'est le véritable orgasme. Ce que j'éprouve pour une femme...

Il haussa les épaules :

— C'est comme manger un bon plat. J'aime bien manger... J'aime la vie, j'aime goûter des choses nouvelles, des nouvelles sensations.

Il s'interrompit.

— Ecoutez, n'ayez pas l'air si choqué. Linda est au courant. Nous sommes ensemble depuis longtemps et elle sait bien que je peux m'en aller n'importe quand. Et si je le faisais ce ne serait pas pour une autre fille. Seulement pour vivre autrement, changer de rôle, vous saisissez ?

— Non.

— Vous êtes une vraie mijaurée. Personne au monde ne peut être aussi étriqué. Ecoutez, moi je suis fou de la vie. J'ai envie de la tordre pour l'essorer. Linda s'imagine être comme moi. Mais c'est une erreur. Elle ne vit que pour cette revue. Bien sûr, elle me plaît. Je ne suis pas le premier homme dans sa vie. Je crois qu'elle souffrirait plus de manquer un bon article que de perdre son type.

— La pluie a cessé, dit-elle.

Il se leva.

— Cela fait quatre-vingt-dix cents pour vous, on laisse trente cents de pourboire, quinze chacun. D'accord ?

— D'accord.

Les rues étaient trempées et quelques gouttes tombaient encore des arbres. Ils marchèrent en silence. January se creusait la tête pour dire quelque chose qui ferait revenir Keith à de meilleurs sentiments vis-à-vis de Linda. Il était si indifférent... C'était peut-être une simple façon de parler ou de l'énervement. Bien des gens exagèrent leur langage lorsqu'ils sont énervés. La réalité était plus simple : physiquement, il était très séduisant et Linda l'aimait. Les choses s'arrangeraient peut-être lorsqu'il jouerait dans cette pièce. Mike disait toujours qu'il était plus sociable quand il faisait ce qui lui plaisait.

La pluie recommença soudain. Keith la prit par la main et ils coururent le restant du chemin, baissant la tête en passant sous les gouttières ou sous les arbres. Ils étaient à bout de souffle, lorsque Keith s'arrêta devant une boutique.

— Voilà nous y sommes.

— Mais... où est le théâtre ?

— Suivez-moi...

Il lui fit traverser le magasin qui était vide — à l'exception de quelques tables en bois blanc chargées de limonade, de crackers, de cacahuètes pour l'entracte. Une fille se tenait derrière un guichet improvisé. Ils passèrent devant elle et pénétrèrent dans une longue salle étroite. Il y avait de multiples rangées de chaises pliantes et dures. Devant, une scène sans rideau. Keith la conduisit au troisième rang.

— Ce sont les sièges-maison, fit-il avec un sourire ironique.

— C'est ça, le théâtre ?

— C'était un vieux magasin. Ils en ont fait une salle de spectacle. Les loges sont en haut et Milos a ouvert un foyer au troisième étage pour les acteurs qui crèvent de faim. C'est un dortoir mixte et on habite là sans payer, quand on est sans travail.

A huit heures, la salle était pleine. A la grande surprise de January, on apporta d'autres chaises qui remplirent tous les espaces vides.

— C'est le clou de la saison ? Ce n'est pas possible ! fit-elle.

— Ça démarre sur les chapeaux de roue, une publicité faite presque uniquement de bouche à oreille. Je vois beaucoup de gens du centre de New York. Peut-être quelques producteurs descendront-ils voir ça.

Les lumières se tamisèrent et toute la troupe vint sur le plateau. Ils saluèrent, se présentèrent et sortirent. Trois filles restèrent en scène.

— Celle de gauche, est celle que vous allez remplacer, chuchota Keith. Elles restent continuellement en scène. Elles représentent le Chœur grec.

Les trois filles portaient des combinaisons de mécano grises. Elles déclamèrent quelques lignes puis le héros qu'elles invoquaient parut. Il ressemblait à Keith. Il débita une longue diatribe à laquelle January ne comprit pas grand chose. Le Chœur grec la coupait occasionnellement d'un : « Amen, frère ! » Une fille entra. Il y eut une discussion violente. Ils s'assirent pour fumer à l'unisson la marijuana rituelle. La scène s'emplit de fumée.

— Ils miment les rêves produits par la drogue, dit Keith. Ils se servent maintenant d'un écran de fumée. C'est cette scène qui amène le tout New York.

Quand la fumée se dissipa, les deux protagonistes étaient nus. Le Chœur grec également. Alors le garçon et la fille se mirent à faire l'amour. Au début, c'était comme une danse lente. Le Chœur grec accompagnait en fredonnant une musique provenant d'un haut-parleur. Quand la musique se fit plus forte, leur chant s'amplifia, et leurs mouvements étaient de plus en plus rapides. La danse se transforma en frénésie lorsque le jeune premier entonna un chant et se mit à caresser les seins du Chœur grec et de la jeune première, tandis que celle-ci les caressait tous, à son tour. Les filles du Chœur grec se caressèrent entre elles jusqu'à ce que tout le monde se trouve enlacé pendant une chanson intitulée : « *Bouge, touche, sens... c'est ça l'amour* ».

Puis la scène fut plongée dans l'obscurité, les lampes se rallumèrent et ce fut l'entracte.

January se leva d'un mouvement vif :

— Je m'en vais.

— Mais il y a un autre acte. Votre grande scène est dedans.

Il se mit à rire.

— Vous avez un monologue de dix lignes.

— Avec ou sans vêtements ? demanda-t-elle.

— Dites-moi, avez-vous peur de regarder la nudité en face ?

Il l'agrippa par le bras tandis qu'elle se frayait un chemin dans l'allée :

— La nudité est une chose naturelle. Dissimuler le corps est une idée implantée dans notre esprit depuis la naissance. Ça a commencé quand Eve a mangé la pomme. Mais un nouveau-né a des organes génitaux... Et pourtant tout le monde adore voir un bébé les fesses à l'air. Notre corps fait partie de l'expression de l'amour. Couvrons-nous notre visage parce que nos yeux regardent amoureusement ou parce que notre bouche parle d'amour ? Notre langue caresse les lèvres d'une autre personne... Cependant est-ce que la langue est obscène ?

— Nous voyons avec nos yeux et parlons avec notre langue, dit-elle.

— Ouais... Et nous pissons avec nos vits et nos vulves, mais nous faisons aussi l'amour avec.

Elle se dégagea de son bras et sortit en courant. Les gens s'empilaient dans ce qui tenait lieu de hall essayant d'avoir un verre de limonade à un dollar. Il y avait des limousines garées dehors. Keith sortit et la rattrapa :

— Je vous comprends, moi aussi je n'aimerais pas faire un numéro de sexe sur scène. C'est du reste pourquoi je n'ai pas accepté le rôle quand la pièce est sortie. Je savais que Linda sauterait au plafond. Mais les choses sont ainsi aujourd'hui. Pourtant je réagis tout aussi simplement devant la nudité que devant l'acte sexuel car il n'y a rien de plus normal.

— Vomir aussi, mais personne ne veut payer pour regarder ça !

— Ecoutez, January, la pièce est bien partie. C'est une grande chance pour moi maintenant. Tout le monde joue ce genre de rôle. Des stars célèbres jouent des scènes déshabillées. Aller plus loin n'est plus qu'une question de temps. Et ce n'est pas Keith, l'homme, qu'on va regarder sur cette scène. Ce sera Keith, l'acteur. Et c'est tout ce qui m'importe. Je préfère vivre dans le dortoir de Milos et *jouer* un porno achevé que de m'agiter dans un studio de Park avenue avec un appareil photo à la main.

Ils avaient parcouru une centaine de mètres. Il tombait encore une pluie fine. Keith essaya de sourire :

— Rentrons, le second acte commence.

Mais elle continuait à aller dans la direction opposée. Il eut une seconde d'hésitation, puis cria :

— Continuez. Courez chez vous. Rentrez au Pierre où votre père est entretenu par une putain. Moi, au moins, j'essaie. Si des gars comme votre père n'avaient pas jeté le manche après la cognée, peut-être ne serions-nous pas embringués dans ce genre de saloperie. Mais ce sont des types comme lui qui ont joué la prudence et refusé de chercher autre chose. Eh bien qu'ils aillent se faire voir, vous et Linda également.

Il fit demi-tour en courant vers le théâtre. Elle resta un instant immobile. Il y avait des larmes dans sa colère. Elle aurait voulu lui dire qu'elle comprenait, qu'elle n'était pas fâchée. Mais c'était trop tard. Les gens retournaient au spectacle. Le second acte commençait. Elle fut seule, dans une rue subitement déserte. Il n'y avait pas le moindre taxi. Elle revint au théâtre en regardant les plaques minéralogiques des voitures. Beaucoup avaient des X indiquant qu'il s'agissait de voitures de location. Elle s'approcha d'un chauffeur.

— La pièce ne finit que dans une heure. Voudriez-vous...

— Fous le camp, hippie !

Il alluma sa radio.

Son visage s'enflamma. Elle fouilla dans son sac, en tira un billet de dix dollars et s'approcha de la voiture suivante.

— S'il vous plaît, dit-elle en tendant l'argent. Pourriez-vous me conduire chez moi ? Vous serez rentré à temps pour la sortie du théâtre.

— Quelle est votre adresse ?

Le chauffeur regardait le billet.

125

— A l'hôtel Pierre.

Il acquiesça, prit le billet et déverrouilla la portière :

— Grimpez !

Pendant le parcours, il lui demanda :

— Qu'est-ce qui s'est passé ? Vous vous êtes disputée avec votre petit ami, ou est-ce la pièce qui vous a fait fuir ?

— Les deux.

— Ils viennent de loin en masse pour voir des mômes à poil, hein ? Je pense que c'est ce qu'on montre, n'est-ce pas ?

— Plus que ça, fit January à mi-voix.

— Sans blague. Voulez-vous que je vous dise ? Je suis marié avec trois gosses. J'ai voulu être artiste, autrefois. Je chante encore de temps en temps aux mariages de copains, dans le Bronx, des ballades irlandaises. Je me débrouille très bien aussi avec Rodgers et Hammerstein. Mais on n'écrit plus de chansons comme ça. Il n'y a plus de Sinatra dans la nouvelle vague. Plus de Perry Como. Ceux-là, c'étaient des chanteurs... Pas les foutaises que ma fille écoute sur son tourne-disques.

Ils arrivèrent enfin devant le Pierre. Il attendit qu'elle rentrât et disparut à nouveau dans la circulation. Elle fut soulagée en trouvant l'appartement vide. Une fois dans sa chambre, elle se tint debout dans l'obscurité à réfléchir. Dans le noir, les choses avaient un réalisme moins cru. Elle songea à Linda qui fondait toute son existence sur sa réussite au journal et sa soif de succès... A Keith, aussi, qui regardait ce spectacle abominable... Au chauffeur qui avait voulu être chanteur... A son père, sûrement assis dans quelque restaurant avec Dee et ses amis. Elle restait là, prostrée. Où étaient-ils tous ? Où étaient tout le plaisir et le bonheur qu'elle attendait ? Toutes les longues journées d'attente en Suisse où elle luttait uniquement pour pouvoir marcher... à quoi bon ? Elle alluma et le vide qu'elle ressentit l'effraya. Elle jeta les yeux sur les roses posées sur son bureau et pensa à David.

Soudain, le théâtre miteux, la soirée lui parurent très anciens. Il y avait encore un univers avec des gens beaux et propres. Et il y avait encore à Broadway des scènes avec de superbes décors et des acteurs de talent.

Elle entrerait dans cet univers-là et Mike serait fier d'elle... David serait aussi flatté d'être avec elle qu'avec Karla ou le mannequin hollandais. A partir de maintenant, elle n'allait plus être seulement la nouvelle belle-fille de Dee — ou même la fille de Mike Wayne — mais January Wayne.

Une femme indépendante.

VI

L'accueil de Sammy Tebet fut chaleureux et démonstratif. Il s'enquit de Mike, le taxa d'heureux diable pour s'être sorti d'un tel panier de crabes, et dit qu'une belle fille comme January devrait trouver un gentil garçon, se marier et ne plus penser à la scène. Mais si elle insistait, il ferait ce qu'il pourrait.

Puis il lui fit traverser le vestibule et la présenta à un brillant jeune homme qui semblait avoir à peine l'âge de se raser. Le jeune homme avait sa pièce à lui et siégeait derrière un grand bureau. Il avait un téléphone avec cinq boutons et chaque fois que l'un d'eux s'allumait, une secrétaire harassée, ayant l'air d'être sa grand-mère, passait la tête dans l'entrebâillement de la porte et suppliait :

— Monsieur Copeland... Je vous en prie, prenez la deux. C'est la Côte.

Il la gratifiait d'un sourire et disait :

— Ne vous affolez pas, Rhoda !

Puis avec un regard ennuyé et qui priait January de l'excuser, il appuyait sur le bouton et se lançait d'une voix pleine d'animation dans une discussion d'affaires roulant sur des sommes considérables.

Entre ces appels téléphoniques, il essayait de mettre sur pied quelques rendez-vous pour elle. Il connaissait deux spectacles en cours de distribution. Elle était de trop grande taille pour jouer l'ingénue, mais elle pouvait tout de même y aller et auditionner. Peut-être la doublure était-elle encore à prendre. L'autre était une comédie musicale. Savait-elle chanter ? Non... bon, allez-y tout de même. Il leur arrivait de prendre une très belle fille qui n'avait pas de voix, quand ils avaient pour la soutenir assez de gueulards tonitruants. Dans le cas contraire, rien n'était perdu. En tout cas, elle devrait aller voir Merrick. Il pourrait penser à elle la prochaine fois qu'il monterait quelque chose. Il lui donna une liste de producteurs à aller voir.

Ils monteraient quelque chose plus tard en saison. Il prit aussi un rendez-vous pour elle avec une agence, pour une émission publicitaire. Ces émissions-là n'étaient pas de son ressort mais il se trouvait qu'au bar du P.J., la veille au soir, il était tombé sur le directeur qui lui avait dit chercher des filles aux cheveux longs. Quand elle le remercia, il lui tendit la main d'un air pontifiant :

— Ne me remerciez pas, mon petit. C'est grâce à Sammy Tebet. C'est lui qu'il faut remercier. Aimez-le ! Aimez-le ! Lui, c'est quelqu'un de bien. Il paraît que votre père était autrefois ici avec David Merrick. Eh bien, espérons qu'il aura toutes les raisons d'être fier de vous. Cela fait partie des côtés agréables de notre travail. Une dernière chose, appelez-moi une fois par semaine et laissez votre numéro de téléphone à Rhoda.

Puis il retourna à son téléphone à boutons lumineux et January donna son numéro à l'émotive Rhoda.

Elle suivit toutes les filières qu'il lui avait données. Elle auditionna pour une pièce. Elle n'avait pas été très bonne et le sentait. Elle fut congédiée avec l'habituel : « Je vous remercie. » Elle se rendit à pied à l'agence de publicité, dans Madison avenue, et attendit pendant une heure dans un bureau, avec une trentaine de filles dont la chevelure descendait jusqu'à la taille. Quand elle put voir enfin le directeur, elle apprit que c'était un « spot » pour des cigarettes. La belle chevelure était une contrainte, car il importait beaucoup de suggérer que les *jeunes gens en bonne santé fument*. Ils aimaient ses cheveux, lui dirent d'apprendre à avaler la fumée et de revenir dans deux jours. Elle acheta un paquet de cigarettes, retourna à l'hôtel Pierre, s'enferma dans sa chambre et s'entraîna.

Après quelques bouffées, la pièce se mit à tournoyer. Elle ne bougea pas et eut la nausée. Mais, au bout d'un moment, cela passa et elle essaya encore. Cette fois elle courut à la salle de bains pour vomir. Puis elle s'effondra sur le lit et se demanda quel plaisir les gens pouvaient éprouver à fumer.

Dee et Mike l'invitèrent à dîner. Elle déclina l'invitation, expliqua qu'elle avait une audition le lendemain matin et qu'il lui fallait potasser le manuscrit en vue de la « lecture ». Elle passa le restant de la soirée à essayer alternativement d'avaler la fumée et à combattre des accès de nausée.

A onze heures du soir, elle finit par se tenir debout devant son miroir, avala la fumée et réussit à ne pas tomber dans les pommes. Comme pour saluer son succès, le téléphone sonna. C'était David :

— Je pensais laisser un message. Je ne croyais pas vous trouver à la maison.

— Je me suis entraînée à avaler la fumée.

— A avaler quoi ?

— De la fumée de cigarette.

— Quel genre de cigarettes ?

Elle regarda le paquet.

— Des « True ».

— Oh... pourquoi ?

— Pourquoi des « True » ? Parce que j'aime le nom de la marque.

— Non, pourquoi avaler la fumée ?

Il l'écouta attentivement, tandis qu'elle expliquait l'histoire du « spot » de publicité. Puis il dit :

— Ecoutez, n'essayez pas de faire descendre la fumée plus bas que votre gorge. L'effet sera le même. Pas besoin de vous esquinter les poumons. Et quand vous aurez obtenu le « spot », jetez les cigarettes.

Elle rit :

— Je parie que vous pensez que je suis un peu ravagée de rester là à me rendre malade, uniquement pour un « spot ».

— Non, je pense que vous êtes une fille décidée. C'est ce que j'aime en vous.

— Oh... bon... oui.

Elle savait que sa voix trahissait son émoi.

— Etes-vous occupée demain soir ? demanda-t-il.

— Non.

— Voudriez-vous dîner avec moi ? Je dirigerai votre entraînement de fumeuse. Peut-être même que je vous apprendrai à faire des ronds.

— Oh, formidable ! A quelle heure ?

— Je vous laisserai un message dans la journée.

— Parfait... Bonne nuit, David.

Elle se leva tôt le lendemain matin. Rhoda lui avait demandé d'être à onze heures au bureau d'un producteur pour une lecture. Elle était dans tous ses états. M. Copeland avait déclaré qu'elle était le type même du rôle, lui raconta Rhoda. Aujourd'hui serait peut-être son jour. Elle en était sûre. Elle allait avoir le rôle. Après tout, il fallait bien que *quelqu'un* l'ait. Et ce soir elle voyait David.

Tout en s'habillant, elle songeait à la soirée. Elle avait porté le costume de gitane pour sa première sortie avec David. Qu'allait-elle mettre ce soir ? La longue jupe en daim avec des bottes ? Ou l'ensemble décontracté, pantalon noir et jaquette qui figuraient dans *Vogue* ? Le vendeur de la boutique de la Troisième avenue lui avait dit que c'était un parfait « déshabillez-moi jeune homme ! » Enfin, elle avait toute la journée pour y penser.

Son euphorie persista, même lorsqu'elle attendit dans un bureau bondé, pour voir le producteur. Mais Keith avait raison : il y avait si peu de rôles disponibles et tellement d'acteurs. Des acteurs avec de l'expérience. Pendant qu'elle attendait, elle saisit des bribes de leur conversation.

Ils parlaient du licenciement, de l'assurance chômage. Certains plaisantaient même sur leurs expériences en tant que modèles dans des salons où l'on exécutait des peintures sur le corps. Rien n'était avilissant, du moment qu'on y trouvait l'argent du loyer et la possibilité pour l'acteur de courir à la chasse au cachet et d'étudier. Elle s'émerveillait de leur attitude. Mais aucun d'eux ne semblaient abattus par tous les refus essuyés. Ils étaient comédiens et tous les échecs et les déceptions faisaient partie du métier. Ils pouvaient ne pas avoir de quoi manger tous les jours, mais ils s'arrangeaient tous pour payer leurs cours. Elle entendait des bouts de phrases sur Uta, Stella, le Studio... Et elle remarqua que tous avaient un jeu de photos avec leurs noms copiés au verso. L'autre objet de première nécessité était l'agenda écorné et surchargé de rendez-vous pour « contacts », auditions et leçons.

Elle attendit deux heures et fut introduite devant un homme fatigué qui la regarda et soupira :

— Qui vous envoie ?

— M. Copeland.

Autre soupir.

— Pourquoi Sheldon fait-il ça ? Je lui ai dit hier que nous cherchions une blonde au visage fatigué, approchant de la trentaine. Ce n'est pas correct ni pour vous... ni pour moi. Il croit vous occuper en vous envoyant ici et là, mais il vous fait perdre votre temps... et le mien. Voilà, mon petit. Meilleure chance pour votre prochaine démarche.

Puis il se tourna vers sa secrétaire :

— Combien y en a-t-il encore qui attendent ?

January croisa sur le seuil une grande fille rousse qui entrait. Elle se demanda si Sheldon avait aussi envoyé celle-là. Pensait-il que voir un producteur fatigué en fin de journée lui ferait « impression » pour une autre fois ? Peut-être devrait-elle raconter tout cela à « Sheldon ». Elle sortit dans la rue. Une petite rafale de vent lui envoya de la poussière dans les yeux. Son rimmel commença à couler tandis qu'elle s'essuyait l'œil.

Elle héla un taxi mais il ne s'arrêta pas. Tous les taxis qu'elle hélait semblaient arborer le signe « pas libre ». Elle se mit à marcher en direction de l'hôtel Pierre. Mike avait raison. Ce n'était pas le monde éblouissant qu'elle avait vu pendant ses sorties de chez miss Haddon. Elle remonta Broadway. L'après-midi touchait à sa fin.

Les prostituées avec leurs perruques démesurées commençaient à prendre leur faction au coin des rues. Un aveugle traînait la jambe derrière un chien à l'air triste. Un groupe de jeunes Japonais armés d'appareils photographiques prenaient des instantanés de la rue. Elle avait envie de crier : « Ça n'a pas toujours été comme ça ! » mais peut-être était-ce comme ça, peut-être que de la place qu'elle occupait à côté de Mike dans la limousine, cela lui avait paru différent. Et maintenant, après deux jours de course au cachet, elle était frappée de sentir qu'elle se moquait du théâtre comme de l'an quarante — du moins sans Mike.

Il était quatre heures et demie quand elle parvint au Pierre. Elle allait se tremper dans la baignoire et laver à grande eau tout le découragement et la poussière de la journée. Ce soir elle voulait être fraîche et superbe pour son dîner avec David. Elle se sentit mieux, rien que d'y penser. Elle avait envie d'aller dans un endroit tranquille, éclairé aux chandelles et de bavarder. Elle voulait en savoir davantage sur lui. Elle sentait confusément qu'il comprendrait le malaise qu'elle éprouvait. Mike aurait seulement commenté : « Je te l'avais dit ». Parce qu'il avait eu raison.

Il y avait un message dans sa case. Elle le regarda avec méfiance. C'était de David. Il viendrait la prendre à cinq heures et demie. Cinq heures et demie. Pourquoi cinq heures et demie ? C'était peut-être un cocktail. Ce devait être cela. Elle se précipita dans l'appartement, prit une douche rapide et enfila sa jupe longue. Elle mettait son rouge à lèvres, quand il l'appela de la réception.

— Montez, dit-elle. Je ne sais pas préparer un Martini. Mais Mario est là et Mike va arriver d'une seconde à l'autre.

— Non. Il faut nous dépêcher. Descendez !

Elle attrapa un châle de laine et descendit le retrouver. Il la regarda et fronça les sourcils :

— Je suis idiot. J'aurais dû vous dire de vous mettre en salopette.

Elle remarqua qu'il portait un vieux pantalon en velours côtelé, un veston et une chemise de sport.

Il prit son bras :

— Il y a un grand film d'espionnage au Baronet. Je ne vais jamais voir les films qui me font envie et on fait toujours la queue pour celui-là. Aussi ai-je pensé que si on attrapait la séance de six heures, on aurait des places. On pourra toujours manger un morceau après.

⋆⋆⋆

La soirée avait été un désastre total. Elle y repensait en reposant,

131

immergée dans la baignoire. David avai adoré le film et, après la projection, ils étaient allés à pied dans un restaurant appelé le Maxwell's Plum. Il était bondé, mais David connaissait le gérant et on les avait aussitôt casés à une petite table contre le mur. David connaissait aussi les gens de la table voisine. Il fit les présentations, commanda un hamburger pour elle et bavarda avec ses amis tout au long du dîner. A dix heures, ils quittèrent le restaurant.

— Voulez-vous venir chez moi ? demanda-t-il.

— Quoi ?

— Venez chez moi.

Il lui prit la main en hélant un taxi.

— Pourquoi ne viendriez-vous pas au Pierre ? demanda-t-elle.

— Dee et Mike pourraient y être. D'ailleurs, je serais gêné de coucher avec vous, les sachant dans le même appartement.

Le taxi stoppa devant eux avant qu'elle ait eu le temps de répondre et il l'aida à monter. Puis il se pencha vers le chauffeur en lui donnant une adresse dans East Seventies.

— David, je ne vais pas coucher avec vous !

Elle avait presque crié. Elle reprit d'une voix plus basse :

— Je vous en prie, ramenez-moi à la maison.

— Changement de direction ! cria-t-il au chauffeur. Allez à l'hôtel Pierre.

Puis il se tourna vers elle avec un sourire pincé :

— Parfait. Parlons de choses plus importantes. Comment vous êtes-vous débrouillée avec le « spot ». L'avez-vous décroché ?

— Ça ne se fera que demain. David, ne soyez pas fâché. Mais je... Eh bien... Je ne peux vraiment pas, coucher avec quelqu'un que je connais à peine.

— Oublions ça, dit-il tranquillement. C'était juste une suggestion.

— J'ai de la sympathie pour vous, David. (Quel besoin avait-elle de s'excuser ! Après tout, ce n'était pas comme si elle lui avait refusé une danse.)

— C'est bon, January. Je comprends, répliqua-t-il d'une voix neutre. Nous voilà arrivés.

Et lorsqu'il l'accompagna à la porte et l'embrassa sur le front, cela lui fit l'effet d'une gifle.

*
* *

Elle se mit au lit et chercha à la radio un programme musical. Elle aimait bien David. C'est-à-dire qu'elle l'aimerait bien s'il lui laissait le temps de l'apprécier. Elle avait besoin de l'aimer et voulait l'aimer, sous le poids soudain de sa solitude.

Il lui sembla avoir à peine dormi quand le téléphone sonna.

— Est-ce que je t'ai réveillée ? dit Linda, d'un ton joyeux.

— Quelle heure est-il ?

— Sept heures et demie du matin, température extérieure : vingt-cinq degrés, qualité de l'air acceptable. Je suis assise à mon bureau et j'ai déjà fait une heure de yoga.

January alluma la lampe.

— Mes rideaux sont fermés. Ici, on pourrait croire qu'il est minuit.

— January. Il faut que je te voie. C'est important.

Linda était encore joyeuse, mais il y avait de l'insistance dans sa voix :

— Enfile un pantalon et viens prendre le petit déjeuner avec moi. Je vais le faire apporter.

— Je ne peux pas. J'ai rendez-vous à neuf heures avec l'agence Landis. Au fait, félicite-moi : j'ai appris à fumer.

— Abandonne, avant de ne plus pouvoir t'en passer.

— Oh, je ne le fais que pour le « spot ». J'avoue pourtant que cela m'a aidée à supporter une soirée d'un ennui mortel hier. Quand tu regardes devant toi et que ton soupirant parle à la table voisine, une cigarette peut être la meilleure amie.

— January, il faut que je te voie.

— Pour l'article ?

Après un court silence, Linda reprit :

— Bien sûr. Ecoute, serais-tu par hasard libre à dîner.

— Tout ce qu'il y a de plus libre.

— Parfait... alors viens à cinq heures et demie. On fera une réunion avec Sara Kurtz pour discuter de l'article. Puis nous irons chez Louise. C'est un bon restaurant italien où deux femmes seules peuvent aller sans qu'on les imagine en train de draguer. A tout à l'heure...

Linda terminait une réunion du comité de rédaction quand January arriva. Elle lui fit signe de s'asseoir sur le divan, au fond de la pièce. Linda siégeait à son bureau. Ses rédacteurs et leurs adjoints étaient assis en demi-cercle autour d'elle.

— Je crois que cela englobe à peu près tous nos plans pour le numéro de février, dit-elle.

Il y eut un léger grincement de chaises, lorsque tout le monde se leva. Tout à coup, Linda dit :

— Oh, Carol, contacte John Weitz. Il a dit qu'il allait reprendre le *Colony* et donner une réception pour la St Valentin. Vérifier si ça tient toujours. On peut peut-être prendre quelques clichés du décor, pour le numéro de février. Demande-lui aussi s'il a une idée sur la liste de ses invités... Je sais bien que c'est un peu tôt, mais il a bien dix ou douze noms de gens qu'il est sûr d'inviter.

Elle se leva, signifiant que la réunion était officiellement terminée. Elle sourit faiblement pour dissimuler sa lassitude. Un vrai sourire eût demandé d'elle un trop grand effort. Ses yeux scrutèrent le groupe qui se dispersait en hâte :

— Où est Sara Kurtz ? s'enquit-elle.

— Elle téléphone à Londres, répondit un jeune homme. Elle est convaincue que les Bow Bell Boys ne sont pas de pure souche anglaise et veut le vérifier.

— C'est ridicule, aboya Linda. C'est le succès le plus sensationnel aux Etats-Unis, depuis les Rolling Stones.

Le jeune homme hocha la tête comme pour s'excuser :

— Oui, mais Sara jure avoir vu le chanteur principal faire un concours pour les maisons de disques de Cleveland en 1965. Elle prétend qu'il vient tout droit de Shaker Heights. Et vous connaissez Sara : elle n'oublie jamais un visage.

— Eh bien, envoyez-la moi. J'ai besoin d'elle tout de suite.

Tout le monde sortit par petits groupes.

Linda rejoignit January et se laissa tomber sur le divan.

— Et c'était une journée tranquille ! soupira-t-elle.

Elle regarda January allumer une cigarette :

— Oh, tu as eu le « spot », je vois.

— Erreur. J'ai été une des trois dernières éliminées. Il paraît que j'avale la fumée comme une championne... mais pour l'exhaler, il faut m'exercer encore.

Linda rit et alla à son bureau. Elle appuya sur un bouton de l'interphone :

— Dites à Sara Kurtz de venir immédiatement. Je ne vais pas attendre toute la nuit qu'elle ait terminé ses élucubrations.

— Crois-tu que le gars soit vraiment originaire de Cleveland ?

Linda haussa les épaules :

— Sara cultive les « disk-jockeys ». Le gars de Cleveland a dû lui laisser un souvenir impérissable. Elle ne s'arrêtera pas tant qu'elle ne sera pas calmée. Pauvre de lui, s'il est vraiment l'un des Bow Bells Boys.

— Elle a l'air terrible...

— Elle l'est. On va régler notre histoire. Après on bavardera.

Au bout de quelques secondes, une fille d'une grandeur démesurée, ressemblant de manière inquiétante à Tiny Tim, bondit dans la pièce. Linda présenta Sara Kurtz qui se pencha pour serrer la main de January. Puis elle tira un bloc fripé d'un sac en coton natté plus qu'usagé et se mit à gribouiller. Elle était principalement intéressée par l'orthographe du nom de January et fut surprise d'apprendre qu'il s'orthographiait comme le mois de l'année. Après d'autres questions, elle se déplia et sortit de la pièce à reculons.

— C'est un fauve, dit Linda. Keith prétend qu'elle a un physique à pouvoir jouer pour les *New York Knicks,* mais son père était un excellent journaliste et, bizarrement, elle a hérité par osmose d'une espèce de style. Nous la gardons pour les échos un peu rosses. Je lui ai dit que cet article doit être « monté en épingle », c'est pourquoi elle a l'air encore plus malheureux.

— Pourquoi se complait-elle à fustiger les gens ? demanda January. Après, elle ne doit plus pouvoir les regarder en face.

— Si tu avais le physique de Sara, tu aurais tout naturellement l'univers en horreur.

— Mais tu as dit que la laideur était à la mode...

— Je l'ai dit. Mais il y a une laideur dans le vent et une qui ne l'est plus. Sara est définitivement hors du coup. Mais ne t'en fais pas. Tu as un droit de regard complet sur l'article. Voilà le papier. signé et tout !

Elle tendit une enveloppe à January :

— Dis à Papa qu'il n'a pas à se faire de souci.

January mit l'enveloppe dans son sac. Linda la regarda attentivement :

— Es-tu si ennuyée d'avoir raté ce « spot » ?

— Bien sûr que non. Pourquoi ?

— Pendant une seconde tu as donné l'impression que c'était une catastrophe.

January eut un sourire crispé.

— C'est ridicule. J'ai tout pour être heureuse : je vis à New York, mon père a une femme merveilleuse, et j'ai une très belle chambre entièrement refaite à neuf au Pierre.

— Des clous !

— Quoi « des clous » ?

— Je dis : des clous ! January, à qui veux-tu faire croire cela ? Tu as horreur de vivre ici et tu ne peux pas supporter de voir ton père avec Deirdre Milford Granger.

January haussa les épaules :

— Ce n'est pas vrai. D'ailleurs je les vois rarement. Mais je n'ai aucun plaisir à demeurer là. C'est son appartement à elle et je m'y sens comme une intruse.

— Eh bien, déménage !

— Mon père ne veut pas.

— Ecoute, si tu essaies de plaire à tout le monde, tu finiras par ne plaire à personne.

135

January écrasa sa cigarette.

— L'ennui, c'est que je ne sais pas ce que je veux. Probablement parce que toute ma vie je n'ai jamais pensé à autre chose qu'à être avec mon père. Et je vois maintenant, lorsque je sors avec un garçon, c'est comme si... Je ne sais pas quoi faire... comment agir.

Linda siffla.

— Dis donc, toi t'as besoin d'un psychiatre.

— J'en ai eu tout mon saoul à la clinique.

— Quoi ?

— Oh Linda... c'est une longue histoire. Mais écoute. Quand on grandit sans avoir de mère, il est normal de faire de son père le centre de sa vie. Et raison de plus quand on a un père comme Mike.

— J'en conviens, dit Linda. Ton père est diablement séduisant. Mais David Milford l'est aussi. Ronnie Wolfe a publié dans sa chronique, que tu étais avec lui chez Raffles l'autre soir. Je n'ai pas de goût pour les mondanités. Mais si c'est la voie que tu dois suivre, marcher côte à côte avec David Milford est le seul moyen d'avancer.

— C'était une réception de Dee. Nous avions aussi rendez-vous hier soir. Il m'a demandé de l'accompagner chez lui, mais je n'ai pas voulu. En me ramenant chez moi il n'a même pas essayé de m'embrasser.

Linda se leva.

— Allons chez Louise. Un verre sera le bienvenu, pour l'une comme pour l'autre.

Le restaurant plut à January. Louise était une femme chaleureuse, maternelle, qui leur apporta un plat de foie de volaille, fait à la maison. Elle souhaita à January la bienvenue à New York et lui dit qu'elle avait l'air d'une vedette de cinéma. Dans cette atmosphère familiale, January commença à se détendre. Elle commanda un verre de vin blanc et Linda commanda un double martini « on the rocks ». Pendant un instant, elles restèrent silencieuses.

Linda avala une grande gorgée en faisant tourner les glaçons au fond de son verre. Puis elle dit :

— Comment as-tu trouvé Keith ?

— Il est très gentil.

— L'as-tu revu depuis l'autre jour ?

— Moi ? Pourquoi cela ?

— Parce que moi, je ne l'ai pas revu, aboya Linda.

Puis elle but une autre longue gorgée de martini :

— Dis-moi, je t'en prie. Dis-moi la vérité. Est-ce qu'il t'a fait la cour ?

— S'il m'a fait quoi ?

— T'a-t-il draguée ?

136

— Sûrement pas ! Nous sommes allés voir le spectacle et...

— Et quoi ?

— Je suis partie à toutes jambes pour fuir le spectacle et lui je suppose.

January rompit le silence qui venait de s'établir et dit :

— Ecoute, Linda, je suis peut-être vieux jeu. Mais j'ai été choquée et...

— Moi, je n'ai rien contre la nudité, fit Linda. Mais...

Elle s'interrompit :

— Qu'est-ce que je te débite-là comme bêtises. Je suis aussi fantaisiste que Keith. Ma parole, nous sommes les grandes générations émancipées : le corps est beau, alors montrons-le. Je suis allée là-bas hier soir. Keith était assis dans la salle. Il ne m'a pas vue. Mais dis-moi ce qu'il y a de beau dans une poignée de gens moches qui se frottent les uns contre les autres dans un théâtre crasseux sur une scène poussiéreuse. Leurs pieds étaient noirs de crasse, c'était repoussant. Et ne crois pas que ces gens aux voitures imposantes viennent là pour l'art ! Ils ne sont là que pour assister à la décadence de quelques acteurs faméliques. Ce genre de comédien essuie assez d'échecs pour que son intimité soit préservée. Mais il n'y a plus rien qui ressemble à de la dignité personnelle. C'est pour les croulants. Nous sommes la nouvelle génération. Nous sommes libérés. Plus de mariage. La mode est aux bâtards.

— Mais tu disais hier que tu ne croyais pas au mariage.

Linda secoua la tête :

— Je ne sais plus à quoi je crois. Regarde, ma mère a eu quatre maris et est en train de trouver son cinquième. Mon père a eu trois femmes. Ils m'ont donné à eux deux sept demi-frères et sœurs que je connais à peine. Ils sont tous en pension, chez une quelconque miss Haddon. Mais comme ils sont nés dans les liens du mariage, tout est en ordre. En tout cas, c'est ce que pense ma mère parce que c'est ce qu'on lui a appris. Mais notre nouvelle génération est hostile au mariage, parce qu'on nous l'a enseigné.

— Qui ?

— Les gens que nous rencontrons et qui nous sont chers.

— Linda, tu as envie d'épouser Keith, n'est-ce pas ?

— Peut-être. Mais s'il pensait que je nourris un sentiment pareil, je le perdrais, si je ne l'ai pas déjà perdu.

— Mais qu'est-ce qui s'est passé ?

— Il n'est pas rentré cette nuit. Il m'a téléphoné pour m'annoncer qu'il voulait vivre pendant un temps dans cette communauté dégueulasse, afin de pouvoir réfléchir. Il sait que je suis contre sa participation à cette pièce. Il ne m'avait pas dit quelle pièce c'était.

l'autre jour au bureau. Ecoute, si la nudité est importante pour l'intrigue, si c'est du réalisme, d'accord. Mais la façon dont ils font ça dans ce spectacle...

Elle secoua la tête :

— Mais je sais ce qui turlupine Keith en réalité. C'est le fait que je gagne trente-cinq mille dollars par an plus une prime de Noël et que lui n'en gagne que trois mille cinq cents, y compris l'allocation chômage. Pour lui, je suis une institution « établie ». Je ne sais vraiment plus que faire. J'ai essayé d'adopter sa manière de vivre. Je suis restée assise à bavarder avec ses amis. J'ai bu de la bière à la place des martinis. J'ai porté des salopettes au lieu de pantalons. Mais aucune loi ne m'ordonne de vivre comme un porc. Je paie quatre cents dollars par mois pour mon appartement. Il est dans un bon quartier, dans un bel immeuble avec un concierge et des garçons d'ascenseur. Je suis à mon bureau tous les matins avant neuf heures et quelquefois je ne le quitte qu'à minuit. J'ai gagné le droit d'avoir un joli endroit où vivre. Pourquoi abandonnerais-je cela et irais-je travailler dans un journal clandestin pour cinquante billets l'article ?

— C'est ce qu'il veut que tu fasses ?

— Il passe sa vie à me rabaisser, moi, *Gloss* et tous les articles que j'ai en tête. Mais il professe un enthousiasme délirant pour un type qu'il connaît et qui vend des poèmes sordides à des journaux qui ont sur leur couverture des reproductions de sexe masculin. Il dit que ce gars écrit parce qu'il a quelque chose à dire et qu'il ne recherche pas une gloire éphémère. Je te le dis, je suis écœurée par toutes ces phrases. Mais je l'aime et je le veux. Je ne veux pas le forcer à faire les choses à ma façon... mais si seulement nous pouvions trouver un compromis, je sais que nous pourrions avoir ensemble une vie formidable. Je le voudrais, oh, Dieu, comme je le voudrais !

— Ce doit être un sentiment agréable de savoir vraiment ce qu'on veut, dit January.

— Tu ne le sais pas, toi ? On ne t'a rien appris, dans cette drôle d'université suisse. A propos, comment s'appelait cette école ? Sara va avoir besoin de connaître au moins tes titres universitaires.

— Linda, je te raconterai tout... après dîner.

⋆⋆⋆

Quand elles en furent au café, Linda écouta sans rien dire le récit de January au sujet de la clinique. Elle sirotait du cognac, et des larmes lui vinrent aux yeux quand January eut terminé :

— Doux Jésus, dit-elle doucement. Tu en as vraiment bavé. Trois

138

ans de ta vie perdus... trois ans à attendre le retour auprès du père de tes rêves. Pour le retrouver marié...

January esquissa un sourire :

— Oh, ce n'est pas comme s'il m'avait délaissée. Il n'est pas mon amant.

— Il ne l'est pas ?

— Linda !

— Allons donc, January. Tu n'as pas couché avec ce délicieux Italien qui t'a fait rompre le crâne. Tu as repoussé David Milford. N'importe quel psychiatre te dirait qu'à ta seconde sortie avec David, tu avais le désir subconscient de refroidir vos relations, parce qu'il te plaisait trop. Tu te sentais coupable. C'était comme tromper Papa.

— Ce n'est pas vrai. Regarde comme il a organisé cette sortie. La première fois que nous nous trouvions ensemble : ni chandelles ni vin, pas de conversation ; il s'amène à cinq heures et demie, m'appelle de la réception, ne monte même pas prendre un verre. Et puis c'est la course de deux kilomètres jusqu'au cinéma. Ensuite il m'emmène à toute allure au Maxwell's Plum. C'est un endroit plein d'entrain. Mais on n'amène pas une fille là, si on veut lui parler et faire vraiment connaissance. Et puis tout d'un coup, il me demande de monter chez lui.

Linda parut réfléchir :

— Je suis d'accord. Il doit y avoir un échange de conversation avant de coucher ensemble. Et quand un homme vous invite à aller chez lui, c'est généralement dans un seul et même but. C'est évidemment différent si c'est toi qui l'invites à boire un verre chez toi. Tu contrôles la situation et ce qui arrivera te paraîtra naturel et non prémédité. Mais tu ne peux pas facilement l'inviter au Pierre. Vraiment, January, la première chose à faire, c'est de trouver un appartement où tu sois chez toi.

— Je voudrais bien mais...

— Mais quoi ? Ecoute, que tu t'en rendes compte ou non, tu te ronges les sangs chaque fois que tu vois ton père avec Dee. Ce n'est bon ni pour toi... ni pour eux. Tu peux m'en croire, tu n'auras jamais de liaison tant que tu ne seras pas partie de chez Papa. Quant à ta carrière théâtrale... eh bien, je suis la dernière à pouvoir te donner le moindre conseil...

— Je ne suis pas Keith. Je me rends compte que je ne tiens pas tant que ça à être comédienne, fit January. Mais je sais que je veux faire quelque chose. Avoir un rôle actif. Je ne veux pas être comme ma mère.

— Pourquoi ? Qu'a-t-elle fait d'autre que mourir quand tu étais petite ?

— Oh, elle... elle était dans une autre sphère avec ses grands yeux noirs ouverts sur la vie. Tandis que Mike agissait. Je veux agir moi aussi.

— Eh bien, je te l'ai dit. Il y a toujours un débouché pour toi à *Gloss*.

— Je ne veux pas un boulot purement honorifique, Linda.

— Je n'utiliserai pas que ton nom. Je te mettrai vraiment au travail.

— Tu parles sérieusement ?

Linda acquiesça.

— Et si je te demandais d'utiliser tous les moyens pour joindre certaines personnes — ou pour obtenir un article ? Moi-même, je le fais. La sœur de ma mère a épousé un joueur de golf professionnel. Je me suis servie d'elle pour obtenir la permission d'assister à un grand championnat. Et ainsi j'ai fait mon article sur la façon dont vivent les épouses des joueurs de golf. Seulement je ne pourrai pas te payer très cher au début.

— J'ai plus de quinze mille dollars à moi, répondit January. Et tu as raison. Je vais quitter le Pierre.

— Dis donc, fit-elle en claquant ses doigts, il y a un vieux garçon dans mon immeuble, Edgar Bailey. Un pédéraste, je crois. Il est professeur à Columbia et part pour l'Europe, en congé d'un an pour un voyage de perfectionnement. Il m'a justement demandé l'autre jour si je connaissais quelqu'un susceptible de sous-louer. Il n'y a qu'une pièce, genre studio. Le loyer est très bon marché et il a beaucoup d'influence dans l'immeuble. Veux-tu que je lui demande son prix ?

January regarda sa montre.

— Il n'est que neuf heures. Appelle-le tout de suite. On pourrait peut-être y aller.

Edgar Bailey fut enchanté par January. Son prénom l'enthousiasma. Il lui montra la vaste penderie, le petit cabinet de toilette et la cuisine avec une fenêtre. Il déclara qu'il payait cent soixante-dix-neuf dollars de loyer mais qu'à cause du mobilier il en demanderait deux cent soixante-quinze.

— Allons Monsieur Bailey, intervint Linda. Vous n'en payez que cent trente neuf. Je le sais par le gérant. Il voudrait bien vous mettre dehors. January vous versera deux cent vingt-cinq dollars par mois, c'est tout ce que ça vaut. Il n'y a pas dans ce mobilier un bout de bois qui vaille quelque chose. Il a plus de dix ans d'existence.

140

Il pinça les lèvres pendant un instant. Puis il saisit une bouteille de sherry et trois verres minuscules.

— A ma nouvelle locataire. Je sais que je pourrais avoir beaucoup plus, mais je suis plus content que quelqu'un d'adorable prenne soin de mon petit intérieur.

Linda leva son verre.

— Vous savez aussi que vous devez partir dans dix jours et vous vous faites du souci.

January leva son verre et sourit.

— A votre voyage, Monsieur Bailey. Et à ta santé, Linda.

Linda secoua la tête.

— Non, cette fois c'est pour toi. A Mademoiselle January.

VII

January, calée dans le lit encastré, des piles de vieux exemplaires de *Gloss,* autour d'elle, bûchait sur sa première commande, un article intitulé *Les petits déjeuners des B.T.W.* Les B.T.W. étant les *Beautiful Thin Women* (Les beautés filiformes). Elle n'avait pas réussi à atteindre Babe Paley, ni Lee Radziwill. Mais Dee l'avait autorisée à la citer, disant : « Qui se lève avant midi ? Il n'y a que les enfants qui prennent leur petit déjeuner ».

Elle avait noté les réflexions d'une poétesse décharnée, d'une starlette de l'écran qui n'avait que la peau sur les os et d'une femme écrivain, membre militant du mouvement de libération des femmes. Elle essayait encore de contacter Bess Meyerson et Barbara Walters. Est-ce que Barbara Walters prenait son petit déjeuner *avant* ou *après* l'émission *Aujourd'hui.* Rien que pour essayer de joindre ces gens-là, il fallait pratiquement y consacrer toute la journée.

Elle avait étudié très soigneusement tous les articles courants des principaux magazines et découvert que les histoires qui retenaient son attention accrochaient le lecteur, dès les premières lignes. Elle avait essayé différentes entrées en matière mais aucune d'elles ne lui paraissait convenable. Bien sûr, Linda le confierait ensuite à une rédactrice, mais January voulait l'étonner en lui rendant un article entièrement fait par elle. Son travail au journal lui avait donné pour la première fois conscience d'exister. Le petit box sans fenêtre, où elle se rendait chaque jour, était *son* bureau. La sous-location de Monsieur Bailey était à présent *son* appartement et elle en payait le loyer avec son propre argent.

Les trois semaines écoulées avaient été fébriles. Mais trois semaines où elle ne dépendait que d'elle-même ; où ses décisions émanaient d'elle seule. Les premiers jours avaient été les plus durs. Tout particulièrement lorsqu'il fallut annoncer à Mike et à Dee qu'elle déménageait. Dee fronça les sourcils sous le coup de la contrariété mais, avant qu'elle ne fît une objection, Mike avait dit :

— Je m'imaginais bien que tu voudrais être chez toi, comme la plupart des filles. Et si c'est vraiment ce que tu désires... tu en as incontestablement le droit.

Dee voulut absolument voir l'appartement avant que January signe l'engagement de location. Edgar Bailey ne put cacher sa stupéfaction en la voyant entrer.

— Oh miss Granger... je veux dire Madame Wayne... Oh... J'étais loin de me douter que January était votre fille.

January le sentit prêt à s'évanouir, pour avoir transigé à deux cent vingt-cinq dollars.

— Comment, il n'y a qu'*une* pièce ? demanda Dee.

— Mais elle est très spacieuse, rectifia Edgar Bailey. Et je suis si content d'avoir quelqu'un comme January, pour vivre au milieu de mes affaires, dans mon petit intérieur.

Dee passa devant lui, tira les rideaux et grommela :

— Oh ! January. Cela donne sur une cour.

— Un jardin, rectifia timidement Edgar Bailey.

— Pas de soleil et une seule chambre. Mais la nouvelle génération vit ainsi.

Dee soupira.

— Quitter un appartement luxueux pour un taudis !

Edgar Bailey s'anima.

— Madame Wayne, c'est un très bel immeuble.

Dee l'écarta d'un geste.

— Eh bien, je suppose qu'on peut rendre tout cela un peu plus gai. Enlever ces abominables rideaux... changer la moquette... rajouter quelques coussins nouveaux...

— Madame Wayne ! La voix de Monsieur Bailey se hissait à la limite de la crise de nerfs. On ne peut rien changer. Ces rideaux ont été exécutés pour moi par...

Mais Dee avait déjà disparu dans la cuisine, et January l'y avait suivie, après avoir vivement assuré à Monsieur Bailey que tout resterait intact, et qu'elle adorait les stores vénitiens et ses rideaux à fleurs.

Elle avait signé l'engagement de location et emménagé le premier octobre. David lui envoya une plante : un dragonnier. Monsieur Bailey avait laissé un petit bouquet de boutons de roses (qui ne s'ouvrirent pas) accompagné d'un mot pour lui souhaiter bonne chance. Linda lui envoya du papier à lettres de chez Bergdorf, gravé à ses nom et adresse. Et à cinq heures, Mike arriva avec une

144

bouteille de champagne. Ils le burent avec des glaçons et Mike regarda l'appartement en souriant.

— Veux-tu savoir ? Je trouve ça formidable. Tu as vécu avec des gens toute ta vie. En pension, à la clinique. Il est temps que tu aies un chez toi.

Dee vint le prendre à sept heures. Ils allaient voir une exposition dans une galerie d'art, et elle avait apporté un panier plein d'amuse-gueules pour l'apéritif.

— Tu peux en avoir besoin n'importe quand. Il y a plusieurs boîtes d'huîtres fumées... à quoi bon faire la grimace ? David les adore. Tu les sers sur ces petits biscuits importés. David adore aussi ce que j'appelle le fromage à trous de souris. Tu le coupes en cubes, tu piques des cure-dents dessus et il bâille de plaisir comme une huître. A propos, comment vous entendez-vous tous les deux ?

— Il m'a envoyé cette plante, répondit January.

Dee sourit, satisfaite.

— Mike et moi partons faire un court séjour en Europe. Je participe à un championnat de tric-trac à Londres. Nous reviendrons bientôt. Mais nous avons mauvaise conscience de te laisser là dans ce petit appartement et avec ce travail miteux. Avant de m'en aller y a-t-il autre chose que je puisse faire pour toi que de révéler aux lecteurs de ta revue que je ne prends pas de petit déjeuner ?

January hésita.

— Karla est-elle ici ?

— Pourquoi cette question ?

— Je voudrais une interview d'elle.

Dee eut un rire glacial.

— Elle n'a jamais donné d'interview. Et ce n'est pas parce qu'elle fait sa Garbo, ou qu'elle imite Howard Hugues... Ce n'est qu'une Polonaise stupide. A t'entendre ainsi January, on dirait que tout le monde est logé à la même enseigne. Je connais Karla et elle est idiote. Elle n'a jamais lu un livre. Elle n'a jamais voté. Elle n'est au courant de rien en dehors de son aisance matérielle. Elle est en ville. Je l'ai appelée l'autre jour. Mais pour te dire la vérité, j'étais trop occupée pour aller la voir. Pour avoir un tout petit peu de Karla, il faut faire des kilomètres. Je veux dire qu'elle ne déjeune pas dans des endroits civilisés. Si elle vient dîner, il faut lui donner la liste complète des invités. C'est ridicule. Ce n'est ni Noureïev, ni la princesse Grâce de Monaco. C'est une ancienne actrice qui, pour une raison insensée, jouit encore d'une publicité incroyable.

Cela était autant pour l'interview de Karla.

January avait écrit un mot de remerciement à David pour la plante. Il lui avait téléphoné, lui disant qu'il s'absentait pour affaires et qu'il l'appellerait dès son retour. Il y avait dix jours de cela. Elle avait dîné tantôt avec Linda, tantôt avec d'autres jeunes filles du bureau. Mais elle était ravie de rentrer chez elle pour travailler à son article, ou lire. Elle s'était acheté une machine à écrire portative et apprenait à taper avec deux doigts.

Linda voyait Keith de temps à autre, mais ils n'avaient pas officiellement « renoué ». Il demeurait souvent chez elle mais tenait à laisser ses affaires à la « communauté ». « Je crois qu'il ne reste avec moi que pour ma douche murale, lui avait confié Linda. Nous sommes ensemble... mais ce n'est plus pareil ». Elle refusait d'assister à son spectacle, mais avait adopté le nouveau régime diététique auquel s'adonnait Keith : une nourriture organique, vingt vitamines différentes par jour, des piqûres à dose massive deux fois par semaine. recommandé par un nouveau médecin dont Keith vantait le génie. L'efficacité de ce traitement sautait aux yeux, car Linda qui avait toujours fait preuve d'une énergie enthousiaste était à présent survoltée. Elle semblait ne jamais dormir. Quelquefois, elle téléphonait à January à trois heures du matin et criait : « Hé, ne me dis pas que tu dors ! Il y a un très bon Bogart sur la neuvième chaîne ».

Mike avait envoyé une carte, racontant que Dee était dans les finalistes du championnat. Quelque chose ne tournait pas rond. Mike, le joueur de tout temps, debout, à regarder sa femme lancer les dés.

Maintenant, assise dans son lit, cherchant sa phrase d'introduction, elle se demandait si elle pourrait écrire un article amusant, sans être féroce. Elle examinait la déclaration que lui avait faite le mannequin au visage insipide, devenue actrice, et qui venait de faire son premier (et dernier) film. Son rôle avait été ramené à sa plus simple expression à cause de la planitude de son débit, mais elle ne paraissait pas s'en émouvoir.

— Oh ! ils ont été si charmants avec moi. On me donnait du foie de veau au petit déjeuner, et je n'ai jamais été plus mince. « Dieu, qu'est-ce que Sara Kurtz ferait, avec une citation comme celle-là ! »

Elle soupira et alla à sa machine à écrire. Même la déclaration de Dee paraissait factice. Et cependant elle était amusante, débitée avec son air désinvolte.

Elle mit une feuille vierge dans la machine et se lança dans son introduction. Elle pouvait dire que le mannequin était anémique et avait d'autant plus besoin de foie. Et si elle commençait par « La raison pour laquelle Deirdre Wayne est si belle... » Non. Elle déchira la feuille. Il y avait une meilleure façon d'attaquer. Elle réinsérait une nouvelle feuille, quand le téléphone sonna. La sonnerie vibra à travers la pièce. Elle avait oublié de la régler plus doucement.

Probablement Linda, avec un autre flash sur un film de Bogart. Elle eut du mal à le croire, quand elle entendit l'habituel :

— Salut, chérie.

— Papa ! Où es-tu ?

— Chez P.J. Clarke.

— Quoi ?

— Nous débarquons de l'avion et j'avais une grande envie de « chili ». Alors nous sommes venus directement de l'aéroport. Que dirais-tu de nous rejoindre ? Je vais t'envoyer la voiture.

— Oh, j'aimerais bien. Mais je suis déshabillée et je travaille à un article qui doit être terminé à la fin de la semaine.

— Tu l'écris vraiment ?

— Oui. Je crois qu'il sera très bien.

— Dis donc, c'est formidable ! Bon... il faut que je retourne auprès de Nick-le-Grec — c'est mon nouveau surnom pour Dee — Elle est arrivée troisième et a gagné quinze mille dollars. Peux-tu déjeuner avec moi demain ? Rien que nous deux.

Il criait pour couvrir le bruit du restaurant.

— Oh, Mike, ça me ferait un plaisir fou.

— Eh bien réfléchis cette nuit à l'endroit où tu veux que nous allions. Je t'appellerai au journal vers midi. Oh ! attends une seconde, voilà Dee qui vient. Je pense qu'elle veut te dire bonjour.

— January... ! C'était la voix perlée de Dee.

— Félicitations ! Je suis confondue d'admiration, fit January.

— Oh ! nous avons eu un temps merveilleux. Est-ce que tu viens ?

— Non. Je l'ai dit à Mike. J'ai du travail par-dessus la tête.

Dee éclata de rire.

— Une fille lancée dans une grande carrière ! Oh ! Mike... ! La voix de Dee s'éloigna du téléphone. Retourne à notre table. Quelqu'un pourrait nous la prendre. Commande ton horrible chili et pour moi une salade d'épinards... January, tu es encore là ?

— Oui et vous me donnez faim.

— Il y a foule ici ce soir. Je ne sais pas pourquoi tout le monde se tourne tout à coup vers la porte. Ce doit être quelqu'un qui entre. Probablement Onassis et Jackie. Dis-moi, January. Ta vie de femme qui fait carrière te procure-t-elle du bon temps ?

— J'en suis contente, Dee. Je crois que je peux vraiment écrire... un peu.

— Eh bien c'est charmant et... ! La voix de Dee s'était soudain ralentie.

Au même instant, January entendit un grand crescendo des voix de l'assistance chez P.J.

— Dee, vous êtes encore là ?

— Oui ! La voix de Dee se crispait.

— Vous allez bien ?

— Oui... je vais bien. Dis-moi, January. Quand as-tu vu David pour la dernière fois ?

— Eh bien, je...

— On est à deux doigts de l'émeute — il vient d'entrer avec ma vieille amie Karla.

— Karla chez P.J. ?

— Oh, elle fait ça de temps à autre. Une apparition là où personne ne s'attend jamais à la voir. La voix de Dee avait retrouvé son aisance :

— Mais ne te tourmente pas, chérie. Karla n'est pas une rivale pour toi.

— Je ne me tourmente pas, Dee. A dire vrai, c'est David qui me fait grande impression.

— Retourne à tes occupations, mon ange. Je vais prendre les choses en main. Il me faut quelques jours pour m'organiser, comme après chaque retour. Décidons que tu viens déjeuner... Dimanche... vers une heure.

January raccrocha. Le fait que David soit avec Karla ne la tracassait pas mais elle était seulement contrariée qu'il fût rentré sans l'avoir appelée. Elle revint à sa machine à écrire, sans pouvoir se concentrer sur l'article. Elle alla à la cuisine prendre un coca. Elle regarda le nouvel arrosoir qu'elle avait acheté pour le dragonnier de David. La plante avait été arrosée la veille. Le fleuriste lui avait conseillé de le faire deux fois par semaine. Elle l'attrapa et le remplit. Puis allant d'un pas décidé dans le living-room elle le déversa sur la plante. « Crève, saleté ! fit-elle Crève ! Crève ! »

Lorsque Dee sortit de la cabine téléphonique, elle fit exprès de se cogner dans David et Karla qui se dirigeaient vers une petite table au fond de la pièce.

— Karla. Je ne peux pas y croire. Tu affrontes P.J., fit Dee avec légèreté.

Karla sourit.

— On projetait *Les chaussons rouges* dans un petit cinéma près d'ici. Je l'ai vu pourtant bien des fois et il me plonge toujours dans le ravissement. Il faisait si beau ce soir que j'ai voulu marcher, et cela m'a donné faim.

Elle se tourna pour regarder Mike qui avait quitté la table et s'approchait de Dee. « Et voici ton bel et nouveau mari ? »

— Oui et j'ai toujours désiré vous rencontrer, fit Mike.

148

Karla lui tendit la main.

— C'est fait... vous voyez c'est venu tout seul.

— Combien de temps restes-tu en ville ? demanda Dee.

Karla haussa ses larges épaules.

— C'est l'agrément de ne pas travailler. Je reste où je veux... aussi longtemps que je veux.

— Nous allons ouvrir la maison de Palm Beach d'ici une dizaine de jours. Peut-être aimerais-tu y venir ? Je peux te donner l'aile gauche que tu as déjà eue.

Karla sourit.

— C'est très gentil. Je le ferai peut-être... ou peut-être irai-je à Gstaad faire du ski. Qui sait ? Même, dix jours, c'est loin. En ce moment je ne suis en état que de penser à mon estomac et j'ai très faim.

Elle se tourna vers Mike.

— J'ai été ravie de vous rencontrer.

Elle sourit et se dirigea vers sa table, suivie de David.

Dee s'assit avec Mike et fouilla dans son sac, cherchant son étui à cigarettes.

— Mike, je ne voudrais pas être indiscrète, mais crois-tu que January ait découragé David ?

Il sourit.

— Karla est une concurrente sérieuse.

— Ridicule ! Karla, à son âge, pourrait être la mère de David. — Dee soupira — Je croyais que David serait fou de January. Ils paraissent si parfaitement assortis.

— Dee, j'ai appris depuis longtemps qu'avoir le physique du rôle ne signifie pas toujours qu'on peut le jouer.

— Mais January devrait essayer de l'encourager. Après tout, ce n'est pas un bébé. Elle va avoir vingt et un ans dans quelques mois.

Il rit.

— Elle n'est pas encore sur l'autre versant de la pente. D'ailleurs, les filles d'aujourd'hui ne se précipitent pas sur le mariage. La moitié d'entre elles n'y croient même pas.

— January n'est pas une fille d'aujourd'hui. Elle est prise entre deux univers. Le monde isolé qu'elle vient de quitter... et le nouveau dans lequel elle ne sait pas pénétrer. S'il lui arrivait d'être vraiment amoureuse et que cela ne marche pas, elle pourrait craquer.

— Elle n'est pas en train de craquer et il me semble qu'elle se débrouille même très bien. Elle a trouvé du travail, un appartement. Que veux-tu de plus ? Ce qui est valable pour toi ne l'est pas forcément pour les autres, January ou David.

Il regarda vers le fond du restaurant :

— Karla est une femme bien attirante.

— C'est une paysanne stupide, sans éducation.

Il secoua la tête.

— Vous, les nanas, vous me stupéfiez. Elle a été chez toi à Marbella, elle a été sur ton yacht, tu viens de l'inviter à Palm Beach...

— Chéri. J'ai constamment des invités. Cela fait toujours bien d'avoir chez soi une célébrité. D'ailleurs, Karla me fait de la peine. C'est vraiment une âme solitaire et perdue.

Il se mit à rire.

— Qu'y a-t-il de si drôle ? demanda Dee.

— Vous, les femmes, la façon dont vous dispensez votre pitié. Tu te désoles de voir January « prendre de l'âge », de voir Karla, perdue et solitaire. Ecoute, ma fille fera son chemin. Quant à Karla, elle est loin d'être perdue. Il est aisé de voir pourquoi David la courtise.

— Vraiment ? La voix de Dee était froide. Alors pourquoi es-tu avec moi qui suis carrément vieille ?

Il allongea le bras et lui tapota la main.

— Ma bien-aimée, je me suis fait les dents sur les beautés du peloton de tête d'Hollywood. Toi, tu es quelque chose de spécial. La question à poser... c'est... pourquoi m'as-tu voulu ?

— Parce que... — et son regard se fit lointain.

— Parce que quoi ?

— Parce que je t'aimais, fit-elle avec sérieux. Oh, je sais que nous aurions pu être ensemble sans être mariés. Mais je considère cela comme malhonnête. Je ne suis pas vieux jeu. Dieu, à la façon dont les choses vont aujourd'hui, on vous taxe de démodé, si vous vous tenez au moindre standing. Avez-vous de l'argent ? Vous jouez pour la galerie. Avez-vous une maison luxueuse ? Vous êtes une espèce de criminel. Mais où est le mal d'avoir de grandes propriétés ? J'entretiens d'un bout de l'année à l'autre une légion de serviteurs dans tout ce qui m'appartient. Je procure du travail à ces gens-là. Les pilotes de mes avions ont leur famille. Grâce à moi, ils peuvent envoyer leurs enfants au collège. Le capitaine de mon bateau touche ses cinquante-deux semaines dans l'année, ainsi que l'équipage. Quand je donne de grandes réceptions à Palm Beach, je fais travailler également traiteurs, musiciens, décorateurs... J'aime porter de beaux vêtements... J'aime voir les autres en porter. J'aime les dîners agréables et les gens comme il faut. Je déteste cet endroit et tous ceux qu'on prétend être « dans le vent ». Et quand je vois Karla entrer ici, je sais qu'il ne s'agit pas d'une sortie d'un soir avec David. Même une femme comme Karla ressent la solitude. Ce n'est pas drôle de vivre seule. David peut offrir à Karla une vie palpitante, le plaisir charnel, un bon compagnonnage — tout ce que je veux pour ta fille.

Mike jeta encore un coup d'œil sur Karla. David lui chuchotait quelque chose à l'oreille.

— Tu sais, David paraît avoir ses idées bien à lui.

Dee regardait droit devant elle.

— C'est à January de le faire changer d'avis.

— Vraiment ?

— Oh ! Mike, une femme peut faire croire à un homme que ce qu'elle pense vient de lui.

— Est-ce possible ?

— Je parie que tu as cru qu'il suffisait de me faire la cour pour m'avoir, dit-elle.

— Si je ne l'ai pas cru, j'ai en tout cas dépensé un fric fou à Marbella.

— Je vais te confier un secret, fit-elle. J'ai décidé de t'épouser la seconde soirée que nous avons passée ensemble. Je n'avais plus qu'à te laisser entrer dans la danse.

Il rit et fit un signe pour demander l'addition.

— Je ne sais toujours pas pourquoi j'ai eu une telle chance.

Il se pencha sur la table et prit ses mains.

— Allons, Dee ? Pourquoi m'as-tu choisi ?

Son regard rencontra le sien et y resta accroché.

— Parce que je te désirais. Et que j'essaie toujours d'obtenir ce que je désire.

David arriva à la Côte Basque à une heure, le lendemain. A dix heures du matin, Dee lui avait téléphoné :

— David chéri, je voudrais te voir. Peux-tu déjeuner avec moi aujourd'hui ?

Pendant toute la matinée, il avait éprouvé les symptômes d'un ulcère rongeant.

Ils s'assirent à une table. Il lui posa toutes les questions voulues, sur le championnat de tric-trac, sur Londres, sur les nouveaux spectacles qu'elle avait vus à West End. Il lui faisait face avec un sourire forcé, attendant le coup de cravache. Et quand ils eurent fini de déjeuner et qu'elle se mit à parler de l'état actuel du marché en Bourse, il alluma une cigarette et se détendit. Elle était peut-être seule pour le déjeuner, ou était-ce son propre sentiment de culpabilité qui le braquait à ce point. Il demanda l'addition. Encore quelques minutes et ce serait terminé. Il sortirait à l'air libre.

Elle frappa au moment où il signait le chèque.

— David... qu'est-ce que cette histoire entre toi et Karla ?

Il garda la main ferme en continuant d'écrire (deux dollars pour le chef... quatre dollars pour le garçon).

Son cœur se mit à battre et il se demanda si elle le remarquait. Lentement, il remit son stylo dans sa poche, et en prenant la parole il essaya d'avoir un ton dégagé.

— Je pense qu'elle est très amusante à fréquenter... nous rions beaucoup.

— Oh, ça va, mon garçon. Karla est tout, sauf une femme amusante. Elle peut être tout ce qu'il y a de plus lugubre.

Elle secoua la tête.

— Je peux comprendre ta liaison avec cette charmante Hollandaise — Kim je ne sais quoi — même si elle va chez *Raffles* avec une blouse plus que transparente. Elle, au moins, a quelque chose à montrer. Mais quand on voit un homme jeune s'attacher aux pas d'une vieille femme... les gens causent.

— Oh !... et qu'est-ce qu'ils disent ?

— Qu'elle lui donne de l'argent... qu'il est impuissant et ne lui sert que de cavalier — ou qu'il se dévergonde... — Le sourire de Dee tournait presque à la mélancolie — Je n'ai pas besoin de te le dire, parce que nous avons tous raconté cela des autres.

— C'est ridicule ! dit-il.

— Toi et moi savons que c'est ridicule. Mais les gens cancanent.

— Nous avons du plaisir à nous rencontrer, c'est tout. Elle aime être avec moi, dit-il, sans en démordre.

Dee eut un rire jovial, mais son regard demeura froid.

— Ne me fais pas rire. Elle est incapable de se plaire dans la compagnie d'autrui. Par contre, celle de quelqu'un pourvu d'un gros héritage ne la laisserait pas insensible.

Elle ouvrit son étui à cigarettes et attendit que David ait trouvé une allumette. Elle exhala la fumée lentement en regardant la cigarette.

— Je devrais renoncer à ces trucs-là... On m'a dit que Nina Creopopolis avait de l'emphysème... A propos, que penses-tu de *Becker, Neiman* et *Boyd* ?

— Ce sont de très bons avocats d'affaires. Pourquoi ?

— J'ai l'intention de m'adresser à eux. Je veux faire un nouveau testament.

— Pourquoi ? Je veux dire, c'est Papa qui a toujours établi ces papiers-là pour toi. Ecoute, ce n'est pas uniquement parce que c'est mon père... mais tu ne peux pas comparer le cabinet de *Becker, Neiman* et *Boyd* à celui de papa.

— Tu es de parti-pris, mon cher. — Elle lui tapota la main. —

152

Mais j'aime ça. Dieu sait que personne n'a autant que moi l'esprit de famille. Mais il me faut une opinion extérieure. Ce changement dans mon testament n'est pas comme les autres. J'ai besoin d'un conseil très élaboré. Après tout, j'ai un mari et une belle-fille. Je tiens à eux, David. J'y tiens vraiment. Je dois veiller à ce qu'ils soient pourvus.

— Naturellement. (Oh Dieu, sa voix craquait. A présent, elle le savait effrayé. Il se tourna vers elle avec son expression la plus « juvénile et sérieuse ») :

— Dee, tu sais que cela briserait le cœur de Papa si tu changeais de cabinet d'affaires.

— Est-ce que cela te briserait le cœur, si je prenais un autre courtier ?

Il n'essaya même pas de répondre. Sa main tremblait, lorsqu'il alluma sa propre cigarette. On ne jouait plus au chat et à la souris. La souris était prise et le chat commençait à la tracasser à mort.

Elle se pencha pour l'embrasser sur la joue.

— Tu sais, jusqu'à maintenant je ne fais qu'y songer. C'est tout. J'y songe.

Il l'accompagna à sa voiture et elle fit mine de ne pas remarquer le photographe de *Women's Wear* qui prenait un instantané d'elle. Elle lui tendit sa joue à baiser et dit :

— Ce déjeuner m'a fait plaisir, David. C'est bon de rester ainsi en contact. J'aime voir ma famille heureuse... et unie.

Il garda les yeux fixés sur elle jusqu'à ce que sa voiture ait disparu dans la circulation. Puis il gagna la cabine téléphonique la plus proche et appela January.

VIII

Mike préparait au mixer des Bloody Mary's lorsque January arriva au Pierre pour le déjeuner du dimanche. Elle avait vu Mike mais c'était la première fois qu'elle revoyait Dee, depuis son retour de Londres. Dee posa les mots croisés du *Times* et tendit la joue à January.

— Je ne sais pas pourquoi je m'embête avec ce satané truc, dit-elle. Je l'ai commencé hier soir et j'en ai perdu le sommeil. Je connais des gens ennuyeux à mourir qui font ça à toute allure. Il faut dire que la plupart se servent d'un dictionnaire. Mais c'est tricher. Maintenant assieds-toi et raconte-nous tout sur ton boulot. Ça t'amuse ?

— Oui, mon article a été accepté. J'en suis ravie. Bien sûr il faut le mettre en pages — ma ponctuation laisse à désirer. Mais Linda et toute l'équipe ont dit qu'il était très bon. Je souhaite qu'il vous plaise aussi à tous les deux.

Dee sourit.

— J'espère que tu ne prends pas ce travail trop à cœur, au point de négliger ta vie mondaine.

— Eh bien, je me lève tous les matins à sept heures. Et je quitte rarement le bureau avant sept heures du soir.

— Mais c'est un esclavage, fit Dee.

— Tu es trop mince, fit Mike, en lui tendant son verre. Je parie que tu sautes des repas.

— Oh, je mange comme quatre. Hier soir j'ai fait un repas fabuleux... il y avait même des cerises aigres. J'étais avec David.

Dee eut une réaction de pure politesse intéressée :

— Et comment va mon jeune et beau cousin ?

— Bien. Nous sommes allés au Saint Régis, voir Véronique.

— Véronique ? Elle fait encore son numéro de troisième ordre d'imitation d'Edith Piaf ? demanda Dee.

January haussa les épaules.

— Je ne l'ai jamais vue avant. Mais elle a un grand numéro : trois danseurs russes l'accompagnent. Des jeunes garçons. L'un d'eux a subi une opération pour changer de sexe... dans l'autre sens. C'était une fille et, maintenant c'est un garçon.

— Allons, January, Dee prenait un ton de douce réprimande. On ne doit pas colporter des petits ragots dégoûtants. Je sais que c'est le genre de sujets que ton magazine aime exploiter, mais...

— Vous tombez juste. Je voudrais bien pouvoir traiter l'histoire de « Nina devenue Nicolas ». Je me suis mise en quatre hier soir pour essayer de l'avoir !

— Tu ne vas pas me dire que tu as parlé avec cette créature.

— Bien sûr. Au premier étage, dans l'appartement de Véronique. Dee posa son verre.

— Mais comment as-tu été reçue chez elle ? Véronique est-elle une amie de David ?

— Non... de Karla.

— Karla ! La voix de Dee était montée d'un octave.

— Oui. Voyez-vous, David avait réservé une table pour deux et quand nous sommes arrivés, on nous a collés derrière un pilier. Alors, un jeune Grec est venu vers nous, s'est présenté et a dit que lui et son ami étaient avec Karla et qu'elle serait heureuse de nous avoir à sa table. Elle avait une table merveilleuse dans un coin retiré, d'où l'on voyait parfaitement la piste. Et elle est si belle. J'étais tellement absorbée en la contemplant que j'ai failli ne pas voir Nina-Nicolas. Et puis, après le spectacle, Karla nous a emmenés chez Véronique et Nina-Nicolas s'y trouvait. Elle... ou plutôt lui... en parla ouvertement. Linda prétend qu'elle m'augmentera si je décroche une interview pour *Gloss*. Mais Nina-Nicolas dit que tous les magazines l'ont sollicité... et que certains lui ont même offert de l'argent pour raconter son histoire.

— Je pense que la vanité peut t'ouvrir cette porte, fit Mike. Dis-lui que tu lui feras faire un jeu de photos couleurs par un type de premier ordre et que tu lui donneras et les photos et les négatifs, et va peut-être jusqu'à te fendre d'un vêtement, comme une combinaison Cardin... il y a beaucoup de manières d'appâter quelqu'un.

January soupira :

— Le seul ennui, c'est que nous ne disposons pas d'un budget qui nous le permette.

Dee la coupa :

156

— January ! Raconte-moi ce qui s'est passé après le spectacle.

— Eh bien... nous avons pris un verre dans l'appartement de Véronique et...

Sadie entra et annonça que le déjeuner était servi. Ils passèrent dans la salle à manger. Mario les servit et Mike insista pour que January prît un peu de saucisson.

— Tu en as besoin. Je n'aime pas te voir d'une maigreur pareille.

Dee eut un sourire qui voulait être accommodant. Puis elle dit :

— Tu nous parlais de Véronique.

— Oh... oui. January avala son saucisson. C'était comme si nous avions été soudain transportés dans un pays étranger. Chacun avait un accent différent. Véronique est française, l'accent de Karla évoque l'Europe de l'est, les deux garçons grecs avaient de forts accents, et Nina-Nicolas est russe. Tout le monde s'est par conséquent rabattu sur le français, comme dénominateur commun, ce qui me convenait parfaitement. Seul le pauvre David ne comprenait pas un mot.

— Où êtes-vous allés après ? demanda Dee.

— Nulle part. Karla est partie avec les Grecs et David m'a simplement accompagnée, parce qu'il devait jouer au *squash* ce matin à neuf heures.

Dee demeura un instant silencieuse. Elle picora dans ses œufs, puis posa sa fourchette.

— Je suis si furieuse que je ne peux pas avaler.

— Qu'est-ce qui ne va pas ? fit Mike, en continuant de beurrer sa tartine.

— Qu'on largue ta fille avant minuit, pour que David puisse filer à Westport avec Karla.

— Qu'est-ce qui te fait dire cela ? demanda Mike.

— J'ai parlé à Karla hier. Elle m'a dit qu'elle partait hier soir pour Westport, passer un dernier week-end à la campagne avant les grands froids. Ne vois-tu pas que tout cela était prémédité ? Karla ne va jamais dans les boîtes de nuit. Elle ne va jamais nulle part. Assurément, elle connaît Véronique... mais elle a refusé de se rendre à une réception en l'honneur de Noureïev qu'elle admire vraiment, à cause de son appréhension de la foule. Et comme David a eu de toute évidence le sentiment qu'il devait voir January, ils ont décidé tout ce cirque entre eux. Jolie façon de faire d'une pierre deux coups. Karla verrait Véronique, en souvenir de l'ancien temps, et en même temps David sortirait January. Puis on larguerait January... et tous deux fileraient en voiture à Westport.

La mâchoire de Mike se contracta, mais il continua de manger.

— Si David veut s'absenter pour un week-end, j'estime que c'est son affaire.

— Et ridiculiser ta fille, pour une femme qui a le double de son âge, aussi ?

Mike s'arrêta de manger, repoussa son assiette, et dit d'une voix contenue :

— Dee, je crois que tu devrais laisser les gens libres de prendre leurs décisions eux-mêmes et de vivre leur vie.

January aurait soudain voulu disparaître. Dee était effectivement contrariée, et la mâchoire de Mike fortement contractée. Faisant un effort pour rompre la tension, elle dit d'un ton léger :

— Ecoutez, vous deux... j'ai passé une soirée merveilleuse... David et moi, nous nous entendons très bien et...

— Alors pourquoi as-tu laissé cette Polak partir avec lui ? demanda Dee.

January se cramponna à la table, à en faire pâlir ses jointures. Elle s'était réjouie de la soirée avec David... il avait été chaleureux, attentionné. Et maintenant Dee gâchait tout. Pas une seconde il ne lui était venu à l'idée que la rencontre avec Karla était arrangée préalablement. David avait paru sincèrement étonné de la voir, et Karla avait rompu avec sa manière habituelle pour se montrer envers elle aimable et chaleureuse. Elle l'avait questionnée sur son travail et l'avait autorisée à la citer, lui disant qu'elle mangeait des flocons d'avoine le matin à son petit déjeuner.

Maintenant, elle avait soudain des doutes. Cela était-il concerté ? David était-il vraiment amoureux de Karla ? Toutes ces pensées lui traversaient l'esprit, tandis qu'elle sentait la tension monter entre Mike et Dee. Tout à coup, elle pensa qu'il valait mieux partir. C'était déjà assez désagréable d'apprendre que David l'avait sortie « par charité ». Mais voir Mike et Dee s'empoigner... à son sujet ! Parler d'elle comme si elle n'était pas là. Et la façon dont Mike la considérait ? Comme un zéro !

La colère de son père fit baisser le ton de Dee. Ses lèvres tremblaient et elle essaya de sourire. Sa voix se fit suppliante.

— Mike... Je ne m'intéresse à ces choses-là que pour ton bien. N'était-ce pas ta plus grande préoccupation, quand nous nous sommes mariés ? Ne m'as-tu pas dit que tu voulais t'assurer que January ait tout, après les épreuves qu'elle avait subies ? Toutes ses belles années échappées ?

— Cela ne te donne pas pour autant le droit de régir son existence — de la forcer à sortir avec un homme qui a ouvertement d'autres inclinations.

— Oh ! mais David m'a dit que January était une des plus

belles filles qu'il ait jamais vues. Elle soupira — J'ai peut-être poussé un peu fort à la roue, parce que rien ne semblait marcher. J'ai conçu cette belle chambre pour January et elle l'a quittée. J'avais envisagé que nous passerions les vacances ensemble à Palm Beach. Je pensais envoyer l'avion à January et David pour être en famille pour le *Thanksgiving*. Et puis, à Noël, je voudrais donner un grand bal, comme il y a quelques années. Faire venir par avion quelqu'un comme Peter Duchin. Inviter le maire Lindsay, Lenny, Rex... tous les gens amusants. Et j'avais espéré que January et David annonceraient leurs fiançailles à cette occasion...

— Tout ça est très gentil. Mais ce n'est peut-être pas ce que veut January.

— Comment peut-elle savoir ce qu'elle veut ? fit Dee d'une voix glaciale. Il faut qu'on lui enseigne à vouloir des choses convenables.

— Pendant trois ans, on ne lui a enseigné qu'à marcher et à parler. A partir de maintenant, elle est maître de son jeu.

Les yeux de Dee se rapetissèrent.

— Très bien ! Qu'elle travaille à cette revue crasseuse ! Qu'elle vive dans cet immeuble de troisième ordre. Je ne ferai plus aucune tentative. Pourquoi me démolirais-je pour deux ingrats comme vous ? Vous ne savez, ni l'un ni l'autre, comment jouir des douceurs de l'existence. Qu'elle gèle à New York cet hiver. Je ne l'inviterai pas à Palm Beach.

— Moi non plus je n'irai pas à Palm Beach, fit Mike.

— Vraiment ? fit Dee d'une voix douce. Dis-moi, Mike, que vas-tu faire ? Partir d'ici ? Trouver un grand appartement pour toi et ta fille. Produire un spectacle sensationnel à Broadway. Faire fortune avec tous tes succès, pour la lui laisser. Vas-y. Pourquoi me ferais-je du souci pour essayer de la marier. Toi, tu peux mettre l'univers à ses pieds. Continue ! Produis un spectacle, un film... rends-lui ses rêves.

January vit le visage de son père se décolorer. Elle se leva.

— Mike... tu as permis à tous mes rêves de se réaliser. Tu n'as rien à faire de plus. Je suis grande à présent. J'aime mon travail au journal. Et désormais c'est à moi de transformer mes rêves en réalités. Je serai ravie de venir à Palm Beach pour le *Thanksgiving*. Je m'en réjouis vraiment d'avance. Et Dee, je vous le jure... j'apprécie tout ce que vous avez fait. J'aimais la pièce que vous m'aviez offerte... mais j'ai besoin d'être chez moi, à présent. Et David est charmant. En fait, un des plus gentils garçons que j'aie jamais rencontrés... et vous ne devez pas, tous les deux, vous disputer à cause de moi.

Elle s'interrompit. Assis, raides et immobiles, ils se regardaient. Elle s'écarta de la table.

— Il faut que je me sauve. J'ai promis à Linda de l'aider à faire un plan de quelques nouveaux articles.

Elle embrassa son père. Sa joue était dure comme la pierre. Puis, elle quitta l'appartement.

Mike ne tourna pas la tête. Il regardait Dee, fou de rage. Il prit la parole d'une voix basse et contenue' :

— Tu viens de me castrer devant ma fille.

Dee eut un rire nerveux.

— Oh, arrête, Mike... Nous n'allons pas nous battre. Nous ne l'avons jamais fait. Et ça ne nous arrivera plus.

Elle vint à lui, et l'entoura de ses bras. Sa voix était tendre mais ses yeux, effrayés.

— Mike, tu sais que je t'aime...

Il la repoussa et quitta la table. Elle courut après lui qui se dirigeait vers la chambre.

— Je fais mes valises, et dans une heure je serai parti.

— Mike !

Elle lui saisit le bras, tandis qu'il tirait une valise d'un placard.

— Mike, fit-elle d'un ton suppliant. Pardonne-moi, je t'en prie... je t'en prie, pardonne-moi... ne t'en va pas. Ne t'en va pas, je t'en prie.

Il s'arrêta et la regarda avec curiosité.

— Dis-moi quelque chose, Dee... pourquoi m'as-tu épousé ?

— Parce que je t'aime. Elle lui passa les bras autour du cou. Oh, Mike... notre première dispute et c'est ma faute. Pardonne-moi. S'il te plaît, mon ange. Ce n'est pas juste de nous bagarrer. C'est à cause de ta fille.

Il se dégagea, mais elle lui courut après :

— Mike, je n'ai jamais eu d'enfant... Si je fais probablement des erreurs, c'est parce que mon plus cher désir est de traiter January comme ma fille. Je m'y prends mal sans doute... Je dis ce qu'il ne faudrait pas dire... je me montre autoritaire... protectrice et abusive... comme je fais avec David. Je n'ai jamais eu ni frère ni sœur... il est un peu comme mon fils. Et maintenant avec January... je crois que j'ai trop exagéré. C'est uniquement parce que je veux la voir heureuse. Quant à nous, c'est ridicule de nous empoigner. Nous disons tous les deux des choses que nous ne pensons pas. C'est David et Karla qui m'irritent, pas toi.

Son affolement augmentait tandis qu'il continuait à lancer des choses dans son sac.

— Mike, ne fais pas ça... je t'en prie. Je t'aime. Comment te le prouver ? Je vais téléphoner à January pour m'excuser. Je ferai n'importe quoi.

Il s'interrompit et la regarda.

— N'importe quoi ?

— Oui.

— Parfait. Je ne t'ai jamais rien demandé. J'ai même signé, avant de t'épouser, un papier reconnaissant que si je divorçais, je n'aurais pas un sou. Pas vrai ?

— Je le déchirerai, dit-elle.

— Non, garde-le. Je ne veux pas un centime. Mais à partir de maintenant cesse de broder sur l'amour que tu portes à January et le souci que tu as de son avenir. Accorde tes actes avec tes paroles.

— Que veux-tu dire ?

— Je veux savoir que si un jour je tombais mort en te regardant jouer au tric-trac, ma fille serait riche.

— Tu as ma promesse. Je ferai cela demain. Je lui léguerai un million de dollars.

Il la considéra avec un regard dur.

— C'est des clopinettes.

— Combien veux-tu ?

— Dix millions.

Elle hésita un instant, puis acquiesça lentement.

— Très bien... C'est promis. Dix millions.

Il eut un léger sourire.

— Et à partir de maintenant, calme-toi aussi au sujet de David. C'est un ordre. S'il en pince pour Karla, ce feu s'éteindra de lui-même et non pas parce que tu l'auras exigé. Mais en aucune circonstance, je ne veux pousser January dans ses bras. Souviens-t'en.

— Je te le promets.

— Et je ne veux pas d'observations déplacées au sujet de son boulot. Mon Dieu, elle essaie. Elle a de l'ambition et quand on perd ça, mon petit, c'est la fin de tout.

— Je te promets, Mike. Elle l'entoura de ses bras et l'embrassa dans le cou :

— Allons, souris maintenant, ne sois plus fâché.

— Tu ne te mêleras pas de son existence. Tu te garderas d'intervenir.

— Je ne parlerai plus jamais d'elle à David.

— Et les dix millions que tu as promis de lui léguer, c'est convenu ?

Elle acquiesça.

Il la regarda un instant puis la souleva et la posa sur le lit.

— Okay. Maintenant que nous avons eu notre première dispute... faisons l'amour pour nous réconcilier.

David arriva au Racquet Club avec cinq minutes d'avance. La voix de son père avait un ton d'urgence. Cela annonçait des ennuis. Alors que tout marchait si bien. Habituellement, il détestait le lundi, mais il s'était réveillé le matin même avec le sentiment d'avoir le monde à la porté de sa main. Sa sortie avec January au Saint Régis s'était passée sans bavures. Elle avait cru d'emblée que sa rencontre inopinée avec Karla était due au hasard. Elle en avait même éprouvé du plaisir... comme un « *fan* ». Et elle ne se doutait nullement qu'à minuit, lui et Karla étaient partis en voiture pour Westport. Même maintenant, il se sentait le cœur léger, rien que d'y penser. C'était la première fois qu'il passait toute la nuit avec elle. Il n'oublierait jamais la vision incroyable de Karla, dans la cuisine, le lendemain matin, en train de lui préparer des œufs au bacon. Ç'avaient été les plus belles vingt-quatre heures de sa vie. Elle avait emprunté la maison de campagne d'un ami et leur intimité n'avait été gênée par rien. La maison était en retrait au milieu des trois hectares de propriété. Le temps lui-même s'était mis de la partie. Le dimanche avait été une de ces rares journées où l'automne rivalise de beauté avec toutes ses descriptions poétiques. Pour lui, l'automne annonçait toujours le début de l'hiver. Des jours qui raccourcissaient, une pluie grise sur Wall Street ; un vent chargé de poussière et pas de taxis. Mais l'automne, sur une route de campagne à Westport, c'était une débauche de feuilles richement colorées qui craquaient sous les pas, de l'air pur, et l'impression d'être complètement isolé du monde.

Le lundi avait bien commencé. Le beau temps les avait suivis en ville. Même l'air acide de New York semblait plus propre. Le marché s'était clôturé sur une hausse de trois points et à trois heures, elle l'avait appelé pour lui dire qu'il pouvait l'accompagner chez Boris Grostoff. Cela signifiait qu'elle le comprenait dans le cercle de ses amis. Boris avait été son metteur en scène préféré et ses petits dîners intimes comptaient parmi les rares réceptions auxquelles Karla se rendait.

Il vit entrer son père et se leva pour l'accueillir. Le vieil homme attendit qu'on leur ait apporté leurs consommations. Puis il en vint tout de suite au fait.

— De quoi à l'air January Wayne ?

David sursauta à la question.

— January ? Pourquoi... elle est belle.

162

— Vraiment ? Son père parut surpris. Il sirota son scotch d'un air pensif. Alors pourquoi cette frénésie de Dee pour elle ?

— Je ne comprends pas.

— Dee est venue à mon bureau ce matin pour changer son testament. Son souci primordial est de vouloir marier cette jeune fille. Je me suis imaginé qu'elle était mal bâtie... ou laide.

David secoua la tête.

— En réalité, c'est une des plus jolies filles que j'aie jamais vues.

Son père mit la main à sa poche et en tira un mince carnet relié de cuir.

— J'ai noté là-dessus quelques-uns des changements qu'elle veut apporter à son testament. On est en train de les rédiger.

— Est-ce qu'ils me concernent ?

— En grande partie. Tu n'es plus l'exécuteur testamentaire de ses biens.

David sentit le rouge lui monter aux joues.

— Elle m'évince.

— J'ai eu ma part de coups aussi. Notre cabinet partage les pouvoirs d'exécution avec Yale Becker, de chez *Becker Neiman et Boyd*. Mais elle te laisse encore une porte ouverte, mon garçon — avec une clause stipulant que *si* avant la mort de Dee, David Milford est marié à quelqu'un qu'elle approuve, il deviendra alors exécuteur testamentaire et présidera la fondation.

— La salope, fit David à voix basse.

— Oh ce n'est pas tout, reprit son père. Sa belle fille, January Wayne, héritera d'un million de dollars quand elle se mariera et dix millions seront mis pour elle en dépôt qui lui seront versés à la mort de son père, ou si Dee venait à décéder avant lui.

— Je n'arrive pas à le croire, fit David.

— Moi non plus, dit son père. Naturellement ce legs n'est pas irrévocable. Dee peut toujours le changer. C'est drôle que Mike Wayne n'y ait pas pensé. Il est évident que les calculs compliqués de cet homme ne s'étendent pas à l'établissement d'un testament. Je trouve sa confiance enfantine, surtout quand on connaît Dee. Mais, pour le moment, cela tiendra parce que, me semble-t-il, elle est très amoureuse de cet homme-là. Cette générosité surprenante à l'égard de sa fille l'assure en quelque sorte de le garder près d'elle. Mike Wayne semble assurément dominer dans ce mariage. Et, chose surprenante, il ne veut rien pour lui-même, rien que cet héritage incroyable pour sa fille. J'en ai conclu que la fille était totalement immariable et que l'argent était le seul moyen de lui procurer un époux.

David fronça les sourcils.

— Elle m'a flanqué January dans les pattes, dès le premier jour.

Elle veut voir cette fille mariée et hors du circuit. Je pense que, pour la première fois de sa vie, Dee est vraiment amoureuse. Elle aime aussi tout régimenter, et sentir son propre pouvoir. Et, sur Mike Wayne, elle n'a aucun pouvoir, sauf par sa fille.

— Et elle s'imagine qu'en te la faisant épouser, cela lui plairait ?

— Non. Je crois qu'elle veut voir January mariée parce qu'elle la considère comme une rivale dans l'affection que Mike lui porte.

— David, qu'est-ce que tu me racontes là ?

— Je ne peux pas en mettre la main au feu, fit lentement David. Mais, le premier soir, à plusieurs reprises, j'ai surpris les regards entre January et son père. Et il y avait une intimité dans leurs yeux... pas celle d'un père avec sa fille. J'étais le soupirant de January mais j'ai senti, à vrai dire, qu'il était mon rival. Dee a dû éprouver la même chose.

— Mais pourquoi t'aurait-elle retiré l'exécution de ses dernières volontés ?

David sourit.

— Elle attend de moi que je la débarrasse de sa rivale. L'hameçon amorcé est là, cela saute aux yeux.

— Seigneur. As-tu une chance ? Je veux dire, la fille répond-elle à tes avances ?

— Je ne sais pas. Je suis sortie avec elle. Mais...

— Eh bien, veux-tu l'amener dîner à la maison ?

— Non. Laisse-moi faire à mon idée. Il soupira... Enfin je suppose qu'il y a des gens qui ont renoncé à plus que ça pour dix millions de dollars.

— A quoi renonces-tu ? demanda son père.

— A Karla.

Son père roula des yeux ronds.

— Dieu du ciel ! J'étais épris d'elle quand j'avais ton âge. Je n'ai jamais manqué un de ses films. Il y a vingt-cinq ans. Je rêvassais à son sujet. Mais maintenant... Mon Dieu... elle a l'âge de ta mère.

— Karla n'a que cinquante-deux ans.

— Ta mère en aura cinquante en février.

— Je ne pense pas à l'âge quand je suis avec Karla. Et ce n'est pas comme si j'avais l'intention de l'épouser. Ecoute, Papa, je sais que cela doit avoir une fin. Je sais qu'un jour je me réveillerai et que j'en aurai soudain plein le dos de manger des steacks dans sa cuisine et de courir voir des films que je déteste. Ce jour-là, je battrai tous les records du cent mètres en direction de January Wayne.

— Et tu crois qu'elle va t'attendre ?

David soupira.

164

— J'essaie de garder une porte ouverte. J'y réussis. Mais, à la minute présente, je ne peux pas renoncer à Karla. Pas encore...

— Y a-t-il beaucoup de gens au courant de cette liaison avec Karla ?

— Non. Elle ne sort pas, sauf à de rares occasions, comme ce soir. Je l'accompagne pour dîner chez un metteur en scène.

— C'est exactement la façon de te faire remarquer, si ces relations continuent. Chevalier servant... d'une ex-reine de l'écran ! — Son père se pencha au-dessus de la table — Et si le fait de garder une porte ouverte ne suffisait pas à January. Pendant que tu t'occupes avec Karla, suppose qu'elle en rencontre un autre qui ait l'approbation de Dee. Peut-être un courtier dans une autre maison de courtage. Cette femme — Karla — te confierait-elle son argent et te permettrait-elle de gérer sa fortune ?

David secoua la tête.

— Elle passe pour être la femme la plus avare du monde.

Son père hocha la tête.

— Disons que ce ne serait pas exactement un atout pour toi dans ta maison de courtage.

David acquiesça.

— Tu dis juste. Et j'ai le sentiment très net que si je ne fais une cour assidue à la petite January, la prochaine démarche de cousine Dee sera de changer aussi de courtier.

Son père leva son verre.

— Alors, en avant, mon fils. Saute !

IX

Il y avait affluence sur la piste de danse du Club. David tenait étroitement January et la faisait avancer pas à pas autour de la piste. Il l'avait emmenée dîner au Mistral. Il lui avait pris la main plusieurs fois et avait été agréablement surpris qu'elle réponde à sa pression. Dee et Mike devaient partir pour Palm Beach dans moins d'une semaine et il était bien décidé à ce que January raconte que leur relations étaient au mieux. Une fois Dee partie, il lui serait plus difficile de tenir le décompte des soirées resplendissantes qu'ils avaient passées ensemble. Mais au moins elle saurait qu'il pensait à l'avenir.

Bien sûr tout dépendait des réactions de January. Il lui fallait la rendre réellement amoureuse de lui. Ce n'était pas Kim Voren. Pour Kim, il représentait non seulement un baiseur de première, mais la sécurité et un rang social. January n'avait besoin de rien de tout cela. Non, il fallait l'attaquer avec force, au lit. Une fois ce stade atteint, le reste était facile. Il pouvait laisser tomber Kim pendant une dizaine de jours et elle sauterait quand même de joie, s'il lui téléphonait.

Il n'avait besoin que de temps. Il avait dit à Karla que Dee le forçait à sortir January de temps à autre. Karla comprenait. Il avait craint sa réaction en faisant allusion à l'obligation d'un séjour à Palm Beach pour le *Thanksgiving* mais Karla avait répondu : « Oui, Dee m'a aussi invitée. »

L'espace d'un instant, il eut très peur. Il ne pourrait jamais tenir le coup. En présence de Karla, il se comportait comme un possédé. Dee et January s'en rendraient compte immédiatement.

— Tu viendrais ? Il avait essayé de communiquer à sa voix l'enthousiasme habituel.

— Non. *Thanksgiving* n'est pas une fête pour moi. Bien que citoyenne des Etats-Unis, je n'ai jamais pu m'y habituer. C'est une fête tellement américaine — comme le quatre juillet.

Ces derniers temps il avait remarqué une légère agitation dans son attitude. Quand elle parlait de l'Europe, ce qu'elle faisait très souvent à présent, il éprouvait une appréhension maladive. Mais dans son for intérieur, il savait que sa tranquillité dépendait de sa brusque disparition de la surface de la terre ! Parce qu'il se rendait compte à présent que cet amour ne s'éteindrait jamais de lui-même... en ce qui le concernait. Parfois, il rêvait qu'elle mourait. Il ne pourrait commencer à vivre que si elle l'avait quitté définitivement.

Et maintenant qu'il tenait cette belle fille dans ses bras, dans la cohue de la piste de danse, il songeait à Karla. C'était idiot... écœurant. Il se contrôlait toujours auparavant. Aucune femme ne l'avait jamais dominé. Même dans ses aventures les plus passionnées, il pouvait avoir été entraîné quelques semaines... cela faisait partie de l'amusement et de l'excitation d'une nouvelle liaison, mais finalement il gardait le beau rôle et la femme se mettait à le désirer plus que lui, qui par contre, se calmait. Mais cela n'était pas arrivé avec Karla. Et cela n'arriverait jamais.

Son devoir était de prendre dans la vie de January une importance de premier ordre. Cette fille devait le désirer, avoir besoin de lui et *l'attendre*. Il voulait gagner encore un peu de temps. Il la regarda et sourit. Elle était vraiment belle, plus belle que Kim. S'il passait à l'attaque ce soir... était-ce trop précipité ? *précipité* ! On était en novembre. Il y avait presque deux mois qu'ils se connaissaient. Kim avait couché avec lui le premier soir. Karla le lendemain après-midi. Il avait tiré ses plans pour cette nuit. Il avait même acheté les disques qu'elle aimait.

Tout à coup il se sentit un peu nerveux. Il n'avait pas dragué une fille depuis des éternités. C'était toujours elles qui s'en chargeaient ! Soudain, il ne savait plus comment faire. Peut-être avait-il perdu la main. Ou peut-être January était différente des autres filles. Elle ne le pelotait pas sous la table, et ne disait pas : « Si on rentrait faire l'amour ! »

Il dressa l'oreille. Elle lui demandait quelque chose.

— Je sais qu'ils jouent encore à bureaux fermés, mais si vous avez des difficultés, Keith Winters — un ami de Linda — connaît un acteur de *Hair* qui pourrait nous avoir des places.

Hair ! Bon Dieu, il lui avait promis de l'emmener voir cette pièce à son arrivée à New York. Il sourit.

— J'en aurai deux pour la semaine prochaine. Nous avons au bureau une excellente agence de location. Ne vous inquiétez pas.

Il lui fallait gagner la partie avec elle... ce soir. Il fallait régler cela avant leur départ pour Palm Beach. Son père disait que le nouveau testament de Dee était signé et authentifié. C'était maintenant une pièce officielle. Naturellement, s'il épousait January, tout changeait... ou même s'ils étaient fiancés. Un sentiment d'urgence l'envahit. Il lui prit le bras et l'entraîna hors de la piste.

— Il est impossible de parler ici, dit-il. Je ne sais pas pourquoi nous n'arrivons jamais à nous parler. Nous ne sommes jamais seuls.

Il la fit asseoir. Et elle dit :

— On pourrait aller chez Louise.

Il rit.

— Non parce que Carmen, le barman, et moi, sommes tous les trois des enragés du football et on discuterait de la partie de dimanche prochain. Ecoutez, pourquoi ne pas aller chez moi ? J'ai tous vos disques préférés. Beaucoup de Sinatra et d'Ella. Nous pourrons boire du champagne et vraiment bavarder.

A sa surprise, elle accepta sans se faire prier. Il signa le chèque et la dirigea vers la sortie. Beaucoup de ses connaissances la regardèrent et lui firent signe qu'ils approuvaient son choix. Oui, pourquoi pas. Elle était d'une beauté éblouissante ! Grande, fuselée et jeune et... jeune. Qu'il cesse de penser à Karla ! Sinon, il ne serait pas en forme cette nuit. Après tout, il prenait peut-être la succession de concurrents redoutables. Elle avait fait certainement des béguins européens à cette université suisse. Elle avait peut-être eu beaucoup d'amants. Une fille qui a grandi sous l'égide de Mike Wayne devait partir au quart de tour. Rien qu'à la façon dont elle s'était débrouillée pour son boulot. Et toute cette floppée d'artistes qu'elle fréquentait à sa revue... Ces gens-là lui faisaient penser à des vers sur une assiette. Chacun avait dû essayer de la courtiser.

Enfin, il l'avait cette nuit. Ensuite il pourrait s'arranger pour la rencontrer, deux ou trois soirs par semaine. Et peut-être au printemps être fiancé officieusement. Mais, il devait la tenir à distance aussi longtemps qu'il le pourrait... *pourquoi* la tenir à distance ! Karla se fichait éperdument de son avenir. January *était* son avenir. Très bien. Mais procédons par ordre. Il serait à la hauteur cette nuit. Et il aurait toujours Karla. L'essentiel : ne pas perdre la tête.

January, assise à côté de lui dans le taxi qui suivait à toute allure Park avenue, savait qu'il allait tenter de lui faire l'amour. Et elle le laisserait faire. Elle était curieuse du déroulement de l'aventure à présent. Elle était convaincue qu'une fois dans ses bras, quelque chose de merveilleux se produirait. Ils s'enflammeraient... et peut-être tomberait-elle enfin amoureuse. Elle éprouvait une certaine attirance à son égard, et Linda avait juré qu'après avoir fait l'amour ensemble, tout serait différent. Linda avait été stupéfiée qu'elle soit encore vierge. D'après l'attitude de toutes les autres filles du magazine, elle commençait à penser que la virginité n'était pas quelque chose dont il y avait lieu d'être fier. C'était un peu comme si personne ne vous avait invité à danser.

Elle avait mené sa petite enquête personnelle : personne n'était vierge à *Gloss*. Sauf le critique des théâtres, un garçon de trente et un ans, à l'accent allemand qui trimbalait toujours à son bras une môme de dix-huit ans, mais Linda disait que, selon la rumeur « il se suffisait à lui-même. »

Linda couchait maintenant avec le chef décorateur. Keith ne l'avait pas appelée de toute la semaine et elle prétendait avoir besoin d'un corps auprès d'elle.

Le taxi s'arrêta à la Soixante-treizième rue. Une fois arrivé devant l'appartement, David semblait inquiet en mettant les clés dans les serrures de sûreté de sa porte. Puis, il la fit entrer et alluma. Elle enleva son manteau et examina les lieux. Le living-room n'était pas mal — une drôle de cheminée, un tas d'appareils de haute fidélité. La porte de la chambre était ouverte... étonnant ! Un lit rond et des murs rouges ! Elle avait envie de rire.

Il alluma le tourne-disques et la voix de velours de Nat King Cole flotta à travers la pièce. Il sortit alors du bar en la levant bien haut, d'un air triomphal, une bouteille de Dom Perignon.

— Quand je vous ai entendue dire que vous l'aimiez, j'ai acheté cette bouteille le lendemain. Elle vous attend depuis ce jour-là.

Il la déboucha.

— Je ne comptais pas sur votre visite ce soir, aussi n'a-t-elle pas été mise au frais, nous la boirons avec de la glace. Il lui tendit un verre... Alors, qu'est-ce que vous pensez de mon appartement ? Non, ne répondez pas. Je sais. Le living-room est la version de Macy de Park avenue et la chambre s'accorde aux fantaisies d'un jeune homme de classe aisée.

Il s'interrompit en songeant que Karla n'était jamais venue chez lui et que les plus grandes fantaisies de son existence avaient eu lieu dans la chambre nue de Karla, dans son lit en érable d'une étroitesse guindée. Il la chassa de ses pensées et esquissa un sourire :

— Vous savez, j'ai grandi dans une chambre d'enfant typique, décorée par ma mère. Des oriflammes au mur, des lits superposés, jusqu'à l'âge de douze ans. Pourtant j'étais fils unique et la seule fois où le second lit a servi, fut lors de la visite d'un cousin qui y passa une nuit.

Ils s'assirent sur le divan. A présent Nat King Cole chantait « Darling je vous aime beaucoup » d'une voix douce et enjôleuse.

170

Elle observa la bouteille de Dom Perignon destinée aux grandes occasions... Elle en but une longue gorgée. C'était bien une grande occasion, non ? Elle allait se faire sauter !

Il lui avait servi le champagne dans un grand verre de style ancien et prit pour lui un verre plus petit. Cela la déconcerta... Il dissimulait mal son envie de la saouler. Mais cela stimulerait peut-être l'attirance qu'elle avait déjà pour lui au lieu de la diminuer. Son père n'aurait certainement jamais employé un procédé aussi vulgaire avec une femme... Mais ce n'était pas le moment de penser à lui. Elle gâcherait tout. Elle le voyait déjà froncer les sourcils : « January, je voulais que ce jeune homme te plaise mais pas ce... » Elle voulait partir. Franco était plus séduisant que David, pourtant lorsqu'il l'avait touchée, elle avait été paniquée. Seigneur ! que faisait-elle là ? Elle pouvait encore s'en aller... Mais quoi ? Rester vierge toute sa vie ? Raconter à Linda qu'elle s'était enfuie devant David, Nat King Cole, le Dom Perignon, un lit rond et des murs rouges ? Elle engloutit le reste du champagne. David bondit remplir à nouveau son verre. C'était dingue. Allait-elle coucher avec David uniquement parce que Linda pensait que c'était la chose à faire ? Ou pour lui montrer qu'elle valait bien Karla. *Pourquoi* le faisait-elle ? Sûrement pas parce qu'elle était amoureuse de lui. Que connaissait-elle de l'amour ? Quelle base de comparaison avait-elle ? Linda prétendait que l'amour auquel elle aspirait n'existait qu'entre Ingrid Bergman et Bogey, dans les films retransmis à la télévision, le soir. Aujourd'hui cette forme d'amour n'existait plus. Même son père lui avait dit qu'il n'avait jamais « aimé » au vrai sens du terme mais aimait faire l'amour. C'était tout. Elle était comme lui. Elle prit le verre que David lui tendait et le sirota doucement. David était beau. Une fois la chose commencée... elle y trouverait du plaisir... et l'aimerait... et... Elle sourit et lui tendit son verre vide ; puisqu'il voulait la voir raide, pourquoi pas ?

Il parut aux anges en le remplissant de nouveau. Mais, il semblait encore légèrement inquiet. Il avait bu le sien et à présent il prenait un autre grand verre.

La bouteille fut vide lorsque Nat eut fini de chanter et Dionne Warwick commença à ronronner les chansons de Bacharach-David. January appuya sa tête contre le divan et ferma les yeux. Elle sentit David l'embrasser dans le cou. Dionne chantait « Dis une petite prière pour moi ». Oui, Dionne, dis-la pour moi... pour January... Je suis la fille que tu as rencontrée avec mon père en 1965. Je n'avais que quinze ans et tu as dit à mon père que j'étais adorable. Dis-moi, Dionne, étais-tu amoureuse la première fois que tu as fait l'amour ? Tu devais l'être, pour chanter comme tu chantes...

David était penché sur elle à présent. Maintenant, il lui mordillait l'oreille. Oh !... sa langue était dans son oreille. Comment pouvait-elle aimer cela : c'était froid et humide. Quand il s'attaqua à sa bouche, sa langue lui écarta les lèvres. Elle s'affola en réalisant qu'elle n'aimait pas cette sensation. Il avait la langue râpeuse. Ses mains, en cherchant ses seins, tripotaient les boutons de sa blouse. Elle espéra qu'il n'allait pas les casser... c'était sa nouvelle chemise à la Valentino. Mais peut-on dire à un homme qu'on préfère ouvrir soi-même son corsage ? On est censée être emportée par une telle passion qu'on ne doit pas remarquer ce qu'il fait.

Quand éprouverait-elle quelque chose ? Elle essaya de répondre à ses avances, en lui caressant ses cheveux... ils étaient secs. Il devait employer de la laque ! Elle ne devait pas penser à ces choses-là, en un tel moment. Elle ouvrit les yeux pour le regarder. Après tout, il était bien bâti, mais il avait l'air ridicule avec ses yeux fermés, allongé sur le divan. Pourquoi ne pouvaient-ils pas se conduire raisonnable-ment et aller dans cette horrible chambre, se déshabiller et... et quoi ? Ne devait-il pas la prendre dans ses bras, lui dire qu'il l'aimait au lieu de se contenter de lui mordre les lèvres et d'abîmer sa plus jolie blouse ? Elle remarqua que la boucle dorée de ses chaussures Gucci avait déchiré le satin du divan. D'un certain côté, cela lui plut. Elle devrait faire un effort... Elle ferma les yeux... elle voulait s'exalter... éprouver quelque chose... Oh ! Dieu merci, il avait finalement réussi à ouvrir sa blouse, sans arracher les boutons. Maintenant il tâtonnait la fermeture de son soutien-gorge. Là, il était très adroit... et mainte-nant le soutien-gorge se baladait autour de son cou. Devait-elle faire un geste symbolique de protestation ou l'aider ? Elle décida de le repousser.

— Du calme, mon petit enfant, chuchota David tandis que sa tête s'abaissait vers ses seins. Il se mit à les lécher doucement et elle sentit ses tétons se durcir... et la sensation étrange dans la région pel-vienne. Il la fit se redresser, lui ôta sa blouse d'une main et alla cher-cher la fermeture éclair de sa jupe, de l'autre. Ah, là aussi, il était expert... la jupe tomba. Il enleva le soutien-gorge. Elle se tenait debout avec ses chaussures et son collant. Il la souleva et la porta dans la chambre. Elle pouvait bien marcher. Elle aurait préféré marcher. Un mètre soixante-dix pour cinquante kilos. C'était pour la mode, la taille fuseau, mais cinquante plus les souliers, ça devait faire une tonne, pour un homme qui s'efforçait de jouer les Roméo.

Elle essaya de ne plus penser à sa longue jupe de soie, en tas sur le plancher du living-room, ni à son soutien-gorge, à côté. Et sa blouse de soie roulée en boule quelque part sur le divan. Qu'allait-elle faire quand ce serait fini ? Aller là-bas, nue comme un ver, et ramasser ses habits ? Il la jeta sur le lit. Puis il lui enleva ses chaussures et son collant.

Elle était allongée complètement nue et il lui disait qu'elle était belle. A présent il se déshabillait. Elle le regarda enlever son pantalon... elle vit la forte saillie dans son caleçon. Il faillit s'étrangler en arrachant sa cravate. Il enleva sa chemise et, avec un air de triomphe, son slip. Il sourit fièrement et vint au lit. Elle regardait, les yeux ronds, l'immense pénis qui se dressait agressivement.

— C'est une merveille, n'est-ce pas ? demanda-il.

Elle ne put pas répondre. C'était la chose la plus laide qu'elle ait jamais vue... Tout rouge... toutes ces veines... on aurait dit qu'il allait éclater.

— Embrasse-le !... Il le lui mit sous le nez. Elle se détourna. Il se mit à rire... Okay... Tu demanderas à l'embrasser, avant qu'on ait fini...

Elle jugula sa nervosité. Où était la sensation romantique qu'elle espérait ressentir ? Pourquoi n'éprouvait-elle que de la répulsion et de la peur ?

Il était couché sur elle, appuyé sur les coudes et lui suçant les seins. Puis ses mains descendirent entre les jambes. Involontairement elle les ramena l'une contre l'autre. Il la regarda surpris :

— Il y a quelque chose qui ne vas pas ?

— C'est que... il y a tant de lumière ici...

Il rit :

— Tu ne veux pas faire l'amour, la lumière allumée ?

— Non.

— La dame commande... Je m'exécute.

Il alla éteindre. Elle le regardait venir à elle. Tout cela lui semblait irréel. Elle n'était pas allongée sur le lit, attendant d'être prise par ce... cet étranger. Elle se remémora qu'elle avait omis d'aller voir un médecin, comme Linda le lui avait conseillé, et n'avait ni pilule, ni stérilet.

— David... commença-t-elle, mais soudain il enfonçait cette chose palpitante entre ses cuisses. Et poussait... poussait... elle sentait ses doigts partout... sur ses seins... entre ses jambes... il lui écartait les jambes... il poussait en elle.

— David, je ne prends pas la pilule, dit-elle d'une voix étouffée, alors qu'il essayait de l'embrasser.

— Okay. Je me retirerai à temps, murmura-t-il.

Il respirait lourdement. La sueur mouillait sa poitrine. Et pendant tout le temps, il essayait de pousser cette énorme chose en elle. Ne voyait-il pas que c'était impossible ? Mais la chose devenait de plus en plus exigeante... encore et encore. Cela la déchirait. Oh Dieu, il la tuait ! Elle mordit ses lèvres pour s'empêcher de crier et enfonça ses ongles dans son dos. Elle l'entendit murmurer : « Formidable, eh chérie donne, allons donne ! » Puis il y eut une douleur aveuglante lorsqu'il finit par entrer. Une douleur insoutenable comme s'il broyait l'os et le muscle. Soudain, il se retira d'elle et elle reçut sur le ventre une giclée d'un liquide chaud et gluant.

Puis, il retomba sur le dos, haletant. La chose entre ses jambes gisait recroquevillée et inerte comme un oiseau mort.

Graduellement, son souffle redevint normal. Il se tourna vers elle et lui emmêla les cheveux.

— Eh bien... c'était formidable, chérie.

Il prit des kleenex sur la table de nuit et les lui posa sur le ventre.

Elle avait peur de bouger. La douleur intense l'effrayait. Peut-être l'avait-il déchirée ? Linda disait que cela faisait un peu mal au début ; elle n'avait jamais dit que c'était une torture !

Comme un robot, elle s'essuya le ventre. C'était visqueux. Elle désirait se précipiter sous une douche chaude. Mais, avant tout, elle voulait s'en aller. Il lui caressa les cheveux.

— Que dirais-tu de me donner un petit coup avec la bouche, chérie. Après on pourrait recommencer.

— La bouche ?

— Plus bas ! Il poussait sa tête en direction de la chose molle qui maintenant reposait sur la partie interne de sa cuisse.

Elle sauta du lit.

— Je rentre chez moi ! puis s'arrêta en voyant le sang. Cela faisait une grosse tache sur les draps et lui coulait le long des jambes.

Il s'assit :

— Pour l'amour du ciel, January, pourquoi ne m'as-tu pas dit que tu avais tes règles ?

Il sauta du lit et arracha le drap.

— Oh, nom de Dieu ! Ça a traversé le matelas.

Elle demeura sans bouger, la main bloquée entre les jambes et avait l'impression que si elle enlevait sa main, ses organes allaient tomber !

Il se tourna et la regarda.

— Bon Dieu, ne mets pas de sang sur la moquette. Il y a des Tampax dans l'armoire à pharmacie.

Elle courut dans la salle de bains et verrouilla la porte, retira sa main et rien d'incroyable ne se produisit. Le saignement s'était arrêté. Elle prit une serviette et lava le sang sur ses jambes. Elle se sentait endolorie et déchirée à l'intérieur. La lumière vive, en haut de l'armoire à pharmacie, donnait à son visage une nuance jaunâtre. Elle

174

se regarda dans la glace. Le maquillage de ses yeux avait coulé, ses cheveux étaient ébouriffés. Il fallait s'habiller et partir. Elle enleva le noir de son maquillage. Puis, enroulant une autre serviette autour d'elle, elle ouvrit la porte de la salle de bains et se précipita dans le living-room. Il ne leva même pas les yeux. Il était encore nu, mais avait défait le lit et frottait furieusement le matelas avec un détachant liquide.

Elle saisit ses vêtements dans le living-room, ramassa ses chaussures et son collant dans la chambre à coucher et revint en courant à la salle de bains. Quand elle en sortit, le lit était encore défait mais il était habillé.

— Eh bien, il faut que j'attende que ça sèche pour savoir ce qu'il en est, dit-il, sinon je téléphonerai à un service de nettoyage. Allons, je vous raccompagne.

Il ne parla que lorsqu'ils furent dans le taxi. Là il passa son bras autour d'elle. Instinctivement, elle se dégagea. Il prit sa main.

— Ecoutez, je suis désolé de m'être emporté à cause des draps. Mais ils viennent de chez Porthault et vous auriez dû me dire que vous aviez vos règles. Je sais que vous avez vécu en Europe et qu'il y a des étrangers qui aiment ça. Mais moi, je ne traverse jamais la mer Rouge. Vous avez trouvé le Tampax ?

— Je n'ai pas mes règles, dit-elle.

Pendant une seconde, il ne comprit pas. Puis il comprit tout et s'effondra sur son siège.

— Oh, mon Dieu, January vous n'êtes pas...je veux dire vous n'étiez pas... Oh ! mais qui a jamais entendu parler d'une vierge de vingt ans ? Surtout d'une qui ait votre allure. Je vous ai trouvée étroite mais je mettais cela sur le compte de votre minceur... Quelle histoire ! Il termina dans un gémissement.

Ils roulèrent encore un peu et il regardait fixement devant lui.

— Pourquoi êtes-vous si déprimé ? demanda-t-elle.

— Parce que, ce n'est pas mon genre de prendre des vierges.

— Malheureusement, il faut bien que quelqu'un le fasse ! dit-elle. Je me rappelle quelqu'un en Italie qui m'a dit cela.

Arrivés au coin de sa rue, il dit au chauffeur d'arrêter.

— Ecoutez, allons prendre un verre dans ce bar, je veux vous parler.

Ils commandèrent chacun un scotch. Le goût lui était odieux mais elle espéra que cela la ferait dormir ; comme elle désirait sombrer cette nuit dans un sommeil de mort !

David faisait des ronds sur la nappe avec son verre.

— Je suis encore sous le choc... mais... écoutez... je suis vraiment fier que vous m'ayez choisi pour être le premier. Et vous ne le regretterez pas. La prochaine fois, je vous rendrai vraiment heureuse, January... Je... J'ai beaucoup d'affection pour vous.

— C'est vrai ?

— Oui.

— Eh bien, tant mieux. Je suis très flattée.

Il allongea le bras et lui prit la main.

— C'est tout ce que vous éprouvez ?

— Eh bien, David... je... Elle s'interrompit, elle avait été sur le point de dire « je ne vous connais pas très bien ». C'était insensé. Elle venait de coucher avec lui.

— January... je veux vous épouser. Vous le savez n'est-ce pas ?

— Non.

— Non quoi ?

— Non, je ne savais pas que vous vouliez m'épouser. Je sais que Dee veut que vous m'épousiez, mais je ne savais pas que vous le vouliez aussi. Tout cela est ridicule, ne trouvez-vous pas, David ? Nous sommes des étrangers. Nous avons couché ensemble, mais nous sommes des étrangers. Nous sommes assis ici, à essayer de nous parler et il ne devrait pas en être ainsi. Est-ce qu'on n'est pas censé vouloir crier... chanter... quand on a eu sa première aventure amoureuse ? Quand on aime, est-ce qu'on ne doit pas s'attendre à ce qu'il vous arrive quelque chose de merveilleux ?

Il regarda au-delà d'elle, et dit à mi-voix :

— Dites-moi ce que vous pensez devoir éprouver ?

— Je ne sais pas, moi... mais...

— Comme si on voulait que la nuit ne se termine jamais ? demanda-t-il.

— Oui, je suppose.

— A-t-on peur de partir tellement il serait merveilleux de posséder cette personne... rester avec elle chaque seconde.

Elle sourit.

— A nous entendre, on croirait que nous avons regardé tous les deux le même film de nuit à la télé.

— January, voulez-vous m'épouser ?

Elle regarda son verre, avala une longue gorgée et secoua la tête dans un geste d'impuissance.

— Je ne sais pas, David. Je n'ai rien éprouvé pour vous et...

— Vous savez, intervint-il, les choses dont nous venons de parler n'arrivent pas réellement. Peut-être une nuit, à des très jeunes fumant de la marijuana... ou à des gens ayant des relations amoureuses clandestines... ou alors...

— Ou alors ? demanda-t-elle.

— Ou si une gamine de quinze ans rencontre son héros... quelqu'un qu'elle a toujours idolâtré. Je suppose que chaque fille a un type d'homme dont elle rêve... comme certains hommes ont la femme de leur rêve. La plupart d'entre nous traversent la vie sans jamais rencontrer ni réaliser ce rêve.

— Est-ce nécessaire ? demanda-t-elle.

Il soupira.

— C'est peut-être mieux ainsi. Parce que si jamais vous l'obteniez, vous trouveriez impossible de le laisser échapper. Et on ne peut pas conserver un rêve éternellement. On ne peut pas épouser un rêve. Le mariage est bien différent : il englobe deux êtres qui veulent les mêmes choses, deux êtres qui ont du goût l'un pour l'autre.

Comme elle demeurait silencieuse, il ajouta :

— Je... Je vous aime, January. Voilà, je l'ai dit.

Elle sourit.

— Entre la parole et la pensée, il y a une marge.

— Vous ne me croyez pas.

— Je crois que vous essayez de vous convaincre avec autant d'insistance que vous en mettez à me convaincre.

— M'aimez-vous ? demanda-t-il.

— Non.

— Non ? Alors pourquoi êtes-vous venue avec moi ce soir ?

— Je désirais vous aimer, David. Je pensais, en cette occasion, y arriver. Mais ce n'est pas arrivé.

— Ecoutez... c'est ma faute. J'ignorais que vous étiez vierge... la prochaine fois, ce sera différent, je vous le jure.

— Il n'y aura pas de prochaine fois, David.

Pendant un instant il parut désemparé.

— Vous voulez dire que vous ne voulez plus me voir.

— Je vous verrai, mais je ne coucherai pas avec vous.

Il fit signe au garçon et régla l'addition.

— Ecoutez, c'est une réaction tout à fait normale, après ce qui vient d'arriver.

Elle se leva et il l'aida à enfiler son manteau. Il la tint par le bras en descendant la rue.

— January, je ne vais pas vous bousculer. Je ne vous demanderai pas de coucher avec moi. Peu m'importe s'il me faut attendre plusieurs mois. Vous avez peut-être raison, connaissons-nous mieux d'abord. Mais, je vous le promets, vous m'épouserez. Vous m'aimerez et me désirerez. Nous avancerons pas à pas. Nous allons passer *Thanksgiving* à Palm Beach. Quatre jours et quatre nuits ensemble. Au moins, ce sera un bon début. Et je promets de ne jamais vous demander de coucher avec moi. Quand cela arrivera, cela se passera de la façon que vous désirerez. En vous endormant cette nuit... rappelez-vous que je vous aime.

Quand elle fut enfin chez elle, elle fit couler un bain et ôta ses vêtements. Elle se détendit dans l'eau chaude... et essaya de penser à ce que David lui avait dit.

Ce n'est que plus tard, une fois couchée, cherchant à dormir, qu'elle pensa qu'il ne s'était même pas soucié de l'embrasser en la quittant.

Quand elle se réveilla le lendemain matin, elle s'aperçut qu'elle avait eu une hémorragie au cours de la nuit. Sa première pensée fut d'appeler Linda. Mais elle n'était pas disposée à l'affronter si tôt. Elle se représentait sans peine l'expression de son amie en lui racontant sa soirée. Elle parcourut rapidement l'annuaire et trouva le numéro du docteur Davis, le gynécologue dont Linda lui avait parlé. Quand elle expliqua qu'elle avait une hémorragie, on lui dit de venir immédiatement.

Chose étrange, elle fut moins gênée par l'examen qu'il fit que d'expliquer la raison de son état, assise devant son bureau, toute habillée. A son soulagement, il l'assura que, malgré la rareté de ce genre de saignement, elle n'avait rien de grave et lui prescrivit la pilule et un calmant. Puis il lui dit de rentrer chez elle et de se mettre au lit pour le restant de la journée.

Arrivée à son appartement, elle trouva un commissionnaire qui sonnait à sa porte. Il lui apportait un petit paquet de chez Cartier. Elle donna une signature et entra. C'était une rose d'or et d'ivoire, sculptée à la main, attachée à une lourde chaîne d'or. Le billet disait : « Les vraies meurent. Celle-ci durera plus longtemps, pour vous rappeler que mes sentiments sont tout aussi durables. David ».

Elle la rangea dans son tiroir. Elle était belle mais, pour le moment, elle n'avait pas envie de penser à David. Elle s'était arrêtée en chemin, pour prendre son ordonnance. Dans ses dispositions actuelles, elle n'avait aucune envie de se mettre à la pilule. Elle rangea les médicaments à côté de l'écrin de Cartier. Mais elle prit un calmant. Puis elle appela Linda pour lui dire qu'elle avait passé la matinée chez le dentiste et ne viendrait pas au bureau.

Elle se mit au lit et essaya de lire... mais le comprimé fit son effet. Elle était plongée dans un profond sommeil, lorsque le téléphone sonna à cinq heures du soir. C'était David. Elle le remercia pour le collier.

— Pouvons-nous prendre un verre en vitesse, cet après-midi ? demanda-t-il.

— Je crains que non. Je suis... J'ai du boulot par-dessus la tête, dit-elle.

Il se tut.

— C'est qu'il va y avoir une réunion d'analystes de valeurs mobilières, sur la Côte, dans quelques semaines, et plusieurs de ces patrons sont en ville actuellement. Je crains que ces soirées ne m'empêchent de vous voir pendant quelque temps.

— Mais c'est très bien, David.

— Je vous téléphonerai tous les jours et nous dînerons ensemble dès mon premier soir de libre. J'aurai des billets pour *Hair,* la semaine prochaine.

— C'est on ne peut mieux, David.

Elle raccrocha et resta allongée dans la pénombre. C'était un sentiment paisible, intermédiaire entre la veille et le sommeil. Mais, à neuf heures du soir, le calmant cessa d'agir ; elle s'assit alors et alluma la lumière. La nuit entière s'étendait devant elle. Elle pensa manger ; non, elle n'avait pas très faim.

Elle avait dressé une liste de sujets qui auraient pu faire des articles intéressants. Elle avait l'intention de les soumettre à Linda aujourd'hui. Si elle les étudiait ? Peut-être pourrait-elle essayer d'en traiter un. Elle était tout particulièrement intriguée par un problème : « Y a-t-il une vie au-delà de trente ans ? ». L'idée lui était venue en voyant Linda refuser une secrétaire avec des références de tout premier ordre, pour engager une fille de dix-neuf ans dont la sténo laissait à désirer.

— January, je ne veux pas d'une femme de quarante-trois ans au secrétariat de *Gloss.* Peu m'importe qu'elle ait été secrétaire du Président d'une compagnie de pétrole pendant vingt ans. *Gloss* est une revue jeune, pleine d'allant. Je ne veux dans ce bureau que des jeunes.

January avait remarqué, lorsqu'elle s'était présentée pour le spot publicitaire que l'âge de la plupart des filles qui travaillaient comme secrétaires et réceptionnistes à l'agence de publicité, s'échelonnait entre dix-neuf et vingt-neuf ans. Naturellement, ceci ne s'appliquait pas aux chefs de service, ou à la femme qui dirigeait le bureau des dactylos — Linda approchait de la trentaine — mais pour la situation qu'elle occupait, elle était jeune.

Elle aimait bien Linda. A part leur enthousiasme commun pour la revue, elles étaient totalement différentes. A *Gloss,* Linda était « le pouvoir ». Quand elle passait dans les couloirs, tout le monde se mettait au garde-à-vous. A la réunion hebdomadaire du comité de rédaction, Linda était froide, belle, maîtresse absolue. Chacun des rédacteurs et des rédacteurs-adjoints, admirait l'élégance presque classique de son style et de son allure. Pourtant, une fois sortie du bureau, Linda avec un homme, quel qu'il soit, était complètement dépourvue de classe. Elle ne pouvait comprendre l'attitude de Linda, avec son besoin d'un « corps » auprès d'elle. Etre capable de jouir de rapports avec un homme pour lequel on n'éprouve pas un goût bien particulier. La nuit dernière avait été abominable... même avant la souffrance.

Elle n'avait éprouvé aucun désir pour le corps de David. Y avait-il quelque chose chez elle qui ne tournait pas rond ?

Il fallait qu'elle en parlât à quelqu'un. Pas Linda. Linda suggèrerait aussitôt des vitamines ou un psychiatre.

Tout à coup, elle eut besoin de voir Mike. Peut-être pourraient-ils déjeuner ensemble demain ? Elle ne pouvait vraiment pas lui dire ce qui s'était passé. Mais rien que de lui parler lui ferait du bien. Il n'était que neuf heures et demie. Il ne serait pas là, mais elle pouvait lui laisser un message.

Elle n'en crût pas ses oreilles en l'entendant répondre lui-même au téléphone. (Elle avait peut-être interrompu une conversation entre lui et Dee...) Elle essaya de prendre un ton léger :

— Je peux rappeler si vous jouez au tric-trac.

— Non, tu m'as réveillé.

— Oh... pardon. Excuse-moi auprès de Dee...

— Non, attends une minute. Quelle heure est-il ?

— Neuf heures et demie.

— Je suis bien réveillé à présent, et j'ai faim, dit-il. Aimerais-tu que je saute dans un taxi et vienne te chercher. On prendrait un hamburger.

— Où est Dee ?

— J'ai tiré dessus. Elle est suspendue dans l'armoire.

— Mike !

Il rit.

— Descends à la porte de ton immeuble dans un quart d'heure. Je te donnerai les détails sanglants.

Ils allèrent au bar du coin et elle évita soigneusement la table où elle s'était assise la nuit précédente avec David.

— Ton vieux traîne la patte, fit Mike. J'ai fait dix-huit trous au golf, suis rentré à cinq heures et me suis écroulé dans un profond sommeil. Dee voulait dîner dehors et voir un film mais je n'ai pas pu bouger. Elle a dû essayer... mais de toute évidence, j'ai continué à dormir. Elle m'a laissé un mot pour dire qu'elle sortait pour jouer au tric-trac chez une amie. Elle a dû penser que j'allais ronfler toute la nuit.

— Et je t'ai réveillé. Je suis navrée.

— Non, je suis content. Le garçon leur servit les hamburgers. Il mordit le sien avec appétit. Je mourais de faim, comme tu peux voir. Mon estomac m'aurait fait lever aux environs de minuit, mais je

180

ne t'aurais pas vue. Soudain son regard se fit perçant : Comment se fait-il que tu sois chez toi ce soir ?

— Oh, j'avais rendez-vous avec David la nuit dernière. Ce soir, il est à je ne sais quelle réunion.

Il hocha la tête :

— Traduisons : tout ne va pas sur des roulettes ?

— Il m'a offert un collier de chez Cartier, dit-elle tout à coup.

Il repoussa sa bière, alluma une cigarette, et dit d'un air détaché :

— Un peu tôt pour Noël, non ?

— Il veut m'épouser.

Ses traits se détendirent. Il se mit soudain à sourire.

— Ah bon, doux Jésus, c'est une toute autre histoire. Pourquoi n'as-tu pas tout de suite annoncé la couleur ?

— Je ne l'aime pas.

— En es-tu sûre ? Je veux dire... tu ne le connais que depuis peu. Tu es certaine qu'il ne fait pas l'affaire ?

— Certaine.

Elle allongea le bras et prit une de ses cigarettes. Il leva les sourcils :

— Depuis quand fumes-tu ?

— J'ai appris en essayant de décrocher un spot publicitaire. Au bout d'un instant elle dit : Je suis désolée pour David.

Il rit.

— Dis-le lui, à lui... pas à moi. Mon Dieu, rien n'est perdu. Alors, tu es sortie avec lui et il s'est déclaré ? Tu n'as qu'à lui rendre son foutu collier et en rester là.

Elle gardait les yeux fixés sur son hamburger dont elle n'avait mangé que la moitié. Soudain elle se rendit compte qu'il se refusait à croire à une intimité quelconque entre elle et David. Il voulait considérer le collier comme un présent d'homme qui fait sa cour. Mike, le sophistiqué, était complètement démodé dès qu'il s'agissait d'elle.

— Mike, est-ce que j'ai du sex-appeal ?

— Quelle question folle !

— Est-ce que j'en ai ?

— Comment, diable, veux-tu que je le sache. Je peux te dire que tu es belle... que tu as une silhouette formidable... Mais du sex-appeal, c'est une relation tout à fait personnelle. Une nana qui, pour moi, a du sex-appeal peut ne pas en avoir pour le type d'à côté.

— Pour moi, tu as du sex-appeal, dit-elle.

Il la regarda, puis secoua la tête.

— Et David n'en a pas ?

— David, non.

— Oh, bonté divine ! Il émit un sifflement. Voilà un gars que toutes les femmes de New York voudraient se taper, y compris la vedette de cinéma sur laquelle on ergote le plus au monde... Et il n'a pas de sex-appeal pour toi... mais moi j'en ai.

Elle essaya de prendre un ton léger.

— Eh bien peut-être que je dois rencontrer quelqu'un qui te ressemble.

— Ne parle pas comme ça, dit-il d'un ton rogue. Tu t'es comportée comme si ce gars te convenait.

— David me plaisait, dit-elle. Je l'aime encore bien. Mais pour ce qui est de l'amour... il me rebute. — Elle essaya de rire — ses cheveux blonds peut-être.

Il repoussa son verre de bière.

— Il ne manquait plus que ça ! Chaque type qui se présente est appelé à perdre à la dernière minute, parce que tu es amoureuse de moi. C'est ça ?

— Ecoute, il n'y a pas lieu de se frapper parce que j'ai changé d'idée en ce qui concerne David.

— Si nous ne redressons pas ça, tu changeras d'idée toutes les fois. Tu iras jusqu'à l'autel et changeras d'idée. Cela arrive — diable. C'est déjà arrivé... Et ça se termine en catastrophe. Ecoute — sa voix était grave — Ne te fais pas une fausse image de moi, une image qui éclipse celle de tous les autres hommes. Je ne suis pas un chopin. Tu ne me connais que comme Papa... et Papa est l'homme idéal. Eh bien, reprends-toi. Il n'y a pas d'homme idéal. C'est la femme qui idéalise. Et il est temps pour toi d'apprendre que Papa-Mike est bien différent de Mike-l'homme.

— Je vois Mike-l'homme, et je l'aime.

— Tu ne vois que ce que je t'ai laissé voir. Mais maintenant je vais te l'apprendre sans détour. J'étais un père moche et un mari pire encore. Je n'ai jamais rendu une femme vraiment heureuse. J'aimais faire l'amour... mais je n'ai jamais aimé. C'est encore comme ça.

— Tu m'as aimée... tu m'aimes toujours.

— C'est vrai. Mais je ne suis pas resté tous les soirs à proximité de ton berceau pour te border. J'ai vécu ma vie comme toujours.

— C'est parce que maman est morte.

— Morte ? Elle s'est tuée, sacré nom de Dieu.

January secoua la tête... et pourtant, d'une façon ou de l'autre, elle savait qu'il disait la vérité. Il but une gorgée de bière et regarda son verre.

— Oui, elle était enceinte et je cavalais. Aussi, une nuit elle s'est saoulée et m'a laissé un mot pour dire que c'était sa façon de me rendre la pareille. Quand je suis rentré à la maison, je l'ai trouvée sur le carreau de la salle de bains. Elle s'était ouvert le ventre d'un coup

182

de couteau de bas en haut pour en extraire l'enfant. Il était là, lui aussi, couché dans le sang. A peine un bébé... cinq mois peut-être... un garçon. J'ai eu assez de chance pour que cela ne s'ébruite pas, pour faire croire que sa mort était due à une fausse couche naturelle... mais... Il s'interrompit et la regarda... Maintenant, tu sais.

— Pourquoi m'as-tu dit ça ? demanda-t-elle.

— Parce que je veux t'aguerrir. T'apprendre à te conduire seule. A être *ma* fille. Si tu m'aimes tant, aime-moi pour ce que je suis. Et si tu m'acceptes tel que je suis vraiment, et non tel que tu me rêves, alors tu trouveras et aimeras l'homme qu'il te faut. Et tu seras amoureuse une douzaine de fois. Mais seulement si tu apprends à regarder la réalité en face. Va droit à ce que tu désires. Ne vis pas dans un rêve. Ne sois pas perdante comme ta mère. Elle traînaillait sans bruit, avec ses grands yeux noirs, sans jamais m'accuser ouvertement, me vouant pourtant à l'enfer avec chacun de ses regards silencieux. J'ai presque éprouvé du respect pour elle, quand j'ai su qu'elle avait un autre type. J'ai même été un peu jaloux et allais essayer de la ramener à moi, alors j'ai appris qu'elle ne pouvait même pas le regarder. Elle se saoulait quand elle était avec lui et pleurait sur moi. Chaque fois que je la regardais, elle soupirait sans cesse.

Il se tourna vers elle :

— Ne soupire jamais, c'est la pire des choses. Dieu sait qu'il y a des moments ces temps-ci où je soupirerais volontiers... Mais, chaque fois que je commence, je me rappelle que j'ai mis le pied dans cet engrenage pour nous.

— Nous ? dit-elle. Au commencement, c'était seulement pour moi.

— Okay... okay. C'était peut-être le seul moyen de m'en tirer moi aussi. Mais j'ai essayé de te mettre les rouages en mains. Un grand appartement, une bonne, une voiture... Okay, tu as tourné le dos à tout cela. Mais tu *sais* que c'est toujours là, tu ne joues donc pas tes derniers sous. Dee a essayé de te donner un gars, mais tu n'aimes pas la couleur de ses cheveux. Okay... Ainsi il a dit qu'il veut t'épouser ? Mais nous savons toi et moi que cela n'est pas spécialement une preuve d'amour. Il est certain qu'il ne meurt pas d'envie de te voir. Je ne marche pas pour les réunions d'affaires la nuit. Je me suis servi trop longtemps de cette excuse pour y croire.

— Tu crois qu'il est avec Karla ?

Il haussa les épaules.

— S'il a cette chance... il est peut-être avec elle. A mon idée, un type qui tape dans l'œil de Karla doit s'envoyer en l'air pour elle. Je sais que moi je le ferais.

Il s'interrompit, et la regarda pensivement :

— Dis, tu n'es peut-être pas amoureuse de David parce qu'il ne désire pas que tu le sois... pour l'instant. Il faut comprendre qu'il ne tient pas à t'avoir sur les bras au beau milieu d'un duo d'amour avec Karla. — Il eut un sourire ironique. — As-tu jamais pensé à ça ? Il te tient peut-être à distance. Après tout, si un type n'est pas romantique avec une fille, comment peut-elle l'aimer ? — Il parut soulagé à cette nouvelle analyse de la situation. — Attends qu'il passe à un voltage plus élevé. Je parie que ce sera une toute autre musique.

— Tu t'enverrais en l'air pour Karla ?

— Quoi ?

— Tu as dit que tu t'enverrais en l'air pour Karla.

— Tu n'as rien entendu d'autre de ce que j'ai dit depuis ?

Elle acquiesça :

— Mais si, j'ai entendu. Je te pose seulement une question.

— Je le ferais sûrement.

Il termina sa bière.

— Et tu penses vraiment que c'est une rivale trop forte pour moi ?

Il sourit et lui tapota la main.

— Tu es une jeune fille... C'est une femme. Mais ne t'inquiète pas. David t'a demandé de l'épouser. Cela signifie que tu es la fille qu'il veut vraiment pour l'avenir. Il souriait — ... quand il le voudra.

— Quand il le voudra — Elle rit — Oh ! Mike, penses-tu vraiment que David ne m'ait pas attaquée en force et...

Il donna un coup de poing sur la table.

— Est-ce que ce salopard a tenté quelque chose ? — ses mâchoires se serrèrent — Je le tuerai. Ne me dis pas qu'il a voulu... qu'il s'est permis des privautés avec toi...

Elle avait peine à le croire. Mike qui avait eu toutes les femmes, qui lui avait parlé de Tina Saint Clair et de Melba... Mike ramenait soudain leurs relations à celles d'un père outragé envers une fille innocente. C'était dingue... fou... cependant quelque chose la poussait à ne pas lui révéler la vérité.

— David s'est montré un gentleman en tous points, dit-elle, mais je sais que je pourrais l'avoir comme je voudrais.

— N'importe quelle femme peut avoir n'importe quel homme. Il lui suffit d'écarter les jambes, dit-il froidement. Mais tu es différente. David sait cela aussi.

— David ! Elle crachait presque le nom. Dee s'amène avec un gentil cousin présentable, et je dois me comporter comme une poupée mécanique, tomber amoureuse de lui et vivre heureuse jusqu'à la fin des temps. Et sais-tu quoi ? J'ai essayé... et je me suis presque fait un

184

lavage de cerveau pour y croire. Dis-moi, est-ce cela que tu désirais pour moi ? Tomber amoureuse d'un gentil bonhomme en plastique, porter une blanche robe de mariée, m'installer, et peut-être élever une fille et lui trouver un David à épouser ? Comme dit la chanson « Est-ce donc tout ce qu'il y a là, mon ami... est-ce donc tout ce qu'il y a là » ?

Il appela pour payer. Puis se leva et laissa quelques billets sur la table. Ils marchèrent dans la nuit. Deux garçons aux cheveux longs avec des papillons rouges parsemés au dos de leurs salopettes passèrent. Ils s'arrêtèrent près d'un réverbère et se mirent à s'embrasser.

— Il semble qu'il y ait de l'amour dans tous les coins, ces temps-ci, fit Mike.

— Ce sont des papillons rouges, dit January.

— Des quoi ?

— C'est un groupement « communiste de libération dans la joie » qui opère au Canada. Quelques-uns sont en ville pour militer et recruter. Linda pensait faire un article sur eux. Mais ce n'est pas pour *Gloss*.

Mike secoua la tête.

— Sais-tu quoi ? Quand tu m'as demandé au bistrot « Est-ce donc tout ce qu'il y a ? », je n'ai pas pu te dire si c'était tout ou non. Parce que je ne sais plus. Je ne sais plus ce qui *est* — dans la vie, dans le spectacle... dans tout. L'univers entier a changé. Dans mes films et tous les films de mon temps... le méchant était appelé à mourir. Le héros gagnait la bagarre au pistolet et, il y a dix ans, si j'avais eu une fille de vingt ans qui sorte avec un David, je lui aurais dit : « Quel besoin as-tu de te presser ? Le monde est fait pour toi, et je te le donnerai ». Mais j'ai changé tout comme le monde. Aussi, il se peut que je cherche à te caser dans un abri vite trouvé, solide et doux. Parce que je regarde ce monde brillant d'aujourd'hui où tout est permis et dans mon idée, il pue. Moi, je peux me permettre de lui tourner le dos, parce que j'ai cinquante-deux ans. J'ai vécu une grosse tranche de ma vie. Mais toi tu ne peux pas... parce que c'est tout ce que tu as. Et je ne peux pas le faire revenir à ce qu'il était. L'appartement d'angle du Plazza appartient à quelqu'un d'autre à présent. Le théâtre du Capitole est devenu un immeuble de bureaux. Le Stork Club est Paley Park. Ce monde a disparu. On ne peut plus le voir que dans les films qu'on passe la nuit à la télé. Malheureusement il nous faut affronter le monde tel qu'il est maintenant. Aussi, profites-en. Parce que soudain un jour tu te réveilles et tu t'aperçois que tu n'es plus à l'affiche. Ça t'arrive du jour au lendemain. Aussi, attrape tous les anneaux que tu peux parce que, lorsque tu regardes en arrière, le tour de chevaux de bois te paraît vachement court. — Il passa son bras autour de ses épaules. — Regarde. Je viens de voir une étoile filante. Fais un vœu, chérie.

Ils étaient arrivés devant son immeuble. Elle ferma les yeux mais ne put penser à rien qu'elle désirât vraiment. Et quand elle les rouvrit, il était parti. Elle le regarda s'éloigner dans la rue. Il avançait encore comme un vainqueur.

Plus tard, couchée et éveillée dans l'obscurité, elle songeait à ce que son père lui avait dit. Il avait peur du monde d'à présent — peur pour elle... et peur pour lui-même. Et, comme il disait, c'était son monde à elle maintenant — le seul qu'elle ait. C'était à elle d'y aller, de le mettre à sa portée. Elle serait gagnante... et lui prouverait qu'on peut y parvenir. Elle sourit, et s'étira dans l'obscurité :

— Papa, chuchota-t-elle, quand Dee rentrera de son tric-trac, ne vous asseyez pas tous les deux pour vous tracasser sur mon compte et mon avenir. Parce que, Papa... je souris... je ne soupire pas...

X

Mais Dee n'était pas à la maison pour discuter avec Mike des problèmes de January. Lorsqu'elle l'avait vu plongé dans un profond sommeil, après sa partie de golf, elle s'était glissée dans le bureau et avait donné un rapide coup de téléphone. Puis elle avait griffonné un mot, qu'elle avait posé en évidence sur l'appareil, à côté du lit, pour dire qu'elle l'aurait bien réveillé mais l'ayant vu si tranquille, elle le laissait dormir en paix et allait jouer au tric-trac.

Elle prit la voiture et dit à Mario de la conduire au Waldorf.

— Je vais passer quelques heures chez une amie. Revenez m'attendre à l'entrée de Park avenue, à onze heures.

Elle entra au Waldorf, traversa le hall et gagna la sortie sur la Lexington avenue. Elle héla un taxi. Ce n'était qu'à quelques minutes ; elle pouvait y aller à pied mais avait trop hâte d'arriver. Il n'était que six heures. Elle s'était annoncée pour six heures et demie. Ma foi, ça lui ferait une demi-heure de plus ensemble.

Quand elle arriva devant le grand immeuble, le portier empilait des bagages dans un taxi pour un locataire. Elle passa devant lui sans s'arrêter et prit l'ascenseur. Le liftier était nouveau — elle ne l'avait encore jamais vu — et il se contenta d'acquiescer quand elle lui indiqua l'étage. De nos jours, ces immeubles de luxe sont bien gardés !

Elle sortit de l'ascenseur et au bout du couloir, sonna. Le liftier ne se soucia même pas de voir à quel appartement elle se rendait. Elle sonna une seconde fois. Elle regarda sa montre — six heures et quart. Où pouvait-elle être à une heure pareille ? Elle plongea la main dans son sac et en tira une clef. Elle pénétra dans l'appartement et alluma les lampes du living-room. Elle prit une cigarette et se versa à boire.

Puis, se contemplant dans le miroir elle remit de l'ordre dans sa chevelure. Grâce à Dieu, Ernest l'avait coiffée en page aujourd'hui

— le style Gilbson-girl se détériorait au lit. Les filles de maintenant, avec leurs cheveux défaits, flottant au vent, — comme elle les enviait ! Elle regarda les nouveaux cils qu'on lui avait posés chez Elizabeth Arden. Ils étaient merveilleux. Elle éteignit une des lampes et revint se regarder dans la glace. Oui, c'était mieux ainsi...

Elle s'assit dans le fauteuil club et but à petites gorgées. Son cœur battait. Quoiqu'elle fût venue ici bien souvent, elle était, à tous les coups, aussi émue qu'une écolière.

Il était sept heures cinq, quand elle entendit enfin la clef tourner dans la serrure. Elle écrasa la cigarette qu'elle venait d'allumer et se leva.

— Où pouvais-tu bien être ? demanda-t-elle.

Karla laissa tomber sur une chaise son sac en bandoulière et ôta son imperméable.

— Serais-je en retard ? fit-elle d'un ton dégagé.

— Tu sais très bien que tu es en retard. Où es-tu allée ?

Karla sourit.

— Me promener, tout simplement. J'aime toujours marcher un peu à la tombée de la nuit. D'ailleurs, je n'ai fait que deux heures de barre aujourd'hui. J'avais besoin d'exercice.

— Tu n'avais nul besoin de te promener. Tu l'as fait exprès... pour me faire attendre ! Elle s'interrompit, en s'apercevant que sa voix montait d'un ton. Oh ! Karla, pourquoi fais-tu tout pour me mettre hors de moi ?

Avec un sourire qui s'épanouit lentement, Karla ouvrit tout grand les bras. Dee hésita une seconde et courut s'y jeter. Et le baiser de Karla étouffa toutes ses protestations.

Un peu plus tard, serrées dans les bras l'une de l'autre, dans la froide obscurité de la chambre à coucher, Dee se colla contre Karla, en disant :

— Oh, Dieu ! Si nous pouvions être éternellement ensemble.

— Il n'y a que la mort qui soit éternelle, dit Karla. Elle se dégagea et allongea la main pour prendre une des cigarettes de Dee. Elle ouvrit l'étui en or et le regarda. Il est très beau.

— Mike me l'a offert... sinon, je te l'aurais donné. Mais je t'ai déjà acheté trois étuis. Et tu les as tous perdus.

Karla haussa les épaules, en exhalant la fumée.

— Peut-être qu'un instinct intérieur essaye de me dire de m'arrêter. Je m'astreins à ne pas dépasser dix cigarettes par jour.

— Tu es un tel monstre de santé. Avec toutes tes promenades à pied et tes exercices de danse... Dee s'interrompit pour allumer une cigarette. Oh, à propos, j'ai fait un nouveau testament.

Karla se mit à rire.

— Dee, tu n'as aucune chance de mourir. Tu es trop regardante pour cela.

—J'ai aussi versé dix mille dollars à ton compte d'épargne, aujourd'hui.

Karla rit.

— Le livret de caisse d'épargne commun à Connie et Ronnie Smith. Connie y met de l'argent... Ronnie le retire. Je suis certaine que tout le monde à la banque est au courant.

— Ils ne me reconnaissent pas, déclara rapidement Dee.

Karla sauta du lit, exécuta une arabesque.

— Mais moi, je n'y peux rien, je suis si magnifique que tout le monde me reconnaît ! fit-elle, en ironisant sur sa propre popularité.

— Tu es idiote ! fit Dee en riant. Reviens ici.

Karla enfila un peignoir et alluma la télévision. Elle remonta sur le lit, s'y assit en tailleur et, se servant du commutateur à télécommande, fit cliqueter les boutons jusqu'à ce qu'elle tombe sur un film : *Grand Hôtel,* avec pour vedettes Garbo, Barrymore et Joan Crawford.

— A quelle heure dois-tu être rentrée, Dee ? fit-elle.

Dee se pelotonna contre Karla.

— Je n'ai pas d'heure. Il a fait dix-huit trous au golf et va sans doute dormir toute la nuit. En tout cas, je lui ai laissé un mot pour dire que je jouais au tric-trac avec Joyce.

— Qui est Joyce ?

— Quelqu'un de mon invention. Comme ça, il ne peut rien vérifier.

— Mike Wayne est très séduisant, dit lentement Karla.

— Je ne l'ai épousé qu'à cause de toi.

Karla se renversa en arrière pour mieux rire.

— Oh, Dee. Je sais bien que la presse me considère comme faible d'esprit parce que je me refuse aux interviews. Mais ne va pas t'imaginer que je sois vraiment ainsi.

— C'est la vérité ! Je te l'ai dit avant d'épouser Mike... avant même de le rencontrer, que j'allais me remarier. Qu'il *fallait* que je me remarie. Au printemps dernier, quand j'ai demandé à David de sortir avec nous... je savais que les gens commençaient à s'étonner... pas à ton sujet... au mien... A se demander ce que je fabriquais. Toi tu as la réputation de vouloir vivre ta vie à toi. Chacun sait combien tu te bats pour garder le secret de ta vie privée. Mais moi, les gens sont habitués à me voir dans tous les journaux — à l'ouverture de la saison d'opéra, au ballet, aux premières de certains spectacles de Broadway, surtout lorsqu'il s'agit de galas de charité. Et puis il y a les bals... Je patronne trois grandes œuvres de bienfaisance... et il y a mes relations d'affaires, je suis présidente du bureau de deux grosses sociétés. Il y a des dîners auxquels il faut que j'assiste. J'ai besoin d'un cavalier présentable. J'ai besoin de faire des apparitions aux endroits voulus avec *un homme*. On donne mon nom à un hôpital, en Espagne. Au printemps prochain, quand j'irai là-bas, c'est Monseigneur l'évêque qui officiera en mon honneur. Tu vois bien que je ne peux pas risquer le scandale.

— Pourquoi ne pas donner l'argent et rester en dehors de toutes ces fonctions officielles ? suggéra Karla.

— Tourner le dos au monde ? Comme tu essaies de le faire ? Dee la regarda. Dans ce cas-là, me promettrais-tu de venir vivre avec moi pour toujours ?

Karla eut un rire grave.

— Malheureusement, la seule personne avec laquelle je doive être pour toujours, c'est moi-même.

— Mais tu n'as pas peur de rester seule. Cette idée me terrifie. J'ai toujours détesté cela. Mais ce n'est devenu terreur que depuis que tu es entrée dans ma vie. Lors de ta première disparition, j'ai avalé un flacon entier de somnifères. Je souffrirai encore à chacun de tes départs... mais au moins je ne reste pas seule.

— Cette sorte de peur, je ne peux pas la comprendre, dit Karla, tout en regardant le film.

— Peut-être parce que la solitude a été ma compagne depuis l'enfance. Mes parents sont morts très tôt et j'ai grandi entre des banques et des administrateurs, avec l'assurance que je n'étais pas une belle petite fille mais que ça n'avait aucune importance, à cause de mon immense richesse. Sais-tu à quoi cela aboutit ? A te donner l'impression que chaque homme que tu rencontres ne fait que te flatter et ne se comporte en amoureux qu'à cause de ton argent.

— Dee, c'est ridicule. Tu es très belle.

Dee sourit.

— J'ai le genre de beauté que procure l'argent, avec des soins, des régimes. Je ne suis pas née belle, comme Jackie Onassis ou Babe Paley.

— Moi, je crois que tu l'es ! dit Karla, les yeux fixés sur un gros plan de Joan Crawford.

Dee regarda l'écran de télévision.

— Elle est belle, fit-elle. Et sa beauté lui a procuré de l'argent et des hommes qui l'aimaient. Tandis que mon argent m'a procuré de la beauté et des hommes qui faisaient profession de m'aimer. Mais je l'ai toujours su... et je ne me suis jamais laissé aller à éprouver quoi que ce soit, pour un homme. Dans le fond de mon cœur, je hais les hommes. Avec les femmes, c'est différent. Et j'ai toujours choisi des femmes qui avaient beaucoup d'argent, pour avoir la certitude qu'elles

190

me voulaient pour moi-même. Ça a été le cas avec toutes. Mais je n'ai vraiment aimé aucune d'elles. Je ne me croyais pas capable d'aimer vraiment jusqu'à ce que je te rencontre. Karla, ... comprends-tu que tu es la seule personne que j'aie jamais aimée de toute ma vie ?

— Tu sais, ce film-là tient encore le coup ! dit Karla.

— Pour l'amour du ciel, vas-tu arrêter ce sale truc ?

Karla coupa le son et sourit à Dee.

— Tu es contente, à présent ?

Dee la regarda.

— Veux-tu que je te dise ? Je ne crois pas avoir eu un jour de bonheur véritable, depuis que nous nous sommes rencontrées.

— Mais j'ai cru t'entendre dire que tu m'aimais.

Karla suivait le déroulement du film, sans le son.

— C'est pourquoi je suis si malheureuse ! Oh, Karla, ne comprends-tu pas ? Proches comme nous le sommes... « comme en ce moment »... Elle passa la main sous la robe de chambre de Karla et lui caressa le corps.

— En ce moment, te touchant où je te touche, je n'ai pas l'impression que tu m'appartiens réellement, ou que je t'atteins vraiment, dans ce que je dis ou fais.

— Tu me fais éprouver un grand plaisir charnel, pour l'instant... et je crois préférable d'ôter mon peignoir pour que nous fassions l'amour.

Une fois de plus, Dee constata la perfection indescriptible de leur intimité physique. Et quand ce fut terminé, elle se colla contre elle et lui dit :

— Karla, je t'idolâtre. Je t'en prie... je t'en prie... ne me fais pas souffrir.

— Je croyais t'avoir, à l'instant, rendue très heureuse.

— Je ne parle pas seulement du sexe. Tu ne comprends donc pas ce que tu me fais ! Chaque fois que tu disparais...

— Maintenant tu sais que je reviens toujours, dit Karla.

— Comment puis-je en avoir la certitude. Alors que je suis déjà persuadée que tu vas repartir une fois de plus ? Karla, te rends-tu compte que je t'aime depuis plus de neuf ans et que si nous mettions bout à bout le temps passé ensemble, ça ferait tout au plus quelques mois ?

Karla remit le son. Garbo était en plein milieu d'une scène d'amour avec Barrymore.

— Tu te lasserais de moi, si je restais trop longtemps, fit Karla.

— Jamais !

Karla gardait le regard fixé sur l'écran.

— Ma douce petite Dee, exactement comme tu ne peux pas rester seule, il y a des moments où Karla *doit* partir seule.

Dee allongea le bras, attrapa le commutateur à télécommande et éteignit le poste.

— Karla, tu sais, les somnifères que j'ai pris la première fois, je m'étais juré de ne jamais recommencer. J'ai souffert, à chaque fois que tu es partie... à chaque fois, je me disais que je tenais mieux le coup, que tu reviendrais... Mais, au printemps dernier, après ton départ, je... je me suis ouvert les poignets. Oh ! ça ne s'est pas ébruité. J'étais à Marbella et j'ai de bons amis médecins, là-bas. C'est là où j'ai compris que je devais me marier pour sauver mon équilibre mental.

Les grands yeux gris de Karla la regardèrent avec compassion.

— Tu dis de telles choses que cela m'attriste. Peut-être devrais-je sortir complètement de ton existence.

— Oh, Dieu ! Tu ne comprends donc pas ? Dee se collait contre elle. Je ne peux pas vivre sans toi. Et je sais aussi que si je multiplie les scènes comme celle-ci, tu me quitteras. C'était une raison de plus pour épouser Mike Wayne. Il n'est pas comme les autres. Je ne peux pas l'ignorer, ni le mener par le bout du nez. Il me faut jouer le jeu, être sa femme, lui répondre. Et cette discipline m'empêchera de sombrer dans l'abîme à cause de toi. Je sais que, tant que je me comporterai en épouse, il restera... parce qu'il n'a pas d'argent... et que je viens de créer un fond de garantie de dix millions de dollars pour sa fille.

— Ça n'est pas dans tes habitudes, constata Karla. Généralement, tu gardes les ficelles en mains au-dessus de la tête des autres.

Dee sourit.

— Cette garantie n'est pas irrévocable. Je peux toujours la changer. Puis, regardant Karla d'un air implorant :

— Il faut que tu viennes à Palm Beach. Mike va jouer au golf toute la journée... nous pourrons être ensemble... nous pourrons même passer des nuits l'une avec l'autre... comme maintenant. La maison est si grande qu'il ne pourra jamais nous trouver.

Karla se mit à rire.

— A quoi rimaient tes discours au sujet du qu'en-dira-t-on ? Que j'aille loger avec un couple de nouveaux mariés ferait sûrement jaser.

— Pas si tu viens pour des vacances, alors que tout le monde reçoit des invités... et si tu restais... personne ne jaserait.

— Nous verrons. Karla reprit le commutateur à Dee et alla remettre le poste en marche. Puis elle revint au lit et passa d'une chaîne à l'autre. Elle tomba sur un film de Gary Grant, et se réinstalla, enchantée.

— Quel homme merveilleux ! J'ai failli faire un film avec lui. Nous ne nous sommes pas entendus sur les conditions.

Dee s'allongea sur le dos et observa le profil parfait de Karla. Elle vit les cicatrices fraîches derrière ses oreilles et se demanda soudain pourquoi Karla l'avait fait. Dee s'était fait remonter la peau du visage il y a sept ans. Mais c'était pour rester belle pour Karla. Elle avait recommencé l'année dernière. Encore une fois, uniquement pour garder Karla. Et, au printemps dernier, quand elle avait vu apparaître de toutes petites rides sous les yeux de Karla, ... un léger relâchement, en bordure de la mâchoire... elle s'était retrouvée en train de faire ses prières pour que ça arrive vite... que ce magnifique visage se décompose, afin que personne d'autre qu'elle ne la désirât plus. Maintenant, à sa dernière disparition, Karla était allée le faire faire. Pourquoi ? Recommencer à travailler ne l'intéressait pas. Chaque fois qu'une offre se présentait, elle la refusait. Alors, *pourquoi* avait-elle fait ça ? Tout à coup, elle se sentit défaillir intérieurement. Karla prenait peut-être au sérieux sa liaison avec David ? Jusqu'à cet instant précis, elle s'était sentie flattée dans son orgueil de voir David tourner autour d'elle. Mais à présent, la crainte commençait à s'installer parce qu'elle se rendait compte soudain que c'était possible. Karla était homosexuelle... elle l'avait avoué à Dee. Une fois, elle avait raconté qu'elle le savait déjà, étant petite-fille. Elle ne s'était pas étendue sur ce sujet mais Dee supposait qu'à l'époque elle était élève dans un corps de ballet. Pourtant elle avait eu aussi des liaisons retentissantes avec des hommes et avait reconnu l'attirance véritable qu'ils exerçaient sur elle. Dee ferma les yeux, battue par une vague de désespoir. Vingt ans auparavant, Christopher Kelly, l'acteur avec qui Karla avait failli s'enfuir, ressemblait beaucoup à David. Peut-être s'enflammait-elle au contact d'un certain type d'homme. Elle regarda Karla qui lui adressa un sourire éclatant et reporta son attention sur l'écran de T.V. Elle aurait voulu hurler. Elles les voyait là... couchés ensemble... pourtant elle n'osait ni questionner, ni s'immiscer dans les sentiments personnels de Karla. Elle avait appris qu'aucune intimité physique ne l'autorisait à investir la vie privée de Karla. La partie d'elle-même qu'elle tenait cachée ne se laissait pénétrer, pas plus par les larmes, les menaces, que par l'argent même. Depuis longtemps, elle avait découvert la ladrerie pathologique de Karla. Cette femme multimillionnaire ne donnait ce qui n'était qu'un semblant d'amour, que lorsqu'elle avait reçu une grosse somme d'argent. Mais ce soir, même les dix mille dollars n'avaient tout au plus provoqué qu'un sourire de politesse. Elle semblait préoccupée. Peut-être Karla était-elle véritablement amoureuse de David. Son désarroi lui fit soudain oublier toutes les règles, et c'est d'une voix dépourvue d'intonation qu'elle demanda :

— Karla, tu vois beaucoup David ?

Karla ne quitta pas des yeux l'écran de télévision.

— Oui.

— Je crois qu'il s'intéresse à ma belle-fille.

Karla sourit.

— Je crois, moi, que tu voudrais le voir s'intéresser à ta belle-fille.

— Enfin, il ne t'est rien, n'est-ce pas.

— Mais si ! Autrement, pourquoi le verrais-je ?

Dee sauta du lit.

— Quelle salope tu fais !

Karla s'adossa et sourit.

— Tu vas prendre froid, si tu restes dénudée ; Dee, tu devrais vraiment faire des exercices de danse classique, tes cuisses en ont besoin.

Dee disparut dans la salle de bains et Karla rouvrit le son du téléviseur. Elle semblait complètement absorbée par le film lorsque Dee rentra dans la chambre, et s'habilla en silence. Puis elle s'avança vers le lit.

— Karla, pourquoi fais-tu cela pour me tourmenter ?

— Pourquoi est-ce que je te tourmente ? fit Karla avec froideur. Tu as un mari... et une fortune colossale. Tu prends plaisir à diriger la vie des autres, à les gouverner, à les effrayer avec ton argent. Mais tu ne peux ni contrôler, ni faire trembler Karla.

Dee s'effondra au bord du lit.

— Si tu savais comme c'est démoralisant d'avoir de l'argent, comme j'en ai.

Karla soupira.

— Oh, ma pauvre Dee. Tu souffres en te demandant si les gens t'aiment vraiment pour toi-même. Tu dis que ça te blesse profondément. Nous avons tous nos blessures. Karla arrêta la télé. Malheureusement ou heureusement pour toi, tu n'as jamais connu les blessures que l'on reçoit pour essayer de devenir une vedette... et le travail plus dur encore de le rester... avec en tête le souvenir constant de ce que c'était, lorsqu'on n'avait pas d'argent.

— Mais l'émulation de la lutte et l'agrément...

— L'agrément ? Karla sourit.

— Tu ne racontes rien sur tes premières années. Mais j'ai lu tout ce qu'on a écrit à ton sujet. Bien sûr, tu as grandi en Europe pendant la guerre. Ça a dû être effroyable. Je m'en souviens. J'avais une

194

vingtaine d'années à l'époque de Pearl Harbour. Je fréquentais des ouvroirs, je tricotais pour les Anglais, pour les Russes, — oui, c'étaient nos alliés, dans ce temps-là — mais nous ne savions rien des combats sauf par nos lectures. Il n'y avait pas de télévision pour nous apporter, comme aujourd'hui, la guerre au beau milieu de notre salon. C'est horrible. Elle frissonna.

Karla regardait dans le vide.

— Tu frémis parce que la télévision te l'apporte dans ton salon. Mais en Pologne, la guerre pénétrait directement à l'intérieur de nos maisons.

— De vos maisons ?

Karla sourit.

— J'avais vingt ans, lors de l'alliance entre Allemands et Russes. En 1939, Hitler a envahi la Pologne et l'a séparée en deux moitiés.

— C'est à ce moment-là que tu es allée à Londres ?

— Non... d'abord en Suède... ensuite à Londres... Mais ce n'est pas une conversation pour le lit et je me sens soudain très fatiguée.

Dee se savait invitée à partir. Karla la congédiait. Elle hésita. Elle pouvait s'en aller, en menaçant de ne jamais la revoir. Mais elle ne serait que trop contente de revenir en rampant. Toutes deux le savaient.

— Karla, nous partons pour Palm Beach la semaine prochaine. Descends nous rejoindre, je t'en prie.

— Peut-être bien.

— Faut-il t'envoyer l'avion ?

Karla s'étira.

— Je te le ferai savoir. (Dee vit qu'elle tombait de sommeil.)

Dee se pencha sur elle.

— Je t'appellerai demain. Karla... je t'aime.

Lorsque Dee arriva au Pierre, Mike rentrait. Il lui passa le bras autour des épaules.

— Je suis allé manger un hamburger. Ta partie s'est bien passée ?

Il ouvrit la porte de l'appartement et elle jeta son manteau sur le divan. Il vint à elle et l'entoura de ses bras.

— Désolé que le vieux se soit endormi. Il ricana. Mais je suis en pleine forme, à présent... sous tous les angles.

Elle le repoussa.

— Non... pas ce soir, Mike... je t'en prie.

Il demeura figé, pendant un instant, et s'efforça de sourire.

— Qu'est-ce qui s'est passé ? Tu as perdu au tric-trac ?

— Oui, un peu. Mais je rattraperai ça. Je le jure...

Elle se tourna vers lui, avec un sourire tendu :

— Tu sais, question de fierté.

XI

Ce jeudi d'avant le *Thanksgiving* à minuit, Linda du fond de son lit — January à ses côtés — tempêtait contre l'hypocrisie que masquaient les jours de congé :

— Que célébrons-nous au juste ? demandait-elle. Le fait que quelques écervelés se dénommant « colons » aient débarqué dans ce pays en se disant les amis des Indiens pour ensuite les chasser de leurs terres.

— Oh ! Linda, ils faisaient vraiment bon ménage avec les Indiens. Les combats n'ont commencé que plus tard. En réalité, le *Thanksgiving* était censé célébrer une année de bonnes récoltes et d'amitié avec les Indiens.

— Des clous ! Et puis, quel est le cochon de colon qui a décidé que cette célébration aurait lieu un jeudi pour le plaisir de gâcher toute une semaine de travail ? Si encore c'était l'été, on pourrait aller se baigner aux Hamptons. Mais qu'est-ce que je vais faire d'un long week-end de novembre ?

— Et ta famille ? lui demanda January.

— Quoi, ma famille ? La nouvelle femme de mon père a dans les vingt-cinq ans, elle vient d'avoir un nouveau bébé, et la dernière chose qu'ait envie de voir mon père est bien une fille plus âgée que sa femme. Ça pourrait lui rappeler qu'il n'est plus tout jeune ; et ma mère est sur le point de se séparer de son mari. Elle l'a surpris, au cours d'un cocktail, troussant sa meilleure amie dans la salle de bains ; alors elle n'est pas spécialement d'humeur à manger de la dinde. Toi, tu as de la chance : quatre jours fantastiques à Palm Beach, dans un palace en front de mer ; tu vas là-bas dans ton avion privé, avec deux hommes à ta dévotion pendant que tu te feras dorer au soleil ; Papa et David. A moins qu'il n'y ait que Papa qui compte et que David soit plutôt gênant.

January s'approcha de la fenêtre. Elle s'apprêtait à se coucher lorsque Linda l'avait appelée pour lui demander avec insistance de venir la rejoindre dans son appartement. Elle avait bien dit que c'était urgent, mais depuis vingt minutes il n'était question que du *Thanksgiving*.

January pensait surtout au voyage. Mike était parti pour dix jours. David l'avait sortie deux fois depuis cette horrible nuit. Ils étaient allé voir *Hair*. Lui avait détesté ça, elle, avait adoré. La fois suivante, ils étaient allé au cinéma à la première séance et avaient passé la soirée au Maxwell's Plum.

Il l'avait chaque fois raccompagnée chez elle et lui avait dit bonsoir, sans renvoyer le taxi, avec ce sourire qui voulait dire : « J'attendrai que *tu* me le demandes ».

Elle s'était rendue compte que la remarque désobligeante sur son père et David provenait de la propre solitude de Linda ; cette dernière portait une vieille veste de pyjama qui avait appartenu à Keith. Soudain elle s'aperçut que January la remarquait. Elle sourit :

— N'importe quelle fille garde une vieille veste de pyjama d'un ancien amant, pour la mettre en certaines occasions, — pour bien se rappeler que, dans le fond, aucun homme ne vaut grand-chose.

— Allons, fit January pour tenter de lui remonter le moral. Avec Keith, c'est un problème de carrière.

— Je ne parle pas de Keith, lui dit Linda. Je parle de Léon... *Le* salaud numéro un. A cinq heures précises, cet après-midi, il m'a annoncé qu'il retournait chez sa femme. Il m'aime mais son psychiatre pense que j'ai sur lui un effet castrateur. De plus, il semble qu'il n'arrive plus à lui payer sa pension alimentaire à cause des soupers qu'il m'offre de temps en temps. Sans compter, bien sûr, son psychiatre trois fois par semaine.

January haussa les épaules :

— Alors, pourquoi couchais-tu avec lui ?

— Ma chérie, Léon est un excellent directeur artistique. Il pourrait gagner beaucoup plus dans un autre magazine...

— Tu veux dire qu'il va rester chez nous ?

— Bien entendu. Nous continuerons à être amis. Peut-être même coucherons-nous ensemble de temps en temps. Ecoute, une des principales raisons pour lesquelles j'ai commencé cette liaison était de le garder au journal. Comme ça, c'est *lui* qui me lâche pour retourner chez sa femme. Mais j'en ai assez appris moi-même sur le divan de l'analyste pour savoir comment le manier : j'ai pleuré en lui disant que je l'aimais vraiment, et lui ai fait promettre de profiter sans arrière-pensée de ses vacances... que je comprenais, qu'il avait une femme et un gosse... Bref, je lui ai refilé un tel sentiment de culpabilité qu'il ne quittera *jamais* le magazine.

— C'est tout ce qui compte pour toi ? Le magazine ?

Linda alluma une cigarette :

— Quand j'étais chez miss Haddon, toutes les filles étaient folles de moi parce que j'étais toujours en pleine forme, toujours dans le coup, pas vrai ? Et les garçons sortaient avec moi parce que j'allais jusqu'au bout. Mais, même en allant jusqu'au bout, je n'étais jamais sûre qu'ils me rappelleraient le lendemain ni combien de temps je les garderais. Parce que j'étais sûre qu'ils en trouveraient toujours une autre qui irait jusqu'au bout et mieux que moi. Et quand je suis sortie de chez miss Haddon, que je me suis fait refaire le nez et que j'ai essayé d'être comédienne, j'ai vu comment les filles s'abaissaient à passer des auditions. Et j'étais l'une d'elles, m'ennuyant à chanter sur une scène noire et vide pour entendre une voix impersonnelle me dire : « Je vous remercie ». Et même si on avait la chance de dégotter un rôle, on se retrouvait au même point la saison suivante, rampant, suppliant, se démenant, essayant encore, priant, pour avoir encore la chance de se retrouver sur la même scène toute noire et s'entendre dire : « Je vous remercie ». Mais quand je fus engagée à *Gloss,* je savais que je n'aurais qu'à sauter, courir, faire des courses n'importe où qu'*une seule fois* dans ma carrière. Et si je le faisais, *Gloss* serait toujours là. Pas comme une comédie musicale qui ferme boutique au bout d'une saison, pas comme un homme qui quitte le lit et ne revient pas. Il y aurait une foule de Léon et peut-être même encore plus de Keith.

— Keith... ce n'était pas le grand amour ?

Linda lui fit un fin sourire :

— Oh, allons, January. Tu crois qu'il est le seul homme pour lequel je me sois languie d'amour ? Il me plaisait tout simplement d'une autre manière que Léon.

— Mais tu m'avais dit que tu voulais l'épouser. Que Keith était...

— Etait important à ce moment-là, précisa Linda. Ecoute, j'aurai vingt-neuf ans la semaine prochaine. C'est un âge ridicule. Parce que personne ne te croit quand tu l'annonces : Vingt-sept ans, ils te croiront ; mais vingt-huit ou vingt-neuf, ça sonne faux. Et à vingt-neuf ans, il est trop tard même pour avoir fait un *mauvais* mariage. Mais ce n'est pas trop tard lorsqu'on est rédacteur en chef de *Gloss.* Quand on est la plus jeune femme rédacteur en chef de New York, on ne passe pas ses nuits à pleurer parce que Keith est parti pour toujours.

— Mais comment sais-tu que c'est pour toujours ?

— Il a mis le grappin sur une vieille. Je veux dire, une femme vraiment vieille : Christina Spencer, tu te rends compte ?

Voyant que ce nom ne disait rien à January elle expliqua :

— Elle est riche. Oh, pas au même point que Dee, elle n'a jamais eu droit à des pleines pages de *Vogue* comme elle. C'est plutôt le genre à faire de temps en temps la page centrale de *Women's Wear* avec une de ces petites photos où on la voit sortir du restaurant X ou Z. Mais elle a quelques millions.

Linda éteignit sa cigarette.

— Bon Dieu, ces femmes qui ont du pognon ! Elles se paient un nouveau visage, de nouveaux amants... Il y a quelques jours, j'ai vu une photo de Keith, dans un nouveau blazer Cardin, qui l'accompagnait à un gala de bienfaisance au Plaza. C'était au beau milieu de *Women's Wear*. Simplement, ils avaient cadré de manière à couper à moitié la silhouette de Keith et le mentionnaient dans la légende comme un « cavalier inconnu ».

— Mais que peut-il attendre d'elle ? demanda January.

— Ça fait dix ans que Christina Spencer prend des participations dans toutes les comédies musicales de Broadway. J'ai lu ce matin dans le *New-York Times* qu'elle est une des principales commanditaires de *Caterpillar*, la nouvelle comédie musicale en rock, et que Keith a été engagé pour un rôle important.

— Tu as de la peine ? lui demanda doucement January.

Linda secoua la tête :

— Depuis Tony, je n'ai jamais vraiment eu de la peine.

— Tony ?

— Oui, c'est celui qui a le plus compté. Quand il est parti, j'ai avalé la moitié d'un tube de somnifère. J'avais vingt ans, et je croyais que notre amour serait éternel. Bon, j'ai survécu. A Tony et aux somnifères. Et puis j'ai eu pas mal d'aventures. Tu sais, tu t'envoies n'importe qui de disponible, parce que tu veux montrer à Tony que tu ne te ronges pas les sangs, et tu veux te prouver que « tout va pour le mieux, chérie, dans le meilleur des mondes ». Mais ça ne devient jamais une liaison importante, parce que, si séduisant soit-il, ce n'est pas long. Oh ! ça peut quand même durer plusieurs mois. Même toute une année. Mais il y a toujours quelque chose qui cloche, peut-être parce que tu as un effet négatif, parce qu'il arrête tout d'un coup de téléphoner. Il oublie même qu'il a laissé chez toi trois chemises propres revenant de chez le teinturier que *tu* as payé. Je crois que c'est à ce moment-là que j'ai commencé à choisir des gens qui pouvaient être utiles au magazine. Et la plupart du temps, il ne s'agit même pas d'une histoire de sexe. Imagine, par exemple, une grande agence de publicité qui achète un placard en couleur pleine page pour ses annonceurs. Le directeur de l'agence, Jerry Moss, habite à Darien, a une femme adorable, est le père de deux enfants, et a été pédé comme un phoque toute sa vie. Mais, il y a un an, il est tombé amoureux de Ted Grant, un mannequin homme que je connais. Et je suis devenue leur chaperon. Il m'arrive de sortir les deux ensemble. Naturellement sa femme est persuadée que c'est pour affaires. Je suis même allée chez eux à Darien pour Noël avec Ted qui jouait le rôle de *mon* petit ami et je suis restée trois quarts d'heure à faire la causette avec sa femme pendant qu'ils faisaient leur petite affaire dans les cabinets au premier étage. Et puis il y a eu un dessinateur et sa femme : ils sont invertis tous les deux. Elle a sa petite amie, il a son petit copain, et je suis là pour jouer la cinquième roue du carrosse, ce qui trompe tout le monde, — sauf les principaux intéressés. Le dessinateur m'a été très utile, et sa femme donne d'adorables soirées où je vais et rencontre les gens du meilleur monde. Oui, j'aime *Gloss*. Il me fait du bien. Je peux sentir sa courbe de vente monter entre mes mains bien mieux qu'un sexe d'homme qui me pendouille dessus. Oh, ça aussi, ça m'est arrivé. Quand ils ne peuvent pas et que le type reste là avec son machin tout flasque, et qu'il te regarde comme si c'était *toi* qui l'avais rendu impuissant. Il reste là et te met au défi de le faire durcir. Voilà, il t'en tombe des comme ça, comme s'il en pleuvait. Alors arrive un Keith, et tu commences à penser que, peut-être... et tu te mets en tête que ça *peut* arriver. Mais tu sais que c'est impossible. Et quand il te plaque, tu ne pleures pas vraiment.

— Je vois... je suis désolée, dit January en se dirigeant vers la porte.

— Assieds-toi, idiote. Je ne t'ai pas fait venir pour te raconter ma vie sexuelle. Ou pour élucider le cas Keith. J'ai du ressort. Et puis je me suis fait les cartes, l'autre jour, et elles m'ont appris qu'il m'arriverait quelque chose d'important en 1971. Alors hier soir, après que Léon m'eut appris la bonne nouvelle, je suis rentrée chez moi, j'ai sorti une côtelette de veau du congélateur et, en attendant qu'elle dégivre, je me suis mise à lire les épreuves du nouvau roman de Tom Colt.

— Il est aussi bon que la plupart des autres ?

— Meilleur. Plus commercial. Ses derniers étaient trop bons. Je veux dire qu'ils devenaient trop littéraires. Il n'a été compris que des critiques. Ils ne se sont pas vendus du tout. Mais celui-là va faire un malheur. C'est pour ça que je crois au destin. Si Léon avait été là, nous aurions fait l'amour et je n'aurais pas lu les épreuves.

— Qu'as-tu l'intention de faire ? lui demanda January. Acheter les droits pour le passer en feuilleton ?

— Tu plaisantes ? J'ai appris que *Ladie's Home Journal* a offert vingt-cinq mille dollars pour en passer seulement deux extraits. Nous ne pouvons pas avoir son livre, mais lui, nous pouvons l'avoir. Tu comprends ?

— Linda, je suis fatiguée, et je n'ai pas encore fait mes valises. Alors, ne jouons pas aux devinettes. Non, je ne comprends pas.

Linda écarquilla les yeux :

— Dis donc, tu es complètement dans les vapes ces temps-ci. Je te dis que tu ferais bien de le faire avec quelqu'un, sinon, tu vas y laisser ta peau...

— C'est des bobards, et...

January s'interrompit.

— Et quoi ? demanda Linda. Hé... tu rougis ! Tu l'as fait avec David ! Eh bien, Dieu soit loué ! Tu prends la pilule ? Tout va pour le mieux ? Pas étonnant que tu sois aussi excitée à l'idée d'aller à Palm Beach : quatre longues journées et nuits de sable chaud, d'amour et...

— Linda ! Nous ne l'avons fait qu'une fois, et c'était horrible.

Linda marqua un temps.

—Tu veux dire qu'il n'a pas pu ?

— Non, il... il a été très bien, j'imagine. C'était horrible pour moi.

Linda eut un rire de soulagement :

— C'est toujours comme ça... la première fois. Du moins pour la femme... jamais pour l'homme. D'après ce qu'on m'a dit, ces salauds s'envoient en l'air dès la première fois, même s'ils ont treize ans et qu'ils font ça dans un couloir sombre avec la « fille perdue » du coin. Il se peut qu'*elle* ne jouisse pas — et ils peuvent jouir avant même d'être entrés — mais ils *jouissent*, les salauds ! Et c'est un fait auquel le M.L.F. ne pourra rien changer. Une fille vierge est toute crispée à l'intérieur, même si elle a été caressée avant. Une fille vierge a mal lorsque le glorieux membre la pénètre. Et une fille vierge — qu'on l'appelle madame ou mademoiselle — jouit rarement avant que la passion l'ait rendue humide et molle. Dieu merci, tu n'es plus vierge... Mais c'est une honte que tu l'aies fait avec David.

January acquiesça :

— C'est ce que j'ai pensé, fit January. Je crois que j'aurais peut-être dû attendre...

— Bien sûr. J'aurais pu t'arranger ça avec quelqu'un... même avec Léon, tiens.

— Tu es folle !

— Ne le fais jamais la première fois avec quelqu'un pour qui tu ressens quelque chose. Comme je te l'ai dit, la première fois est généralement horrible, et tu risques de perdre le type. Est-ce que tu as complètement rompu avec David ?

— Je ne pense pas, pas vraiment... Il dit qu'il m'aime et veut m'épouser.

Linda la regarda dans les yeux.

— Alors pourquoi continuons-nous à pleurer sur ton hymen perdu ? Vous, les élégantes petites saintes-nitouches, vous êtes toujours les plus délurées au plumard. Bon, félicitations, et tout le reste. Mais revenons à Tom Colt. D'après mes informations, il a besoin d'argent, et il a accepté de faire la grande tournée.

— Mais il est très riche, insista January. Je l'ai rencontré quand j'étais petite. Il avait une maison en ville où il habitait avec une de ses femmes, et mon père avait acheté les droits de l'un de ses livres pour en faire un film. Il a écrit au moins quinze romans à succès... il roule sur l'or.

— Ton père aussi, à cette époque. Peut-être que la chance a aussi tourné pour Tom. Il est marié, paie des pensions alimentaires à trois anciennes épouses, et entretient la quatrième sur un grand pied. Sa dernière femme vient juste de lui donner un fils. Imagine, à son âge ! Il n'avait jamais eu de gosse jusqu'à maintenant. Et puis, comme je te le disais, ses derniers livres n'ont pas bien marchés. Et quand tu vis dans une grande maison à Beverly Hills, avec une Rolls, des domestiques, une salle de projection privée — et tout le tremble-ment — tu ne peux pas te permettre d'avoir trois livres qui ne se vendent pas et rester à plat. Pas avec tous les frais qu'il a. Il n'a pas non plus vendu de droits pour un film depuis 1964 — et c'est de là que vient la grosse galette, de là et des livres de poche. Mais avec ce nouveau bouquin, il a retrouvé son ancien style percutant. Il prétend qu'il a renoncé à écrire pour les critiques, et qu'il veut retrouver le grand public. C'était dans cette interview qu'il a accordée à *Paris Review,* il y a un mois. Il a dit qu'il se souciait peu que les milieux artistiques disent qu'il se prostitue, qu'il ne veut qu'être en tête du peloton et vendre les droits pour un grand film, par conséquent...

— Par conséquent ?

— Par conséquent, il va avoir besoin d'un maximum de publicité. Et il peut demander le prix fort pour qu'on passe un extrait de son livre. Mais on peut l'avoir complètement à l'œil si nous lui offrons de lui consacrer un article qui fasse la couverture du journal.

— Et qu'est-ce qui empêche Helen Gurley Brown d'avoir la même idée, si ce n'est déjà fait ? demanda January.

— Oh, il est probable que c'est le cas... mais *nous,* nous t'avons, *toi !*

— Moi ?

— *Tu* connais Tom Colt.

— Oh, Linda.. quand je l'ai vu, j'avais cinq ans. Que veux-tu que je fasse ? Lui envoyer des photos de quand j'étais bébé et lui dire « devinez qui c'est ? » avant de parler du bon vieux temps avec lui ? Et puis tu m'as dit qu'il habitait à Beverly Hills, non ?

— Au besoin, je t'enverrai là-bas. En première classe. Ecoute, le livre ne sortira pas avant février ou mars. Tout ce que tu as à faire, c'est de lui demander une interview... par égard pour Papa.

January se leva :

— Je suis fatiguée, Linda. Et je dois faire mes valises...

— D'accord. Amuse-toi bien. Et pendant que tu te doreras au soleil et que tu feras l'amour, vois si tu peux arranger une bonne lettre pour envoyer à Tom Colt. Tu pourrais même demander à Papa d'ajouter un mot ou deux...

XII

Mike attendait à l'aéroport lorsque le petit avion privé Grumman atterrit. Il regarda January en descendre, avec David à son bras. Elle ne l'avait pas encore aperçu et, pendant un bref instant, il s'offrit le plaisir de la détailler à son insu. Chaque fois qu'il la revoyait, il décelait quelque imperceptible changement. Une nouvelle forme de beauté se révélait. Il appréciait la spontanéité de son apparence « dans le vent ». Le pantalon évasé, le chapeau souple, et les cheveux longs et raides. Elle ressemblait à l'un de ces mannequins nouvelle vague. Et puis elle le vit et courut vers lui en criant :

— Papa... Oh, Papa... je suis si contente de te voir.

Il sourit en remarquant qu'en ce moment d'émotion, elle renonçait toujours au *Mike* pour revenir au *Papa*.

— J'ai laissé à Mario le soin de préparer les apéritifs. Je suis ton chauffeur, dit-il tandis que David s'asseyait sur la banquette arrière du coupé décapotable, coincé entre les bagages.

— Combien d'invités sont déjà arrivés ? demanda David.

— Peut-être huit ou dix. Mais je m'y perds avec ces déjeuners de trente ou quarante personnes que Dee donne tous les jours. Je pars au golf le matin à neuf heures, et quand je reviens à quatre heures de l'après-midi, la moitié d'entre eux sont encore là. Ensuite, à sept heures, c'est l'arrivée des invités pour le cocktail. Mais Dee a décidé que le dîner de *Thanksgiving* lui-même serait réservé aux intimes : juste deux tables de douze personnes. Pour le moment, espérons que nous resterons gâtés par le soleil. Vous avez tous les deux besoin de prendre des couleurs.

Le beau temps se maintint pendant tout le week-end. Il y avait toujours deux ou trois parties de tric-trac en train au bord de la piscine. Buffets chauds ou froids défilaient, poussés par un interminable cortège de domestiques. Mike et January s'asseyaient côte à côte ; ils prenaient des bains de soleil, ils marchaient sur la plage et se baignaient ensemble. Et lorsqu'elle jouait au tennis avec David, Mike regardait avec émerveillement comment elle marquait des points. Où avait-elle appris à si bien jouer ? Et alors, avec la rapidité d'un éclair de flash, il repensa à tous ces tournois de tennis auxquels il n'avait jamais assisté. Tous ces petits billets griffonnés à la hâte qu'il avait reçus à Los Angeles, Madrid ou Londres ! « Je joue pour la coupe junior. Espère tu viendras. » « Je représente l'école de miss Haddon dans la division de l'Est. Espère que tu pourras être là ». « Ai gagné ». « J'envoie la coupe au Plaza ». « Ai gagné ». « J'ai terminé seconde ». « Ai gagné ». « As-tu reçu mon trophée ? Celui-là est vraiment en argent ». « Ai gagné ». « Ai gagné ». « Ai gagné ! ».

Dieu, comme il lui avait peu donné de lui-même ! Et, tout d'un coup, il se surprit à se demander ce qu'il était advenu de tous ces trophées et ces coupes. Elle ne lui avait jamais posé la moindre question à ce sujet. Ils étaient probablement dans quelque garde-meuble, à côté des machines à écrire, du piano, des classeurs et des meubles de bureau qu'il avait accumulés au cours de tous ces « changements ». Et il ne savait même plus où étaient les reçus de garde-meuble.

Combien il avait négligé son enfance et combien son adolescence avait été gâchée ! Et à présent, elle entamait ses meilleures années, et il allait également les négliger. Il était marié... c'était là le seul échec dont il ne pouvait pas se sortir tout simplement en fermant boutique et en s'en allant.

Soudain, en regardant sa fille jouer au tennis, il fut pris de panique à l'idée qui venait de surgir de son inconscient. Il avait pensé à son mariage comme à un échec. Pourtant, en fait, rien n'avait changé. Dee continuait à lui sourire tous les soirs de l'autre côté de la table. Elle lui prenait toujours le bras lorsqu'ils accueillaient leurs invités. Il couchait toujours avec elle deux fois par semaine... Voilà ! C'était ça ! Il venait de toucher le point sensible. *Il* allait coucher avec *elle*. Ces derniers temps, il avait eu l'impression qu'elle lui cédait, avec contrainte. Elle ne participait plus. Depuis combien de temps ne s'était-elle plus serrée contre lui en lui murmurant combien il était merveilleux ? Mais peut-être était-ce sa faute à lui ? Peut-être qu'elle devinait que c'était lui qui se donnait à elle. De telles choses se sentent. Oui, c'était sa faute à lui. La pauvre chérie trouvait probablement qu'il passait trop de temps au club. Dieu sait qu'il ne lui accordait pas beaucoup d'attention. Le golf tous les matins, le poker l'après-midi (il avait trouvé quelques bons pigeons). Et, bien entendu, il ne rentrait qu'à l'heure de l'apéritif. Eh bien, ça allait changer. Dès le départ de January, il ferait à Dee « le grand jeu » comme autrefois et, finies les parties de poker tous les après-midi. Ce ne serait pas un mal de lui en consacrer quelques-uns. Oui, mais il ne serait pas *avec* elle. Il participerait aux déjeuners avec ses amis, et il les regarderait jouer au tric-trac. Non, il resterait fidèle au golf. Et qui plus est, il avait gagné dans les cinq mille dollars au poker. Il avait ouvert un compte d'épargne. Cinq mille dollars, bien sûr, c'était une bagatelle. Mais c'était *son* argent, l'argent qu'il avait gagné, ou perdu. Que diable, quand on gagne au poker ou ailleurs c'était toujours le même genre de drogue ! Mais il devait lui accorder plus d'attention au lit. Peut-être se montrait-il trop négligent en ce domaine. Eh bien, dimanche, après le départ de January et de tous les invités, ce serait le début du nouveau régime romantique. Il se sentit soudain beaucoup mieux. Il était nécessaire de faire un petit bilan de temps en temps. Il avait cru qu'il manquait quelque chose à leurs rapports, alors qu'il était le seul fautif. Bon sang, elle s'entourait de la même bande à Marbella tout comme en Grèce au mois d'août et quel que soit l'endroit où elle décide d'aller. A Londres, ils n'étaient jamais moins de vingt aux cocktails du Dorchester. C'était sa manière de vivre. Il l'avait su à l'avance. Il n'était là que pour le côté sentimental. Ce fut ainsi dès leur première rencontre, et elle s'était pâmée d'amour pour lui, il n'avait plus qu'à recommencer — à partir de dimanche.

Mais durant les quelques jours qui suivirent, il profita au maximum de la présence de sa fille. Il observait la progression de son bronzage, comparait son merveilleux corps en bikini à celui de Dee désespérément blanc, ses cheveux flous et libres aux chignons immobiles de Dee, ses jeans farfelus aux impeccables pantalons de sa femme. Les petits anneaux en argent que January portait à tous les doigts, et les bijoux hors de prix de chez David Webb qu'arborait Dee. Elles étaient si radicalement opposées ! Dee était une beauté. Pourtant, il était content que sa fille fût comme elle était.

Il y avait chez elle quelque chose de si net, de si éblouissant. Et il aimait l'intérêt souverain qu'elle portait à toute chose : intérêt vital pour le magazine *Gloss* ; intérêt superficiel pour David ; un « prétendu » intérêt pour les petits ragots de Dee à propos des liaisons sentimentales coutumières de certaines personnalités locales. Tous ces noms devaient assommer January, mais elle écoutait avec attention.

Il était difficile pour Mike de se faire une idée précise sur David. Il était toujours là, souriant, le parfait chevalier servant. Il n'avait pas besoin de dire que lui et Dee étaient cousins germains. Ils étaient taillés dans la même étoffe : c'était l'aristocratie dans toute sa splendeur. Ses excellentes manières, sa façon désinvolte de jouer au tric-trac avec les invités de Dee, ses vêtements parfaitement adaptés à chaque circonstance. Ses shorts de tennis étaient coupés à la perfection, son sweater très « sport », même sa transpiration était chic.

Cette aristocratie occupée de riens, ce monde charmant et superficiel, n'était-ce pas ce que Mike avait désiré pour January ? Longtemps avant d'avoir rencontré Dee, il avait su qu'il voulait pour sa fille quelque chose de mieux qu'une vie dans le milieu du spectacle, c'était la raison pour laquelle il avait choisi cette école huppée dans le Connecticut et l'avait fait sur le conseil de son directeur financier :

— Elle fera connaissance de filles de la bonne société, elle rencontrera leurs frères — voilà comment ça se passe. Voilà à quoi servent les bonnes écoles.

Mais la seule chose qu'elle ait retiré de cette école était une panoplie de coupes de tennis et une place dans un magazine. De toutes les filles qu'elle y avait connues, il avait fallu qu'elle se lie avec Linda, une vraie mangeuse d'hommes, du genre à sauter chaque soir dans un lit différent. Mais d'un autre côté, cela ne faisait-il pas partie de la nouvelle société ? Il observa sa fille sur le court de tennis. Et elle ? Non ! Non pas qu'il s'attendît à ce qu'elle restât vierge jusqu'à la fin de ses jours. Mais elle était du genre à franchir le pas, pensait-il, après des fiançailles. Ou peut-être juste avant, pour être rassurée. Pour le moment, elle se préoccupait exclusivement du magazine. Mais, comme disait Dee, elle jouerait probablement à la fille qui travaille pendant un certain temps, et puis elle épouserait David.

Il se demanda pourquoi il se sentait déprimé. C'était ce qu'il avait voulu pour elle, non ? Mais voulait-il vraiment qu'elle devienne une jeune Dee ? Et pourquoi pas ? Ce serait toujours mieux que de la voir suivre l'exemple des autres jeunes : aller vivre avec un garçon et faire la foire à Greenwich-Village. A moins qu'elle ne lui ressemble encore plus que ça, qu'elle ait l'intention de devenir une superstar. Et après ? A supposer qu'elle y parvienne, elle se paierait quelques fiévreuses années au sommet de sa carrière, mais la fin prévisible de toute superstar — tout comme pour lui — était la solitude et l'échec. Si un homme avait de l'argent, il pouvait tenir un peu plus longtemps. Mais pour une femme, même avec de l'argent, la solitude venait plus vite. L'échec d'une femme, c'était son âge. Même une figure de légende comme Karla, quel genre de vie pouvait-elle bien mener ? Elle continuait à travailler la danse ! Mais en dehors de ça, où pouvait-elle se rendre tous les jours ? Et la plupart des grandes vedettes n'avaient pas la chance d'être nées aussi stupides que Karla, se contentant de marcher et d'aller à des cours de danse. Les plus émotives restaient seules chez elles dans leur grande maison de Beverly Hills à prendre toutes sortes de pilules ou à picoler seules. N'importe quoi pour passer la nuit et pouvoir se réveiller face à une journée interminable que ne venaient ponctuer que des repas pris sur un plateau, en regardant des opérettes stupides à la télévision. Non, January méritait mieux. Elle avait appris les principes de base chez miss Haddon — et il lui avait fourni le reste. Un endroit comme celui-ci pour venir passer les vacances — le soleil en hiver et la neige en été. Tout ce qu'elle voulait.

Et il l'avait obtenu pour elle. Il la regarda quitter le court de tennis avec David. Elle l'avait encore battu. C'était bien sa fille : une championne. Mais David aussi était un champion. L'art de perdre avec élégance était un art difficile à acquérir. David y était passé maître : la manière dont il sautait par-dessus le filet pour aller la féliciter, dont il lui passait le bras autour des épaules pendant que les autres invités applaudissaient. Mais par-dessus tout, Mike admirait le charme et l'enthousiasme qu'il répandait dans toutes les soirées interminables que Dee donnait tous les soirs.

January semblait pourtant avoir apprécié ce week-end. Peut-être avait-il tout fait pour le mieux. Peut-être que tout marchait selon ses espérances. Peut-être que, lorsqu'ils reviendraient à Palm Beach pour les vacances de Noël, leur liaison serait sérieuse. Dee aurait bien aimé ça. Mais, diable... rien ne pressait. January n'aurait vingt et un ans qu'au mois de janvier. Elle méritait un peu de liberté.

Liberté pour quoi faire ? Elle était une fille, et il pensait à elle subjectivement. Les filles n'avaient pas besoin de faire la noce. Elles se contentaient d'un homme pour la vie. Elle ne faisait pas partie de ces mal aimées des mouvements féminins de contestation ; il ne les prenait même pas au sérieux, d'ailleurs. Parfois, quand il en voyait une à la télé, il l'interpelait au-delà du petit écran :

— Ouais, ma chérie, une bonne partie de jambes en l'air, et tu changerais de couplet !

C'est tout ce qu'elles étaient : des bonnes femmes sans Jules. Et January n'aurait jamais à s'en faire de ce côté-là.

Il se leva tôt, le dimanche venu. Il avait promis à sa fille de prendre un petit déjeuner matinal avec elle à la piscine. Elle devait partir vers quatre heures. Ensuite, il se retrouverait seul avec Dee. Et il était bien décidé à tenir la promesse qu'il s'était faite. Il n'avait pas couché avec Dee depuis une semaine. Il se demandait si elle l'avait seulement remarqué. Ici, ils avaient chacun leur chambre. Des chambres ? La sienne faisait douze mètres sur dix, face à l'océan. Il disposait aussi d'un sauna, d'une douche, et d'une salle de bains en marbre noir avec une baignoire encastrée dans le sol. La chambre de Mike était contiguë à celle de Dee mais, comme il le disait, c'était tout un voyage pour arriver jusque chez elle. Il devait d'abord traverser son cabinet de toilette, et sa salle de bains — une salle de bains gigantesque en marbre blanc et or dans laquelle poussait un arbre, et dont tout un pan de mur formait un aquarium rempli de poissons exotiques. L'aquarium servait également de cloison à la chambre de Dee ; celle-ci était plus petite que celle de Mike, mais sa terrasse, face à l'océan, était à peu près aussi vaste qu'une salle de bal. Il leur arrivait d'y prendre leur petit déjeuner, à l'ombre d'un parasol.

Il allait commencer son programme aujourd'hui-même : pas de Bloody Mary avant le déjeuner, pas de martini au cocktail ; et, ce soir, il lui ferait l'amour avec toute son ancienne ardeur.

Il passa la matinée avec January. Elle feuilleta les pages mazazine du *New-York Times,* et il s'intéressa aux pages sportives. C'était encore un point important entre eux : ils ne pensaient pas que la conversation soit absolument nécessaire à la communication. Ce ne fut qu'après avoir terminé la lecture des rubriques sports et spectacles qu'il remarqua qu'elle lisait une pile d'épreuves.

— C'est bon ? lui demanda-t-il.

— Très bon.

Elle leva les yeux et repoussa ses lunettes de soleil dans ses cheveux :

— Tom Colt... tu te souviens de lui ?

— Comment pourrais-je l'oublier ? lui dit-il. J'ai fait trois millions de dollars de bénéfice sur le film que j'ai tiré d'un de ses livres.

— Je veux dire, te souviens-tu du jour où tu m'as emmenée chez lui ?

— Je t'ai emmenée ? Oh, bien sûr. Une maison en grès vers la Sixième avenue est, non ?

— *Gloss* devrait lui consacrer un article. Comment est-il ?

— A l'époque, il avait une grande histoire d'amour avec lui-même. Son premier roman lui avait valu le prix Pulitzer, mais au lieu d'en être impressionné, il m'avait dit sans sourciller qu'il visait plus haut : le prix Nobel. Il avait déjà écrit six livres, et il s'imaginait qu'il y parviendrait au prix de dix années bien prolifiques. Mais il faut croire que tous ses mariages, et ses altercations dans les bars, ont tué ce rêve.

Mike eut l'air pensif :

— Je sais que ses derniers livres ne se sont pas bien vendus. Mais je ne pensais pas qu'il était affolé au point d'aller se faire interviewer par un magazine comme *Gloss.*

— Mike ! Est-ce que tu as déjà lu *Gloss* ?

— D'un bout à l'autre quand tu m'as dit que tu allais y travailler. Et ce n'est pas fait pour Tom Colt. Ecoute, ma chérie, rappelle-toi, il y a six ans, lorsque tous les journaux ont raconté comment son bateau avait chaviré : il a nagé sous l'eau et s'est battu avec les requins en les tenant à distance jusqu'à ce que des amis viennent à son secours.

— Il l'a vraiment fait ?

— Il a aussi combattu un taureau en Espagne. Assommé un lutteur professionnel dans un bar. Quand son avion s'est écrasé au sol, il a marché pendant plus d'un kilomètre, jusqu'en ville, avec une jambe cassée. Il tient aussi l'alcool mieux que n'importe qui, et il serait capable de mettre Cassius Clay K. O. avec une main attachée derrière le dos.

— Vraiment ?

Mike se mit à rire :

— Non... mais c'est le genre de publicité qu'il veut. Il a réellement assommé pas mal de types dans les bars, bien que personne ne sache s'il y avait un lutteur professionnel dans le tas. L'histoire du requin est authentique, ainsi que celle du taureau. Tout le monde a dit qu'il s'agissait d'un taureau fatigué, mais le fait est qu'il est descendu dans l'arène et qu'il n'a pas eu peur d'essayer. Ce que je veux te faire comprendre, c'est que... c'est *ça* le genre de publicité qu'il recherche. Et je ne le vois pas se plier à une interview pour *Gloss*.

— Nous pouvons toujours essayer.

— Oh, tu veux dire que ce n'est pas encore fait ?

January regarda fixement ses jambes bronzées :

— Je suis censée lui écrire une lettre.

— Et, en passant, lui signaler que je suis ton père ?

— Oui... vraiment en passant. Comme, par exemple, si tu ajoutais un petit post-scriptum.

— Sûrement pas, fit-il. Ce n'est pas que je ne le ferais pas pour toi. Tu sais que je marcherais à quatre pattes pour t'aider en quoi que ce soit. Mais si tu veux avoir la moindre chance d'obtenir une interview de lui, ne mentionne surtout pas que je suis ton père.

— Pourquoi ?

— Eh bien, comme je te le disais, lorsque je l'ai connu, il pensait au prix Nobel. Et, pour faire de son livre un grand film commercial, il fallait que je laisse tomber un certain nombre de scènes et de personnages importants. Il ne me l'a jamais pardonné.

— Mais puisque le film a rapporté de l'argent...

— Il en a rapporté... à moi et au studio de production. Lui, il a eu un simple cachet — dans les deux cent mille dollars — mais pas de pourcentage. Il voyait ça sous un angle artistique. Disons... que nous ne sommes pas ennemis, mais que nous ne sommes pas exactement de bons copains.

— Quel âge a-t-il ?

Mike fronça le sourcil :

— Cinq ou six ans de plus que moi... peut-être cinquante-sept ou cinquante-huit. Mais d'après ce qu'on m'a dit, il continue à boire et à s'afficher avec de jeunes nanas.

Il poussa un soupir :

— Tu sais quoi ? Il n'y a rien de pire qu'un vieux beau. C'est comme une femme de quarante ans qui essaierait de se faire passer pour une lycéenne.

— Que me conseilles-tu à propos de son interview ?

— De laisser tomber...

A ce moment-là, le maître d'hôtel vint annoncer que le déjeuner était servi et que les invités commençaient à arriver à la piscine. Dee apparut en pyjama flottant, sous un vaste chapeau, et l'imposant déjeuner-buffet commença officiellement.

Par la suite, Mike n'eut pas vraiment l'occasion de parler avec January. Il y avait au moins cinquante invités. Beaucoup de jeunes gens rivalisèrent avec David pour accaparer l'attention de la jeune fille. Mike le remarqua ainsi que l'attitude confiante de David. Et pourquoi pas ? Le gaillard l'aurait pour lui tout seul pendant tout le voyage de retour en avion. Mais Mike se mettait à l'apprécier davantage. Le peu de fois où il avait parlé avec lui pendant le week-end, il avait trouvé chez ce garçon une chaleur qu'il ne lui avait pas connue auparavant. Le fait d'être avec January l'avait probablement fait sortir de lui-même, l'avait décontracté. A moins que, considérant David comme un futur fiancé pour January, il ne cherchât à l'aimer.

Quoi qu'il en soit, il n'était pas d'humeur à analyser ses propres pensées. Elle allait bientôt partir, toute la bande également et, ce soir, il serait seul avec Dee. Demain, les déjeuners en tête-à-tête reprendraient... Ensuite, ce seraient les premières invitations avant le grand rush de Noël. Elle avait parlé d'aller passer une semaine à Palm Springs en janvier — un tournoi de tric-trac — et ils inviteraient des amis. Peut-être que, après ça, ils retourneraient à New York. Il aimait bien le soleil et le golf — mais trop c'était trop. Même si, à New York, il se contentait de jouer et de traîner, c'était différent. New York avait quelque chose de tonifiant, sans doute à cause du froid piquant. C'était sa ville. Il pouvait toujours descendre la Cinquième avenue et aller voir des amis, aller discuter le coup au Friars Club, voir les comédies musicales de Broadway... aller dîner au *Danny's Hide-a-Way* avec January pendant que Dee jouait au tric-trac.

Il se rappelait le bon vieux temps où il était comme chez lui au *Danny's*. Il s'asseyait à la table d'honneur avec sa petite amie du moment — et, la plupart du temps, il connaissait tout le monde. Mais plus tard... il avait cessé de voir les mêmes visages partout. Où allait donc tout le monde ? Au « 21 » et chez Danny, de nouvelles têtes apparaissaient aux tables d'honneur : vedettes de la télé, artistes du disque, personnalités en vogue. Mais il voulait tout de même retourner à New York. Et, ce soir, il passerait un bon moment avec Dee, il la rendrait heureuse, il se l'attacherait davantage — plus tard, il lui suggérerait une halte à New York pendant quelques semaines après Palm Springs.

Il conduisit January et David à l'aéroport, et les regarda monter dans l'avion. Puis il revint à sa voiture. Ils paraissaient si jeunes et si beaux. Quand était-il devenu si vieux ? Tout en conduisant, il se regarda dans le rétroviseur. Il allait avoir cinquante-trois ans. Ce n'était pas si vieux que ça. Il était dans la fleur de l'âge. Et il était en forme. Pas un pouce de graisse. Les femmes continuaient à le regarder d'un œil intéressé. Bien sûr, c'étaient surtout les amies de Dee — qui avaient toutes la quarantaine — mais au club, certaines jeunes joueuses de golf le regardaient encore. Mais il leur renvoyait imperturbablement son large sourire amical, sans plus, même si quelques-unes d'entre-elles auraient aimé... comme cette fille d'un banquier ami de Dee... Monica. Oui, Monica avait dans les trente-deux ans, elle était divorcée. Elle s'était mise tout d'un coup à prendre tous les jours sa leçon de golf. Un de ses partenaires au poker lui avait dit que c'était pour ses beaux yeux à lui... Monica... oui... Ça pourrait être chouette. Mais il ne le ferait pas.

Il avait conclu un pacte avec lui-même : s'il épousait Dee, et si elle faisait de January son héritière, il jouerait le jeu honnêtement. En outre, Dee n'était pas désagréable à regarder. Elle était mince. Un peu molle par endroits, mais belle dans l'ensemble. Diable, beaucoup d'hommes auraient donné n'importe quoi pour pouvoir coucher avec elle.... et ces temps-ci, il n'en avait eu « envie » que deux fois par semaine. Il avait tort. Elle n'était pas du genre à venir le lui demander. Elle n'était pas comme Tina St. Claire qui lui disait : « Hé, mon chéri, allons baiser ». Non. Les femmes comme Dee attendaient. Et elles ne baisaient pas... elles faisaient l'amour. Il fallait toujours leur faire un brin de cour. Il avait laissé tomber tout ça, et il devait y remédier. Si c'était là la vie dans laquelle il s'était fourré, autant s'y intéresser.

Il était presque six heures lorsqu'il revint à la maison. Tout le monde était parti. Un des maîtres d'hôtel réapprovisionnait le bar de la terrasse :

— Où est Madame Wayne ? lui demanda Mike.

Le maître d'hôtel le regarda pendant quelques instants sans paraître comprendre. Mike jura intérieurement. Cet empoté était un de ces larbins qui pensaient encore à Dee en tant que *miss Granger*. Eh

bien il ne le dirait pas, il ne dirait jamais : « Où est miss Granger ? »
Même pas s'ils restaient toute la journée à se défier du regard. Le
vieux domestique tint le coup un moment, puis un large sourire illumina ses traits comme si la mémoire lui revenait par enchantement :

— Je crois que Madame se repose au premier.

Mike opina et se dirigea vers l'escalier massif. Mais il changea
d'avis et prit l'ascenseur menant à la cave aux liqueurs. Il y choisit
une bouteille de champagne qu'il remonta à la cuisine, et attendit que
la domestique mette la bouteille dans un seau à glace et lui prépare
du caviar sur une assiette de glace.

Quand il entra dans sa chambre avec le plateau, il trouva Dee
étendue sur sa chaise longue. Elle avait son répertoire téléphonique
sur les genoux, et il se rendit compte qu'elle préparait ses invitations
pour le prochain week-end. Il posa le plateau sur la table.

— C'est la fête de qui ? lui demanda-t-elle.

— La nôtre... nous sommes seuls... et je suis content d'être avec
toi.

Il lui prit des mains son répertoire et s'assit sur le bord de la
chaise longue :

— Nous n'avons aucun rendez-vous ce soir, n'est-ce pas ?

— Plusieurs soirées où nous pouvons aller si nous en avons
envie. Vera est en ville, et les Arnold Ardens donnent une soirée
en son honneur. Et puis il y a...

Il se pencha sur elle pour l'embrasser :

— Que penserais-tu de laisser tomber tout ça... ?

Il commença à lui passer la main sous la robe, mais elle le
repoussa :

— Mike, il n'est que six heures.

Il se mit à rire :

— Y a-t-il un règlement qui impose l'amour à heures fixes ?
Allez, buvons un peu... et faisons l'amour sur ce grand lit d'où nous
voyons la mer, et peut-être que, avec un peu de chance... nous verrons la lune se lever. Faire l'amour au crépuscule, il n'y a que ça de
vrai, Dee.

— Mike !

Elle se leva d'un bond et se mit à arpenter la pièce :

— A qui crois-tu parler ? A une de ces filles faciles avec lesquelles tu avais l'habitude de sortir ?

Il s'approcha d'elle :

— Oh, Dee, ça fait partie du langage de l'amour. Je ne voulais
pas te choquer.

— Moi, je trouve que c'est vulgaire.

— Allons, lui dit-il en souriant. Je t'ai déjà dit ça au lit.

— C'est différent. Je veux dire que, quand tu le fais, je ne peux pas t'empêcher de dire ces mots-là, mais... je ne les aime pas, voilà. Oh, je sais que ça excite beaucoup certains hommes de les dire... mais pourquoi ? Un de mes maris ne parvenait même pas à l'érection s'il ne me forçait pas à dire ce mot, à lui dire que je voulais qu'il me... tu sais quoi.

Il se força à sourire :

— Très bien. J'essaierai de surveiller mon langage au lit...

Il s'approcha à nouveau d'elle, mais elle s'esquiva.

— Qu'est-ce qu'il y a encore ?

— Oh, Mike, ne sois pas ridicule. Ce n'est pas l'heure de...

Et elle lui tourna le dos. Il l'observa un instant. Puis il prit la bouteille de champagne et se dirigea vers la porte. Elle le rappela :

— Allons, Mike... ne sois pas fâché. Je ne suis pas d'humeur, c'est tout.

— Parfait, je comprends.

Il lui fit un petit salut, la bouteille levée.

— Je crois que je vais me boire ça tout seul. Parce que c'est un jour mémorable tu sais : c'est la première fois que l'on me dit non, mais, comme on dit, il y a toujours une première fois...

Et il referma la porte derrière lui.

**

Quand il eut quitté la pièce, Dee resta très calme. Elle avait fait une erreur. Elle aurait dû lui céder... mais elle n'avait pas pu.

Elle était épuisée. Épuisée de sourire et de passer d'une réception à l'autre, en jouant le rôle de la belle Dee Milford Granger Wayne. L'heureuse Dee Milford Granger Wayne, mariée à un homme si séduisant.

Pauvre, pauvre Dee Milford Granger Wayne, au cœur brisé parce que cette satanée polonaise ne s'était pas montrée. Dieu, elle aurait tant voulu que Karla soit là. Elle aurait particulièrement aimé que Karla voit January et David ensemble. Les voir nager, danser, jouer au tennis ensemble... qu'elle voit qu'ils étaient jeunes et qu'ils s'appartenaient. Quand elle en avait parlé à Karla, jeudi, Karla avait dit « peut-être ». Elle avait même promis que, si elle se décidait à venir, elle serait à l'aéroport à quatre heures. Dee avait fait attendre le pilote jusqu'à quatre heures et demie.

Elle avait caché sa déception en voyant David et January arriver seuls. Elle était enchantée qu'ils aillent si bien ensemble. Ça avait été le seul rayon de lumière du week-end. David semblait vraiment aimer January. Si seulement Karla avait été là pour s'en rendre compte.

Pourquoi n'avait-elle pas pu venir ? Par simple perversion. Après tout, il n'y avait plus personne à New York. Qu'avait pu faire Karla pendant tout ce long week-end ?

David aussi avait pensé à Karla. Il avait pensé à elle pendant tout le week-end. Et il pensait encore à elle, assis dans l'avion à surveiller la descente sur Butler Jetport, le terrain privé de l'aéroport de La Guardia. Il réalisa qu'il n'avait presque pas adressé la parole à January de tout le voyage. Mais elle avait lu les épreuves d'un livre, et ne les avait posées que pour regarder par le hublot. Il se demandait à quoi elle pensait. Mais ça ne le tracassait pas vraiment.

En fait, January pensait à David. Elle avait fini de lire le livre, et avait pris la décision d'envoyer une lettre à Tom en tant qu'assistante de rédaction à *Gloss*. Elle ne dirait pas à Linda que Mike ne leur était d'aucun secours.

Elle observa David qui regardait par le hublot monter vers eux les lumières de l'aéroport. Il avait été si gentil pendant tout le week-end ! Toujours prêt à jouer au tennis ou à aller se baigner avec elle. Ce petit quelque chose qu'elle avait commencé à ressentir pour lui s'était évanoui à la suite de cette nuit horrible. Mais ça pouvait peut-être revenir. Peut-être que s'ils buvaient un verre ensemble, qu'ils discutaient un peu... peut-être même qu'ils pourraient de nouveau faire l'amour ensemble. Et cette fois, tout se passerait bien. Mais elle ne pourrait plus supporter son affreuse chambre rouge... plus jamais.

David avait commandé un voiture qui les attendait sur le terrain d'aviation. Ils entassèrent leurs valises dans le coffre et prirent la direction de l'immeuble de January. David aida le chauffeur à porter les valises jusqu'à la loge du concierge. Elle lui sourit :

— J'ai bien aimé ces quatre jours passés ensemble, lui dit-elle. Vraiment.

— Moi aussi...

Elle jeta un coup d'œil à sa montre :

— Il n'est que neuf heures. Vous voulez monter prendre un verre ? Vous n'avez jamais vu mon somptueux appartement.

Il lui rendit son sourire :

— Vous voulez me promettre quelque chose ? Réservez-moi une soirée pour très bientôt. A chacun de mes retours, j'ai un tel travail en retard... et je sais qu'il y a une pile de messages qui m'attendent. Je vous téléphone demain, au saut du lit.

Elle le regarda remonter dans sa voiture. Eh bien ! A présent, elle comprenait mieux Linda... quelle rebuffade !

David n'avait pas du tout eu l'impression de la repousser. Il avait pris son invitation pour un excès de politesse. Et il n'avait pas l'intention de perdre une heure à échanger des banalités avec elle en buvant un dernier verre. Il rentra chez lui, renvoya la voiture, et se mit aussitôt en rapport avec le service qui enregistrait ses messages. Il y en avait quelques-uns : Kim était à une soirée chez Monique (« Viens, s'il te plaît... »), la princesse Delmanio l'avait appelé (elle donnait une soirée de tric-trac...), sa femme de ménage l'avait appelé (elle ne pouvait pas venir lundi, mais est-ce que jeudi conviendrait ; il y avait un numéro de téléphone où la joindre). Il avait encore un ou deux messages dont il se moquait complètement. Mais rien de Karla. Pourquoi y en aurait-il eu, après tout ? Elle savait qu'il n'était pas de retour avant ce soir. Elle l'appellerait demain à son bureau.

Il envoya promener sa corbeille à papiers d'un coup de pied rageur. C'était ridicule. Il n'était que neuf heures et demie. Karla était la femme qu'il aimait. Il avait toute une soirée libre devant lui, qu'ils auraient pu passer ensemble. Et pourtant, il n'avait aucun moyen de la joindre. Il ne pouvait pas continuer ainsi à attendre qu'on l'appelle, comme une jeune fille bien élevée. Il empoigna son pardessus, sortit en trombe de l'immeuble et héla un taxi. Il irait chez elle... frapperait à sa porte et lui demanderait qu'elle lui donne son numéro de téléphone. Elle pouvait bien dormir, ça lui était égal. Il allait faire valoir ses droits. S'il voulait qu'elle le traite en homme, il lui fallait se comporter comme tel. Il attaquerait ce soir même, au risque que ce soit leur première dispute. Mais, par dessus tout, il voulait la prendre dans ses bras, la regarder dans les yeux, se sentir enlacé avec force, entendre son rire voilé.

Le taxi s'arrêta. David paya le chauffeur et descendit. Le concierge poli et affable lui fit l'habituel signe de tête amical mais, au lieu de lui dire comme toujours « Bonne soirée, Monsieur Milford », il lui demanda :

— Où allez-vous, Monsieur Milford ?

— Voir miss Karla.

— Mais elle est partie vendredi matin.

— Partie !

— Oui... avec deux valises.

— Où ça ? Je veux dire... elle n'a pas déménagé... ou bien...

Le concierge lut la panique sur le visage de David :

— Allons, mon garçon.. il n'y a pas de quoi s'affoler. Bien sûr qu'elle n'a pas déménagé. Vous connaissez miss Karla. Elle part toujours sur un coup de tête. Personne ici ne connaissait son intention. Mais vendredi matin, elle est descendue à neuf heures, avec son gros manteau de fourrure et ses lunettes noires, seulement au lieu de partir à pied pour son studio de danse, comme d'habitude, elle a demandé qu'on lui appelle un taxi. Et, comme je vous le disais, elle a emporté ses deux valises. Elle m'a dit qu'elle avait laissé un mot pour qu'on lui fasse suivre le courrier et son *Wall Street Journal*. Elle n'en lit jamais d'autre... mais elle m'a demandé de vérifier que ça serait fait. Je l'ai entendue indiquer Kennedy Airport au chauffeur de taxi. Je n'en sais pas plus.

— Je... j'étais moi-même parti, tenta de se justifier David. (Il ne pouvait pas supporter le regard compatissant du concierge). J'étais à Palm Beach... vous pouvez vous en douter à voir mon bronzage... et je n'ai même pas appelé les abonnés absents. J'ai bien peur de ne pas avoir laissé de message en partant. J'ai appelé de l'aéroport, et quand j'ai vu que ça ne répondait pas... vous savez comment marche le téléphone... on n'est jamais sûr de rien... alors j'ai pensé que je ferais aussi bien de faire un saut jusqu'ici. Mais je trouverai sûrement un message d'elle au bureau demain matin.

— Mais bien sûr, mon garçon.

David s'éloigna. Elle était partie. Fini les « bonne soirée » du concierge. Ça avait vraiment été de *bonnes* soirées ! Ces soirées vers lesquelles il avait volé, heureux et confiant, en souriant au concierge qui savait qu'on l'attendait, en saluant le garçon d'ascenseur, lui aussi au courant. Et elle était partie à nouveau. Pour combien de temps ? Et pourquoi ? Les lumières de la rue se troublèrent devant ses yeux... il se mit à courir. Courir... c'était le seul moyen de ne pas s'effondrer. Il courut tout le long du chemin jusqu'à son appartement. Et lorsqu'il s'y retrouva, il s'adressa aux murs vides :

— Mon Dieu... Karla ! Pourquoi ?

Et puis il se mit à sangloter. De gros sanglots sans larmes. C'était la première fois que ça lui arrivait depuis ce jour où il avait su qu'il était viré de l'équipe de football, à Andover.

XIII

Karla se blottit dans le fauteuil du jet. Après avoir appelé toutes les compagnies aériennes, elle avait choisi ce vol de onze heures pour Londres, une fois qu'on lui eût assuré qu'elle ne partagerait avec personne la rangée de sièges.

Elle portait, comme à l'accoutumée, ses immenses lunettes noires. Jusqu'ici, la jeune hôtesse de l'air ne l'avait pas reconnue. Certaines d'entre elles n'étaient que des enfants lorsqu'elle avait quitté le monde du spectacle. Mais ces mêmes enfants faisaient partie de cette nouvelle vague qui commençait à la découvrir dans les films de ciné-club à la télévision. Elle regardait les hôtesses plaisanter, préparer des hors-d'œuvre et des apéritifs, arborant un éternel sourire en servant les passagers d'un bout à l'autre de l'avion. Elles semblaient si jeunes. Et si heureuses. Avait-elle jamais été si jeune, avait-elle jamais ri de cette façon? Non... ce n'était pas possible, quand on avait grandi dans un village des environs de Wilno.

WILNO. Une erreur de migration de son père... erreur partagée par tant de Polonais. En 1920, la Pologne avait lancé une attaque couronnée de succès contre la Russie et s'était emparée de Wilno, la capitale de la Lituanie. Et ce nouvel état avait été envahi par des fermiers avides de terres nouvelles. En 1921, Andrzej Karlowski y était arrivé avec sa femme, sa fille bébé et ses deux petits garçons. Il venait d'un village près de Bialystok, espérant faire fortune à Wilno et envoyer ses fils à l'université lorsqu'ils auraient grandi. Au lieu de cela, il trouva un pays ingrat. Ses voisins étaient des Ukrainiens et des Ruthéniens qui avaient conservé leurs caractères nationaux. Il y avait une petite église catholique dans le village le plus proche, et une école d'état tenue par des religieuses. Andrzej et sa femme ne purent rien faire d'autre que de travailler quinze heures par jour pour défricher leur terre aride. Ils n'avaient même pas le temps de regretter leur ancienne vie et leurs anciens amis. La ferme leur prenait toute leur énergie — et aussi le rêve de l'université pour leurs fils. Ce fut dans cette atmosphère désespérée que grandit la petite Natalia Karlowski.

Elle eut une enfance placide dépourvue d'émotions fortes. Elle grandit sans rires, sans imagination, sans rêves, et sans autre ambition que d'épouser un garçon qui possédât un riche lopin de terre.

Les Karlowski étaient de bons catholiques, et le seul jour où elle voyait sa mère autrement qu'occupée à éplucher des pommes de terre était le dimanche, à la messe. Ce jour-là, sa mère changeait son babushka pour un chapeau noir à grosse épingle, son tablier pour une robe noire lustrée, et son couteau de cuisine par un chapelet qu'elle tenait dans ses grosses mains calleuses. Son père mettait son unique costume noir, qu'il ne sortait que pour la messe du dimanche, les mariages et les enterrements.

Elle allait à l'école communale, et ses premières années scolaires furent aussi calmes et monotones que les jours passés à la ferme. Elle avait neuf ans lorsqu'apparut sœur Thérèse, introduisant la première lueur de beauté et d'intérêt dans la vie terne de ses jeunes élèves.

Sœur Thérèse venait de Varsovie. Elle avait aussi été à Moscou et à Paris. Elle avait étudié la danse, et puis s'était soudain sentie « appelée ». Elle avait tout abandonné pour entrer au couvent. La petite école était sa première affectation. Elle l'apprit calmement et sans détours à ses élèves médusées. Elles la regardèrent comme des sourds-muets — c'était la première fois qu'elles voyaient une femme belle, une femme dont la peau ne fût pas ravagée par la vie au grand air, et qui n'eût pas les mains rouges. Le rude hiver polonais privait les jeunes femmes de leur beauté avant même qu'elle n'éclose.

Toutes les petites filles adorèrent littéralement sœur Thérèse. Mais la petite Natalia tomba complètement sous son charme. Et lorsque sœur Thérèse proposa, pendant la classe de gymnastique, de leur apprendre quelques pas de danse, Natalia se mit au travail avec une énergie démoniaque. Chez elle, elle passa des heures dans sa chambre à répéter chaque exercice parce qu'elle avait remarqué combien sœur Thérèse était heureuse lorsqu'une des filles faisait montre d'un tant soit peu de grâce. Un mot d'éloge de sœur Thérèse la renvoyait chez elle vaguement troublée, mais échafaudant de merveilleux rêves éveillés. Et puis, un après-midi, sœur Thérèse lui demanda de rester après la classe. Elle avait les mains moites, en attendant cet instant, et il lui sembla que son cœur, à battre si fort, allait sortir de sa poitrine. Sœur Thérèse vint à elle en souriant :

— Natalia, je crois que tu as ce qu'il faut pour faire une vraie ballerine. J'en ai parlé avec la mère supérieure, et si tes parents sont d'accord, j'aimerais essayer de t'obtenir une bourse pour l'école de danse de Prasinski. Tu devras aller vivre là-bas, et tu y continueras tes études, mais tu feras cinq heures de danse par jour.

Son père et sa mère donnèrent aussitôt leur accord. Ils ne connaissaient rien à la danse ; mais si c'était une religieuse qui le proposait... ça ne pouvait être que bien. Natalia se sentit déchirée. Elle se rendait bien compte que c'était une chance fantastique, mais qu'elle devrait quitter sœur Thérèse. Pourtant, lorsque celle-ci lui eût dit qu'elle viendrait la voir à l'école de danse pour surveiller ses progrès, Natalia fut quelque peu réconfortée. Toutes les élèves se choisissaient un nom de scène pour les récitals de danse que donnait l'école. Natalia n'avait pas d'imagination. Elle fut inscrite sous le nom de Natalia Karlowska.

Au cours des sept années qui suivirent, toute sa vie fut centrée sur la danse et sur sœur Thérèse. Tous les samedis après-midi, les élèves dansaient un ballet dans le petit théâtre de l'école. L'argent des tickets d'entrée servait à faire vivre la petite compagnie de ballet. Pendant ses premières années d'apprentissage, Natalia apporta son concours à la construction des décors, au maquillage et à la confection des costumes des jeunes danseuses. A l'âge de douze ans, elle entra dans le corps de ballet de l'école. Toutes les semaines, sœur Thérèse venait s'asseoir dans la salle, et Natalia dansait pour elle de tout son cœur.

Son père et sa mère étaient venus assister à son premier récital, mal à l'aise, dans leurs vêtements du dimanche, et étouffant de chaleur dans l'auditorium. Son père s'endormit au cours du second acte, et sa mère dut le pincer pour l'empêcher de ronfler. Ils ne revinrent jamais — le voyage était trop long pour eux, et il y avait trop de travail à la ferme...

Lorsque Natalia dansa son premier solo, et que toutes les filles eurent insisté pour lui trouver un nom de scène, ce fut sœur Thérèse qui suggéra « Karla ». Et après le spectacle, lorsqu'elle sauta dans les bras de sœur Thérèse qui lui souffla « félicitations... Karla », elle ne se considéra plus autrement que comme Karla. Elle venait de naître et de recevoir le baptême une seconde fois.

Le lendemain du récital, sœur Thérèse demanda à voir ses parents.

— Tu as dix-neuf ans, dit-elle à Natalia. Il est temps de penser à ton avenir. Est-ce que je peux venir dimanche prochain... après la messe ?

Elle ne devait jamais oublier ce dimanche. Elle était partie de l'école de danse par le premier train de la matinée. Lorsqu'elle arriva chez elle, ses parents étaient encore à l'église, mais elle sentit l'odeur de la dinde et de la tarte aux pommes. Elle s'immobilisa dans le petit salon qui, soudain, lui parut terriblement médiocre. Il était d'une propreté immaculée... mais si pauvre. C'était le mois de juin, aussi sortit-elle pour cueillir quelques fleurs printanières, qu'elle disposa en différents coins de la pièce. Elle essaya aussi de dissimuler les endroits déchirés des chaises avec des napperons. Mais sœur Thérèse, en arrivant, ne sembla pas remarquer la pauvreté des lieux. Elle admira les chenets de la cheminée... les chopes en étain... elle se déplaçait dans la pièce comme une déesse en porcelaine. Sœur Thérèse fit compliment de la dinde, du choux rouge et de la tarte. Le visage rondouillard de sa mère s'épanouit, et Karla s'aperçut, pour la première fois de sa vie, que sa mère avait des fossettes... et que les yeux gris de son père étaient beaux quand il souriait. Elle resta assise en silence tandis que sœur Thérèse expliquait à ses parents qu'elle aimerait envoyer Natalia à Varsovie.

— Ma famille est très riche, dit tranquillement sœur Thérèse. Et le frère de ma mère, mon oncle Otto, habite à Londres. Lui aussi est un gros commerçant. Ils feront pour Natalia ce qu'ils avaient espéré faire pour moi. Elle pourra vivre dans ma famille à Varsovie le temps de passer des auditions pour les ballets. Plus tard, elle pourra sans doute aller habiter chez mon oncle Otto si elle veut essayer d'entrer dans la troupe du Sadlers Wells à Londres... mais me donnez-vous votre autorisation ?

Ses parents hochèrent la tête ensemble. C'était plus qu'ils n'auraient jamais osé espérer. Varsovie... Londres... tout ce que la religieuse proposait avait d'avance leur accord, mais ils n'avaient pas les moyens de lui exprimer leur reconnaissance.

Plus tard dans la journée, Natalia et sœur Thérèse firent une petite promenade ensemble.

— Je ne vais pas à Varsovie, dit soudain Natalia. Je ne veux pas vous quitter.

— Après quelques semaines d'accoutumance, tu seras très heureuse là-bas, lui dit sœur Thérèse en riant. Bientôt, notre petite école de Prasinski ne pourra plus rien t'apprendre. Tu es presque prête.

Elle s'arrêta tout d'un coup devant un arbre, et demanda à Natalia :

— Qu'est-ce que c'est que ça ?

Karla rougit :

— J'ai fait ça pour vous quand j'avais neuf ans.

Sœur Thérèse s'approcha. Quelques planches clouées autour de l'arbre formaient un siège, et une petite barrière entourait le tout. Karla eut un rire gêné :

— Vous n'avez pas seulement fait entrer la danse dans ma vie, mais aussi la poésie. Un jour, à l'école, vous nous avez parlé d'un trône... vous l'avez décrit d'une manière si réaliste... que je vous y voyais presque assise. Alors, en rentrant à la maison, j'en ai fabriqué un. Je rêvais qu'un jour, je pourrais vous le montrer — mais à présent, je vois bien comme il est laid.

Sœur Thérèse franchit la petite barrière et alla s'asseoir sur le petit trône en planches :

— Il est ravissant, ma petite Karla. Viens t'y asseoir avec moi.

Sœur Thérèse sentait bon le savon et la violette. Karla l'enlaça brusquement en lui disant :

— Je vous aime. Je vous aime depuis la première fois que je vous ai vue.

Sœur Thérèse se dégagea doucement :

— Je t'aime, moi aussi.

— Vous m'aimez ! Alors laissez-moi vous embrasser, vous serrer dans mes bras, et...

Elle effleura du bout des lèvres la joue de sœur Thérèse... et lui prit la main. Mais encore une fois, sœur Thérèse se dégagea calmement de l'étreinte de la jeune fille :

— Tu ne dois pas t'approcher de moi. C'est mal.

— C'est mal d'aimer ?

— Il n'y jamais rien de mal dans l'amour, lui dit sœur Thérèse. Mais l'amour physique entre nous n'est pas permis. Tu ne dois pas m'embrasser, ni me toucher.

— Mais j'ai envie de le faire, vous ne comprenez pas ? Oh, ma sœur, je ne sais rien des choses de l'amour. Je parle très peu avec les filles de l'école. Mais quelquefois, la nuit, quand je suis couchée dans mon box, je les entends se glisser dans le lit les unes des autres, et je sais qu'elles se caressent. Elles ont essayé de m'approcher moi aussi, mais je les ai repoussées. Il n'y a que vous qui comptiez pour moi. Je reste seule, et je rêve que vous arrivez, en chemise de nuit, vous me prenez dans vos bras, et puis...

— Et puis ? demanda sœur Thérèse.

— Et puis je vous serre très fort, je vous embrasse... je vous touche. Oh, sœur Thérèse, je vous veux près de moi. Est-ce vraiment mal ?

Sœur Thérèse se mit à égréner le chapelet qu'elle portait autour du cou :

— Oui, Karla, c'est mal. Tu vois, quand j'ai appris la danse à Varsovie, je suis, moi aussi, allée rejoindre d'autres filles la nuit. Ça arrive parfois... quand les filles atteignent la puberté... elles se retrouvent entre elles... elles n'ont pas le temps de faire la connaissance de jeunes garçons. Alors elles s'aiment entre elles. Je l'ai fait, mais je savais que c'était mal... et cela me tourmentait. Je savais aussi que je n'étais pas aussi bonne danseuse que les autres, que je n'avais été admise à faire ces études qu'à cause de l'argent de ma famille et de sa notoriété. Et un jour, après qu'on m'eut donné un rôle qu'une autre fille devait avoir, j'ai entendu quelqu'un murmurer : « C'est grâce à son joli minois qu'elle a eu ce rôle, pas à ses pieds ». Et la fille à qui j'avais pris son rôle s'en alla en pleurant, disant que ma beauté était démoniaque — qu'elle m'attirait des faveurs que je ne méritais pas.

Le visage de sœur Thérèse se durcit à ces souvenirs désagréables :

— Cette nuit-là, reprit-elle, je me suis mise à genoux, et j'ai prié pour demander du secours. Et, tout d'un coup, ce fut comme si on m'avait libérée d'une prison. Je me rendis compte que je ne voulais pas vraiment devenir une grande ballerine. Je découvris que je voulais seulement *Le* servir et *L'*aimer... mon doux Jésus. Je passai des jours à prier. Je me mis à lire la vie des saints, j'appris comment *ils* avaient été appelés, et soudain, après avoir lu la vie de la Petite Fleur — la petite sainte Thérèse qui voulait simplement faire de « petites choses » — j'ai su que je voulais devenir religieuse. Je savais que je ne pourrais jamais faire de grands miracles... mais que je pourrais rendre des gens heureux en faisant de petites choses. Et la première petite chose a eu lieu lorsque j'ai quitté la danse. La fille qui était partie en pleurant a finalement eu le rôle. Et crois-moi, Karla, ce fut ma première joie véritable. Et quand je suis arrivée ici, que j'ai vu tous vos petits visages sérieux, j'ai su que je n'avais pas étudié en vain pendant des années... si cela pouvait apporter un peu de bonheur aux enfants de Wilno... et à toi, ma petite Karla. Et tu dois travailler la danse très fort... et ne jamais oublier qu'*Il* te regarde, et que c'est un péché mortel de faire l'amour avec une femme. Un jour, un homme viendra... et alors tu comprendras ce qu'est le vrai amour.

— Pourquoi cet homme n'est-il pas venu pour vous ? demanda Karla.

— Il est venu. Il s'appelle Jésus.

Puis elles quittèrent le petit trône, et elles ne reparlèrent plus jamais d'amour.

Lorsque la fin de l'été arriva, sœur Thérèse modifia ses plans au sujet du voyage à Varsovie :

— Nous devons t'envoyer en Angleterre...

— Quand ?

— Immédiatement. J'ai écrit à mon oncle Otto, à Londres, en lui parlant de toi. J'ai reçu sa réponse aujourd'hui. Lui et tante Bosha seront très heureux de t'accueillir chez eux pendant que tu auditionneras pour les ballets du Sadlers Wells.

Karla tenta de gagner du temps :

— Pas encore. Peut-être l'année prochaine.

Mais sœur Thérèse insista :

— Tu dois te préparer à partir dans dix jours. Voilà ton billet d'avion pour Londres.

Karla regarda le billet que sœur Thérèse lui avait mis dans la main :

— Non... non..., fit-elle. Je ne veux pas y aller.

— Karla, tu dois m'écouter. La guerre est imminente. L'Allemagne a signé un pacte de non-agression avec la Russie. Von Ribbentrop est allé à Moscou la semaine dernière. Pourquoi crois-tu que je t'ai dit que tu ne pouvais pas aller à Varsovie ? Tu ne seras en sécurité qu'à Londres.

— Mais vous ? Si c'est si dangereux, pourquoi restez-vous ?

— Je suis protégée. J'appartiens à l'Eglise. Même pendant la guerre, on ne touche pas aux églises. Dieu me protègera. Jésus veille sur nous tous.

— Alors laissez-le veiller sur moi.

— Non. Tu as reçu ton propre appel.

Le lendemain, il n'y avait pas classe, et toutes les élèves et les professeurs se rassemblèrent autour du poste de radio, et apprirent que Hitler avait informé l'Angleterre et la France que l'Allemagne exigeait Dantzig et le corridor polonais. Les filles se mirent à en discuter... des groupes se formèrent — en quoi la guerre pouvait-elle affecter la danse ? Le lendemain, toutes les élèves reprirent le travail à la barre, et les répétitions eurent lieu comme à l'ordinaire. Pourtant, la réalité et la peur touchèrent les ballets Prasinski le 31 août, lorsque Hitler présenta à la Pologne ses seize conditions de paix, et que la Pologne les rejeta. Prasinski fut soudain le lieu d'une activité frénétique. C'était la fin des cours. On sortit les valises. Les professeurs cherchèrent à prendre des billets de train pour rentrer chez eux. Ce soir-là, toutes les élèves se rassemblèrent en petits groupes chuchotants. Celles qui devaient repartir dans des villes éloignées s'assirent ensemble, en se tenant par la main, pour se déclarer ouvertement leur amour. Karla s'assit toute seule dans son coin en pensant à sœur Thérèse. Que faisait-elle ? Priait-elle avec les autres sœurs ? Pensait-elle à sa petite Karla ?

Le lendemain matin à l'aube, sans la moindre déclaration de

guerre, l'Allemagne envahit la Pologne. Les élèves n'attendirent plus les trains. Elles partirent à pied. D'autres s'installèrent dans la gare, espérant prendre n'importe quel train. Karla eut de la chance. Elle put se faire conduire en camionnette par un fermier qui avait une terre près de chez ses parents.

Quand elle atteignit finalement la ferme, elle trouva ses parents assis devant le poste de radio, comme des somnambules. Leurs fils avaient quitté l'université pour s'engager dans l'armée... tout ce pour quoi ils avaient travaillé s'en allait en fumée. Karla n'avait jamais lu le moindre journal, mais elle s'en fut au village acheter le quotidien du jour. Elle y lut des choses qu'elle ne comprenait pas. Ele savait tout de Nijinski — sa femme, son impresario, ses professeurs. Mais elle ne savait rien du tout du monde dans lequel elle vivait. Elle était au courant du péril hitlérien, mais la signification réelle d'une guerre n'avait pas pénétré le petit monde des ballets Prasinski.

A présent, les moments les plus importants de la journée étaient ceux des bulletins d'information de Radio-Varsovie — dont l'indicatif était constitué par les premières notes de la *polonaise* en la majeur de Chopin. Lorsqu'elle apprit que les unités motorisées allemandes avaient atteint la banlieue de la capitale et avaient ouvert le feu sur Varsovie, elle sut qu'il était temps pour elle de partir. Elle devait rejoindre Londres et l'oncle Otto. Elle fit sa valise, embrassa ses parents, et parcourut à pied les deux kilomètres qui la séparaient du couvent de sœur Thérèse.

Lorsqu'elle y arriva, sœur Thérèse était assise à côté de la radio, son chapelet à la main, les yeux perdus dans le vague. Toute la nuit, elle avait essayé de joindre ses parents à Varsovie, mais le téléphone ne fonctionnait plus. Lorsqu'elle vit la valise de Natalia, qui lui dit qu'elle voulait aller à Londres, elle hocha tristement la tête :

— C'est trop tard. Plus d'avions... plus de trains... plus de danse... le rêve est terminé.

Dans le secret de son cœur, Karla se sentit soulagée de ne pas avoir à quitter Wilno et sœur Thérèse. Pendant la semaine qui suivit, elle partagea son temps entre les visites au couvent et l'écoute de la radio à la ferme, près de son père et sa mère. Ils ne vivaient plus que par la radio. Ils ne pouvaient pas joindre les autres membres de leur famille, à Bialystok. Peut-être s'étaient-ils enfuis ? La route de l'exode passait par la Roumanie. Un flot interminable de gens transportant des paquets, des meubles de valeur, et même du bétail, essayait de rejoindre la Roumanie. L'armée polonaise combattait vaillamment mais, le 17 septembre, les Russes, à leur tour, envahirent la Pologne, forçant les frontières orientales. Andrzej dit à sa femme

226

et à sa fille de chercher refuge au couvent. Maria, dont les yeux bleus étaient devenus vitreux de peur au milieu de son visage rond, marqué par les années, refusa de quitter son mari et sa terre. Mais elle pressa Karla d'y aller. Elle regarda sa fille comme si elle la voyait pour la la première fois et lui dit :

— Tu es grande... tu seras une belle et forte femme. Va au couvent. Même les Russes ne toucheront pas à l'église.

Karla se rendait vaguement compte que c'était la fin de la seule vie qu'elle ait jamais connue. Ces deux étrangers étaient ses parents... Elle se serra contre eux, mais ils réagirent à peine. Ils ne savaient ni comment prodiguer de l'affection ni comment en recevoir. Ils avaient élevé leurs enfants parce qu'ils étaient là. Ils avaient travaillé leur terre aride parce qu'elle était là. Et voilà que leurs deux fils avaient déserté l'université... et avec eux s'étaient envolés tous leurs espoirs en l'avenir. Il ne leur restait plus que la terre.

Sœur Thérèse accueillit Karla au couvent. En fuyant, les gens abandonnaient leurs chiens, leurs chats, et même des agnelets. Tous les jours, Karla sortait pour recueillir les animaux abandonnés. Elle les hébergeait au couvent. Mais au fur et à mesure que les jours passaient, et que les Russes se rapprochaient, la Mère Supérieure lui disait qu'elle devait les relâcher. Eux-mêmes manquaient de vivres... et c'étaient des créatures de Dieu, disait-elle, le Seigneur prendrait soin d'eux. Karla plaida leur cause... elle avait appris à aimer les petits chats et les chiens. Elle supplia qu'on lui permette de garder les plus petits, mais la Mère Supérieure fut inflexible. Une autre religieuse les rassembla et les chassa. Sœur Thérèse trouva Karla en pleurs dans sa chambre. Karla leva les yeux et s'écria :

— Je n'aimerai plus jamais personne... même pas un animal. La séparation fait trop mal.

Sœur Thérèse lui caressa les cheveux :

— Aime le Seigneur. Il ne t'abandonnera jamais, on ne te l'enlèvera pas. Il sera avec toi éternellement.

— Il ne me quittera jamais ?

— Jamais. Cette vie n'est qu'un passage que nous devons traverser du mieux que nous le pouvons. Mais ce n'est qu'une préparation au monde réel — à la vie que nous trouverons après la mort — quand nous irons à Lui.

— Peut-être que je deviendrai religieuse, suggéra Karla.

Sœur Thérèse regarda gravement la jeune fille :

— C'est une décision trop importante pour être prise si vite. Je ne crois pas que tu aies vraiment la vocation. Tu prends cette décision par peur. Mais prie-Le... demande-Lui de te montrer ta voie.

Karla passa ainsi de longues journées avec les sœurs, mangeant avec elles, allant de bonne heure à la messe tandis que l'armée polonaise combattait toujours. Après dix-neuf jours d'une incroyable résistance contre des forces allemandes bien supérieures, les défenseurs héroïques de Varsovie se rendirent. Jusqu'à la dernière minute, Radio-Varsovie continua à s'identifier à l'aide des trois premières notes de la *polonaise* de Chopin.

Quelques jours plus tard, des officiers russes arrivèrent au couvent et les informèrent qu'elles vivaient à présent en territoire russe occupé. Les écoles furent fermées, et il fut notifié aux citoyens encore présents qu'avait commencé la soviétisation immédiate de ces territoires occupés par la Russie. Des rumeurs circulèrent bientôt dans le couvent à propos d'arrestations nocturnes effectuées par des officiers russes. Au début, elles furent mises au compte de menées subversives contre le nouveau gourvernement. Le 30 septembre, le président Moxcicki passa la frontière roumaine avec tout le gouvernement, et les exilés constituèrent un gouvernement provisoire à Paris.

Le général Sikorski, également en exil, organisa quelques coups de main par l'intermédiaire d'officiers supérieurs polonais demeurés dans le pays, et petit à petit naquit la Résistance polonaise. Ce fut une vague puissante qui s'enfla de plus en plus malgré des représailles cruelles et barbares. On appela ce mouvement de résistance : armée intérieure polonaise — ARMIA KRAJOWS, dont les Polonais chuchotaient sous le manteau les initiales : A.K.

Aucun Russe n'importuna les religieuses mais, pour des raisons de sécurité, après avoir entendu raconter des histoires de femmes violées par des soldats éméchés, la Mère Supérieure permit à Karla de porter l'habit des religieuses. Chaque week-end, Karla conduisait la vieille camionnette du couvent jusqu'à la ferme de ses parents, à qui elle apportait les dernières nouvelles. Et puis elle revenait au couvent avec des œufs frais que ses parents tenaient à offrir aux religieuses. Les soviétiques avaient rouvert les écoles primaires et secondaires. Les religieuses n'avaient plus le droit d'y enseigner, et les universités polonaise de Lwow et de Wilno furent transformées en centres destinés à convertir la population à l'ordre soviétique. Bien que les couvents et les églises n'aient pas été désaffectés, la religion était hors-la-loi.

Un week-end, juste avant Noël, Karla arriva à la ferme pour voir ses parents conduits de force dans une voiture par deux officiers russes. Elle portait sa robe de religieuse, et elle faillit se précipiter vers eux, mais sa mère lui fit un petit signe, et lui dit de loin :

— Bonjour, ma sœur. Prenez les œufs pour le couvent. Ils sont dans la cuisine.

Elle s'avança vers eux, mais la peur qu'elle lut dans les yeux de son père la dissuada de ne rien dire. Les soldats russes l'ignorèrent, firent entre eux quelques plaisanteries sur la laideur de son habit noir, et emmenèrent ses parents dans la voiture. Elle demeura sans force, incapable de réagir. Que se serait-il passé si elle s'était précipitée vers les soldats pour leur dire que c'étaient ses parents ? Elle aurait sans doute été emmenée avec eux dans un camp de travail.

Elle revint au couvent et, en sortant de la camionnette, elle remarqua un jeune et bel officier russe qui s'était retourné dans la rue pour l'observer. Elle se dépêcha d'entrer dans le couvent et de verrouiller la porte. Cette nuit-là, en se regardant dans le petit miroir de la salle de bains, elle se rendit compte que la coiffe de son habit, tout en cachant sa chevelure, ne faisait que mieux ressortir ses fossettes et ses grands yeux. Elle se regarda sur toutes les coutures. Oui... elle était belle... pas de la beauté piquante de sœur Thérèse... mais, d'après la manière dont l'avait regardée l'officier russe, elle savait qu'un homme pouvait la trouver désirable. Mais à présent, elle voulait vraiment devenir religieuse, et dans sa prière quotidienne elle demandait au Seigneur de l'aider à mieux L'aimer, et à moins aimer sœur Thérèse. En fait, à cause des arrestations de plus en plus fréquentes, elle était trop occupée pour continuer à rêver de sœur Thérèse. La moitié de la chapelle avait été transformée en dortoir pour accueillir les enfants trouvés errant seuls dans les rues... des enfants dont les parents avaient été arrêtés pendant la nuit. Et la bibliothèque, qui avait servi de bureau à la Mère Supérieure, tenait lieu de crèche pour cinq nourrissons. Les mères, qui s'attendaient à être arrêtées, cachaient leurs bébés dans un recoin dissimulé de leur maison, priant le ciel qu'ils n'attirassent pas l'attention par leurs pleurs. Quelquefois, ils les abandonnaient dans une cour, bien emmaillotés, espérant qu'un voisin en prendrait soin. Et les voisins, invariablement, les conduisaient au couvent, où leur nombre grandissait tous les jours. Au début on avait arrêté tel ou tel sous le prétexte d'activités politiques ; maintenant le simple fait d'être polonais justifiait l'envoi dans des camps de travail.

Comme les rumeurs de viol s'amplifiaient, les femmes se mirent à porter d'épaisses lunettes pour être moins attirantes aux yeux des soldats russes. Certaines se promenaient en permanence avec un mouchoir et un petit couteau de poche. Si un soldat s'approchait, elles s'entaillaient le doigt et laissaient couler un peu de sang sur leur mouchoir. Si le soldat insistait un peu trop, elles faisaient mine de tousser dans le mouchoir et, montrant le sang fraîchement coulé, disaient : « tuberculose ». C'était une ruse efficace qui modérait rapidement l'ardeur des soldats.

Sœur Thérèse et Karla s'étaient procurées des lunettes épaisses que leur avaient apportées des enfants. Ceux-ci arrivaient avec leurs pauvres trésors : une boucle de cheveux de leur mère... les lunettes de leur père... la Bible familiale.

L'hiver 1939 fut précoce. Dès octobre, il y avait de la neige sur le sol et, à la tombée de la nuit, on pouvait entendre les soldats chanter des chansons de leur lointain pays. Mais quand ils avaient bu, leurs chants devenaient plus rudes, et ils venaient souvent traîner près du couvent. De nombreuses religieuses avaient très peur d'eux, mais sœur Thérèse leur disait souvent :

— Ce sont aussi des enfants de Dieu. C'est une guerre entre Etats... pas entre *peuples*. Rappelez-vous... qu'ils sont en pays étranger... loin de ceux qu'ils aiment. Les conquérants sont parfois les plus solitaires.

Quelques semaines plus tard, Karla se trouvait dans le dortoir des enfants auxquels elle faisait réciter leurs prières. Elle allait éteindre la lumière lorsqu'elle entendit un sourd vacarme au rez-de-chaussée, à la porte du couvent. Les enfants se mirent à pleurer en entendant les voix des Russes et les bruits de bottes. Elle mit rapidement ses grosses lunettes et dit aux enfants des rester tranquilles. Elle se faufila hors du dortoir et descendit l'escalier sur la pointe des pieds. Ce qu'elle vit dans le parloir la glaça d'horreur. Elle se sentit envahie par une soudaine nausée et se mit la main sur la bouche pour étouffer le cri qui lui montait à la gorge. Elle voulut se sauver en courant, mais elle était comme paralysée, collée au mur dans la pénombre. Elle aurait voulu fermer les yeux, mais l'horreur la fascinait.

La Mère Supérieure était nue. Elle avait toujours paru si puissante et altière lorsqu'elle s'avançait dans la chapelle avec son épais habit noir et la croix d'argent qui battait sur sa poitrine. Mais, débarrassée de son habit, elle n'était plus qu'une vieille femme décharnée aux seins plats et tombants, aux jambes striées de veines bleuâtres. Elle n'était plus qu'une créature tremblante, objet de ridicule pour les soldats ivres qui se moquaient d'elle en riant chaque fois qu'ils la regardaient. Elle s'était blottie dans un coin, en prières, tandis que les soldats russes violaient méthodiquement et bruyamment toutes les autres religieuses étendues nues sur le sol, qui tentaient désespérément de se dégager du poids de leurs impitoyables agresseurs.

Et puis Karla vit sœur Thérèse. Du sang coulait entre ses cuisses tandis qu'un des soldats russes se dégageait d'elle. Un autre la saisit par le cou et l'embrassa avec violence. Puis il promena sa bouche sur tout le corps de la religieuse, commençant par lui mordre les seins, tout en glissant ses doigts sales entre les cuisses. Pendant qu'il s'excitait ainsi sur elle, un autre soldat l'approcha par derrière et, lui écartant les fesses, s'enfonça en elle. Au même moment, le premier soldat ôta son pantalon et la pénétra lui aussi. Karla ne parvenait pas y croire — deux hommes s'étaient introduits en elle.. un par devant... et un par derrière ! Dieu merci, sœur Thérèse s'évanouit.

Karla demeura accroupie dans le noir pendant une demi-heure. Elle put voir dix soldats s'attaquer à la seule sœur Thérèse. Et, soudain, elle entendit des pas derrière elle. C'était Eva, la gamine de treize ans qui l'aidait à s'occuper des petits enfants. Karla tenta de lui faire signe de s'éloigner, mais il était trop tard. La gamine vit les corps nus étendus sur le plancher, et se mit à hurler. Les soldats se tournèrent vers le couloir sombre.

— Sauve-toi, Eva, lui souffla Karla. Va te mettre dans ton lit.

Mais la fillette, comme paralysée, laissa un soldat s'approcher. Celui-ci empoigna Karla et Eva et les poussa dans la pièce. Un des soldats leva les yeux vers Karla, et vit ses grosses lunettes. Il haussa les épaules de dégoût, mais lui déchira quand même son habit en tirant sur le plastron blanc empesé. Il regarda sa poitrine plate, ses lunettes, et la repoussa pour s'intéresser à Eva qui hurlait toujours. Karla se précipita pour protéger la fillette, mais elle fut projetée à travers la pièce et alla s'étaler contre le corps nu de la Mère Supérieure qui murmurait des prières incessantes. Karla rajusta son habit et se redressa, protégeant la vieille religieuse ; elle serrait les dents tandis que montaient dans le couvent les cris de la pauvre Eva. Sœur Thérèse avait la chance d'être toujours inconsciente.

L'orgie commença à se calmer au bout d'une autre demi-heure. Les soldats étaient satisfaits. Ils rajustèrent leurs pantalons, bouclèrent leurs ceinturons et regardèrent une dernière fois les corps nus étalés sur le sol, comme des noceurs qui ont mangé tout leur saoul à un banquet mais qui répugnent à abandonner encore de la nourriture sur la table. Celui qui semblait être le chef de la bande montra du doigt sœur Thérèse, Eva, et trois autres religieuses, et aboya un ordre. Elles furent enroulées dans des couvertures, et les soldats les prirent ainsi par-dessus l'épaule comme des sacs de pommes de terre pour les emmener au dehors. Karla se dégagea de l'étreinte glacée de la Mère Supérieure :

— Où les emmenez-vous ?

Un soldat qui parlait polonais lui répondit :

— A notre campement. Ne t'en fais pas, pouffiasse. Nous ne voulons que les beautés. Nous te laissons, toi et les autres, pour que vous vous occupiez des gosses.

Elle resta désemparée sur le pas de la porte tandis que les voitures s'éloignaient dans l'air glacé de la nuit. Lorsque les derniers rires des soldats se furent éteints dans le lointain, la Mère Supérieure commença à se déplacer comme une somnambule. Elle chercha à tâtons ses habits sur le sol, tandis que les autres nonnes ramassaient les grains de chapelet éparpillés d'un bout à l'autre de la pièce. Les livres de prière qui leur avaient été arrachés des mains gisaient abandonnés par terre. Karla vit le chapelet et le livre de prières de sœur Thérèse près de l'endroit où elle avait été violée. Elle tomba à genoux et toucha le sang répandu. Elle y trempa le doigt, qu'elle porta à ses lèvres. Elle pressa le livre contre sa joue. Puis elle se porta au secours des autres religieuses qui avaient été violentées. Elle leur fit couler des bains, passa de la glace sur leurs lèvres gonflées, et pria avec elles et pour elles. L'aube venue, un semblant d'ordre avait été rétabli dans le couvent. Après avoir passé un nouvel habit, la Mère Supérieure parut avoir retrouvé un peu de son ancienne autorité.

Les soldats revinrent une semaine plus tard. Ils furent encore plus féroces que la fois précédente. Et Karla ne put leur échapper. Ils lui arrachèrent ses lunettes et ses vêtements. Elle fut jetée sur le sol, et sa tête heurta une chaise. Elle pria pour perdre conscience, mais elle était complètement lucide lorsqu'elle sentit ses jambes écartelées par quelque chose qui lui fit aussi mal, lui semblait-il, qu'un couteau effilé. Le soldat s'enfonça en elle. Sauvagement, ils lui passèrent dessus l'un après l'autre — cinq, six, sept, huit... son sang se mêlait à leur sperme... tandis qu'ils lui écrasaient les lèvres et lui mordaient les seins.

Elle vit le plus fort des soldats s'approcher d'elle. Il lui fit l'effet d'un géant. Il tomba sur elle... elle sentit son haleine fétide pendant qu'il l'embrassait sur les lèvres... elle souhaita mourir... puis elle entendit la porte s'ouvrir, et elle distingua de nouvelles voix. Oh, mon Dieu, d'autres soldats. Mais elle sentit soudain que l'homme lui était arraché. Il y eut des éclats de voix... et les soldats se relevèrent. Et puis un officier vint l'aider à se redresser, presque galamment. C'était le même jeune capitaine russe qu'elle avait vu une fois dans la rue. Blond aux yeux bruns... et il lui sembla lire de la tristesse dans ces yeux lorsqu'il lui tendit un morceau de son habit déchiré pour qu'elle se couvre. Puis il lança des ordres aux soldats... et un autre officier les fit sortir. Il s'adressa à Karla en polonais :

— Je suis désolé de ce qu'ont fait ces hommes. Ils seront punis. Nous sommes des soldats, pas des animaux. Je reviendrai demain pour voir comment nous pouvons réparer le tort qui vous a été causé.

Quand ils furent partis, Karla et les autres sœurs se relevèrent lentement. Elles marchèrent à pas comptés... silencieusement... et le désespoir au cœur. Certaines religieuses se rassemblèrent dans une petite chapelle érigée dans une des pièces, et se mirent à prier. Karla se réfugia dans son lit, où elle demeura immobile. Elle songea à se donner la mort... mais elle eut peur, si elle le faisait, de passer le reste de l'éternité au purgatoire. Elle pensa à sœur Thérèse. Et pour la première fois, dans sa peur et sa solitude, elle se surprit à penser à sa mère. Et en écoutant dans l'obscurité de la nuit, elle entendit des sanglots étouffés monter des autres petites alcôves... mais les autres sœurs appelaient Jésus... et elle comprit soudain qu'elle se retrouvait seule au monde.

Le lendemain matin, le jeune et blond capitaine revint, s'excusa à nouveau et promit que le couvent serait totalement protégé. Il s'appelait Gregory Sokoyen. Son père était le général Alexis Sokoyen... et il venait d'épouser une ravissante jeune fille dont le père occupait un poste important au gouvernement. Sa jeune épouse lui manquait beaucoup, et il se mit à rendre visite à Karla plusieurs soirs par semaine. Il s'asseyait au parloir pendant qu'elle faisait de la couture, et il lui parlait de son enfance, des enfants qu'il espérait avoir avec sa jeune femme.

Elle l'écoutait poliment. Il était séduisant, et c'était par surcroît le premier jeune homme qu'elle eût jamais connu. Il ne lui fit aucune sorte d'avances, et il apportait toujours des provisions pour les religieuses et des friandises pour les enfants.

Ce fut à la fin du mois de novembre que Karla s'aperçut que son ventre s'arrondissait. Elle n'avait jamais été très bien réglée mais, cette fois, elle avait vraiment du retard. Elle fut terrifiée. Pourtant elle continua à travailler avec méthode. Lorsque les enfants allaient jouer dehors et qu'elle remarquait que les soldats regardaient avec intérêt telle fillette de dix ou onze ans, elle lui coupait aussitôt les cheveux et l'habillait en garçon. Et tous les soirs, dans le secret de sa chambre à coucher, elle effectuait les exercices de danse les plus énergiques en espérant ainsi déloger le bébé qui se formait en elle. Au bout d'un certain temps, elle se rendit compte que c'était sans espoir. Sa poitrine s'affermissait, et elle avait le ventre tendu.

Un matin, le jeune capitaine arriva sans prévenir, avec de nouvelles provisions. Il avait apporté des couvertures chaudes et plusieurs kilos de céréales. Elle l'aida à les décharger mais eut soudain un accès de nausée. Elle courut vers l'évier de la cuisine, et il lui tint la tête pendant qu'elle vomissait :

— Vous êtes malade, lui dit-il. Vous devriez vous coucher.

Elle esquissa un sourire en s'asseyant :

— Ça va très bien. C'est déjà passé.

— Qu'est-ce qui vous a rendu malade ? lui demanda-t-il.

— Les soldats russes, lui répondit-elle d'une voix éteinte.

Il baissa les yeux vers son ventre dissimulé sous les nombreux plis de l'habit :

— Un bébé ? (et après avoir réfléchi un instant) : Vous voulez le garder ?

— Le garder ?... Comment pourrais-je vouloir le garder... en sachant qu'il vient d'une de ces brutes ?

— Mais il est aussi à vous. C'est votre corps qui le forme... votre sang... ce sera peut-être une petite fille qui vous ressemblera.

Elle se tordit les mains :

— Et que pourrais-je faire d'elle ? Comment pourrais-je l'élever ? Et puis comment être sûre que ce ne sera pas un garçon qui ressemblera à un Rudolph, un Léopold, un Nicolas, ou à un Sverski, ou un...

— Vous connaissez tous leurs noms ?

— Quand vous êtes étendue à terre, et qu'ils s'appellent entre eux... vous n'oubliez pas. Vous vous rappelez leur mauvaise haleine, leurs cheveux qui leur tombent sur les yeux, leurs dents cariées... et leurs noms. Oh mon Dieu — s'il y a un Dieu — comment pourrais-je me débarrasser de cette chose qui grossit en moi ?

Il eut un léger sourire :

— Je crois connaître un moyen. Je... je l'ai vu faire un soir, il y a une semaine. Des soldats fouillaient des maisons... à la recherche de prisonniers évadés des camps de travail. Soudain, j'ai entendu un cri... je me suis rué dans les escaliers... un des soldats avait violé une femme. (Il poussa un soupir) : Il faut les comprendre, certains de ces hommes sont des paysans... ils se sentent seuls... ils n'avaient jamais quitté leur ferme auparavant... ils n'ont jamais eu beaucoup d'alcool à boire... ils ont tout d'un coup de la vodka polonaise à volonté... ils trouvent de belles femmes. Et... ils se mettent à violer. Cet homme... il a violé une femme qui était enceinte. Mais c'était un bébé qu'elle voulait... que lui avait fait son mari. Elle a supplié l'homme... lui a dit qu'elle était enceinte de trois mois... qu'elle risquait de perdre son enfant. (Il trembla). Je l'ai entendue le supplier... mais je suis arrivé trop tard... et elle a perdu le bébé... ou ce qui était le commencement d'un bébé. J'ai fait disparaître ce... ce bébé. (Il se leva) : Pensez-y... je reviendrai ce soir à onze heures. Vous me direz ce que vous aurez décidé.

Quand il revint, le couvent était plongé dans le noir, mais Karla l'attendait à la porte. Elle le conduisit tranquillement jusqu'à sa chambre. Sans honte, et parce que c'était une nécessité, elle ôta sa robe. Il se déshabilla rapidement. Elle vit son jeune corps dans la pénombre.

— Sœur Karla, êtes vous bien décidée ? lui demanda-t-il. C'est peut-être un petit garçon qui aura vos yeux gris.

— Allons-y, dit-elle simplement.

Il s'étendit à côté d'elle et lui caressa le corps. Elle était toute crispée. Lorsqu'il lui posa les lèvres sur la poitrine, elle le repoussa :

— S'il vous plaît... faites ce que vous avez à faire, et finissons-en.

— Non... je veux d'abord vous faire l'amour, normalement.

Et malgré elle, il commença à la caresser doucement... à lui baiser les lèvres... le cou, les seins... et elle ne tarda pas à se décontracter un peu. Et lorsqu'il s'allongea sur elle pour la prendre avec ardeur et souplesse, elle sentit tout à coup une étrange sensation l'envahir. Elle se serra contre lui, et lorsque l'incroyable explosion se répandit en elle, elle cria de plaisir, certaine d'avoir perdu le bébé. Lorsque l'officier se retira d'elle, elle sauta hors du lit, et alla se blottir dans un coin de la chambre, les mains sur les yeux :

— Ne me dites pas ce que c'était... faites-le disparaître, emmenez-le sans que je le voie, l'implora-t-elle.

— Il n'y a rien... venez voir.

— Non... parce que s'il a une apparence humaine, j'aurais l'impression d'avoir accompli un meurtre.

— Venez, ma sœur... il est évident que Dieu veut que vous gardiez cet enfant, parce qu'il n'y a rien. Le bébé est encore en vous.

— Mais j'ai senti... j'ai senti tout se déchirer en moi.

Il lui sourit :

— Vous avez eu un orgasme, ma douce Karla.

Plus tard, alors qu'ils étaient tranquillement couchés l'un à côté de l'autre, il lui dit :

— Vous devez penser à votre avenir, à présent... Le vôtre et celui de votre enfant.

— Je ne dois pas être la seule dans ce cas. Que font les autres ?

— Les mères sont envoyées en Russie, dans les camps de travail. Les docteurs les accouchent, et les bébés sont envoyés à l'orphelinat. Ils seront élevés aux frais de l'Etat. La Sibérie manque de jeunes colons... en fin de compte, les orphelins y seront envoyés quand ils auront l'âge.

— Et que deviendront les enfants du couvent ?

Il poussa un soupir :

— Tant que je suis ici, ils sont en sécurité. Mais je peux être muté ailleurs d'un jour à l'autre. Et combien de temps durera la paix avec l'Allemagne ? Les bruits courent déjà...

— Alors je dois essayer de rejoindre l'A.K.

Il lui posa un doigt sur la bouche :

— Je ne veux rien savoir. Mais je vous trouverai de l'argent. Ce que vous avez l'intention de faire... je ne veux pas le savoir.

— Je dois d'abord faire quitter le pays à ces enfants.

— S'il vous plaît, Karla, ne dites rien.

Par la suite, il arriva tous les jours avec un peu d'argent. Elle ne lui demanda jamais où il le prenait, et il ne lui demanda jamais ce qu'elle en faisait. S'il remarquait que, chaque fois, il y avait moins d'enfants au couvent, il n'en laissa rien paraître.

Un soir, il la trouva seule. Elle avait posé des bougies sur la table et fait elle-même la cuisine. Elle s'était débarrassée de son habit de religieuse et avait passé une robe. Stupéfait, il la vit lui tendre un verre de vin.

— Avez-vous le droit de ne pas porter l'habit ? lui demanda-t-il.

— Je ne suis pas une vraie religieuse, lui avoua-t-elle. Asseyez-vous, Gregory. J'ai un tas de choses à vous dire.

Tout le long du dîner, elle lui raconta les événements qui l'avaient conduite jusqu'au couvent. En l'évoquant, elle trouvait que son histoire était bien peu fertile en aventures... qu'il ne lui était pas arrivé beaucoup de choses... et pourtant, elle se trouvait seule dans un couvent en compagnie d'un jeune officier russe, et elle attendait un bébé.

— Et le bébé ? lui demanda-t-il.

Elle haussa les épaules :

— L'A.K. s'en chargera. Je vais essayer d'aller en Suède. J'espère... l'avoir là-bas... et le confier à une famille.

— Et ensuite ?

— Ensuite, j'irai à Londres. Sœur Thérèse avait un oncle là-bas. L'oncle Otto. J'ai son adresse.

— Et le bébé ?

— Les gens s'en occuperont. J'enverrai de l'argent pour assurer les frais de son éducation.

— Mais pourquoi tout ce tracas pour un bâtard dont vous ne voulez pas ? Si vous le mettiez au monde ici, il pourrait toujours être placé dans un orphelinat.

Les yeux de Karla lancèrent des éclairs :

— Parce qu'il sera tout de même à moitié à moi. Et ce monde est si cruel. Je dois lui donner une sorte de chance. Mais je ne voudrais jamais qu'il sache que je suis sa mère. J'enverrai seulement de l'argent pour son éducation.

— Et vous viendrez le rechercher ensuite ?

Elle fit non de la tête :

— Je vais être danseuse. C'est un travail difficile. Je donnerai de l'argent à mon enfant... mais pas d'amour. Comme cela, ce qu'il n'aura jamais eu ne lui manquera pas. (Elle posa la main sur son ventre).

Il n'est pas bon de grandir en sachant qu'on n'a pas été désiré. Il vaut mieux croire que ses parents sont morts.

Cette nuit-là, il la serra très fort contre lui. Et elle le regarda intensément, comme pour imprimer son image dans un coin de son âme.

— Je ne vous oublierai jamais, lui dit-il quand ils firent l'amour.

Elle se cramponna à lui parce que, tout en sachant qu'elle ne pourrait jamais aimer véritablement un homme, elle lui était reconnaissante de tout ce qu'il avait fait pour elle... et parce que son corps était si jeune et fort.

Karla ferma les yeux tandis que l'avion entamait sa descente sur Heathrow Airport, l'aéroport de Londres. Elle avait envoyé un télégramme à Jeremy. Mais serait-il là? Il devenait si vieux. Chaque fois qu'elle le revoyait, il semblait s'être ratatiné un peu plus. Que ferait-elle le jour où Jeremy ne serait plus là?

L'avion se posa... Il y avait des photographes sur le terrain d'aviation. Karla se cacha le visage et suivit l'officier de la compagnie qui la conduisit jusqu'à la limousine. Jeremy Haskins l'attendait à l'intérieur de la voiture. Elle s'assit à côté de lui et lui prit la main:

— C'est gentil d'être venu à ma rencontre.

Le vieil homme esquissa un sourire:

— J'aurai quatre-vingts ans le mois prochain, Karla. Aussi longtemps qu'il me restera un souffle de vie, je considèrerai comme un honneur de venir t'attendre à tous les avions, les bateaux ou les trains que tu choisirais de prendre pour venir me voir.

Elle s'assit à l'arrière de la voiture et ferma les yeux.

— Nous avons fait une longue route ensemble, Jeremy.

— Je l'ai su dès que je t'ai vue pour la première fois, reconnut-il.

Ils s'étaient connus dans un abri anti-aérien. Elle avait eu une peur terrible. Elle était arrivée le jour-même à Londres et avait été accueillie par le sourire de l'oncle Otto qui l'avait emmenée chez lui. Elle disposait d'une jolie chambre. Tante Bosha était une femme chaleureuse et gaie, et toute la matinée, Karla avait dû lui parler de la Pologne et lui raconter les circonstances de sa fuite. Elle avait essayé de ne pas trop s'appesantir sur ce sujet, mais ils étaient avides de détails. Elle avait passé sous silence les détails sanglants — le viol, les soldats russes, sa propre grossesse. Elle se contenta de parler avec flamme de l'A.K. L'oncle Otto n'avait reçu de nouvelles ni de sœur Thérèse, ni du reste de sa famille et, sans le dire expressément, Karla lui fit entendre que sœur Thérèse et les autres religieuses étaient en sûreté avec les petits orphelins.

A la tombée de la nuit, elle était sortie se promener. L'oncle Otto l'avait prévenue de ne pas trop s'éloigner. Les raids aériens pouvaient commencer d'une minute à l'autre. Londres était la cible principale des bombardements allemands, et les Anglais commençaient à prendre l'habitude de passer un certain nombre de nuits dans des abris anti-aériens. Les nazis avaient renoncé aux raids de jour depuis le mois d'octobre, quand la R.A.F., en une fantastique contre-attaque, avait mis un frein aux agressions de la Luftwaffe. Mais ils continuaient leurs attaques nocturnes contre Londres, engendrant panique et destructions, mais avec des résultats stratégiques insignifiants.

Elle s'était éloignée de quelques centaines de pas lorsque mugit la première sirène. Elle demeura figée, là où elle se trouvait, tandis que les maisons déversaient leurs habitants vers les bouches de métro les plus proches. Elle commença à retourner vers son point de départ, mais elle comprit rapidement qu'elle n'aurait jamais le temps d'y arriver et que, d'ailleurs, l'oncle Otto et la tante Bosha avaient dû rejoindre leur propre abri. Elle suivit donc le flot des Londoniens. Une fois dans l'abri, elle s'assit dans un coin en se bouchant les oreilles pour ne plus entendre le fracas des bombes au-dessus d'elle.

— Alors, fillette, on dirait que c'est votre premier bombardement ?

Elle regarda l'homme qui lui souriait. Elle se surprit à lui rendre son sourire en lui répondant :

— Ça l'est, si on veut.

— D'où venez-vous ?

— De Wilno... Pologne. Mon anglais est si mauvais ?

— Effroyable. Mais comme je ne parle pas un mot de polonais, vous êtes en avance sur moi. Comment vous appelez-vous ? Mon nom est Jeremy Haskins.

Il la força à parler pendant que tombaient les bombes, et elle lui parla de l'oncle Otto et de la tante Bosha... et lui dit l'intention qu'elle avait d'essayer de s'inscrire aux ballets du Sadlers Wells. Bien sûr, ça ne se ferait pas tout de suite... il y avait si longtemps qu'elle n'avait pas travaillé... elle comptait d'abord chercher du travail dans une usine, ou ailleurs... et elle danserait tous les jours chez elle pour retrouver la forme.

— Je ne vous vois pas bien dans le noir, lui dit-il. Etes-vous belle ?

— Je suis bonne danseuse, se contenta-t-elle de répondre.

Lorsque sonna la fin de l'alerte, ils sortirent de l'abri. Il la raccompagna en lui parlant de lui-même. Il était publiciste pour les

238

films J. Arthur Rank. Sa femme était infirme et sa fille avait été tuée au cours d'un bombardement aérien. Ils atteignirent la maison de l'oncle Otto et, pendant un instant, elle crut s'être trompée de rue. Il ne restait plus de la rangée de maisons qu'un amas de ruines fumantes. Les camions de pompiers arrosaient encore les restes calcinés des immeubles. Karla entendit les gémissements des gens qu'on emportait en ambulance... les cris des petits bébés... et les sanglots contenus des femmes qui, dans les ruines de leur maison, fouillaient les décombres à la recherche d'objets qui leur étaient chers.

Soudain, elle aperçut l'oncle Otto, qui tenait la tante Bosha par la main. Elle courut vers eux. Les larmes coulaient sur le visage de l'oncle Otto :

— Notre argent... presque toute notre fortune... nous l'avions là. Tout a brûlé... il n'y a plus rien. Les perles de Bosha... tout a disparu. (Il jeta un rapide coup d'œil vers Jeremy). Nous avions de si belles choses de notre vieux pays... des choses que j'espérais vendre pour aider ma famille en Pologne lorsque tout ceci serait terminé. Des tapisseries... des dentelles fines... des tableaux... tout a disparu. Un Goya... disparu ! Aucune somme d'argent ne peut remplacer tout cela. (Il leva les yeux au ciel :) Et pourquoi ? Il n'y a aucun objectif militaire... c'est du pur vandalisme... de la destruction pour le plaisir. (Il parut soudain se rappeler l'existence de Karla :) Tes vêtements... tous brûlés. J'irai prendre un peu d'argent à la banque demain... ce soir, nous irons chez un voisin, près d'ici.... Je crains qu'ils n'aient pas de chambre pour toi, mais je leur demanderai si quelqu'un d'autre peut se charger de toi.

— Elle peut venir chez moi... dans la chambre de ma fille, se pressa de dire Jeremy Haskins.

L'oncle Otto fronça le sourcil. Il dévisagea Jeremy Haskins comme s'il ne l'avait pas encore remarqué. Puis il regarda les ruines calcinées de sa maison et poussa un profond soupir qui signifiait qu'il se sentait trop vieux, trop fatigué et trop découragé pour endosser la responsabilité supplémentaire d'une jeune fille polonaise pratiquement inconnue. Il exprima son accord avec un certain soulagement, et Karla se retrouva en train de suivre humblement Jeremy Haskins dans le métro. Ils montèrent dans un wagon grouillant de monde. Ils ne se dirent pas un mot pendant un long moment. Puis elle sentit qu'il la regardait. Elle rougit et baissa les yeux.

Il lui prit les mains :

— Elles auront besoin d'une séance de manucure. Mais savez-vous que vous êtes vraiment très belle ?

Elle regarda ses mains. Cet homme si gentil, qui l'avait réconfortée pendant le bombardement, et qui avait convaincu l'oncle Otto de sa sincérité — qui était-il réellement, et où allaient-ils ? Sa prétendue fille morte n'avait probablement jamais existé... pas plus que sa femme malade. Il allait certainement l'emmener dans une sale chambre et... son regard tomba sur ses chaussures maculées de boue. Pouvait-elle vraiment s'en faire ? Où aurait-elle pu aller ? Et après les Russes... que pouvait lui faire de pire ce pauvre petit Anglais ? La forcer à écarter les jambes... quelle importance cela avait-il ?

Il se mit soudain à lui parler :

— Ecoutez, jeune fille, il y a un rôle libre dans un film que produit un de mes amis. Ce n'est pas un grand rôle, mais il vous irait. Il s'agit d'une espionne nazie et je me disais — je crois que votre accent serait parfait. Savez-vous jouer la comédie ?

— Je ne saurais pas... je parle mal anglais.

— Bien sûr. Mais ce serait parfait pour ce rôle. Nous irons voir mon ami demain. Et vous savez, jeune fille — ce n'est pas le Sadlers Wells, mais ça sera sûrement mieux que l'usine.

Il habitait une jolie maison, et elle fit la connaissance de son épouse infirme, une jolie dame au visage de madone prénommée Helen. Elle regardait son mari préparer le thé avec des yeux où l'on pouvait lire à la fois la gratitude et l'approche de la mort. Elle fut ravie que Karla vienne habiter chez eux. Sa fierté se mêla de tristesse lorsqu'elle lui offrit la chambre de sa fille. Karla n'avait jamais dormi dans une si jolie chambre, et en s'endormant, elle se sentit en sécurité... et elle sut que, une fois encore, elle avait trouvé quelqu'un qui penserait pour elle.

Elle obtint le rôle... et sa vie s'accéléra tout d'un coup, comme un film muet passé à une trop grande vitesse. Tests de maquillage, essayages de costumes, nuits passées à améliorer son accent trop fort... et une dernière discussion... au sujet de son nom. Elle insista pour continuer à s'appeler Karla... tout simplement. Karla. Arnold Malcolm, le producteur, finit par accepter. Lui aussi avait pressenti que cette Polonaise entêtée avait quelque chose qui crèverait l'écran. Et tout se passa comme il l'avait prévu. Les journaux s'enthousiasmèrent sur la découverte de cette artiste étrangère. Elle provoqua une petite sensation lorsque sortit le film, et la seule chose qui l'attrista fut la mort d'Helen, une semaine avant la fin du tournage. Une fois de plus, Karla se rendit compte du danger qu'il y avait à s'attacher à quelqu'un. Elle s'était prise d'affection pour cette femme délicate qui souffrait en silence, qui l'avait aidée à améliorer son anglais, et l'avait encouragée jour après jour. Ils l'enterrèrent en silence et sans larmes. Le jour-même de l'enterrement, elle reprit le métro pour aller travailler au studio.

— Je déteste faire des films, avait-elle dit ce jour-là. Je déteste

240

la langue anglaise que je n'arriverai jamais à apprendre. J'ai horreur d'attendre, j'ai horreur des projecteurs, mais par-dessus tout, j'ai horreur de prendre le métro.

Et Jeremy lui avait répondu avec un léger sourire :

— Un jour, tu comprendras facilement l'anglais, et tu rouleras en limousine.

Jeremy avait vendu sa maison et avait acheté un appartement pour lui et Karla dans Kensington. Il abandonna son poste chez J. Arthur Rank et devint l'impresario de Karla. Les journaux prétendaient tous qu'il était son amant, mais en réalité, ils n'avaient couché ensemble qu'une seule fois. Elle ne l'avait fait que par gratitude, et il s'en était aperçu :

— J'étais stupide d'espérer... je suis trop vieux pour toi, avait-il soupiré.

— Non, lui avait-elle répondu en le regardant dans les yeux. Ce n'est pas ta faute. Vois-tu, je suis lesbienne.

Elle avait dit cela d'un ton si prosaïque qu'il avait pris cet aveu comme un fragment supplémentaire d'information sur sa vie. Lorsqu'ils furent couchés tous deux côte à côte, se tenant la main comme deux vieux amis, elle lui avait tout raconté sur elle. Elle lui avait parlé des hommes qui l'avaient violée... de Gregory... du bébé, qui vivait chez un couple suédois. Elle lui envoyait maintenant de l'argent tous les mois. Et lorsqu'il lui avait demandé pourquoi le bébé ne devait jamais savoir qu'elle était sa mère, elle lui avait répondu :

— On ne peut pas perdre ce qu'on n'a jamais eu. C'était encore un si petit bébé quand je l'ai quitté — il ne m'a pas connue, je ne l'ai pas connu. De cette façon, nous ne souffrirons jamais l'un par l'autre. Pourquoi mon enfant devrait-il se demander quel salaud était son père — et pourquoi devrait-il se sentir négligé parce que je ne suis pas là ?

Lorsqu'il avait essayé de la sonder au sujet de Gregory — et de la forcer à admettre qu'elle l'avait vraiment aimé — elle avait haussé les épaules :

— Peut-être que j'ai ressenti quelque chose pour lui. Je ne le saurai jamais. J'étais à un tel point remplie de haine pour ce que les Russes avaient fait à la sœur Thérèse et aux autres... que je ne me suis jamais réellement posé de questions à son sujet.

Et puis elle lui avait parlé d'une autre histoire d'amour, brève mais tendre, qu'elle avait eue avec une résistante de l'A.K., une femme belle, gentille et attentionnée qui l'avait aidée dans sa fuite et lui avait donné la possibilité d'envoyer son bébé en Suède. Non, ce qu'elle aimait, c'était la tendresse féminine. Elle ne pourrait jamais aimer vraiment un homme.

Ils devinrent donc bons amis. Ils travaillèrent ensemble à perfectionner son anglais, à apprendre les rôles qu'elle avait à jouer. Dès son quatrième film, elle eut droit à un cachet de star. Tous les jours, elle s'asseyait avec Jeremy dans la salle de projection du studio pour visionner les rushes quotidiens. Elle ne parvenait pas à croire que cette femme séduisante qu'elle voyait sur l'écran, c'était bien elle.

Ce fut Jeremy qui se prononça contre les interviews :

— Nous n'en autoriserons aucune. Ton anglais n'est pas assez bon, tu pourrais ne pas comprendre certaines questions, tes réponses seraient déformées, et...

— Et je suis stupide et bornée.

— Non, ce n'est pas vrai. Tu es encore très jeune. Sur l'écran, tu es une femme du monde... une femme mystérieuse. Mais pour qui te connaît... tu n'es qu'une enfant.

— Non, Jeremy. Je suis sotte. Je le sais. Tu n'as pas à faire semblant. J'écoute les autres actrices. Elles parlent de Shakespeare... elles peuvent même citer des passages de ses pièces. Elles parlent entre elles des livres écrits par Maugham, Colette, et même par des écrivains polonais. Je n'en connais aucun... mais *elles* les connaissent. Elles parlent d'art... et je n'y connais rien.

— Tu manques peut-être d'instruction, lui dit Jeremy. Mais tu n'es pas bête. Le seul fait que tu saches qu'il y a des choses que tu ne connais pas prouve ton intelligence. Si tu veux, je t'aiderai à apprendre toutes ces choses.

— Est-ce que ça peut me faire gagner plus d'argent ?

— Non... mais cela...

— Alors n'y pense plus, lui dit-elle.

Karla avait eu une peur intense d'aller en Californie, mais Jeremy avait signé le contrat avec la Century. Et puis, le jour-même où elle devait partir pour Hollywood, le couple suédois lui avait télégraphié qu'il ne voulait plus continuer à se charger de son enfant. Malgré ses protestations, Jeremy l'envoya toute seule en Californie, pendant qu'il restait pour rapatrier l'enfant à Londres. Il était inquiet à l'idée de se séparer d'elle, mais il lui faudrait plusieurs semaines pour faire venir l'enfant. Lorsqu'il rejoignit Karla en Californie, il découvrit que ses craintes étaient fondées. Elle habitait dans un énorme manoir à peine meublé que le studio lui avait trouvé, et vivait une exaltante histoire d'amour avec Heidi Lanz.

— Karla, tu ne peux pas te permettre ce genre d'histoire, lui dit-il. Cela peut ruiner ta carrière. Heidi est une grande vedette, elle a un mari et trois enfants. Le public n'admettra jamais ça.

— Parle-moi de mon enfant.

— Tout va bien. J'ai trouvé un couple parfait — John et Mary.

Ils croient que l'enfant est vaguement de ma famille et que ton intérêt pour lui n'est dû qu'à nos rapports. L'enfant est un peu lent — les docteurs disent que c'est parce qu'il n'a pas eu assez d'oxygène à la naissance — mais je crois que c'est surtout la faute du couple suédois. Ils ne lui parlaient presque pas. John et Mary sont merveilleux. Tout ira bien. Bien entendu, ils croient que nous sommes amants.

— Attends de rencontrer Heidi.

— Karla, il faut que tu sois plus discrète.

— Après ce film en Amérique, je serai une star. Une star internationale. Ils me comparent déjà à Garbo et à Dietrich... ils disent que je leur apporte un charme perdu. Regarde ces photos de moi dans *Photoplay, Modern Screen, Movie Mirror...* tous ces journaux. De merveilleux articles sur la grande Karla. Alors ne t'en fais pas — ma publicité est excellente. Je t'ai obéi à la lettre. Pas d'interview, le plateau est interdit, je mange seule dans ma loge. Personne ne peut me voir, sauf Heidi.

Il soupira :

— Karla, j'ai déjà vu à Londres des photos de vous deux, en pantalons, qui essayez d'échapper aux photographes.

— Ici, tout le monde est en pantalons... et toutes les vedettes cherchent à fuir les photographes.

— Est-ce que tu n'oublies pas d'économiser pour ton enfant ? Tu m'as bien dit que tu voulais pour lui les meilleures écoles... tout ce qui t'a manqué...

— Si j'économise ? (Elle renversa la tête en arrière, et son rire de gorge monta dans la pièce :) Je suis ici depuis presque sept semaines et je n'ai signé qu'un seul chèque. Heidi paie pour tout !

La romance entre Karla et la star allemande ne dura pas longtemps. Mais Jeremy vit avec étonnement les plus célèbres lesbiennes de la cité du cinéma venir à Karla. Il se demanda s'il ne passait pas entre elles une sorte de courant — si elles ne portaient pas au front un panneau lumineux visible d'elles seules. Mais Karla refusa de se mêler à leur confrérie.

Byron Masters fut son partenaire dans son troisième film. Il était beau, élégant, ne se faisait jamais doubler dans les scènes dangereuses, avait été marié trois fois, et était bisexuel. Et Karla fut stupéfaite de sa ressemblance avec Gregory. Elle devint soudain timide. Et lorsqu'elle apprit qu'il vivait avec une autre vedette masculine, elle se sentit mise au défi. Elle eut soudain envie de tenir dans ses bras ce corps jeune et vigoureux.

Ils commencèrent le tournage et, au bout d'une semaine, Byron déménagea de chez son giton... et tomba éperdument amoureux d'elle... au point de lui permettre de régner sur tout le film. Elle devint ainsi une vedette à part entière, et l'histoire de leur romance emplit les bonnes pages de tous les magazines de cinéma.

Pendant quelques mois, elle profita de son aventure amoureuse avec Byron. Elle l'invitait à dîner dans sa demeure très sobrement meublée. Ils se faisaient des steaks qu'ils mangeaient dans la cuisine. Jeremy avait discrètement emménagé dans un petit appartement et s'intéressait de son côté à une riche divorcée.

Mais Byron aimait le faste de Hollywood — les grandes réceptions, les générales prestigieuses. Karla refusait d'y assister. Chez elle, il riait de la voir prendre son steak avec les doigts — ils étaient comme deux gosses en pique-nique. Mais elle était consciente de ne pas savoir se tenir à table (Jeremy avait renoncé à la reprendre lorsqu'elle avalait bruyamment sa soupe ou son thé), et elle avait peur des foules et des conversations brillantes des grandes réceptions. Elle avait peur qu'on se moque de son accent. C'est ainsi que son aventure avec Byron se termina petit à petit, et qu'il tomba amoureux de sa nouvelle partenaire.

Karla prit cette rupture avec philosophie. Il y avait toujours une quelconque starlette qui se faisait une fête à l'idée de coucher avec la grande Karla. Sur le plateau, Karla ne la reconnaissait même pas... ce qui faisait que s'il arrivait à la fille de parler de sa « romance » avec la grande Karla, personne n'ajoutait foi à cette prétention. Et puis, assez souvent, elle trouvait un garçon qui ressemblait à Gregory, et elle lui permettait de venir lui faire l'amour avant d'aller manger les steaks dans la cuisine. La presse se jetait toujours avec avidité sur ces romances. Les revues spécialisées prétendaient toujours révéler de nouvelles histoires sur Karla... mais l'aventure était en général déjà terminée lorsque paraissait l'article.

Et puis, en 1952, Karla tourna avec Christopher Kelly. Il était d'origine franco-hollandaise, et réunissait en lui les cheveux et les yeux bruns qui plaisaient tant à Karla. La popularité de Christopher était également à son apogée. Il se retrouva dans la cuisine devant un steak dès la première semaine de tournage. Et leur romance s'amplifia tout au long des trois mois que dura le film.

Pendant la dernière semaine du tournage, elle apprit qu'elle était enceinte. Elle y réfléchit sans passion et sans émotion. Théoriquement, il lui aurait été facile de se débarrasser *à la fois* du bébé et de Christopher. Mais elle se rendit compte, pour la première fois qu'elle ne pouvait pas se résoudre à le quitter. Elle avait été prise à l'improviste. Elle ne s'était jusque-là jamais amourachée d'un homme au point de ne pas vouloir qu'il la quitte. Assez bizarrement, elle pensa qu'il était plus agréable d'avoir des rapports avec des femmes. Elle pouvait établir elle-même les règles du jeu. Avec les femmes, elle n'avait pas peur de souffrir. Les femmes l'aimaient. Avec elles, son seul problème était de les faire partir de sa vie en les faisant souffrir le moins possible. Et la plupart des hommes s'étaient pliés à ce schéma, jusqu'à devenir presque efféminés dans leur désir de lui plaire, de se plier à ses désirs... de la saisir.

Mais Christopher était différent. Il l'avait obligée à le suivre dans sa somptueuse villa, au milieu de tous ses domestiques. Il lui avait appris à nager. Il avait même essayé de lui apprendre à jouer au tennis, mais elle se contentait de renvoyer la balle n'importe où de l'autre côté du filet.

Le film était presque terminé. Six semaines plus tard, elle devait en commencer un autre. Si elle le voulait, elle pouvait avoir Christopher comme partenaire. La Century avait déjà engagé quelqu'un d'autre — un jeune premier inconnu. Ils voulaient éviter d'avoir à payer le cachet de deux vedettes et Karla était capable de soutenir le film à elle seule. Mais si elle exigeait Christopher, ils le prendraient.

Cela était indifférent à Christopher. Il était de ces vedettes nouvelle vague qui travaillaient sans être liées par contrat à une seule maison de production. Son cachet était de deux cent mille dollars par film, et il travaillait aussi bien ,pour la Twentieth, la Métro, la Century — ou pour n'importe quelle autre maison de production qui lui offrît ce cachet et lui proposât un rôle de vedette avec une partenaire du même standing.

Elle attendit la fin du tournage et, un soir, alors qu'ils se promenaient en voiture, elle lui parla de sa grossesse.

— J'ai un retard de sept semaines, lui dit-elle.

Il faillit en quitter la route :

— Karla... c'est fabuleux ! Allons directement à Tijuana... on se marie... on garde le secret... et dans une semaine, nous dirons à tout le monde que nous nous sommes mariés avant la fin du film. Ton petit homme de Jeremy nous arrangera tout ça.

Elle fut d'accord, et il fit demi-tour, en direction du Mexique.

— Ce sera formidable, dit-il. Nous abandonnerons nos deux maisons... pour trouver une énorme bicoque... que nous ferons peut-être construire. Il y a beaucoup de lotissements sur le Crescent. J'ai deux pensions alimentaires à payer. Mais au diable tout ça... je gagne deux cent mille billets par film, et avec ce que tu te fais, nous pourrons vivre comme des nababs. Nous appellerons notre maison Karl-Kel... nous serons les nouvelles altesses du spectacle... nous recevrons beaucoup. Karl-Kel sera un nouveau Pickfair, et nous serons le nouveau couple princier. Nous vivrons la grande vie !

Vivre la grande vie !

— Fais demi-tour, lui dit-elle sèchement.

— Qu'est-ce que tu as ?

— Fais demi-tour. Je ne vais pas au Mexique. Si tu oses m'y emmener, je t'accuserai de m'avoir enlevée.

Ils reprirent en silence le chemin du retour. Vivre la grande vie ! Avoir un autre bébé ! Comment s'était-elle permis d'avoir une telle pensée ? Elle avait déjà un enfant à entretenir. Une charge lancinante. Et puis elle ne pourrait jamais vivre ainsi — s'asseoir et regarder les gens venir boire *ses* apéritifs... manger *sa* nourriture. Ce serait comme si elle les voyait prendre *son* argent... alors qu'elle avait tellement travaillé pour le gagner.

Le lendemain, Jeremy prit les contacts nécessaires pour qu'elle puisse avorter. Elle fit changer son numéro de téléphone. Une semaine plus tard, Christopher Kelly tenta de se suicider. Il survécut... mais cet acte de désespoir même ne put forcer Karla à répondre à ses télégrammes éperdus.

Elle dépensa beaucoup d'argent pour tenter de retrouver la trace de sœur Thérèse. Mais elle ne reçut aucun signe de vie... ni d'elle ni de sa famille. Elle finit par abandonner, et ne se consacra plus qu'à son travail.

Vers le milieu des années cinquante, Karla était devenue pour toute le monde « Karla, la légende vivante » ! Mais son salaire n'atteignait pas les sommets de sa renommée. Son contrat avec la Century était au départ de cinq cents dollars par semaine. Avec les augmentations et les primes, elle était montée, les deux dernières années, à trois mille dollars. Elle savait qu'elle était sous-payée, mais le contrat devait expirer en 1960, et Jérémy disait que c'était ensuite qu'elle gagnerait vraiment de l'argent.

Jérémy était riche. Il avait placé son argent en bourse et avait plus que triplé sa mise. Il avait supplié Karla de le laisser lui placer l'argent qu'elle gagnait, ou de la mettre en rapport avec un conseiller en investissements. Mais elle tint bon et continua à déposer son argent en simples comptes d'épargne, et jamais plus de dix mille dollars dans la même banque.

Elle eut une mauvaise série de films en 1957 et 1958. Sa publicité personnelle la sauva. La légende s'amplifiait et son isolement parmi les vedettes du cinéma la maintenait dans l'ignorance totale des résultats du box-office. Jérémy se rendit compte que le public lui aussi ignorait la moindre chute de popularité de Karla. L'annonce de sa retraite, en 1960, fit les grands titres des journaux et provoqua des ondes de choc dans toute l'industrie du cinéma — de par le monde entier. En fait, ni Karla ni Jérémy n'avaient eu l'intention de rendre cette retraite définitive. Tout commença lorsque Jérémy voulut négocier un nouveau contrat avec le patron de la Century.

— J'ai appris qu'Elizabeth Taylor a touché un million de dollars pour *Cléopâtre,* lui avait dit Karla. Je veux un million cent mille. Dis au producteur que je lui offre un marché pour trois films à trois million trois cent mille.

Pendant que Jérémy négociait avec le studio, négociation qui prit plusieurs semaines, elle entreprit de faire aménager une salle de danse dans l'une des pièces vides de sa maison, et elle s'astreignit quotidiennement à quatre heures d'exercice à la barre. Elle fit aussi de longues promenades.

Et puis, un soir, Jérémy vint dîner chez elle. Il lui dit qu'il avait conclu un accord, mais qu'ils en discuteraient après le dîner. Elle l'approuva avec son détachement habituel. Ils s'assirent dans la cuisine, et il la regarda mordre son steak à pleines dents tandis que la sauce coulait sur le menton de ce magnifique visage auxquels tant de gens vouaient un véritable culte.

— Karla, connais-tu le livre *The Emperor* ?

Il se repentit aussitôt de lui avoir posé cette question. Comment aurait-elle pu le connaître ? Il savait bien qu'elle ne lisait jamais le moindre livre.

— Il est en tête de tous les best-sellers, reprit-il. Et la Century essaie d'avoir Marlon Brando ou Anthony Quinn pour jouer le rôle de l'Empereur.

— Et alors... ? demanda-t-elle en mâchonnant son morceau de steak.

— Ils te veulent pour jouer le rôle de l'Impératrice.

— Vrai ? C'est un rôle pour Karla ?

— C'est un rôle merveilleux.

— Bien payé ?

— Très peu.

Elle arrêta de manger :

— Je croyais que nous obtiendrions un million.

Et, à la lumière crue de la cuisine, il lui expliqua la réalité des faits : financièrement, ses derniers films n'avaient pas très bien marché. Mais sa légende était si tenace que personne ne s'en était rendu compte en dehors des grands patrons de l'industrie du cinéma. Elle toucherait cent mille dollars pour le film et, au-dessus d'un certain chiffre d'affaires, deux et demi pour cent des bénéfices... ce qui voulait dire qu'elle ne toucherait quelque chose que si le film dépassait les deux millions de dollars.

Elle demeura silencieuse. Il lui dit au bout d'un moment :

— Nous n'avons pas le choix.

Elle repoussa son assiette :

— Si je touche si peu d'argent, *tout le monde* saura que j'ai dégringolé. Mais si je me retire, personne ne le saura.

Jérémy sursauta :

— Tu as quarante-deux ans... tu es au sommet de ta carrière.

— Oh, je me retire... mais pour un an seulement. Après, ils viendront me rechercher. Tu verras. Et ils m'offriront chacun plus que l'autre.

Il la regarda bien dans les yeux. C'était là une brillante opération... mais pourrait-elle tenir le coup financièrement ?

— Tu n'as que deux cent cinquante mille dollars, lui dit-il.

— Placés à six pour cent. Je n'y toucherai pas.

— Mais de quoi vivras-tu ?

Karla traversa la pièce pour aller regarder par la fenêtre le mur de pierre qu'elle avait fait ériger autour de sa maison :

— Il fait humide dehors, ce soir. Mais je crois que je vais faire un petit tour.

Elle passa un manteau et sortit.

Lorsqu'elle rentra, Jérémy regardait la télévision dans le salon. Il éteignit le poste :

— As-tu pris une décision ? lui demanda-t-il.

— As-tu jamais entendu parler d'une femme du nom de Blinky Giles ?

— Oui, c'est une millionnaire du Texas, ou d'ailleurs.

— C'est aussi une lesbienne, plutôt hommasse. Il y a un an, elle a fait savoir, dans son milieu qu'elle jetterait cent mille dollars à mes pieds si je lui permettais d'être ma maîtresse pour une nuit. J'en parlerai à Sonya Kinella... elle organise des dîners tous les dimanches avec tous les homosexuels du coin. Je lui dirai que Blinky peut venir me voir ce week-end.

Blinky Giles... cette grosse lesbienne masculine. Mais elle était venue chez elle et avait jeté l'argent à ses pieds. Cent mille dollars, nets d'impôts. C'était incroyable. Assise à côté de Jérémy, elle y pensait encore. Et après Blinky, il y avait eu la Comtesse...

Sa légende s'amplifiait à mesure que se prolongeait sa retraite. Les offres des producteurs montèrent également jusqu'à ce que, un beau jour, trois ans après, Jérémy vienne lui apporter un contrat de un million de dollars et dix pour cent des bénéfices.

Au grand étonnement de Jérémy, elle refusa. Elle lui avoua qu'elle avait peur de faire sa rentrée. Elle venait d'être présentée à

Dee Milford Granger, la « sixième femme la plus riche du monde ». Dee était amoureuse de Karla-la-légende. Que se passerait-il si le film était un échec ? La légende s'écroulerait ! Pourquoi prendre ce risque pour faire un come-back ? Si elle continuait à être une légende, il y aurait toujours des femmes comme Dee qui lui offriraient n'importe quoi pour simplement coucher avec elle. Ces trois dernières années, elle avait réussi à économiser un demi-million de dollars *sans travailler*. Dee avait son avion personnel, son yacht, et un mari homosexuel qui lui laissait faire tout ce qu'elle voulait. Dee n'était pas aussi généreuse que les autres. Elle avait ce genre d'attitude à la « prouve-moi-que-tu-m'aimes-vraiment-pour-moi » qui est souvent le fait des riches. Mais au moins Dee était-elle belle, et elle représentait la sécurité. Karla refusa donc le mirifique contrat de un million de dollars, ainsi que toutes les offres qui suivirent. Parce qu'elle se sentait en sécurité, à l'idée qu'elle avait barre sur Dee... et qu'elle pouvait l'avoir à sa disposition aussi longtemps qu'il lui plairait et comme il lui plairait. Et tout s'était passé exactement comme elle l'avait prévu... jusqu'à ce que le mari de Dee se tue dans une voiture de course, obligeant Dee à prendre David comme chevalier servant.

David... elle s'était crue trop vieille pour tout ça. David, un blond aux yeux bruns. David, aussi jeune que Grégory... et elle si vieille. Mais une femme ne vieillit jamais. Ce ne sont que des années qui s'accumulent. Au plus profond d'elle-même, elle avait éternellement dix-huit ans... et avec David, elle se sentait jeune, un peu fofolle, et en pleine forme.

La voiture approchait de Park Lane. Jérémy lui parlait de la dernière offre qu'elle avait reçue (Ça continuait, non plus pour un million de dollars, mais de belles sommes encore pour des « participations » en vedette). La dernière offre était un demi-million pour deux semaines de travail, avec un défraiement de mille dollars par jour. Elle sourit en hochant la tête. Pourquoi s'en faire ? Qu'essaierait-t-elle de prouver ? Elle n'avait jamais vraiment cru en elle comme actrice... ni même comme danseuse. Elle n'avait appris la danse que pour plaire à sœur Thérèse. C'était peut-être encore la raison pour laquelle elle continuait à pratiquer la danse — elle avait l'impression de payer une dette. Elle n'avait rien d'une dévote — elle n'allait plus jamais à la messe — et pourtant, tous les soirs, elle se mettait à genoux et récitait la prière en polonais qu'elle avait toujours dite depuis qu'elle savait parler. Et souvent, dans l'obscurité, elle se sentait avec Dieu... et elle enfouissait sa tête sous l'oreiller pour Lui dire en silence qu'elle faisait de son mieux.

En entrant dans l'hôtel Dorchester, elle se voila le visage avec un pan de son manteau de zibeline que Dee lui avait offert. Elle savait que son avenir était avec Dee... et que son aventure avec David avait pris trop d'importance. Il était temps de rompre, temps de s'occuper de ses affaires... et de rendre grâce à Dieu pour Jérémy.

Mais ce soir-là, longtemps après le départ de Jérémy, elle continua à regarder Hyde Park par la fenêtre. Elle savait que Jérémy avait remarqué la disparition de ses rides. Lorsqu'elle avait quitté David pour aller se faire refaire le visage, elle avait prié pour que David l'attende. Parce que, pour la première fois de sa vie, elle avait su qu'elle n'était pas une vraie lesbienne. Dans les bras de David, elle se sentait heureuse et protégée. Chaque fois qu'ils se retrouvaient, il lui devenait de plus en plus difficile de rejoindre Dee. Après le corps vigoureux et svelte de David, le doux corps d'une femme commençait à la dégoûter. Quand elle se mit à genoux pour dire sa sempiternelle prière, elle se surprit à prier aussi pour que David l'attende une fois encore...

XIV

Dans le bureau de Linda, January buvait le café tiède venant d'un thermos en plastique. Linda était de mauvaise humeur. Elle se sentait toujours morose le lundi. Et tout particulièrement en ce lundi pluvieux de février ! Malgré le mauvais temps, January, elle, se sentait en forme. Après tout, le mois de février n'avait que vingt-huit jours. Et le printemps débutait officiellement le vingt et un mars. Une fois février enterré, l'hiver était pratiquement terminé.

Elle avait toujours détesté l'hiver. L'hiver signifiait l'école. L'été et les vacances signifiaient Mike. Mais à présent, les vacances signifiaient Palm Beach. Elle y était allée pour la veille de Noël et y était restée jusqu'au Nouvel An. Mais avant Palm Beach, il y avait eu...

Cette semaine a new york avant noel.

Du houx et des arbres de Noël en plastique dans les bureaux, même si tout le monde travaillait à la mise en pages du numéro d'avril. Le soudain changement d'attitude de tous les employés de son immeuble. Le concierge bondissant pour lui ouvrir la porte. Le liftier, qui avait acquis un nouveau talent pour arrêter la cabine exactement au niveau de l'étage. Les quinze noms d'employés, jusque-là anonymes, qui surgissaient soudain sur la « liste d'étrennes » glissée sous les portes.

Se démener sous la pluie. A chaque coin de rue, des gens croûlant sous le poids de leurs paquets-cadeaux et faisant signe en pure perte à des taxis toujours occupés. De tristes sires habillés en Père Noël, agitant spasmodiquement le bras pour faire sonner leurs clochettes : « Joyeux Noël. Pensez aux pauvres ».

Jouer des coudes chez Saks — malgré la surcharge de décors argentés. Acheter une écharpe en cachemire pour David ; s'entasser dans l'ascenseur jusqu'au troisième étage afin de trouver un sac de chez Pucci pour Linda, sac que Linda s'était empressée d'échanger.

(January, je te l'ai répété un million de fois... c'est Gucci qui est *in*... Pucci est *out* !)

(Pour Mike, au moins, ça avait été facile. Deux douzaines de balles de golf avec son nom gravé dessus. Mais pour Dee ! Que pouvait-on bien acheter à Dee ? (Et c'était avant d'avoir su que les chandelles de cristal de l'arbre de Noël de Dee venaient directement de chez Steuben). On ne pouvait pas offrir de parfum à Dee. Elle en avait une pleine armoire. A Palm Beach *et* au Pierre. Probablement aussi à Marbella. La vendeuse de chez Bonwit lui recommanda un cadeau « amusant », comme une paire de bottines en flanelle rouge. Elle finit par acheter quelques mouchoirs brodés, d'importation, dans une boutique de Madison Avenue. Dee pourrait toujours en faire cadeau à quelqu'un d'autre.

NOEL A PALM BEACH !

L'arbre de Noël de trois mètres cinquante de haut croûlant sous les boules d'argent et les chandelles de cristal, géant mal à l'aise dans une pièce vitrée surplombant la piscine. On eût dit une sentinelle en colère, ainsi déraciné, désorienté, protestant dans son silence glacé contre cette atmosphère tropicale.

Et il y avait Mike, splendide et bronzé. Dee, belle et blanche. Réceptions... tric-trac... potins. Un supplément de dix jours aux vacances du *Thanksgiving Day*. Aller aux courses avec Mike, et se retenir de sangloter en le voyant tranquillement déposer son pari au guichet des dix dollars. Parce qu'elle se rappelait le temps révolu où il prenait le téléphone pour miser cinq mille dollars sur une seule course. Oui, elle s'en souvenait bien. Et lui aussi. Après la première soirée, toutes les autres semblaient n'en être que des répétitions. Et puis il y eut cette surprise-party que Dee organisa pour le vingt-et-unième anniversaire de January. Cinq mille dollars de décoration florale, une piste de danse grande comme une piscine olympique. Deux orchestres, un à l'intérieur, un dans les jardins. David était venu. tout spécialement. Ils dansèrent tous les deux en jouant les amoureux à l'intention de Dee. Les invités étaient ceux qu'elle avait vus tout le long de la semaine. Il y en avait seulement un peu plus à la fois. Ils apportèrent tous « juste un petit souvenir » qui devait leur rester de leur trop-plein de cadeaux de Noël. (Elle était à présent équipée pour la vie en écharpes de soie). Certains tiraient leur fille aux joues creuses ou leur fils pratiquement muet. Et toujours les inévitables journalistes, photographiant les mêmes personnes qu'à la réception précédente... et les mêmes qu'aux réceptions à venir.

APRÈS NOEL A NEW YORK !

Trouvé le premier cafard dans l'évier. Mort, bien sûr. Mais ses frères et sœurs ? Ce n'était sûrement pas un cafard solitaire.

252

Coup de téléphone angoissé à Linda.

— Ne t'affole pas, January. Il y en a dans tout New York. Appelle le commissaire de police. Donne-lui des étrennes généreuses, et il t'enverra le service de désinfection.

Le commissaire la remercia pour ses vingt dollars, mais lui expliqua que le préposé était en vacances à Puerto Rico et qu'il ne pourrait pas se déplacer avant une dizaine de jours.

David la sortit plusieurs fois. Ils rejoignirent chaque fois un autre couple, ou un petit groupe, chez Raffles ou au Club, où la musique était trop forte pour permettre une véritable conversation et où, par conséquent, tout le monde dansait, souriait et se faisait des grands gestes d'un bout à l'autre de la salle. Et puis, un soir, il la raccompagna chez elle et renvoya le taxi. Ils demeurèrent un instant devant son immeuble. Après un silence pénible, il lui dit :

— Vous ne me demandez même pas de monter voir la plante que je vous ai offerte ?

— Oh, elle se porte bien. On m'a dit que je devrais la tailler au printemps.

Son haleine faisait fumer l'air glacé. Il y eut un autre silence gêné. Puis elle dit :

— Ecoutez, David, je vous aime bien. Vraiment. Mais ce qui s'est passé ce soir-là entre nous a été une erreur. Alors, comme on dit dans les films, « soyons bons amis ».

Il lui sourit :

— Je ne vais pas vous violer. Je vous aime bien aussi. Et même plus que ça. Je... je... pour l'instant, il se trouve que je suis frigorifié... et que nous n'avons pas eu l'occasion de nous parler pendant toute la soirée.

January se demanda pourquoi cette soirée devait être différente des autres :

— D'accord, mais ce n'est pas autre chose qu'une grande chambre, vous savez.

Dans l'ascenseur, il y eut à nouveau un silence gêné. Elle comprit tout d'un coup qu'ils n'avaient rien à se dire. Absolument rien. Et cela lui fit perdre toute son assurance. Elle bredouilla en ouvrant la porte :

— C'est un peu en désordre. Je partage avec Linda une femme de ménage qui a une vie amoureuse mouvementée. Une fois sur deux, elle arrive en pleurnichant avec un œil au beurre noir. Mais ça, c'est quand tout va bien. Quand ça va mal, elle ne se montre pas. Linda prétend que ça veut dire que son homme est parti et qu'elle reste chez elle à boire en attendant qu'il revienne. (Elle savait que David se souciait fort peu de sa femme de ménage). Eh bien, voilà... c'est ça. Et regardez votre plante. Elle a poussé de cinq centimètres, et elle a trois nouvelles pousses.

— Pourquoi ne vous en débarrassez-vous pas ? lui demanda-t-il du milieu de la pièce.

— Me débarrasser de quoi ?

— De la femme de ménage.

Il déboutonna son pardessus et ôta l'écharpe qu'elle lui avait offerte.

— Oh, c'est que Linda compatit pour quiconque a des déboires en amour. Et moi, j'ai de la sympathie pour quiconque survit à un tel nombre d'yeux au beurre noir.

Elle s'assit sur le canapé. Il prit place dans le fauteuil-club, près d'elle, et fixa le plancher, les mains jointes entre les genoux.

— January... je veux vous parler de... (Il leva les yeux). Devons-nous garder ça allumé ?

— Vous voulez dire que vous n'aimez pas ma lampe Tiffany ?

— J'ai l'impression d'être sur une piste de bowling, avec toute cette lumière.

Elle se leva et alla éteindre la lampe du dessus.

— Puis-je vous offrir du vin... ou un coca ? C'est tout ce que j'ai.

— January... asseyez-vous. Je ne veux rien. Je veux que nous parlions de nous deux.

— Très bien, David.

Elle revint s'asseoir et attendit tranquillement.

— Vous devez vous poser bien des questions à mon sujet... en ce qui nous concerne, commença-t-il. Eh bien, j'ai des problèmes personnels et...

Elle lui sourit :

— David, je vous l'ai déjà dit — nous sommes amis. Vous ne me devez aucune explication.

Il se leva et pêcha une cigarette dans sa poche. Il se retourna d'un coup vers elle :

— Nous ne sommes pas amis. Je... je vous aime. Je ne retire rien de tout ce que je vous ai dit cette nuit-là. Nous *allons* nous marier. Mais pas... pas encore. J'ai quelque chose à terminer... des affaires à régler. J'aimerais que vous ne parliez pas de ça à Dee. Si elle apprend que mon travail me crée des problèmes, elle se fera du souci pour moi. (Il tenta un sourire, mais y renonça). En fait, elle essaie de jouer les mères poules avec moi. C'est très gentil à elle, mais je veux qu'elle profite pleinement de sa vie avec votre père. C'est vraiment quelqu'un de très bien, et je peux régler mes problèmes moi-même. Alors, January, faites-moi confiance... et soyez patiente. Nous allons nous marier... un jour. Souvenez-vous en... même s'il m'arrive de vous négliger.

Elle le regarda et hocha lentement la tête :

— Eh bien ! Vous me stupéfiez ! Vraiment ! Mais comment vous faire comprendre que je n'ai pas l'intention de *vous* épouser ? Enfin, si ça peut vous soulager, je laisserai croire à Dee et à mon père que nous sortons beaucoup ensemble.

Il lui répondit avec mauvaise humeur :

— Qu'est-ce qui vous fait croire que je me soucie de leur opinion ?

— Parce que c'est la vérité. Et ça me sera plus facile à moi aussi, vous savez. Dans la mesure où nous nous voyons de temps en temps et qu'ils pensent que c'est... que c'est sérieux... pourquoi pas ?

Il se laissa tomber dans le fauteuil-club et regarda dans le vague. Il faisait penser January à une poupée géante, en caoutchouc, qui aurait soudain eu une fuite. Elle pouvait presque le voir se dégonfler.

— C'est si bête, soupira-t-il. Je veux dire que, d'habitude, nous nous entendons si bien. (Il regarda le plancher un moment, puis leva les yeux et esquissa un sourire) : vous savez quoi ? Vous êtes une bonne fille, January. Parfait. Nous leur ferons donc croire que nous sortons beaucoup ensemble, si ça peut vous aider. Et quand vous aurez pris un peu de maturité, je crois que nous nous entendrons très bien.

Il l'appela à la fin de la semaine pour lui annoncer qu'il partait en Californie pour assister au congrès des analystes financiers dont il lui avait parlé. Elle n'était pas tout à fait certaine qu'un quelconque congrès des analystes financiers ait lieu en Californie... et elle savait par contre que Karla était arrivée à Los Angeles, venant d'Europe par la ligne du pôle. Les journaux avaient publié les habituelles photographies de Karla tenant un journal devant son visage pour éviter les photographes. Un des journalistes prétendait qu'elle était allée rendre visite à Sonya Kinella, la riche et dilettante poétesse mondaine italienne. Elles étaient bonnes amies depuis les débuts de Karla dans le cinéma.

Mais, pour l'instant, January n'avait pas le temps de se poser trop de questions au sujet de David et de Karla. Thomas Colt devait arriver le 5 février pour participer à une grande réception publicitaire que ses impresarios organisaient en son honneur. C'était dans moins d'une semaine, et tandis que January buvait son café tiède, en ce sombre lundi de février, Linda fulminait contre l'impertinence d'une certaine Rita Lewis qui n'avait répondu à aucun de ses appels téléphoniques.

— Je l'ai appelée cinq fois en trois jours, dit-elle en posant le récepteur. J'ai même parlé à la secrétaire de Monsieur Lawrence.

— Qui est-ce, celui-là ?

— L'éditeur en personne. J'ai dit à sa secrétaire que *Gloss* n'avait pas reçu son invitation à la réception du St. Régis, et je lui ai demandé s'il s'agissait d'un oubli. Elle a pris sa voix de « secrétaire du président » pour me dire : « Eh bien, en réalité, Miss Riggs, ce n'est pas à proprement parler une conférence de presse. Oh, il y aura sans doute quelques représentants de la presse mais, en fait, c'est plutôt une réception de bienvenue à New York en l'honneur de Monsieur Colt. Le Maire sera là... et toutes les célébrités ». J'ai eu la nette impression que *Gloss* n'avait pas le prestige voulu. Elle a conclu en me promettant de faire parvenir mon message à Rita.

— Eh bien, il nous reste encore quatre jours, dit January avec optimisme. Peut-être qu'elle nous appellera.

Les quatre jours passèrent sans que Rita Lewis donnât le moindre signe de vie. January essaya de réconforter Linda :

— Allons, Linda, il restera un moment à New York. Il doit y avoir un autre moyen de le joindre.

Linda soupira en regardant le ciel gris par la fenêtre :

— Il pleut encore ?

— Non, il neige, lui répondit January.

— Parfait ! dit allègrement Linda. J'espère que ça va tourner à la tempête. Comme ça, la moitié des invités ne viendront pas... et les autres seront tout mouillés et de mauvais poil. Honnêtement, January, tous les gens que je connais et qui ont connu ton père m'ont dit que c'était merveilleux de travailler avec lui... que c'était un homme fantastique... ils disent tous qu'ils l'adorent — tous, sauf Tom Colt !

— Peut-être qu'ils étaient tous les deux trop forts l'un pour l'autre. A moins que ça tienne à Tom Colt. Ecoute, j'ai sorti le grand jeu. Je lui ai écrit une lettre en novembre. Je ne lui ai pas dit que j'étais la fille de Mike, parce que je savais que ça m'ôterait toute chance, si j'en avais la moindre. J'ai simplement signé J. Wayne. Je lui ai fait suivre une autre lettre deux semaines plus tard. Comme je ne recevais toujours pas de réponse, j'ai appelé Jay Allen, son attaché de presse à Los Angeles. Jay a travaillé dans le temps avec mon père, et il m'a donné très gentiment l'adresse de Tom Colt à la mer. J'ai envoyé encore une lettre là-bas. Toujours rien ! Alors je lui ai envoyé une carte de Noël avec un petit mot qui disait : « J'espère vous voir quand vous viendrez à New York ».

Ensuite, trois semaines plus tard, je lui ai encore écrit une lettre chaleureuse où je lui disais que j'avais lu les épreuves de son livre et que j'étais sûre que ce serait un grand succès. (January se pencha en avant :) Linda... sois réaliste. Tom Colt n'est pas venu assister à la remise de l'Oscar pour le film que mon père a tiré de son livre. Il avait été primé dans cinq catégories. Bien sûr, il n'en avait pas écrit le scénario... il avait l'impression que le film trahissait son livre. Tu dois commencer à voir le genre de snobinard que c'est. Mike m'a dit que tout le monde avait supplié Tom d'assister à la cérémonie. Mais il a refusé. Et tu sais pourquoi ? Parce qu'il a dit qu'il était un écrivain sérieux, pas un artiste de cirque. Il a dit aussi qu'il n'avait rien à voir avec le film bassement commercial que Hollywood avait tiré de son livre. Alors pourquoi voudrais-tu qu'il pense seulement à nous donner un article ?

— Tout ce que tu dis est vrai, approuva Linda. Et alors ? Qui aurait cru qu'il accepterait de faire une tournée publicitaire ? Ça, c'est du cirque ! Il ne doit pas savoir dans quoi il s'est embringué. Et pour ce qui est de la publicité que peut lui faire un magazine, il ne voit probablement pas le rapport que ça a avec un roman sérieux. Oh, je suis sûre qu'il s'attend à ce que *Life* fasse un article sur lui. Et *Time*. Et *Newsweek*. Mais *Gloss* ? Il n'en a probablement jamais entendu parler. A moins qu'il ne croit que c'est une nouvelle marque de dentifrice. Mais je n'abandonnerai pas. Même si je dois employer les grands moyens, comme avec le docteur Blowacek, qui venait de Yougoslavie. Je l'ai traqué, et j'ai fini par l'avoir avant tout le monde. C'est cet article qui m'a fait monter au poste de rédacteur en chef. January — *Gloss*, c'est ma vie ! Je progresse en même temps que lui ! Et je dois avoir Tom Colt pour *Gloss* ! Je dois y arriver !

Elle avait pris une expression sévère. Son visage semblait s'être vidé de tout son sang. Elle soupira :

— L'interview du docteur Blowacek m'a fait remarquer par mon patron. Et depuis, j'ai toujours su trouver les sujets qui faisaient grimper le tirage et la publicité. Maintenant, je dois chercher des sujets qui feront monter *Gloss* à la hauteur des autres magazines. Si j'ai une interview de Tom Colt, je ferai de *Gloss* quelque chose de solide. Voilà pourquoi, pour moi, « non » n'est pas une réponse acceptable. Bien sûr qu'il sera à New York pour un moment, mais *Gloss* doit lui mettre le grappin dessus le premier. Et il serait très intéressant d'aller à ce cocktail. Il apprécie les jolies filles. C'est pour cette raison que Rita Lewis ne m'a pas invitée. Elle ne veut pas qu'il accepte un article pour *Gloss*. Elle est très versée dans la chose littéraire... et elle préférerait lui offrir un paragraphe dans *The New York Review of Books* plutôt qu'une photo de couverture chez nous. C'est pour ça que je veux aller à cette réception. J'ai dans l'idée que si nous pouvions seulement l'approcher... nous arriverions à le convaincre.

— Alors allons-y, lui dit January.

— Tu veux dire à la resquille ?

— Pourquoi pas ?

Linda fit non de la tête :

— C'est une réception trop sophistiquée. Il y aura sûrement un huissier à la porte qui vérifiera toutes les invitations.

— Essayons quand même, insista January. Nous nous mettrons sur notre trente et un, nous louerons une limousine, et nous irons...

— Louer une limousine ? Quelle drôle d'idée, January !

— C'est le seul moyen. Avec le temps qu'il fait, nous ne trouverons pas un seul taxi. Les gens arriveront dans l'état que tu peux imaginer, tout trempés, avec des têtes de chien battu. Si nous voulons resquiller, resquillons avec style.

Linda eut un rire nerveux :

— Penses-tu vraiment qu'une limousine nous donne suffisamment de *style* pour réussir ?

— Tu sais, Ernest Hemingway a défini un jour le style comme de la grâce sous pression. En arrivant en limousine, je crois que nous aurons fait au moins un pas dans la bonne direction.

La réception avait lieu dans une petite salle de bal. A en juger par le brouhaha qui y régnait, le climat n'avait pas eu une influence prépondérante. Les gens s'entassaient dans l'entrée en petits groupes bruyants. Une longue feuille de papier portant la liste des invités par ordre alphabétique gisait abandonnée sur une table, à côté de la porte. Linda avait eu raison de choisir d'arriver en retard. Une fois les personnalités enregistrées, les employés affectés au contrôle avaient dû se mêler aux célébrités, à l'intérieur, dans l'espoir de boire un verre gratis.

Elles se frayèrent un passage dans la salle principale. January reconnut plusieurs écrivains, quelques représentants de la presse, des vedettes de Broadway, des célébrités de Hollywood et les habituels piliers de cocktails.

Il y avait un bar, au fond. Elles y repérèrent Tom Colt immédiatement. Il était beaucoup mieux que sur la photo de la jaquette de son livre. Il avait un visage imposant, des cheveux noirs, des traits de lutteur. C'était un homme qui semblait avoir vécu toute la violence et l'action qu'évoquaient ses livres.

— Il m'intimide, chuchota January. Va le voir si tu veux... je resterai en retrait et je te regarderai faire.

258

— Il est splendide, souffla Linda.

— Sûrement. Mais comme un serpent à sonnettes dans une cage de verre. Je veux dire que... Linda, tu ne peux pas parler de *Gloss* à un tel homme.

— Eh bien, je vais le faire... et tu vas venir avec moi. Viens.

Elle prit January par le bras et l'attira vers le bar, à travers la foule.

Tom Colt était entouré d'un cercle d'admirateurs qui semblaient essayer de s'approcher le plus près possible de lui. Mais il restait digne, une bouteille de Jack Daniels à sa portée, et se servant lui-même ses verres. Il avala une longue gorgée de bourbon en regardant le petit homme rondouillard qui avait écrit un best-seller cinq ans auparavant. Il n'avait plus rien écrit depuis, mais il faisait carrière en donnant des conférences et en assistant à des cocktails. Il avait aussi pris du ventre. Il posa sa main potelée sur le bras de Tom Colt :

— Je lis tout ce que vous écrivez, couina-t-il. (Il claqua les lèvres de plaisir en roulant de gros yeux.) Bon Dieu, j'adore vos bouquins. Mais faites bien attention de ne pas vous laisser embringuer dans la télévision. (Il gloussa :) Regardez ce qu'ils ont fait de moi.

Tom Colt se dégagea et jeta un coup d'œil circulaire sur le groupe qui l'entourait. Une certaine irritation se lisait dans ses yeux sombres. Il repéra soudain January et Linda.

— Excusez-moi, dit-il au petit écrivain rondouillard, mais mes deux cousines du Iowa viennent d'arriver ici. Et elles ont fait toute la route en car. (Il prit par le bras les deux jeunes filles éberluées et les entraîna dans la salle). Dieu soit loué pour vous deux... qui que vous soyiez. Ce raseur se collait à moi depuis vingt minutes, et personne ne venait à mon secours parce que tout le monde était persuadé que je m'amusais follement.

Linda le regarda d'un œil vitreux. January le trouva absolument irrésistible. Elle parvint à dégager son bras et lui dit :

— Je suis heureuse que nous ayons pu vous être utiles, et...

Linda remonta soudain à la surface :

— Et maintenant, c'est à vous de nous rendre service.

Tom Colt plissa les yeux :

— J'ai l'impression que j'aurais peut-être mieux fait de rester tranquillement au bar.

— Je suis Linda Riggs, rédacteur en chef du magazine *Gloss*, et voici mon assistante, January Wayne. Elle vous a écrit plusieurs fois pour vous demander une interview.

Il se tourna vers January :

— Dieu du ciel ! Seriez-vous le J. Wayne des lettres et de la carte de Noël ?

Elle fit oui de la tête et, pour quelque étrange raison, elle se surprit à rougir. Il se mit à rire, comme à une bonne plaisanterie :

— Ainsi vous êtes J. Wayne. Et moi qui ai tout le temps cru que ces lettres m'étaient envoyées par quelque homosexuel maigrichon. Eh bien, heureux de vous connaître, J. Wayne. Je suis bien content que vous ne soyez pas une tante... mais pour ce qui est de l'interview, c'est *non*. Mon éditeur en a prévu déjà suffisamment. (Il la regarda à nouveau :) Mais pourquoi J. Wayne ? Etait-ce pour vous faire passer pour un homme ? Si j'avais su que vous étiez une fille, je vous aurais au moins répondu.

— Oh, le « January » ne vous aurait pas beaucoup plus renseigné sur mon sexe.

— Evidemment, non. C'est un drôle de nom. C'est... (Il s'interrompit soudain et pointa vers elle un index accusateur :) Est-ce que, par hasard, vous ne seriez pas la fille de ce jeanfoutre de Mike Wayne ?

Elle tenta de s'éloigner, mais il la rattrapa par le bras :

— Ecoutez-moi, il a bousillé l'un de mes meilleurs livres.

— Ne parlez pas comme ça de mon père ! Ce film lui a valu l'Academy Award.

— January... fit la voix implorante de Linda.

— Laissez-la donc se fâcher ! dit en riant Tom Colt. J'ai un fils de six mois. Quand, un jour, quelqu'un dira du mal de son vieux père, j'espère qu'il se battra comme ça pour moi. (Il sourit et tendit la main à January :) On fait la paix ?

January prit la main qu'il lui tendait. Puis elle le saisit par le bras :

— Très bien, maintenant que nous voilà bons amis, partons d'ici tous les trois. Où pouvons-nous aller boire un verre tranquillement ?

— Il y a « Chez Elaine », dit Linda. Beaucoup d'écrivains vont là-bas, et...

— Ouais, j'en ai entendu parler, dit Tom Colt. Mais pas ce soir. Le petit chapon du bar m'a dit qu'il y allait. Allons plutôt chez Toots !

— Où ça ? demanda Linda.

— Chez Toots Shor — le seul endroit où aller pour boire sérieusement.

Les tenant toujours par le bras, il se dirigea vers la porte. Une jeune femme apparemment harassée, aux longs cheveux filasses, se rua vers lui :

— Monsieur Colt, où allez-vous ?

— Je sors.

— Mais vous ne pouvez pas partir comme ça. Ronnie Wolf n'est pas encore arrivé, et...

Il lui tapota le dessus de la tête :

— Pas d'affolement, ma petite dame. Vous avez fait du bon travail. L'alcool coule à flots. Je suis ici depuis deux heures, et j'ai parlé à tous les gens que vous m'avez présentés. Notre marché précisait que je devais être présent à une réception. Mais on ne m'a jamais dit combien de temps je devais y rester. Oh, à propos... vous ai-je présenté mes cousines du Iowa ?

— Je connais Rita Lewis, dit Linda, incapable de dissimuler sa joie. En fait, nous n'avons jamais été présentées. Mais elle a beaucoup entendu parler de moi cette semaine.

— J'ai dit à ma secrétaire de vous envoyer l'invitation, dit Rita en sautant sur l'occasion. Je vois que vous l'avez bien reçue.

— Non, nous avons resquillé, dit avec joie January.

— Mais vous pouvez vous rattraper, ajouta Linda. Tout ce que nous voulons, c'est une longue interview avec Monsieur Colt. Et il aura la couverture.

— Pas question, fit Rita Lewis. Monsieur Colt a un programme complet pour toute la semaine. Tous les grands magazines, plus l'*Associated Press*, l'*United Press*...

— Mais notre article sera très différent, plaida Linda.

— Exactement, approuva January. Nous assisterons à certaines des autres interviews et à ses conférences de presse ; nous ferons, en quelque sorte, les potins des coulisses ; nous le suivrons même dans les autres villes.

— N'y comptez pas, dit Rita. Je ne veux pas qu'il donne quoique ce soit au *Gloss*. (Elle ajouta à l'intention de Linda :) Et ce n'est pas la peine de l'assaillir de coups de téléphone.

Tom Colt, qui avait assisté au feu croisé de la discussion comme à un match de tennis, s'interposa :

— Attendez une minute ! Qui êtes-vous donc ? Une sorte de général nazi ? Vous vous permettez d'interdire aux gens de me téléphoner ?

— Bien sûr que non, Monsieur Colt. Ce n'est pas ce que je voulais dire. Mais je sais à quel point Linda peut se montrer obstinée. Et je suis sûre qu'elle a bien fait la leçon à January. Il y a seulement que votre programme est déjà établi... et que *Gloss* n'en fait pas partie. Je ne m'intéresse pas à votre vie privée avec l'une ou l'autre de ces deux jeunes filles... mais vous ne pouvez pas leur accorder une interview. J'ai signé des engagements qui pourraient s'en trouver compromis.

Tom Colt la fixa d'un regard où se lisait à présent une certaine cruauté :

— Ecoutez, ma petite, reprenons tout depuis le début. Vous pouvez me prendre des rendez-vous... je vous suivrai bien sagement comme un petit chien. J'ai signé un contrat. Et je tiens toujours parole. Mais ne me dites jamais ce que je ne *peux pas* faire. (Il passa un bras protecteur autour de l'épaule de January). J'ai connu cette petite fille quand elle n'était qu'un bébé. Son père est mon copain. Il a tiré un sacré film de l'un de mes livres. Et vous voudriez m'interdire d'accorder une interview à son magazine !

Rita Lewis jeta à Linda un regard suppliant :

— Bien, mais faites un tout petit article, Linda... je vous en prie. Sinon, je perdrai *McCalls* et *Esquire*. Rien en profondeur, et ne le suivez pas partout...

— Elles peuvent me suivre aux chiottes si elles en ont envie, tempêta Tom Colt. Mais pour l'instant, allons donc boire un coup.

Puis il prit chacune des deux filles par le bras et sortit avec elles.

January ouvrit lentement les yeux. Elle s'était endormie dans son fauteuil. Pourquoi n'avait-elle pas ouvert le lit ? Pourquoi avait-elle dormi tout habillée ? Elle se mit debout, mais le sol commença à tanguer dangereusement. Elle retomba dans le fauteuil. Il était sept heures du matin ! Elle n'avait dormi que deux heures.

Elle se releva et se déshabilla maladroitement. Elle dut plusieurs fois s'accrocher au fauteuil pour ne pas tomber. Elle ouvrit le lit tant bien que mal, puis courut en catastrophe dans la salle de bains pour vomir. Elle revint ensuite s'affaler sur le lit. Les événements de la soirée lui revinrent petit à petit. L'abrupt changement de Tom Colt envers son père... tous trois quittant le Saint Régis sous les yeux désemparés de Rita Lewis. L'étonnement de Tom Colt quand il vit qu'elles avaient *leur* limousine. Il apprécia... en leur disant que c'était la première fois qu'il voyait des resquilleurs se rendre en limousine à une réception. Et puis ils étaient arrivés chez Toots Shor... Toots avait donné une grande bourrade dans le dos de Tom Colt... et était venu s'asseoir avec eux à la table d'honneur. Mais personne ne parla de manger. Ce fut du Jack Daniels du début à la fin. Lorsque Tom Colt avait proclamé que personne ne pouvait vraiment être son ami sans boire du Jack Daniels, January et Linda n'avaient hésité qu'une fraction de seconde avant d'annoncer qu'elles adoraient le bourbon.

January avait trouvé le premier verre un peu corsé, mais le second était déjà descendu beaucoup plus facilement. Et le troisième lui avait procuré une merveilleuse sensation de légèreté et de bien-être. Et lorsque Tom Colt s'était penché pour les embrasser toutes les deux sur la joue en les appelant Chocolat et Vanille (January avait toujours son bronzage de Palm Beach et Linda avait les cheveux blonds ce mois-là), January avait pensé qu'ils formaient un trio très amusant. Des gens venaient faire un tour à leur table, à grands coups de tapes dans le dos et de « assieds-toi, vieux feignant » (ça, c'était Toots). Tom n'arrêtait pas de remplir les verres de tout le monde. A minuit, il insista pour aller prendre le dernier verre au « 21 ». Ils firent la fermeture du « 21 », puis se rabattirent chez P.J. Clarke. A quatre heures du matin, ils étaient sortis en titubant de chez P.J. — ça, elle s'en souvenait. Elle se revoyait riant comme une folle au vestiaire avec Linda... mais tout ce qui avait été dit ou fait ensuite se perdait dans un épais brouillard.

Elle gagna en trébuchant sa salle de bains et avala de l'aspirine. Puis elle retourna sur son lit. Mais dès qu'elle eut fermé les yeux, la chambre se mit à tourner. Elle les rouvrit et tenta de fixer son attention sur un objet immobile, à savoir la lampe Tiffany. Elle dut s'endormir à nouveau, car elle se retrouva soudain en plein rêve. Elle savait que c'était un rêve. Elle était encore suffisamment éveillée pour se rendre compte qu'elle rêvait, mais assez endormie pour laisser le rêve suivre son cours. Un homme se penchait au-dessus d'elle. Il allait la prendre, d'un instant à l'autre, et pourtant elle ne ressentait aucune angoisse. Elle avait envie de lui, même si elle ne distinguait pas clairement son visage... Elle le regarda de plus près... et vit que c'était Mike. Mais lorsque leurs lèvres se touchèrent, elle se rendit compte que c'était Tom Colt. Pourtant, ses yeux n'étaient pas sombres comme ceux de Tom... ils étaient bleus. Mais pas du même bleu que ceux de Mike... ils étaient couleur aigue-marine. Elle tendit les bras vers lui... et se réveilla pour de bon. Elle demeura étendue sur le lit en essayant de déterminer à qui appartenait ce visage — à Mike ou à Tom ? — mais elle ne put se rappeler que la couleur de ces yeux étonnants.

Elle s'efforça de se rendormir pour retrouver ces yeux. Mais ce fut cette fois un sommeil paisible et sans rêves, que vint brutalement interrompre la sonnerie du téléphone. C'était Linda :

— January, tu es levée ?

La tête lui cognait, mais son estomac s'était quelque peu assagi.

— Quelle heure est-il ? demanda-t-elle d'une voix lente, de peur du moindre mouvement brusque.

— Onze heures, répondit Linda. Et j'ai une gueule de bois carabinée.

— Ah, c'est donc ça ? fit January. J'ai cru mourir.

— Bois du lait.

— Oh, mon Dieu... fit January en sentant monter une brusque nausée.

— Ecoute, mange un morceau de pain et bois un verre de lait. Tout de suite ! Ça absorbera tout l'alcool qui te reste dans le sang. Quand tu l'auras fait, rappelle-moi. Nous devons établir nos plans.

— Quels plans ?

— Pour revoir Tom Colt.

— Oh, Seigneur... il le faut vraiment ?

— Hier soir, tu m'as dit que tu l'adorais.

— C'était sûrement après avoir fait la connaissance de son bon ami Jack Daniels.

— Nous ne recommencerons pas ce soir, dit Linda.

— Recommencer quoi ?

— Boire avec lui. Nous resterons sobres. Nous siroterons seulement un peu de scotch. Lui, il pourra boire autant qu'il voudra. Mais si nous voulons écrire cet article, nous devons garder l'esprit clair. Nous ne lui dirons pas ça. Nous essaierons seulement de ne pas rivaliser avec lui.

— C'est ce que nous avons fait hier soir ?

— En tout cas, nous avons fait de notre mieux.

— Linda... je vais être malade.

— Mange du pain. Je passe un pantalon et je descends chez toi. Nous allons mettre sur pied un plan de campagne.

January parvint à boire un demi-verre de lait, et elle laissa Linda faire le café. Puis Linda s'installa dans le fauteuil-club en arborant un sourire épanoui :

— Maintenant, assieds-toi... reviens à toi... tu dois appeler Tom Colt.

— Pourquoi moi ?

— Parce que, bien que j'aie l'intention de coucher avec lui dès ce soir, j'ai la sensation très nette que, ce matin, mon nom ne lui dira rien. Le tien sonne beaucoup mieux. Du moins il le devrait, après ce grand amour qu'il a senti tout d'un coup naître en lui pour ton papa.

— Je continue à croire qu'il n'est pas spécialement fou de Mike, dit January. Il était simplement furieux que Rita Lewis lui donne des ordres.

Linda alluma une cigarette et but son café :

— January, cette mixture de café instantané est horrible. Tu devrais apprendre à faire du bon café.

January haussa les épaules :

— Celui-ci me convient.

Mais Linda hocha la tête :

— Ça ne conviendra pas à ton homme.

— Quel homme ?

— N'importe quel homme qui passera la nuit chez toi. C'est la première chose qu'ils ont l'habitude de demander le lendemain matin — un café correct.

— Tu veux dire qu'il faut aussi leur faire le café ?

— Parfois même des œufs. Et si tu tombes sur un dingue de la macrobiotique, comme Keith, il lui faudra des céréales, de la vitamine E et... enfin, Dieu merci, j'en ai fini avec tout ça.

— Est-ce qu'il t'arrive de penser à Keith ? Est-ce qu'il te manque ?

Linda fit non de la tête :

— Quand *Caterpillar* a démarré, j'ai failli lui envoyer un télégramme. Mais je me suis dit que c'était idiot. C'est fini. Je suis heureuse que sa comédie musicale soit un succès, parce que ça doit lui coûter cher de sortir Christina. Et puis il suffit de rencontrer un homme comme Tom Colt pour se rendre compte que Keith n'est qu'un petit garçon.

— Mais, Linda... Tom est marié, et il a un bébé de six mois.

— Mais sa femme et son bébé vivent sur la Côte ouest... et je suis ici. De plus, je ne cherche absolument pas à l'enlever à sa femme et à son gosse.

— Alors pourquoi cours-tu après lui ?

— Parce qu'il me plaît... qu'il est beau... et que je veux coucher avec lui. Et toi aussi, d'ailleurs. Du moins, hier soir, tu en avais l'air.

— Moi ?

— January, tu devrais être des Gémeaux, et pas du Capricorne — tu es réellement double. Je veux dire que, quand tu as bu, tu deviens vraiment quelqu'un d'autre. Hier soir, chez P.J., il nous embrassait toutes les deux... l'une après l'autre... de vrais baisers... en m'appelant Vanille... et toi Chocolat.

— Il nous embrassait, chez P.J. ?

— Parfaitement.

— Il nous embrassait pour de bon ?

— Pour moi, j'ai senti le bout de sa langue jusqu'au fond de ma gorge. Je ne sais pas pour toi.

— Oh, Seigneur !

— Et en rentrant à la maison, dans le taxi ?

— Quoi, dans le taxi ? fit January, soudain inquiète.

— Quand il a passé la main dans ton soutien-gorge en disant : « Petits nichons. Mais je les aime bien ».

January s'enfonça la tête dans l'oreiller :

— Linda... je ne te crois pas.

— Bien sûr... et puis il a embrassé les miens en disant qu'ils étaient vraiment excitants.

— Que faisait le chauffeur ?

— Je suppose qu'il regardait comme un fou dans le rétroviseur. Mais il paraît qu'ils voient de tout, même des viols.

— Linda, dit January d'une toute petite voix, ça me revient petit à petit. Je me souviens qu'il a passé la main sous mon corsage et que je me suis dit que c'était la chose la plus naturelle du monde. Oh, mon Dieu... comment ai-je pu ?

— Parce que tu finis par devenir une gentille fille normale.

— Parce que c'est normal... de se laisser toucher par un homme devant une autre fille ?

— Allons, je n'ai jamais aimé les ménages à trois. Quand je suis au lit avec un homme, je ne me trouve bien que toute seule avec lui. Mais la soirée d'hier a simplement été bien amusante. Il n'y a pas eu de quoi s'affoler.

January sortit du lit et se fraya un chemin dans la chambre pour aller chercher une cigarette. Elle l'alluma, aspira profondément, puis se retourna vers Linda :

— Très bien. Je sais que j'ai été longtemps éloignée de tout ça, et que les mentalités ont changé. Par exemple, que ce n'est pas la peine d'être marié pour aimer quelqu'un... ou coucher avec. Je sais que tout le monde pense comme ça. Je me suis sentie en dehors du coup parce que j'étais vierge. Je me suis littéralement forcée à croire que David me plaisait. Et ça a été horrible (Elle haussa les épaules en écrasant la cigarette qu'elle venait d'allumer). Linda, j'ai envie de tomber amoureuse. Oh, Seigneur, qu'est-ce que j'ai envie d'être amoureuse. Je veux bien que le mariage ne soit pas nécessaire. Mais quand je serai amoureuse, et que l'homme que j'aimerai... me touchera... je veux que ce soit quelque chose de merveilleux entre *nous*... et pas seulement quelque chose de « bien amusant ».

— January, quand les gens sont ivres — que ce soit au bourbon, au vin ou au haschish — ce qu'ils font... ou ce qu'ils ressentent... correspond ordinairement à la vérité. Le fait de boire supprime tout simplement les inhibitions. Si tu as laissé Tom Colt te toucher et si, comme tu le dis, tu as pensé tout le temps que c'était très naturel, ça veut dire que, au plus profond de toi, tu *voulais* qu'il te touche.

January alluma une autre cigarette :

— Ce n'est pas vrai. J'admire son œuvre... j'admire sa force... mais, Seigneur, que doit-il penser de nous ? Deux resquilleuses qui font monter un homme dans leur propre limousine... et qui lui permettent de (Elle tira une bouffée) Oh, Linda, que *doit*-il penser de nous ?

— January, arrête de te torturer à propos de ce qu'il peut penser de nous. Est-ce que tu te rends compte du nombre de verres de bourbon qu'il a bus, et du nombre de seins qu'il a dû tripoter au cours de sa vie ? Il ne se souvient probablement même plus de tes deux bijoux. Maintenant, il est presque midi, bon Dieu. Allez, appelle-le.

— Non.

— S'il te plaît... fais ça pour moi. Il faut qu'il nous sorte toutes les deux. Dans la soirée, tu pourras dire que tu ne te sens pas bien... et t'éclipser. Mais je t'en prie, appelle-le. J'ai vraiment envie de lui. Ecoute, il n'y en a pas un deuxième comme lui dans le coin, pas vrai ? Il a l'air si dur, par moment. Et pourtant, quand il sourit, ou qu'il te regarde dans les yeux, tu crois mourir.

— Tu veux dire que tu pourrais coucher avec Tom Colt en sachant qu'il n'y a aucun avenir possible avec lui ? En sachant qu'il est marié...

— Qu'est-ce que tu essaies de me fourrer dans la tête ? Un complexe de culpabilité ? J'ai Tom Colt dans la peau et je lui plais, qu'est-ce qu'il y a de mal à ce que nous passions quelques merveilleuses nuits ensemble ? A qui cela peut-il faire du mal ? Aucun voisin ne se moquera de la pauvre épouse qui fait innocemment sa lessive. *Sa* femme est jeune et appétissante et, si elle se morfond, c'est à Malibu, avec une gouvernante pour s'occuper du bébé. Et ses voisins sont sûrement des célébrités de Hollywood. Que pourrais-je lui prendre ? Elle n'est pas ici, n'est-ce pas ? Bon... tu vas l'appeler ?

— Non. Et même s'il n'était pas marié, je ne l'appellerais pas.

— Pourquoi donc ?

January alla ouvrir les persiennes :

— On dirait qu'il neige à nouveau, dit-elle. Dieu merci, celle d'hier soir n'a pas tenu.

— Pourquoi ne l'appellerais-tu pas même s'il n'était pas marié ? insista Linda.

— Parce que... eh bien... on n'appelle pas un homme. C'est à lui d'appeler.

— Oh, Seigneur... c'est à n'y pas croire. On dirait que tu sors d'un film de Priscilla Lane. Rendez-vous du samedi soir et petit corsage fleuri. De nos jours, les femmes ne sont pas tenues d'attendre tranquillement qu'un homme les appelle. Et puis Tom Colt n'est pas un homme comme les autres — c'est une superstar — et nous avons un article à faire sur lui. (Linda décrocha le téléphone et fit le numéro du Plaza). Je crois que, pour terminer, nous devrons lui faire rencontrer une ou deux fois cette grande bête de Sara Kurtz, pour qu'elle puisse assimiler son style... Allo... Oh, Monsieur Colt, s'il vous plaît...

— Pourquoi Sara Kurtz ? demanda January.

— Parce que c'est l'article le plus important qu'ait jamais publié *Gloss*. Et Sara est la meilleure rédactrice que je connaisse... Allo... Allo ?... Oh... ici Miss January Wayne ! Oui... January... comme le mois.

— Linda !

— Allo, Monsieur Colt.. ? Non, ce n'est pas January. C'est Linda Riggs... mais January est assise à côté de moi... Oui, nous allons bien... oh, un petit peu... Mais bien sûr... nous voulons toutes les deux vous revoir... Qui ? *Hugh Robertson* ? Vraiment ?... Oh, formidable. Nous serions enchantées... Très bien. Chez vous à sept heures... dixième étage... (Elle nota le numéro de sa suite sur un carnet). Nous y serons. (Linda raccrocha avec un sourire épanoui :) Hugh Robertson vient le voir pour l'apéritif en fin d'après-midi. Et nous irons dîner tous ensemble. Tom nous envoie *sa* limousine.

— Pourquoi l'as-tu appelé Monsieur Colt au téléphone ? demanda January.

— C'est drôle, hein ? Mais j'ai eu peur, tout d'un coup. Il m'a paru si froid, au début. Mais ce soir, après un ou deux verres, il deviendra Tommy. Et songe que nous aurons Hugh Robertson comme deuxième tête d'affiche ! Je me demande l'effet que ça fait de faire l'amour avec un cosmonaute.

— Tu devrais avoir ta chance, lui dit January. Au moins, lui, il est divorcé.

— C'est *toi* qui t'occuperas de Hugh... moi, je veux Tom.

— Pourquoi dédaignes-tu Hugh ? demanda January. Lui aussi, c'est une superstar. Je veux dire qu'il a eu droit à la couverture de *Time* et de *Newsweek*.

— Ecoute, January, je ne suis pas une groupie... en fait je n'ai encore jamais emballé la moindre vedette, alors les superstars...! Keith est entré dans la troupe de *Caterpillar* après notre rupture, et il n'est toujours pas une vedette. Il n'a même pas été cité par les critiques. Alors quand je dis que je veux Tom Colt, c'est parce qu'il a quelque chose de spécial... je veux dire qu'il m'aurait tourné la tête même s'il n'avait pas été question du magazine. Il est si fort... si totalement indépendant... Et pourtant, il y a parfois en lui quelque chose de doux et de mélancolique. Tu n'as pas remarqué ?

— Non. Pour mon malheur, je suis tombé amoureuse de Jack Daniels et je n'ai plus regardé personne. Mais ce soir, je ferai attention.

— Non. Ce soir, tu regarderas Hugh Robertson. *Je* m'occuperai de Tom Colt. Imagine... demain à la même heure, je prendrai probablement le petit déjeuner avec lui au Plaza.

XV

Elles arrivèrent au Plaza à sept heures cinq, comme deux lycéennes en goguette. En entrant dans le hall, January s'immobilisa soudain. L'endroit lui rappelait tant de souvenirs. Linda la tira jusqu'à l'ascenseur :

— Viens donc. Nous allons être en retard.

— Linda, je ne suis plus revenue ici depuis...

— January, ce n'est pas le moment de penser à papa. Nous sommes aujourd'hui ! Tom Colt... Hugh Robertson... tu te souviens ?

Elle poussa January dans la cabine de l'ascenseur.

Ce fut Hugh Robertson qui leur ouvrit la porte. January le reconnut d'après ses photos. Il se présenta et les invita à entrer :

— Tom est au téléphone, dans la salle de bains. Il discute des ventes à l'étranger avec son agent de Munich. Je suis chargé de servir les apéritifs. Je ne vous demanderai pas ce que vous buvez, parce qu'il semble n'y avoir que du Jack Daniels.

Linda prit un verre, mais January refusa. Elle se dirigea vers la fenêtre. C'était incroyable... Tom Colt dans *sa* suite. Celle que Mike louait à l'année. Jusqu'à la même table près de la fenêtre. Elle la toucha doucement, comme si elle s'était attendue à la matérialisation d'une vision. Combien de fois s'était-elle assise là en le regardant téléphoner ! Parfois, tous les téléphones sonnaient en même temps. Elle se retourna. C'était fantastique, parce que, juste à ce moment, tous les téléphones se mirent à sonner en même temps. Tom Colt entra dans la pièce en disant :

— Qu'ils aillent au diable... laissons-les sonner. C'est samedi, et je ne suis pas obligé de travailler. (Il vint serrer la main de January :) Hello, comment vous sentez-vous, princesse ?

— Bien, merci.

Elle se sentit soudain gênée et désorientée, tandis qu'il allait saluer Linda.

Puis ils se rendirent au « 21 ». Tom fut raisonnablement sobre. Lorsqu'il remarqua que January ne touchait pas à son bourbon, il demanda la carte des vins :

— Du vin blanc, j'imagine. Ça vous va ?

— Mais vous disiez hier soir... commença January.

— Nous sommes ce soir, dit Tom. Je dis une chose différente tous les soirs.

Ce fut une soirée détendue, mais January se sentit soudain incapable d'aborder le moindre sujet de conversation avec Tom. Elle pesait chaque phrase avant de la dire, se la répétait en pensée, et puis l'instant passait sans qu'elle n'ait rien dit. Elle se trouvait complètement idiote. Linda bavardait si facilement, racontant à Tom comment elle avait débuté à *Gloss,* et par quel miracle elle avait continué. January essaya de trouver quelque chose a dire. Pourquoi se sentait-elle soudain si timide et détournait-elle les yeux chaque fois qu'il la regardait ? Peut-être devrait-elle lui dire qu'elle avait beaucoup aimé son livre ? Comment le lui dire : « Monsieur Colt, je pense... ». Non... « Tom, j'ai adoré votre livre... ». Non, cela sonnait faux. « Tom, votre livre doit être le best-seller numéro un... » — trop présomptueux. Qui était-elle pour lui prédire comment l'accueillerait le public ? Et si...

— Oh, Tom, dit Linda, je voudrais que vous me dédicaciez votre livre. Il est tellement sensationnel.

(Et voilà, c'en était fini avec le livre comme sujet de conversation).

Tom leur promit de leur acheter à chacune un exemplaire chez Doubleday :

— Ils restent ouverts le soir. Je suis content que vous aimiez mon livre. Lawrence et Company m'ont dit qu'il serait en sixième position du classement du *New York Times* la semaine prochaine. En fait, ce livre n'est pas aussi bon que d'autres qui n'ont pas marché. Mais il est commercial... et c'est ce qu'il faut de nos jours.

Puis, quittant le sujet du livre, il se tourna vers Hugh et lui demanda pourquoi il s'enterrait à Westhampton :

— Il doit y avoir une dame là-dessous, dit-il.

— Et c'est une très grande dame, répondit Hugh. La Mère Nature.

— Vous voulez parler de l'écologie ? demanda Linda.

— Non, je me fais surtout du souci pour le vieux corps de cette dame. Elle risque de se désintégrer sous le choc. C'est aux failles de la terre que je m'intéresse. La plus connue est celle de San Andreas, avec tous ces visionnaires qui prédisent que la Californie doit s'enfoncer sous l'océan cette année. Je pense que Los Angeles est promise depuis longtemps à un tremblement de terre, mais je ne pense pas que le raz de marée en fera une nouvelle Atlantide. C'est à d'autres failles que je m'intéresse — il y en a tellement sur notre terre. Je cherche surtout à savoir s'il s'en est créé de nouvelles. J'ai donc décroché une subvention et j'essaie de prouver certaines théories qui accorderaient un répit de quelques années à notre pauvre petit monde.

— Mais, à supposer que nous n'employions pas la bombe et que nous cessions de polluer l'air, est-ce que le monde ne continuerait pas tout simplement ? demanda Linda.

Hugh lui sourit :

— Linda, l'autre soir, quand je me suis couché entre les dunes dans mon sac de couchage et que...

— Vous couchez dans les dunes en février ? s'exclama Linda.

— J'ai une petite maison de pêcheur sur la plage, lui dit Hugh. Mais je ne dois pas y passer plus de quelques heures par jour. J'ai mes sous-vêtements thermiques, mon sac de couchage... et je me fais un petit nid entre deux dunes pour me protéger du vent. Bien sûr, c'est beaucoup plus agréable en été, mais le ciel est fascinant en toutes saisons... il vous ramène à votre taille réelle. Surtout lorsque vous vous rendez compte que, d'après la théorie de l'univers, notre monde n'est qu'une escarbille. Pensez donc — il y a là-haut des milliers de soleils, qui abritent peut-être la même sorte de vie. Et quand vous levez les yeux, vous vous dites qu'il existe peut-être des mondes qui ont cinquante millions d'années d'avance sur vous.

— J'étais en seconde année chez Miss Haddon, dit January, lorsque j'ai appris pour la première fois que les étoiles étaient si grosses et qu'elles pouvaient abriter d'autres mondes. Jusque-là, j'avais cru qu'elles étaient petites, chaudes, confortables... comme des lumières de Dieu. Je ne me rappelle pas qui a pu m'apprendre ça, mais je me souviens du terrible choc que me fit cette révélation. Ensuite, je vivais dans la terreur constante que l'une d'elles puisse tomber et s'écraser sur nous. Quand j'en ai parlé à mon père, il m'a dit que chaque étoile avait sa place et que, lorsque les gens mouraient, ils allaient vivre sur une étoile.

— Jolie théorie, dit Hugh. Votre père est sûrement un brave homme. Je veux dire que c'est une bonne histoire à raconter à une petite fille. Comme ça, elle croit à la vie éternelle et n'a plus peur de l'inconnu.

Puis il se mit à expliquer les systèmes solaires, et il affirma qu'il croyait fermement qu'il y aurait un jour des communications interstellaires.

Tom semblait fasciné par les théories de Hugh, et il n'arrêtait pas de lui poser des questions. January écoutait avec intérêt, mais Linda s'ennuyait ferme. Après plusieurs tentatives pour ramener la conversation sur des sujets plus personnels, elle abandonna et s'enfonça dans son fauteuil. Elle lançait des regards meurtriers à January chaque fois que celle-ci posait à Hugh une question qui le lançait dans une autre longue explication.

Mais January était réellement intéressée. En même temps, elle trouvait agréable la conversation avec Hugh. Et lorsqu'elle parlait avec celui-ci, elle sentait qu'elle communiquait aussi avec Tom. Elle parvint même à les faire rire tous les deux — du moins lorsqu'elle parlait à Hugh. Lorsque Tom lui adressait directement la parole, elle se sentait contractée, elle choisissait ses mots, elle battait en retraite.

Elle regarda discrètement Tom alors que Hugh expliquait quelque chose à propos de la lune et des marées. Il avait une expression si intense, comme s'il avait été taillé dans du granit. Et pourtant, elle sentait en lui une certaine vulnérabilité, qualité qui avait toujours fait défaut à Mike. Mike avait toujours été un gagnant. En le voyant, on savait que personne ne pourrait jamais l'atteindre. Et pourtant, assez étrangement, on sentait que, malgré toute sa force, Tom avait été meurtri d'une manière ou d'une autre. Tom n'était pas aussi fort que Mike. D'un autre côté, il devait lui être supérieur à sa manière. Il savait reconnaître que certains de ses livres n'avaient pas marché... ce qui ne l'avait pas empêché de se remettre au travail et d'en écrire un autre. Mike avait abandonné la partie parce qu'il était persuadé que sa chance avait tourné. De toute évidence, Tom Colt ne croyait pas à la chance.

— Etes-vous joueur ? lui demanda-t-elle brusquement.

Les deux hommes arrêtèrent de parler et la regardèrent. Elle aurait voulu passer sous la table. La question lui avait échappé. Tom la fixa pendant quelques secondes et lui dit :

— Seulement si la cote est en ma faveur. Pourquoi ?

— Comme ça. Vous... vous me rappelez quelqu'un.

— Un vieil amour perdu ? lui demanda Tom.

— Oui... son père ! lança Linda.

Tom se mit à rire :

— Eh bien, c'est une bonne leçon de modestie. Ça ramène aux réalités un homme de près de soixante ans qui pensait intéresser deux belles jeunes filles.

— Vous ne pouvez pas avoir près de la soixantaine ! fit mine de s'indigner Linda.

— Pas la peine de me flatter, lui dit Tom dans un sourire. Eh oui, j'ai cinquante-sept ans, quelques années de plus que Mike Wayne.

Pas vrai, January ? Quant à toi, Hugh, tu es assez jeune pour savoir que nous ennuyons ces jeunes personnes avec nos histoires d'étoiles. Les seules étoiles qui les intéressent sont sans doute Paul Newman ou Steve McQueen.

— Ce n'était pas du tout ennuyeux, protesta Linda. C'était fascinant.

Ils quittèrent le « 21 » sous le coup de onze heures. Le temps était clair, et il n'y avait presque pas de vent.

— Ramenons les filles chez elles à pied, proposa Tom. Elles partagent un appartement.

— Nous vivons dans le même immeuble, précisa Linda, mais nous y avons chacune notre appartement.

Tom renvoya la voiture, et ils marchèrent d'abord jusque chez Doubleday. Les vendeurs saluèrent Tom. Il acheta des livres pour January et Linda, les leur dédicaça et en signa quelques-uns pour le personnel du magasin. Puis ils sortirent rapidement. Linda essaya d'envoyer January et Hugh en avant pour prendre Tom par le bras, mais celui-ci continuait à parler avec Hugh, et ils se retrouvèrent tous les quatre de front. Ils finirent par emprunter un trottoir plus étroit, et ils durent se séparer en deux couples. Linda et Tom marchaient devant. January remarqua que Tom tenait Linda par la main. Et elle réalisa tout d'un coup que Hugh venait de lui poser une question.

— Je suis désolée, mais je n'ai pas entendu ce que vous me disiez, lui dit-elle. Ce taxi faisait tellement de bruit... je...

Il lui sourit :

— Ne vous en faites pas à cause de votre amie. Tom est marié... et vous ne me semblez pas faite pour les aventures rapides.

— Je ne m'en fais pas. Qu'est-ce qui vous fait croire ça ?

— La façon dont vous les regardiez se tenir la main pendant que je vous parlais. Et aucun taxi n'a fait le moindre bruit.

— Oh, mon Dieu, je devais avoir la tête ailleurs. C'est une mauvaise habitude. Mais vraiment, Hugh, je suis enchantée d'être avec vous.

— Nous sommes tous les deux des rêveurs... Tom et moi... des romantiques. Moi, j'ai les étoiles et l'océan... et Tom s'est trouvé une nouvelle femme et un bébé tout neuf. Il n'avait jamais eu de bébé auparavant... vous vous rendez compte ? Quatre mariages, et il n'a son premier bébé qu'à cinquante-sept ans. Alors si votre amie a la moindre idée derrière la tête...

— Non, Linda connaît le topo.

— Ce genre de vocabulaire ne vous va pas, lui dit Hugh.

— Comment savez-vous ce qui me va ?

— Parce que je sais qui vous êtes et ce que vous êtes. De la même manière que je sais qui est Linda. Tom tombe toujours sur des Linda. Il en a même épousé une ou deux. Vous savez pourquoi ? Parce qu'il ne court pas après les filles. C'est un sale paresseux — il prend celles qui viennent. C'est plus facile. Et puis je ne le crois pas capable de tomber amoureux... sauf peut-être des personnages qu'il crée dans ses livres. Alors ce sont les filles qui *le* choisissent. Seulement, maintenant, il a un fils... ce qui le lie pour toujours à sa femme.

— Comment est-elle ? demanda January.

— Belle.. rousse... elle a fait une petite carrière dans le cinéma, il y a quelques années. Elle n'est pas allée plus loin que des petits bouts de rôles. Mais elle était belle. Elle a rencontré Tom... lui a couru après... et a abandonné sa carrière pour lui donner un fils.

— Comment s'appelait-elle... je veux dire comme actrice ?

Il s'arrêta pour la regarder dans le noir :

— January, lui dit-il doucement, vous voulez un conseil, chère petite ? Laissez-le aux Linda. Vous souffririez.

Avant qu'elle puisse répondre, Tom appela soudain Hugh :

— Hé, Hugh, tu veux toujours que j'aille passer la journée avec toi à la plage, demain ?

— Bien sûr, tout est réglé. Le freezer regorge de steaks.

— Alors que penserais-tu d'inviter les filles, histoire de leur faire cuire les steaks ?

— Nous serions ravies, répondit rapidement Linda. Je ne suis encore jamais allée à la plage en février.

Ils avaient atteint leur immeuble. Linda regarda Tom :

— Puis-je vous inviter à venir prendre un dernier verre ? Je n'ai pas de bourbon, mais il doit me rester un peu de rye...

— Non, nous devons partir tôt demain matin, dit Tom. J'aime la plage par temps gris... même s'il fait froid. C'est là que le monde vous appartient. A Malibu, c'est quand il fait froid et qu'il y a du brouillard que je travaille le mieux.

Le dimanche fut plutôt froid, et la pluie menaçait, mais ils partirent tous pour la plage à dix heures trente du matin. Tout le monde avait passé des gros pantalons, des chandails et de vieilles vestes. Pour la première fois, Tom semblait vraiment détendu.

Ils atteignirent la plage sous la pluie, mais la maison était douillette, et ils firent du feu dans la cheminée toute la journée. January avait parfois l'impression que, autour de cette cheminée, ils étaient les seules personnes vivantes au monde. C'était une solide petite maison. Un grand living-room, une vaste cuisine, une chambre à coucher à l'étage avec une terrasse attenante.

— Parfait pour un célibataire, dit Hugh.

— Parfait pour un couple d'amoureux, ajouta Linda en regardant Tom. Aimez-vous autant nos plages de New York que celles de Malibu, Tommy ?

Il lui ébouriffa les cheveux en souriant :

— Linda, vous pouvez me traiter de fils de garce... ou d'enfant de salaud... ou de ce que vous voulez... mais ne m'appelez jamais Tommy.

La limousine revint à dix heures pour les ramener en ville. Hugh restait à Malibu. En partant, Tom prit une bouteille de bourbon :

— Provisions pour la route, annonça-t-il.

Linda lui passa le bras autour de la taille tandis qu'ils se dirigeaient vers la voiture. Hugh fit ce court trajet avec January. Une légère pluie leur fouettait le visage.

— On dirait que la jonction est faite, dit Hugh. Maintenant, c'est à vous de veiller sur eux pendant la tournée.

— La tournée ?

— Linda m'a dit que vous l'accompagniez pour écrire l'article. Et cette tournée... n'est pas faite pour Tom. Il risque de trop boire. Dans le fond, il est très timide. Je ne le connais que depuis six ans, et je ne sais donc pas quel est son démon personnel. Dieu sait que les femmes l'aiment, et qu'il séduit même les hommes. Mais on dirait qu'il se sent obligé de le prouver à chaque instant. Peut-être est-ce pour cette raison qu'il boit. Peut-être, après chaque livre, a-t-il l'impression qu'il a dit tout ce qu'il avait à dire. Il sait pourtant qu'il doit continuer. Cette tournée ne lui fera aucun bien — à son psychisme, je veux dire. C'est pourquoi je vous demande de veiller sur lui. Il lui faut quelqu'un qui l'aide à ne pas trop taquiner sa bouteille de bourbon.

January lui sourit. Linda et Tom étaient déjà dans la voiture.

— Je vous aime bien, Monsieur Hugh Robertson, lui dit-elle.

— Je vous aime bien, moi aussi, January Wayne. Je crois que vous êtes très exceptionnelle.

— Merci.

Il lui prit la main :

— Je veux dire que... je suis votre ami, dans le meilleur sens du terme.

Ils se sourirent encore, et elle monta dans la voiture. Tom déboucha sa bouteille et en but une longue gorgée. Il la tendit à Linda.

277

Elle s'arrangea pour en boire, elle aussi, une bonne lampée. Puis il tendit la bouteille à January. Elle hésita... leurs regards se croisèrent dans la semi-obscurité qui régnait dans la limousine... et ils demeurèrent ainsi pendant un instant d'éternité où tout sembla s'arrêter... comme dans un film lorsque l'image devient fixe. Elle tendit lentement la main vers la bouteille... en soutenant toujours son regard... et puis, tout d'un coup, il reprit la bouteille d'un geste brusque :

— Non, j'ai changé d'avis. Plus de rafraîchissements jusqu'à la maison. Demain, nous avons du travail.

Le moment était passé. Tom parla des interviews qui étaient prévues, des apparitions qu'il devait faire à *Today,* l'émission de télévision de Johnny Carson, des voyages-éclair à Boston, Philadelphie et Washington avant de commencer la véritable tournée à travers tout le pays.

— Je crois que nous devrons éviter d'assister à vos interviews. Rita en ferait vraiment toute une histoire. Mais si tout va bien, nous couvrirons vos passages à la télé, et certaines conférences de presse, ainsi que celles que vous donnerez dans d'autres villes.

— Ça marche. Mais je ne comprends pas comment vous en tirerez un article intéressant.

— C'est la première fois que vous participez à une tournée ?

— Evidemment.

Linda lui sourit :

— Ça sera intéressant, je vous le promets.

Lorsque la voiture s'arrêta devant chez elles, Tom descendit de voiture et les accompagna jusqu'à la porte. Il les embrassa toutes les deux sur les deux joues, et repartit vers la limousine. Pendant une fraction de seconde, Linda en resta sans voix... puis elle dit entre ses dents :

— Monte, January, maintenant.

Elle poussa January à l'intérieur et se rua vers la limousine au moment où Tom allait y monter.

— Tom, dit-elle, je sais que vous êtes interviewé par *Life* demain... mais à quelle heure est-ce que...

January n'entendit pas le reste. Elle prit directement l'ascenseur et monta à son appartement. Elle était complètement désorientée...

Elle se déshabilla et se mit au lit. Elle se demanda si Linda avait suivi Tom au Plaza... dans la chambre à coucher qui avait été celle de Mike. Elle s'efforça de ne plus y penser.

Si Linda voulait avoir une aventure avec Tom Colt, pourquoi pas ? Elle donna un coup de poing dans l'oreiller et essaya de s'enfuir dans le sommeil. Tout lui semblait trop calme. Elle entendait le tic-tac du réveil... la télévision de l'appartement d'à côté... un couple qui se disputait de l'autre côté de la cour... Puis le téléphone sonna.

C'était si inattendu qu'elle sursauta. Elle décrocha à la seconde sonnerie.

— J'espère que je ne vous réveille pas ?

Elle en resta muette d'étonnement. C'était Tom Colt.

— January... vous êtes là ?

— Non... je veux dire, oui, je suis là... non, vous ne me réveillez pas.

— Bien, dit-il. J'allais demander qu'on me réveille demain matin lorsque je me suis souvenu que j'étais libre demain soir. Avez-vous déjà vu *Gingerbread Lady* ?

— Non.

— Voilà, je suis un grand admirateur de Maureen Stapleton. Alors je vais prendre trois places, et nous irons demain soir. Dites-le à Linda.

— Elle l'a sûrement déjà vu, dit January.

— Et alors ? Nous, non. Ça fait deux sur trois. Ça se passera comme ça entre nous, à la majorité des voix. Alors je passe vous prendre toutes les deux à sept heures. Bonsoir.

Après avoir entendu Tom raccrocher, elle contempla un moment le téléphone. Elle raccrocha lentement à son tour. Linda n'était donc pas avec lui. Elle y pensa, étendue dans le noir... Linda n'était pas avec lui ! Mais pourquoi en était-elle si heureuse ? *Parce qu'elle le voulait pour elle-même* ! Elle resta très calme, presque abasourdie par cette soudaine révélation. Et pourtant, c'était vrai... Elle tombait amoureuse d'un homme plus âgé que son père. Un homme qui avait une femme et un bébé ! Et elle ne lui était pas indifférente !

Sinon pourquoi l'aurait-il appelée elle, et pas Linda, au sujet de *Gingerbread Lady* ? Pouvait-il avoir une inclination pour elle ? Mais Hugh n'avait-il pas dit qu'il était paresseux... qu'il laissait les filles le choisir... plutôt que de faire le moindre effort pour aller vers elles ? Et Linda ne l'avait-elle pas déjà attiré dans ses rets ? Pourtant, c'était *elle*, January, qu'il avait appelée. Elle s'étira et se laissa aller à rêver... peut-être que sa femme viendrait soudain lui demander le divorce, et... non... elle n'en avait pas le droit... elle ne pouvait pas l'éliminer ainsi... Mais à supposer qu'il tombe réellement amoureux et qu'il demande le divorce... non... il n'abandonnerait pas son fils... Tom Colt Junior représentait beaucoup pour lui... Et si sa belle jeune femme venait lui révéler que ce n'était pas vraiment son fil... qu'elle se l'était fait faire par un quelconque apollon des plages... et qu'elle demande le divorce... ? Dans ce cas, il ne se sentirait pas coupable... il entretiendrait l'enfant... parce qu'il portait son nom... et puis il pourrait épouser January... et ils vivraient ensemble dans sa maison sur la plage... elle lui taperait ses manuscrits, et... ce serait merveilleux... et...

C'ETAIT IGNOBLE !

Oui... c'était ignoble... mais elle enlaça son oreiller et s'endormit en pensant à la manière dont il l'avait regardée dans la voiture.

XVI

Elle eut un sommeil agité. Mais lorsque le réveil sonna, elle sauta hors de son lit, tout excitée à l'idée de la journée qui commençait. Elle se surprit à chanter sous la douche : « Je suis amoureuse, je suis amoureuse, je suis amoureuse d'un garçon merveilleux ! » Puis elle se rappela une autre chanson de Rodgers et Hammerstein : « Ce monsieur est un crétin, ce n'est pas du tout mon genre, mais si je pleure toutes les larmes de mon corps, c'est parce qu'il n'est pas à moi ». Mais elle ne pleurait pas du tout. Elle restait sous la douche comme une idiote à chanter de vieux succès... et elle ne s'était jamais sentie aussi bien de toute sa vie.

Mais il était *marié*. Elle y songea en s'habillant. Où était passé son sens moral ? Elle savait pourtant combien sa mère avait souffert lorsque son père la trompait avec d'autres femmes. Mais elle n'allait pas coucher avec Tom Colt. C'était seulement si merveilleux de ressentir quelque chose pour un homme... autre que Mike. Vouloir *être* avec un autre homme... vouloir être admirée par lui. Est-ce que c'était *mal* de vouloir seulement être avec lui. Surtout si personne ne l'apprenait.

Il lui fut très pénible de jouer l'indifférence devant Linda.

— Qu'est-ce que ça veut dire, *nous* allons voir *Gingerbread Lady* ? s'était exclamé Linda. Je préférerais voir *No, No, Nanette*. Et puis pourquoi est-ce *toi* qu'il a appelée ?

— Je ne sais pas, dit January, peut-être parce qu'on a tout le temps été tous les trois. Il a peut-être pensé qu'il ferait mieux de se montrer neutre.

— Eh bien le trio va se changer en duo... à partir de ce soir !

— Et notre collaboration pour l'article ?

— On change tout. A partir de maintenant, tu n'en es plus.

— Mais pourquoi ?

— Ecoute, January, de toute façon, Sara Kurtz doit faire le rewriting. Et quand viendra le moment de prendre la route, nous ne serons que deux — Tom et moi. Je le lui annoncerai, le moment venu... je lui expliquerai que j'ai dû te mettre sur un autre coup. En même temps je le présenterai à Sara, et je lui dirai que c'est à elle que j'enverrai les bandes à transcrire. Je suis sûr qu'en la voyant, il voudra qu'elle soit du voyage.

January hésita :

— Linda, laisse-moi essayer d'écrire l'article. Je crois vraiment que j'en suis capable. Permets-moi de t'accompagner dans la tournée. Je ne me mettrai pas en travers de ton chemin, je te le promets.

— Ma chère, tu es déjà en travers de mon chemin. Malheureusement, il faut que je m'en accommode pour ce soir et que je fasse contre mauvaise fortune bon cœur. Il y a des moments où trois personnes font une foule.

Ils s'assirent tous les trois dans l'obscurité du théâtre. Tom leur avait dit que Maureen Stapleton était, d'après lui, la meilleure actrice sur la place de New York. January, qui avait vu Maureen dans plusieurs comédies musicales, fut d'accord avec lui. Mais, pour la première fois de sa vie, elle ne parvint pas à se concentrer sur ce qui se passait sur la scène. Elle sentait trop la présence de Tom à côté d'elle. Assise à côté de lui dans le noir, elle éprouvait une intimité particulière, bien qu'il semblât ne s'intéresser qu'à la pièce. Plusieurs fois, lorsque leurs bras se frolèrent par inadvertance, elle eut l'envie insensée de lui prendre la main. Il avait des mains si fortes... si nettes... elle aimait la forme de ses doigts. Il avait une odeur qui lui rappelait quelque chose. Elle renifla un peu pour essayer de savoir ce que c'était.

— C'est de l'eau de cologne numéro 5 de Chanel, lui dit-il. Je m'en sers régulièrement après m'être rasé. Il y a toujours quelqu'un pour se faire des fausses idées à ce sujet.

— Non, j'aime bien ça, lui dit-elle.

— Eh bien, je vous en offrirai.

Puis il reporta son attention sur la scène.

Après le spectacle, ils allèrent faire un tour dans les coulisses pour saluer miss Stapleton qui les accompagna chez Sardi. Tom lui dit que s'il avait l'occasion d'écrire quelque chose pour la scène, il penserait à elle pour un rôle. Puis ils se mirent à parler de comédies musicales passées et récentes, en faisant des comparaisons. January cita des titres de comédies qui étonnèrent Tom.

— Mais vous n'avez pas pu les voir, lui dit-il. Elles ont été jouées avant votre naissance.

— Effectivement, dit-elle, mais dès l'âge de huit ans, non seulement j'ai vu toutes les comédies qui passaient à Broadway, mais je suis venue m'asseoir dans ce même restaurant où j'écoutais parler des comédies des années quarante.

Elle se rendit compte qu'ils faisaient tous partie d'un monde dans lequel Linda ne pouvait pas pénétrer, January essaya donc de la faire participer à la conversation.

— Linda et moi avons été à la même école. Elle était notre vedette-maison. Vous auriez dû la voir dans *Annie du Far West*.

Linda se lança dans la voie ainsi ouverte et, avant la fin de la soirée, elle suggérait à Maureen Stapleton de l'interviewer pour *Gloss*.

Lorsque Tom raccompagna Linda et January, Linda ne fit aucune tentative pour l'inviter à monter :

— J'ai décidé d'attendre la tournée, dit-elle à January. Et je crois qu'il est du même avis. Ça paraîtra beaucoup plus naturel.

Le lendemain matin, la sonnette de la porte résonna en même temps que le réveil. January enfila une robe de chambre et regarda par le judas de la porte. C'était un livreur avec un paquet. Elle ouvrit la porte avec précautions, en maintenant la chaînette de sûreté. Elle signa le reçu, donna un pourboire au livreur et lui dit de laisser le paquet devant la porte. Elle n'enleva la chaînette que lorsque le livreur eut regagné l'ascenseur. (C'était une habitude que Mike l'avait forcée à adopter — en lui disant que ça faisait partie des règles de vie d'une jeune fille vivant seule à New York). Lorsque la porte de l'ascenseur se referma, elle sortit dans le couloir et prit le paquet. Elle l'emporta dans la chambre et l'ouvrit avec précautions. C'était le plus grand flacon de 5 de Chanel qu'elle ait jamais vu. Aucun mot n'accompagnait le paquet. Elle porta le flacon à sa joue — il avait donc pensé à elle — et où avait-il pu trouver un flacon de cette taille à huit heures et demie du matin ? Est-ce qu'il en avait envoyé un à chacune d'elles ? Est-ce que le livreur était aussi monté chez Linda ?

Elle arriva au bureau inondée de parfum. Linda le sentit immédiatement :

— Qu'est-ce que tu t'es mis ?

— Du 5 de Chanel.

January attendait la réponse de Linda. Mais celle-ci se contenta de hausser les épaules :

— J'ai déposé une nouvelle sur ton bureau. Lis-la... je la trouve bonne. Dis-moi ce que tu en penses. Je suis peut-être trop concernée. C'est l'histoire d'une fille qui se fait refaire le nez pour garder son petit ami... elle devient une fille extraordinaire... et elle perd le gars pour une fille qui ressemble à ce qu'elle était *avant* l'opération. C'est une drôle d'histoire... Je l'ai reçue par la petite porte.

— Par la petite porte ?

— Sans l'avoir sollicitée... sans agent littéraire... par un écrivain dont je n'ai jamais entendu parler... avec une enveloppe à son adresse dans le Bronx. C'est un vieux manuscrit, alors j'imagine que cette Madame Debbie Mallon a dû essuyer plusieurs refus.. elle a dû essayer d'abord *Ladies' Home Journal, Cosmo, Redbook,* ou d'autres avant de nous l'envoyer. Vois ce que tu en penses.

January alla lire le manuscrit dans son bureau. Elle s'assit, alluma une cigarette, et ouvrit à la première page.

Il n'avait donc pas envoyé le moindre flacon de Chanel à Linda... Elle relut le premier paragraphe du manuscrit. Elle n'arrivait pas à se concentrer.

Mais peut-être que lui aussi trouvait que trois personnes faisaient foule... et que c'était une sorte de « cadeau de consolation ». Elle revint au premier paragraphe de la nouvelle. Elle jeta un coup d'œil à sa montre. Hier, Tom l'avait appelée chez elle... le matin. Il était déjà presque dix heures... et il l'avait peut-être déjà rappelée. Elle aurait dû s'inscrire aux abonnés absents. Mais jusqu'ici, elle n'en avait pas eu besoin. Mike savait toujours où la joindre. Il l'appelait presque tous les jours au bureau après sa partie de golf. Même David savait où la joindre. Alors, si Tom Colt voulait lui parler, il se douterait certainement qu'il fallait appeler au *Gloss.* Il avait bien trouvé son numéro de téléphone personnel qui n'était pas encore dans l'annuaire. Il avait dû le demander aux renseignements. Peut-être qu'il avait appelé Linda... et que Linda était en train de lui dire que January était sur un autre reportage, et trop occupée pour travailler avec eux.

Elle contempla le manuscrit : *Histoire de nez,* par Debbie Mallon. Probablement la propre histoire de la fille. Sûrement... pauvre Debbie Mallon... avec son manuscrit refusé... et il fallait qu'elle le lise. January éprouvait un cas de conscience. Elle *devait* lire l'histoire du nez de Debbie, sinon Dieu l'abandonnerait... Il ne permettrait pas à Tom de l'appeler. C'était ridicule. De toute façon, Dieu n'était pas de son côté. Pourquoi l'aurait-il été ? Pourquoi Dieu voudrait-il qu'un homme marié l'appelle ? « Mais c'est seulement pour être avec lui », murmura-t-elle en regardant le plafond. « Seulement lui tenir la main... » Quel mal y avait-il à ça ?... Elle se força à lire le manuscrit... « J'avais une tête de perroquet, mais Charlie m'aimait. Et Charlie ressemblait à Warren Beatty. C'était suffisant pour bourrer de complexes une fille qui... »

Elle se força à continuer. Debbie donnait beaucoup de précisions cliniques sur toute l'opération. Jusqu'à ces aiguilles enfoncées dans le nez. Et le menton... ils lui ajoutaient quelque chose au menton... Tout ça pour perdre Charlie à la fin de la page dix. Elle s'arrêta au milieu de l'opération. Dix heures et quart. Peut-être qu'il avait appelé Linda. Mais elle ne pouvait pas retourner dans le bureau de Linda avant d'en avoir fini avec le nez de Debbie.

A dix heures et demie, elle avait fini de lire la nouvelle. Elle ne savait trop qu'en penser. Mais pourquoi ne pas donner une chance à Debbie ? Elle remit le manuscrit dans son enveloppe en papier bulle, et se rendit dans le bureau de Linda :

— C'est bon, lui dit-elle en lui tendant le manuscrit.

— C'est aussi mon avis, lui dit Linda. Sara avait le nez le plus gros de toute la ville, alors si je lui donne cette nouvelle à mettre au point, nous pourrons passer *Histoire de nez* dans le numéro d'août. Nous pourrons nous permettre de publier une petite œuvre de fiction d'un auteur inconnu, parce que ce sera le numéro de l'article de Tom Colt. Ah, j'ai l'intention de prendre de bonnes photos de lui pendant la tournée... si seulement Keith n'était pas embarqué dans *Caterpillar...* !

— Tu voudrais qu'il fasse la tournée avec toi et Tom Colt !

— Oui... parce que ses tarifs sont dans mes cordes. N'importe quel autre photographe risque d'être cher, très cher. Oh, je vois ! Je vais appeler Jerry Coulson. Il est bon, mais il ne le sait pas. Je devrais m'en tirer à bon compte.

— Est-ce que Tom a donné son accord pour les photos ?

— Je ne le lui ai pas demandé. Et je n'en ai pas l'intention. Ecoute, à ce moment là, ce sera le grand amour entre nous deux. Déjà, hier soir au théâtre, il n'a pas arrêté de me faire du pied. Et il a continué chez Sardi pendant que vous parliez de comédies musicales.

— Oh... bien... je crois que je vais retourner dans mon bureau...

— Assieds-toi. J'ai fait monter du café.

— Non, j'ai mon article à terminer sur les chats des vedettes. Est-ce que tu te rends compte du peu de vedettes qui ont un chat ? On dirait qu'elles ont toutes des chiens.

— C'est ridicule. Pam Mason a au moins cent chats.

— Mais elle est en Californie ! Dis-moi, est-ce que tu crois que Maureen Stapleton a un chat ? (January se rendit compte qu'elle parlait un peu trop vite).

— Je ne sais pas... (Le téléphone sonna sur le bureau de Linda). Peut-être que c'est Tom. Je lui demanderai le numéro de téléphone de Maureen. (Elle appuya sur la touche). Allo... quoi ?... bien sûr, Sherry... Sans blague ! Viens me raconter ça au bureau. (Elle raccrocha). Ne t'en vas pas, January. On va rire. Sherry vient de me dire que Rita va avoir des problèmes. D'ailleurs, j'ai déjà appelé Tom deux fois, mais ça ne répondait pas.

Sherry Margolis, une séduisante jeune fille qui dirigeait le service de presse du magazine, entra dans le bureau quelques instants plus tard. Linda la fit s'asseoir :

— Alors tu disais que Rita m'appelait au secours ?

Le sourire de Linda reflétait un optimisme sarcastique.

— Elle a demandé si tu avais des nouvelles de Tom Colt, lui dit Sherry. Elle est dans tous ses états. Il paraîtrait qu'elle est arrivée au Plaza à sept heures ce matin pour l'emmener à l'émission *Today*, et qu'il dormait encore. Il était attendu à la télévision pour huit heures. Il a prétendu qu'il croyait que c'était pour *l'autre* jeudi. Elle s'est assise dans le hall au bord de la crise de nerfs, et il est descendu, très calmement, à huit heures moins dix. Elle était venue en voiture, et elle a réussi à être à l'heure. Après l'émission, pendant qu'il discutait avec Barbara Walters, elle a pris le temps d'aller aux toilettes. Quand elle est revenue, il n'était plus là. Quelqu'un lui a dit qu'il était dans la salle des informations. Là, elle a vu Tom parler au téléphone. Elle s'est imaginée qu'il te parlait. Et puis il est parti brusquement. Elle l'a appelé... lui a couru après, mais l'ascenseur s'est refermé sous son nez. Elle ne s'est pas trop affolée, pensant qu'il était rentré directement à son hôtel. Elle lui avait dit qu'il avait un rendez-vous à dix heures. Mais il se trouve qu'il n'est pas à l'hôtel et, depuis une demi-heure, elle essaie de faire patienter un type de *Playboy* qui en est déjà à son troisième Bloody Mary. Un de plus, et il sera incapable d'interviewer Tom Colt, même s'il finit par se montrer. La suite de Tom Colt ne répond pas, elle est même allée frapper à sa porte. La femme de chambre lui a dit qu'elle venait de faire le ménage et qu'il n'y avait personne à l'intérieur. Rita a comme l'intuition qu'il a passé le week-end avec toi, et elle se figure que *tu* dois savoir où il se trouve...

Linda souriait de plus en plus :

— Exact. Seulement, tu diras à Rita que je l'ai quitté en parfait état au Plaza hier soir... bien bordé dans son lit.

Sherry la regarda avec admiration :

— Eh bien, c'est plus fort que la thérapeutique de groupe... parce que c'est à ça que Rita Lewis passe quatre soirées par semaine. Je serai ravie de lui faire parvenir ton message.

Lorsque Sherry eut quitté la pièce, Linda fit un clin d'œil à January :

— Ça va tuer Rita. Elle avait des vues sur Tom depuis le début. Attends qu'elle aille à sa réunion de thérapeutique de groupe ce soir, et qu'ils se mettent à lui dire qu'elle n'est pas rejetée... que *eux*, ils l'aiment et qu'elle doit être heureuse de *leur* amour...

— Comment sais-tu ça ?

286

— Parce que j'ai, moi aussi, joué à ce petit jeu. Dieu merci, j'avais les moyens de me payer ma petite dépression personnelle trois fois par semaine.

— Honnêtement, Linda, je ne te comprends pas, lui dit January. Pourquoi veux-tu faire croire à Sherry que tu as couché avec Tom alors que ce n'est pas vrai ? Est-ce qu'il y a une sorte de gloire à avoir un beau score, comme au base-ball ?

— Lorsque tu couches avec un minus, lui dit Linda, tu gardes ça pour toi. Mais avec un Tom Colt, il faut que ça se sache.

Sherry revint soudain en trombe :

— Linda, allume ton poste de télé. Il vient d'y avoir un tremblement de terre en Californie. Un vrai !

— Est-ce que tu as appelé Rita pour lui faire passer mon message ? lui demanda d'abord Linda.

— Oui, et elle l'a assez bien pris — seulement trois hoquets et un sanglot étouffé.

Sherry alluma le poste de télévision. Du monde arriva des autres bureaux.

En quelques secondes, ils étaient tous agglutinés autour du récepteur. Ils entendirent avec stupéfaction le speaker annoncer que la première secousse sismique avait eu lieu à soixante-cinq kilomètres du centre de Los Angeles à cinq heures cinquante-neuf, heure de la Côte ouest... ce qui faisait huit heures cinquante-neuf à l'heure de New York. La force du séisme était de 6,5 sur l'échelle de Richter et avait été ressentie sur une zone de cinq cents kilomètres, de Fresno jusqu'à la frontière mexicaine, et jusqu'à Las Vegas vers l'est. Les dépêches prétendaient que le choc initial équivalait à l'explosion d'un million de tonnes de T.N.T.

Ils cherchèrent d'autres stations de télévision. Les bulletins spéciaux d'information bouleversaient les émissions régulières... on annonçait de nouvelles secousses, la propagation d'incendies. A New York, l'aéroport Kennedy était une véritable maison de fous. Un journaliste de la télévision s'y promenait en posant des questions à droite et à gauche... un homme lui raconta que sa maison s'était écroulée mais que, Dieu merci, sa femme et ses enfants étaient sains et saufs.

Sherry cria soudain :

— Tom Colt est là-bas !

Le journaliste l'avait lui aussi repéré. Il écarta la foule et lui brandit un micro sous le nez :

— Pourquoi repartez-vous si vite à Los Angeles, Monsieur Colt ?

— Pour rejoindre ma femme et mon bébé.

Il commença à tourner les talons.

— Sont-ils sains et saufs ? lui demanda encore le journaliste.

— Oui, lui répondit Tom Colt, j'ai appelé ma femme juste après l'émission *Today*. La première secousse venait d'avoir lieu, et il y en a eu une seconde pendant que je lui parlais.

— N'étiez-vous pas venu dans l'Est pour assurer la promotion de votre livre ?

— Mon livre ? (Tom Colt paraissait être ailleurs). Ecoutez, mon vieux, pour l'instant, il s'est produit un tremblement de terre. J'ai une femme et un fils là-bas, et tout ce qui m'intéresse, c'est de les savoir en sécurité.

Sur ces paroles, il écarta le journaliste et se dirigea vers son avion.

Linda se leva et éteignit la télévision :

— Bon, voilà... on peut se remettre au travail. Le pire est passé. Los Angeles aura des problèmes de reconstruction, mais au moins la ville n'a pas disparu sous les eaux.

Tout le monde se dispersa rapidement. Il y eut des murmures :

— Viens dans mon bureau... j'ai un transistor.

— On pourra toujours voir la télévision à la cantine à l'heure du déjeuner !

Lorsqu'elles furent seules dans le bureau, Linda soupira en regardant par la fenêtre :

— C'est incroyable ! (Elle tourna dans son fauteuil :) vraiment incroyable ! Ma vie amoureuse doit être maudite. Même la nature est contre moi. C'est déjà assez difficile de garder un homme dans des conditions normales de compétition. Non, il fallait que j'aie à lutter contre un tremblement de terre ! (Elle soupira à nouveau :) Bon, puisqu'il semble donc que je suis libre ce soir, que dirais-tu d'aller dîner chez Louise ?

— Non, je crois que je vais rester à travailler à mon article sur les chats.

January retourna à son bureau. Il était parti. Vendredi, samedi, dimanche, lundi, quatre soirs de sa vie... quatre soirs avec Tom Colt. Et même si rien ne s'était passé, cela avait été merveilleux... Et il était toujours merveilleux d'avoir quelqu'un à qui penser. Même s'il ne devait jamais revenir.

Le lendemain, elle s'inscrivit aux abonnés absents. Mais lorsqu'une semaine eut passé sans un seul mot de lui, même Linda succomba au désespoir :

— Je crois que c'est foutu. Son livre est monté à la quatrième place du classement de *Time*. Je crois bien qu'il fera ses conférences de presse là-bas. Et pourquoi pas ? Johnny Carson y est tout le temps.

Merv Griffin est là-bas... et aussi Steve Allen... Il a de quoi s'occuper pendant un mois. Mais il pourrait au moins m'appeler pour me le dire.

January avait décidé d'essayer de chasser Tom Colt de ses pensées. Elle se disait que c'était un signe du ciel. Ce devait être Dieu qui lui disait : « Arrête-toi avant qu'il ne se passe quelque chose ». C'était Sa manière de lui dire qu'Il la désapprouvait. January n'était pas spécialement religieuse. Mais il lui arrivait encore de parler au Dieu de son enfance, ce merveilleux vieillard à la longue barbe blanche qui trônait dans les cieux avec son grand livre, comptant les points, notant les bonnes actions sur une page et les péchés sur l'autre, comme sur un registre.

Ce qui ne l'empêchait pas d'appeler tous les jours le service des abonnés absents et de trouver une excuse chaque soir pour ne pas aller dîner avec Linda. Elle passa encore une soirée mortelle au Club avec David. Tout le monde n'y parlait que du tournoi de tric-trac qui allait avoir lieu à Gstaad. Dee devait y aller... le tournoi durerait trois jours... David ne pouvait pas lâcher son travail... mais il enviait Mike... Gstaad était formidable à cette saison... d'ailleurs Gstaad était formidable en toutes saisons... tout le monde descendrait au Palace Hôtel... et se retrouverait à l'Eagle Club.

David la raccompagna chez elle à onze heures et demie, et ne demanda même pas à monter prendre un verre. Mais January était tout excitée. Si Dee et Mike allaient à Gstaad, ils passeraient d'abord par New York. Elle verrait Mike. C'était exactement ce dont elle avait besoin — un bon déjeuner avec lui, et une longue et bonne conversation... Elle lui parlerait de ses sentiments confus envers Tom Colt. Il l'aiderait à se ressaisir, et il la comprendrait. Après tout, il avait souvent connu lui-même de semblables situations.

Elle appela Palm Beach le lendemain matin. Lorsque le maître d'hôtel lui eut dit que Mr. et Mrs. Granger étaient partis pour Gstaad trois jours plus tôt, elle raccrocha et regarda le téléphone comme une idiote. Il avait été à New York et ne l'avait pas appelée. Il devait y avoir une explication. Elle avait parlé à Mike seulement quelques jours plus tôt... et elle s'affola tout d'un coup. Peut-être avait-il eu un accident. Mais c'était ridicule, les journaux en auraient parlé. A moins qu'il soit malade... Il était peut-être à l'hôpital, à la suite d'une crise cardiaque, ou d'autre chose. Et Dee, pendant ce temps-là, jouait au tric-trac. Elle demanda la communication avec le Palace Hotel à Gstaad. Elle s'habilla et attendit d'être rappelée. Dix minutes plus tard, elle entendit la voix de Mike comme s'il avait été dans la pièce d'à côté.

— Comment vas-tu ? s'égosilla-t-elle.

— A merveille. Tout va pour le mieux pour moi. Et pour toi ?

— Ça va bien... (Elle poussa un profond soupir :) Oh, Mike, j'ai eu très peur.

— De quoi ?

— Eh bien, hier soir, David m'a dit où tu allais. Et je me suis dit que tu passerais par New York. Alors j'ai appelé Palm Beach, et on m'a dit que tu étais parti depuis trois jours... et j'ai cru que...

— Je vois, dit-il en riant. D'abord, nous sommes arrivés à l'aéroport de New York à cinq heures du matin. Nous ne sommes restés que le temps que l'avion fasse le plein. Je n'ai pas voulu te réveiller. Et je me suis dit que nous nous arrêterions quelques jours en revenant. Ecoute, j'ai de grandes nouvelles pour toi : j'ai fini par laisser tomber ce jeu idiot. Les dernières semaines à Palm Beach, j'ai gagné quelques dollars, mais je n'y jouerai plus.

— Oui, Mike...

— Mais, tu paies la communication... appelle l'opérateur et dis-lui de mettre ça sur mon compte.

— Non, Mike, c'est à moi. Je veux que ce soit comme ça.

— Bon, d'accord. Bon, je suis pressé. J'ai trouvé un pigeon au poker. En attendant que l'avion fasse le plein, j'ai plumé Freddie de trois grosses coupures... en une heure de temps. Et il fait le voyage avec nous. Je crois que je le ferai passer tous les jours à la caisse.

— Qui est Freddie ?

— Oh, un jeune bênet marié à une riche dondon. Tu as dû le voir à Palm Beach...

— Très bien, Mike. Bonne chance avec Freddie.

— Au revoir, ma chérie. A bientôt.

Ce soir-là, elle accepta une invitation à dîner avec Linda et un de ses amis qui, de son côté, amenait un copain. Ils choisirent un petit restaurant de la Cinquante-sixième rue.

January décida que son chevalier-servant avait l'air d'un grand cochon maigre. Il était mince et élancé, mais toute ressemblance humaine s'arrêtait là. Il avait le visage tout rose, et son nez était un véritable groin. Il avait des mèches de cheveux roses qui lui recouvraient péniblement le crâne, et de petits favoris clairsemés et inégaux. Il ne parla que de ses parties de squash, de ses petites affaires et de l'horrible ambiance de Madison avenue. Les deux hommes y travaillaient dans la même agence de publicité, et pendant la majeure partie de la soirée, ils parlèrent de leurs salaires et des potins de leur bureau. D'après leur conversation, il ressortait qu'ils déjeunaient tous les jours ensemble. Alors pourquoi continuaient-ils à parler travail ? Mais January s'aperçut qu'ils étaient très tendus. Comme aurait dit Mike, ils étaient des perdants-nés. Ils dînaient avec deux filles qu'ils avaient l'intention d'impressionner, et ils devaient croire que « parler affaires » était le meilleur moyen de parvenir à leurs fins. Elle s'étonna de l'infantilisme de leur comportement. Ne se regardaient-ils jamais dans la glace en se rasant ? Même si le cochon rose (qui répondait au nom de Wally) avait *possédé* l'agence de publicité, il ne l'aurait pas impressionnée. Elle se repentait d'avoir accepté ce rendez-vous. En ce moment, elle aurait pu être chez elle et manger tranquillement en regardant la télévision, ou lire un bon livre. Le dîner se termina péniblement à dix heures et demie. Il faisait un froid de canard dehors, mais le cochon rose vanta les mérites du footing, et ils rentrèrent tous les quatre à pied. Linda invita tout le monde à venir prendre un dernier verre chez elle, mais January se prétendit fatiguée.

Le cochon rose insista pour la raccompagner jusqu'à la porte de son appartement. Mais lorsqu'elle lui souhaita bonsoir après avoir introduit sa clé dans la serrure, il la dévisagea avec stupéfaction :

— Vous devez plaisanter ?

— Non. Bonsoir, et merci pour ce dîner très agréable.

— Mais, et nous ?

— Quoi, et nous ?

— Ne me dites pas que vous êtes une de ces filles frigides ?

— Non... pour l'instant, je serais plutôt du genre fatigué.

— Bon... voyons ça.

Il se pencha sur elle et l'embrassa de force sur la bouche tout en envoyant des mains baladeuses un peu partout... sous son manteau... en essayant de lui remonter son corsage. Dans un accès de colère, elle lui porta un coup de genou... qui l'atteignit au bon endroit. Il se plia en deux avec un grognement. En quelques secondes, ses yeux porcins s'emplirent de larmes de douleur. Puis sa bouche se tordit en un mauvais rictus. Elle eut alors vraiment peur et tenta d'ouvrir la porte pour se réfugier chez elle, mais il lui fit faire volte-face et la gifla :

— Sale petite conne ! Je ne peux pas supporter les pucelles dans ton genre. Je vais te montrer.

Il l'empoigna. Elle ressentait à présent plus de colère que de peur et, dans un sursaut d'énergie, elle le repoussa, ouvrit la porte, se glissa dans son appartement et lui claqua la porte au visage. Elle demeura un instant tremblante de peur, encore sous le coup du choc. Il avait cru coucher avec elle pour un dîner à trois dollars quatre-vingt-quinze !

Elle se déshabilla lentement et se fit couler un bain. Il lui fallait beaucoup de mousse et de parfum pour faire disparaître en elle le souvenir de cette atroce soirée. Elle allait se glisser dans sa baignoire lorsque le téléphone sonna. Elle entendit la voix étouffée de Linda :

— January... est-ce que Wally est chez toi ?

— Non, alors !

— Oh... Bien, écoute. Steve est dans la salle de bains. Je viens d'appeler mon service des abonnés absents. Et devine quoi ! Tom a appelé !

— Il a appelé !

— Oui. Il est en ville. Il m'a appelée à dix heures et demie. Il faut que tu le rappelles maintenant. Il est au Plaza.

— Moi ? Mais c'est toi qu'il a appelée !

— January... je ne peux pas. Je suis au lit avec Steve — c'est-à-dire que j'y serai lorsqu'il sortira de la salle de bains. Ecoute, dis-lui que tu lui téléphones de ma part... que j'ai une conférence tardive... enfin, ce que tu trouveras... mais essaie de savoir s'il a prévu de me voir demain.

— Honnêtement, Linda, je ne peux pas.

— Fais-le. Allez, maintenant. Tu pourras... tu pourras même t'inscrire sur le rendez-vous.

— Non.

— Je t'en prie. Oh, hello... Steve... j'étais en communication avec mon service téléphonique. Il y eut un silence, puis Linda reprit d'une voix impersonnelle : Très bien, Miss Green. Merci pour mes messages et, *s'il vous plaît,* passez cet appel pour moi.

January s'assit sur le lit. L'eau du bain avait refroidi. Vingt minutes plus tard, elle n'avait toujours pas appelé Tom. Elle ne pouvait pas. Comment *aurait-elle pu* l'appeler ? Mais elle devait le faire pour Linda. Et puis elle se laissa envahir par ses propres sentiments et décrocha le téléphone.

Le standardiste de nuit du Plaza lui dit que Monsieur Colt avait laissé la consigne de ne le déranger sous aucun prétexte. Elle lui fit dire que Miss Linda Riggs avait appelé. Puis elle raccrocha en se demandant si elle était contrariée de ne pas avoir pu lui parler... ou heureuse qu'il ne sache pas qu'elle l'avait appelé.

Linda la rappela avant que son réveil n'ait sonné :

— January... réveille-toi. Je n'ai qu'une seconde. Steve est au petit coin. Il va revenir pour le coup du petit matin. Dis-moi vite... tu as appelé Tom ?

— Oh, Seigneur... quelle heure est-il ?

— Sept heures. Tu as pu lui parler ?

— Non, il ne voulait pas être dérangé, mais je lui ai fait dire que tu avais appelé.

— Brave fille ! On en rediscutera tout à l'heure.

A onze heures et demie, Linda fit venir January dans son bureau :

— Je viens de lui parler au téléphone, lui annonça-t-elle. Nous allons tous les trois voir *No, No, Nanette* ce soir.

— Oh...

— Tu ne me remercies pas ?

— Linda, je ne suis pas obligée d'y aller. En fait, je crois que je n'irai pas.

— Non, tout est réglé. Il m'a dit : « La dernière fois, c'est *moi* qui ai choisi le spectacle... qu'est-ce que vous voulez voir cette fois-ci ? » Et quand je lui ai dit *No, No, Nanette,* il m'a répondu que c'était parfait parce que Patsy Kelly avait toujours été l'une de ses actrices favorites. Et puis il m'a dit : « Est-ce que vous voulez demander à January de venir ? », Je lui ai répondu : « Oui, je pense que ça fera meilleur effet. Après tout, vous êtes marié. En tournée, cela n'aura plus d'importance, car tout le monde saura que je suis là pour écrire un article sur vous ». Nous nous sommes quittés là-dessus. Mais je veux l'avoir ce soir. Alors nous n'irons pas chez Sardi. Allons quelque part où il pourra vraiment boire. Et puis, au moment favorable, tu t'éclipseras. Ou bien, si je lui demande de venir boire un verre chez moi... tu ne nous suivras pas.

— Linda, il invitera peut-être Patsy chez Sardi...

— Oh, zut. Ça veut dire que nous resterons assis à parler théâtre ; et que tout le monde sera très sage, comme l'autre fois.

— Il semble aimer le théâtre.

— Eh bien nous improviserons. Nous le retrouvons dans sa suite au Plaza à six heures. Il a dit que nous mangerions quelques amuse-gueule avec l'apéritif, histoire de tenir le coup jusqu'à la fin du spectacle. Mais si j'arrive à le faire boire l'estomac vide... je marque un point.

Elles arrivèrent au Plaza à six heures. Rita Lewis était là avec un jeune journaliste de *Life,* manifestement dans ses petits souliers. Tom fit les présentations, un verre de bourbon à la main. Rita eut un choc en voyant Linda et January. Tom leur servit un verre à chacune, et elles s'assirent tranquillement pendant que se poursuivait l'interview. January remarqua que Tom regardait souvent l'horloge sur la cheminée. A six heures et demie, le jeune homme posait encore des questions. A sept heures moins le quart, Tom demanda :

— Ça doit durer encore combien de temps ? C'est que nous avons des places pour une comédie musicale.

— Monsieur Colt, lui dit Rita d'une voix au bord de la crise de nerfs, c'est une interview pour *Life.* Monsieur Harvey est là pour un bon moment. Je veux dire... il n'y a pas de limite de temps. Et le photographe doit arriver à huit heures et demie.

— Il semble que nous allons devoir ajourner la séance, lui dit Tom. (Il se tourna vers le journaliste :) Je suis désolé, jeune homme, mais...

Rita sursauta :

— Monsieur Colt, vous ne pouvez pas faire ça. Vous avez déjà retardé notre programme de deux semaines. J'ai dû reporter tous les rendez-vous — l'émission de Mike Douglas, celle de Kup à Chicago...

— Eh bien, la prochaine fois que vous me direz que j'ai une interview à cinq heures, vous me préviendrez du temps que ça doit durer.

— Mais je vous ai laissé une enveloppe avec votre emploi du temps ! Il y est dit clairement : « Le reporter de *Life* et le photographe à cinq heures... première séance ». Tout le monde sait qu'une séance d'interview dure plusieurs heures. Et il est impossible de bousculer un photographe. Nous avons Rocco Garazzo — un des meilleurs de New York.

— Désolé, ma petite dame... lui fit Tom. Ce sera pour une autre fois. Voilà, l'apéritif est servi, amusez-vous bien.

— Monsieur Colt... (La voix de Rita se brisa, ses yeux s'embuèrent de larmes). Vous allez me faire perdre ma place. On dira que j'ai saboté l'interview. Et je ne pourrai pas retrouver un autre emploi, parce que tout le monde saura que je n'ai pas été assez compétente pour organiser l'interview d'un écrivain célèbre. Je perdrai aussi mes contacts personnels... comme ceux de *Life*... parce que ce que vous faites est une insulte pour leur reporter. Il fait son métier de son mieux, et...

— Ça va, dit-il tranquillement, vous avez gagné. Il se tourna vers Linda : les tickets sont à mon nom. Allez au spectacle, les filles. Revenez ici quand ce sera terminé. Prenez ma voiture. Elle est devant la porte. Puis il enleva son veston, se servit un bon verre et dit au journaliste : très bien, Monsieur Harvey. Je suis désolé pour ce malentendu. Faites votre boulot, et prenez tout le temps qu'il vous faudra.

En route vers le théâtre, Linda s'enthousiasma sur la tournure que prenaient les événements :

— Il a commencé à boire. Et maintenant, nous ne risquons plus d'aller chez Sardi. Mais je reviendrai seule. Je crois que ce sera le bon moment.

Après le spectacle, Linda se calma un peu :

— Peut-être que Rita et les gens de *Life* seront encore là. Il vaut mieux que tu viennes. S'il est seul, tu restes boire un verre, et puis tu te défiles. Je te ferai signe. Quand je te dirai : « January, je crois que ton article sur les chats fera un malheur », tu me diras par exemple : « Puisque tu m'y fais penser, j'ai du travail à terminer ce soir, et il vaut mieux que je rentre ». D'accord ?

— D'accord. Mais, Linda, est-ce que tu vas... ?

— Est-ce que je vais quoi ?

— Est-ce que tu vas vraiment lui courir après ? Comme un homme court après une fille ?

Linda éclata de rire :

— January, je crois que si tu faisais monter un homme chez toi, tu t'attendrais à ce qu'il t'envoie des fleurs le lendemain.

— Mais... oui... C'est ce qu'a fait David.

— Peut-être est-ce pour cette raison que David ne t'appelle qu'une fois tous les dix jours. Mais il se trouve que je sais que le mannequin avec qui il sort ne reçoit pas très souvent de fleurs de sa part, et qu'elle lui apporte son petit déjeuner au lit. Et si on songe que Kim ne doit manger qu'une branche de céleri tous les deux jours pour rester mince et jolie... on se dit que ça ne doit pas être facile de regarder un garçon manger des œufs et du bacon lorsqu'on meurt de faim.

— Ce qui signifie ?

— Ce qui signifie qu'il n'y a plus de différence entre filles et garçons. Une fille peut être aussi agressive qu'elle le veut. Elle peut appeler un homme au téléphone. Elle peut lui demander de coucher avec lui. C'est comme ça que ça se passe, aujourd'hui. Nous sommes dans les années soixante-dix et non plus dans les années cinquante.

— Je suis curieuse d'une chose — si Tom Colt t'attire tant, pourquoi as-tu couché avec Steve hier soir ?

— Hier soir, je ne savais pas encore que Tom reviendrait, quand j'ai dit à Steve que je voulais coucher avec lui. Je ne pouvais pas le renvoyer, non ? Et puis il se débrouille très bien au lit, et il y avait longtemps que je n'avais plus fait l'amour.

— Mais est-ce que tu ne dois pas *ressentir* quelque chose pour un homme avant de coucher avec lui ?

— Oui... je dois avoir envie de lui.

— Linda !

Linda la fixa, dans l'obscurité de la limousine :

— Tu sais quoi, January ? Tom Colt a cinquante-sept ans, mais il est dans le coup. C'est avec *toi* que se creuse le fossé des générations.

January et Linda arrivèrent au moment où Rita Lewis et le reporter allaient partir. Tom accueillit les deux jeunes filles avec enjouement, leur posa des questions sur la comédie musicale qu'elles venaient de voir, et insista pour que tout le monde prenne un dernier verre, y compris Rita Lewis, complètement épuisée. Rita dit qu'elle devait partir, mais le journaliste de *Life* accepta l'invitation. Pourtant, au bout d'un moment, il dit à Tom :

— Il faut vraiment que je m'en aille. J'ai dit à ma femme que je serais à la maison à dix heures, et elle a dû me préparer mon dîner.

— Pourquoi ne pas l'avoir dit, mon vieux ? lui dit Tom, navré. Quand je bois, j'oublie de manger. Dire que je vous laissais crever de faim... Où habitez-vous ?

— Près de Gramercy Park.

— Eh bien, ma voiture est devant la porte. Faites-vous reconduire. Vous la renverrez pour qu'elle vienne chercher les filles.

— January, dit vivement Linda, j'aime bien cet article sur les chats que tu as commencé.

January avança vers la porte :

— Je dois encore y travailler, dit-elle. En fait j'avais l'intention de m'y mettre un peu ce soir... je crois que je vais partir avec Monsieur Harvey... il pourra me déposer.

— Le pauvre bougre meurt de faim, dit Tom. Et il va dans la direction opposée. Vous allez le promener à un bout de la ville et revenir à l'autre bout pour une histoire de chats. Ça ne peut pas attendre jusqu'à demain ?

— Eh bien, il faudrait vraiment que je...

— January travaille bien mieux la nuit, dit rapidement Linda.

— Comme nous tous. Mais cette fois, son génie devra patienter. Allez-y, Bob.

Le jeune homme hésita :

— Ce n'est pas grave. Je peux très bien...

— Mais non, mais non, lui dit Tom avec bonhomie. Allez rejoindre votre femme et votre dîner. Puis il se tourna vers Linda et leva son verre à son intention : ma chère, vous boiriez bien un verre pour vous retaper ? Et servez donc un peu de ginger ale à notre mère à chats.

Tom but un coup rapide. Puis il ramassa une enveloppe sur la table :

— Ce sont les instructions de notre spécialiste de presse pour demain.

— Vous feriez mieux de les lire, lui dit January. Je veux dire... vous avez peut-être un rendez-vous matinal.

— Oh, je sais. Je dois aller à Philadelphie... pour l'émission de Mike Douglas. Et ensuite à Washington.

— Vous repartez ? lui demanda Linda.

— Seulement pour deux jours. Ensuite, je reviens ici pour une semaine. Et puis ce sera Chicago, Cleveland, Detroit... Et puis je reviens encore pour deux jours. Et après... Los Angeles.

— A quelle heure partez-vous demain matin ? lui demanda Linda.

Il lui indiqua l'enveloppe :

— Ouvrez-la et regardez vous-même.

Linda décacheta l'enveloppe :

— Vous ne partez pas avant midi, lui dit-elle. Il est indiqué que la limousine viendra vous prendre à dix heures. Mais vous avez un rendez-vous à neuf heures ici avec Donald Zec.

— Oui. Il arrive de Londres... il doit faire un article sur moi pour le *Daily Mirror*. Il se leva. Je ferais mieux d'aller me coucher. Je veux être réveillé pour Donald. C'est un copain à moi.

Il se dirigea vers sa chambre à coucher.

— January, dit Linda, je crois que ton article sur les chats est...

— Je dois vraiment partir, dit January. Je peux prendre un taxi.

Tom se retourna :

— Vous partirez toutes les deux ensemble avec ma voiture. Je vais me déshabiller et, quand je vous appellerai, vous viendrez toutes les deux me border dans mon lit, et nous boirons ensemble un dernier coup pour la route.

Il disparut dans la chambre à coucher. January eut un haussement d'épaules d'impuissance à l'intention de Linda. Celle-ci était furieuse :

— Je dois savoir quand il part pour Chicago, Cleveland et Detroit. Parce que je dois y aller avec lui. Je ne pourrai pas aller à Philadelphie et Washington... il est trop tard pour réserver les chambres d'hôtel. Et puis je crois qu'il sera accompagné par les gens de *Life*. (Elle fixa soudain January :) Ecoute... va-t'en... maintenant.

— Tu veux dire, m'en aller comme ça ?

— Oui. Quand j'entrerai dans sa chambre, je lui dirai que tu voulais vraiment t'en aller.

— Mais Linda, c'est d'une telle grossièreté...

— Il n'a pas vraiment envie que tu sois là. Il n'a dit ça que par politesse. Et puis tu n'as pas réellement insisté pour partir. Bob Harvey était prêt à faire un détour, mais tu t'es vite inclinée.

— Eh bien non, Linda. Je ne veux pas que Tom Colt pense que je le déteste. J'ai accepté son invitation pour le théâtre, je ne peux pas agir comme si j'avais soudain horreur de lui. Il me prendrait pour une sauvage.

— Qu'as-tu à faire de ce qu'il pense ? Après avoir couché avec moi, il ne pensera plus à rien, de toute façon. Allez, January, prends ton manteau, et va-t'en.

La voix sonore de Tom leur parvint soudain de la chambre à coucher :

— Hé, les filles, amenez la bouteille et trois verres.

— Va-t'en, siffla Linda.

— Linda, tu vas vraiment lui dire que j'avais du travail ? Je t'en prie.

— Oui.. mais pour la grâce de Dieu, va-t'en !

Il entra brusquement dans la pièce. Il était en robe de chambre et, de toute évidence, ne portait rien en dessous :

— Hé, qu'est-ce que vous faites debout l'une en face de l'autre comme des serre-livres ? Prenez la bouteille et venez avec moi.

Linda regarda January et prit la bouteille. Elles entrèrent toutes les deux dans la chambre à coucher. Tom Colt se jeta sur le lit par-dessus les couvertures :

— Nous allons boire un dernier verre. Ensuite, vous partirez toutes les deux sur la pointe des pieds et vous éteindrez la lumière. Lorsqu'il vit que Linda n'avait amené que deux verres, il lui montra la salle de bains : il y a un autre verre là-dedans. Cette fois, January, je veux que vous buviez. En l'honneur de ma tournée.

Linda s'en fut à la salle de bains et, obéissante, en revint avec un verre. Il leur servit une bonne rasade d'alcool à chacune et se servit lui-même un bon demi-verre de bourbon.

— Maintenant, asseyez-vous de chaque côté de moi, leur dit-il en leur montrant le lit. Les deux filles s'assirent et il taquina Linda en lui ébouriffant les cheveux : maintenant, buvons au grand écrivain qui va se vendre comme un paquet de lessive. Braves gens... venez voir l'écrivain... foutez-vous de lui tant que vous voudrez... du moment que vous l'*achetez*.

Il vida d'un coup la moitié de son verre. Linda but complètement le sien, puis regarda Tom, en quête d'une approbation.

Il lui fit un clin d'œil et lui remplit à nouveau son verre. Il termina le sien, puis regarda dans la direction de January. Elle but une petite gorgée... puis tout le reste d'un seul coup. Il lui remplit son verre en souriant. January avait la gorge en feu. Pendant une fraction de seconde, elle pensa à ce que l'on devait ressentir en avalant du poison. Puis la brûlure fit place à une sensation de douce chaleur au creux de la poitrine. Elle sirota son second verre... qui, une fois encore, passa mieux que le premier. Elle était décidée à le déguster. C'était mieux que de se brûler la gorge en une seule gorgée. Elle se demanda si Tom savait que ni elle ni Linda n'avaient absorbé la moindre nourriture depuis pas mal d'heures. Elle avait un peu le vertige, comme si elle avait pu se voir de l'extérieur. Elle se pencha vers le bout du lit. Linda avait posé la tête sur la poitrine de Tom. Comme sans y penser, il lui caressait les cheveux. Puis il lui souleva le menton. Elle avait les yeux fermés. January se demanda comment elle pourrait s'éclipser. Il se pencha pour déposer un baiser sur le front de Linda :

298

— Tu es une belle fille, lui dit-il lentement.

January savait qu'elle devait partir... mais elle était comme paralysée. Linda regardait Tom dans le blanc des yeux, comme si elle allait y plonger tout entière.

— Linda, dit-il lentement, il faut que tu m'aides.

Linda hocha la tête sans mot dire. Il continua à lui caresser la tête :

— Linda, je suis fou de January, comme qui dirait. Que me conseilles-tu de faire ?

Pendant un instant, un calme absolu régna dans la chambre. Ils étaient tous trois immobiles comme les personnages d'un musée de cire. Linda était toujours étendue contre Tom qu'elle regardait dans les yeux. January était assise au bout du lit, tenant toujours son verre à la main. Quelques secondes passèrent. Puis January se mit soudain en mouvement. Elle bondit hors du lit.

— La salle de bains, dit-elle. Je dois y aller.

Elle s'y précipita et s'écroula, la tête dans les bras, contre la baignoire. Toute la scène lui semblait irréelle. Est-ce que Linda continuait à regarder Tom ? Comment avait-il pu lui dire ça ? Ou bien était-ce un gag... une petite plaisanterie entre eux ? Bien sûr ! C'était ça ! Ils devaient déjà être dans les bras l'un de l'autre en se moquant d'elle qui était tombée dans le panneau. Eh bien, non... elle n'était pas dupe. Et elle continuerait à prétendre qu'elle avait vraiment eu besoin d'aller à la salle de bains. Elle tira plusieurs fois la chasse, fit couler de l'eau dans le lavabo et fit beaucoup de bruit en se lavant les mains. Puis elle ouvrit la porte, et entra résolument dans la chambre.

Tom était assis tout droit contre les oreillers et la contemplait. Aucun signe de la présence de Linda. Ils se regardèrent un instant. Puis, avec un sourire presque triste, Tom fit un geste vers elle. Elle avança lentement et vint délicatement s'asseoir au bord du lit.

— Où est Linda ? demanda-t-elle.

— Je l'ai renvoyée chez elle.

Elle fit mine de se lever, mais il la fit se rasseoir en la prenant doucement par la main :

— Ne sois pas si nerveuse. Je ne vais pas te violer. Ce n'est pas souvent que je tombe amoureux d'une fille dont le père est plus jeune que moi. Je peux avoir toutes les filles que je veux... des filles pas compliquées. Il m'arrive même de les épouser. Trop souvent... c'est là mon problème. Je crois que les jeunes d'aujourd'hui ont raison de vouloir abolir le mariage. Les gens devraient rester ensemble tant qu'ils s'aiment bien, et non pas parce que c'est la loi, comme s'ils étaient en prison. Maintenant, je vais te dire la vérité. Non, je ne suis pas amoureux de ma femme. Je ne l'ai jamais vraiment été, sauf qu'elle m'a donné un gosse, et que c'était quelque chose que je voulais. Si je la quittais, elle garderait le bébé. Alors je ne le ferai pas. Je suis fou... d'avoir envie de toi. Linda aurait été plus simple. Pas de problèmes... seulement prendre du bon temps ensemble. J'ai bien essayé d'avoir envie de Linda... mais tu étais là. Je me suis rendu compte que je pensais tout le temps à toi. Je n'étais pas vraiment obligé de revenir ici et de faire la tournée dans l'Est. Le livre se vend très bien — plus de cinquante mille exemplaires jusqu'ici, et il va y avoir un nouveau tirage de vingt-cinq mille. Mais je suis revenu, et j'ai accepté de reprendre cette tournée à cause de toi. (Il l'attira à lui et l'embrassa doucement sur les lèvres). Il ne va rien se passer ce soir, January. En fait, il ne se passera rien avant que tu aies les mêmes sentiments envers moi...

— Tom. Je... Oh, Tom, je suis amoureuse de vous... et je m'en suis aperçue avec horreur... parce que vous avez une femme et un enfant.

— Mais ce que nous pouvons ressentir l'un pour l'autre n'a rien à voir avec mon enfant. Je t'ai déjà dit ce qui se passe avec ma femme.

— Tom, je ne pourrais pas me contenter d'une semaine... ou de seulement ce soir... vous comprenez ?

— January... l'amour n'est jamais pour toujours. Remercie le destin, et prends l'amour là où tu le trouves.

Elle le regarda fermement :

— M'aimez-vous, Tom ?

Il parut songeur :

— C'est un mot bien grave. Et je dois avouer que je l'ai employé plusieurs fois sans vraiment le penser. Mais j'ai l'impression que si je dois l'employer avec toi, il faudra que ce soit vrai.

— Oui... ce n'est que comme ça que je pourrais... (Elle cherchait désespérément les mots appropriés). Vous voyez, je me sentirais si coupable... je veux dire que je me sens même coupable d'être ici avec vous alors que je sais que vous êtes marié et que vous avez un enfant. Ce que nous faisons est mal... absolument mal... Mais si je sens que vous m'aimez vraiment... et que personne n'en souffrirait... en dehors de nous... eh bien c'est à cette seule condition qu'il pourrait se passer quelque chose. J'ai l'impression que Dieu ne serait pas trop fâché, parce que nous serions tous les deux réellement amoureux. (Elle se sentit rougir, et regarda ses mains). Je sais que je dois vous paraître stupide... et...

Il lui releva le visage, et elle vit qu'il avait de la douceur dans les yeux :

— January, vous êtes encore plus merveilleuse que je ne l'aurais cru.

Puis il la prit dans ses bras et lui caressa les cheveux, comme il aurait consolé un enfant. Après quelques instants, il se dégagea lentement, se leva et la conduisit dans le living-room. Il prit le manteau de January et, tout d'un coup, elle bondit dans ses bras. Le manteau tomba par terre tandis qu'elle se serrait contre lui et l'embrassait. Et pour la première fois de sa vie, elle comprit le plaisir intime d'un vrai baiser. Leurs corps étaient soudés. Elle se serra encore plus fort, comme si elle avait voulu se fondre en lui... Et soudain, le téléphone sonna. C'était le chauffeur qui annonçait qu'il était de retour.

— Il est temps que tu t'en ailles, lui dit-il en lui ramassant son manteau.

— Oh, Tom, j'aimerais tant que vous ne repartiez pas.

— C'est seulement pour quelques jours. Peut-être est-ce mieux ainsi... cela nous permettra de réfléchir.

Puis il l'embrassa doucement, et la regarda marcher dans le couloir jusqu'à l'ascenseur.

Elle était folle de joie... elle avait un peu peur... et elle se sentait toute troublée. Cela ne pouvait pas être mal. C'était sûrement le Destin... que Tom vive dans la suite de Mike. Elle connaîtrait sa première véritable expérience amoureuse dans le lit de Mike.

Elle continua à y penser, assise à l'arrière de la limousine. Elle revécut tous les événements de la soirée... tout ce qu'il avait dit. Et puis quelque chose la tracassa. Au début, ce ne fut qu'une légère fausse note au milieu du concert de sa joie. Mais avant même d'arriver chez elle, elle était presque paniquée. Qu'avait-il eu derrière la tête en lui disant que ces deux jours leur donneraient à tous les deux une chance de réfléchir ? Oh, Seigneur, cela voulait-il dire qu'il allait changer d'avis ? L'avait-elle effrayé en lui parlant d'amour et de culpabilité ? Lui dirait-il en revenant : « J'y ai bien réfléchi, January... il serait préférable qu'il ne se passe rien entre nous ? » Non, il ne ferait pas ça. Il était amoureux d'elle. Et puis, dans l'obscurité de la limousine, elle revit soudain leurs deux corps collés l'un à l'autre... et elle réalisa qu'elle n'avait pas senti en lui la moindre érection. Absolument rien ! Oh, Seigneur, peut-être ne lui avait-elle fait aucun effet... ou l'avait-elle vraiment effrayé !

XVII

Elle ne dormit pas de la nuit ; moins encore, sans doute, que lorsqu'elle avait appris le mariage de Mike. Cette nuit-là, elle était restée assise, hébétée, près de la fenêtre, n'éprouvant rien d'autre qu'une sensation de vide. Cette fois-ci, ce fut différent. Elle fuma un paquet entier de cigarettes.

« *C'est l'affaire de quelques jours... Peut-être est-ce mieux ainsi... Cela nous permettra de penser, de réfléchir* ». Ces mots l'obsédaient. *Penser à quoi* ? A en finir avant que rien n'ait commencé ? Comment avait-elle pu être aussi sotte ? Vouloir qu'il l'aime, lui... Comment avait-il dit cela ? « Il avait souvent menti en parlant d'amour, mais avec elle, ce mot prendrait tout son poids ». Evidemment, elle n'avait réussi qu'à le faire fuir. A-t-on idée de demander à un homme, de but en blanc, s'il vous aime vraiment ? Non, pas si l'on sait se contrôler. Mais, précisément, elle en était incapable. De plus, elle ne voulait pas jouer la comédie avec Tom. Si ce qu'il y avait entre eux était sérieux, le fait qu'il soit marié compliquerait bien assez les choses sans qu'il y ait besoin de comédie. Elle voulait avoir avec lui des rapports sincères, elle voulait pouvoir lui dire ce qu'elle éprouvait et combien elle l'aimait...

A neuf heures elle parvint à se traîner jusqu'au bureau. Elle avait bien envisagé de se déclarer malade pour éviter de rencontrer Linda. Mais il faudrait bien l'affronter... tôt ou tard. Elle résolut d'en finir et se dirigea tout droit vers son bureau.

A sa grande stupéfaction, elle trouva une Linda toute souriante.

— Assieds-toi. Prends du café et raconte-moi tout en détail.

— Linda... Tu sais, hier soir, je...

— Ne crois pas que je sois bouleversée, dit-elle gaiement. Du moins plus maintenant. Je dois reconnaître que, hier soir, j'ai envisagé plusieurs formes de suicide. Mais ce matin, je me suis retrouvée assise devant la porte de mon psychiatre dès sept heures et demie et attendant qu'il vienne ouvrir boutique. J'ai réussi à lui arracher vingt minutes d'entretien, malgré la présence d'une bonne femme en proie à l'hystérie de la ménaupose. Je lui ai tout dit. Lorsque je suis arrivée au bout de mon histoire, je sanglotais plus fort que la vieille à ménaupose. Il m'a dit : « D'habitude, Linda, j'attends que vous trouviez vous-même la solution de vos problèmes. Mais cette fois, je vous dis tout de suite que Tom Colt n'est amoureux ni de vous ni de January. Pour un homme de cet âge, posséder tant de femmes signifie qu'il a constamment besoin de se prouver quelque chose. Et dans le cas précis de Tom Colt, sa préférence pour January a un rapport évident avec son père. »

Ensuite, il m'a expliqué qu'en te choisissant, c'était sur ton père qu'il voulait agir.

— Oh oh, dit doucement January, épargne-moi d'avoir jamais affaire à un psychiatre.

— Tu en avais bien un dans ta clinique en Suisse, non ?

— Oui, mais nous n'avons jamais rien abordé de personnel. Je veux dire que son traitement ne servait qu'à me redonner l'espoir de marcher normalement, de rentrer dans la société et de vivre à nouveau avec mon père. C'était tout. Je me demande comment tu peux t'asseoir devant un étranger et lui livrer tes pensées les plus intimes, même s'il est psychiatre.

— Le docteur Galens n'est pas un étranger. C'est un analyste freudien, mais il croit à la possibilité d'une thérapie pour les problèmes quotidiens. Comme lorsque je me fais virer d'un lit pour te céder la place. Il replace ensuite ces faits dans une optique freudienne en faisant apparaître leurs rapports avec mon passé. Tu vois, j'ai beau être devenue une journaliste connue, il reste toujours au fond de moi une vilaine gamine qui supplie qu'on la délivre. Voilà pourquoi j'ai besoin du sexe ; pour prouver que je suis jolie. Quant à toi... Tout ce qui t'arrive a un rapport avec ton père. Même cet accident de moto, par exemple. Tu n'es montée sur cette foutue machine que pour punir ton père de sortir avec Melba.

— Tu veux dire que tu lui as parlé de moi ?

— Oui. Il a dit que tu avais le complexe d'Electre. C'est pour cette raison que cela ne marche pas avec David : il est trop jeune et trop beau.

— Linda ! Tu ne lui as tout de même pas parlé de cela !

— Bien sûr que si ! C'est mon psychiatre. Il faut qu'il sache tout, non seulement sur moi, mais aussi sur les gens que je fréquente. Tu vois bien qu'il est fantastique. Au fond, tu sais, je suis une fille très superficielle. Oh ! Ne prends pas cette tête-là. Je sais que je dis la vérité. J'ai le complexe de la superstar. Malheureusement, je ne chante pas comme Barbra Streisand. Comme actrice, je peux difficilement me faire passer pour Glenda Jackson. Et Ann-Margaret n'a pas à redouter mon sex-appeal. Alors, que me reste-t-il pour accéder au rang de superstar ? Il me reste mon magazine : *Gloss*. Le docteur Galens m'a obligée à reconnaître que je m'étais vouée à cette publication non parce que j'y crois... mais parce que JE SUIS *Gloss*. Si *Gloss* marche bien, moi aussi. Je ne suis ni démocrate ni républicaine. Mais en 1972, et quoi qu'en dise le directeur, *Gloss* soutiendra à fond le candidat démocrate parce que j'entends jouer mon rôle sur la scène politique. J'ignore qui sera le candidat, Muskie, Lindsay, Humphrey ou Ted Kennedy, mais rien ne m'arrêtera.

Elle se tut et sourit !

— Mais en voilà assez sur ce chapitre. Maintenant que tu sais que je paie le docteur Galens pour qu'il mette de l'ordre dans ma tête, parle-moi d'hier soir. Etait-ce bien ?

— Nous n'avons rien fait. Je veux dire... Nous avons seulement parlé.

— Quoi ?

— Parce que, Linda, je préfère ne pas en parler.

Linda hocha la tête avec optimisme.

— Ne t'en fais pas. Il avait probablement trop bu.

Puis, changeant soudain de ton, elle redevint la femme d'affaires.

— Dis-moi, sais-tu faire marcher un magnétophone ?

— Oui.

— Bon. Prends celui-ci.

Elle tendit à January un petit appareil.

— Il n'est pas difficile de deviner qui va accompagner Tom Colt dans sa tournée. Alors tous les soirs, ou tous les matins, peu importe... tu raconteras là-dedans comment se passe cette tournée. Dis les choses comme tu les vois. Sara rédigera ensuite son texte à partir de tes renseignements. Confie-toi à cet appareil comme à un journal intime, sans rien omettre...

— Linda, je ne pourrai pas.

— Je ne parle pas de ta vie sexuelle, January. Celle-là, c'est à moi qu'il faut la raconter. Encore que, d'après tes récentes expériences, je redoute un désastre complet.

— Que veux-tu dire ?

— Regarde ce qui s'est passé avec David.

— Mais David ne m'intéressait pas. Je... J'aime Tom Colt.

Linda poussa un soupir.

— Ecoute, s'intéresser à un type ou l'aimer ne signifie pas nécessairement que tu vas faire des merveilles au lit avec lui. Les courtisanes les plus célèbres de l'Histoire étaient parfois des lesbiennes, ce qui ne les empêchait pas de tourner la tête aux hommes. Il y faut de l'art, tu comprends ? Pas seulement de l'amour. D'autant qu'il ne s'agit pas d'un homme ordinaire. Il s'agit de Tom Colt qui a déjà sa légende et bien orchestrée.

— J'ai appris à vivre avec un homme légendaire. Rien n'est plus humain.

— Oh, vraiment ? Voilà donc pourquoi tu es tombée amoureuse de lui : parce que ton père a révélé ses faiblesses, tu recherches quelqu'un de plus grand et de meilleur. Ton superman personnel, hein ?

— Linda, ... tu sais ce que je pense ? Tu as poussé trop loin ton analyse.

— Soit. Prends toujours ce magnétophone. Et qui sait, peut-être que lorsque nous ferons passer ces bandes, ce n'est pas seulement la personnalité de Tom Colt que nous découvrirons, mais la vraie January Wayne.

Elle essaya de parler devant le magnétophone. De parler de Tom... de la première impression qu'il lui fit... du cocktail... de sa force... de sa gentillesse. Mais quand elle écouta son enregistrement, cela ressemblait au journal intime d'une collégienne.

Elle vécut une journée épouvantable. Et si Tom ne rappelait jamais ? S'il voulait en finir ? N'avait-elle pas tout gâché ? Elle quitta son bureau à quatorze heures. Peut-être que si elle essayait d'écrire, d'affronter une feuille de papier blanc sur une machine, elle pourrait parler objectivement de sa rencontre avec Tom... après quoi, elle lirait son texte au magnétophone.

Elle décida de rentrer chez elle à pied pour s'éclaircir les idées. Elle avait beau vouloir se persuader que tout irait bien, elle ne pouvait chasser de son esprit la fameuse phrase : « *Peut-être est-ce mieux ainsi... Cela nous permettra de réfléchir* ».

« Réfléchir ». Qu'est-ce que cela voulait dire ? Cela ne pouvait signifier qu'une chose : qu'il voulait en finir. Oh, Dieu, si seulement Mike avait été là, si elle avait pu parler à quelqu'un.

Elle rentra chez elle et demanda si on lui avait téléphoné. Rien. Il lui sembla soudain que les murs de sa chambre se resserraient sur elle. Les bouteilles vides de coca, les cendriers pleins... toutes ces traces d'une nuit insupportable étaient encore éparses dans la pièce. Elle commença à mettre de l'ordre. Mais tout-à-coup elle éprouva le besoin de quitter cette chambre. Il fallait absolument qu'elle parle à quelqu'un.

Elle se précipita sur le téléphone et appela David. Il répondit à la seconde sonnerie.

— January, quelle bonne surprise ! Voilà qui est à mettre au

306

nombre des grands événements de ma vie. C'est la première fois que vous m'appelez.

— Je... eh bien... je viens de travailler très dur à rédiger une histoire et je crois que je suis en panne. J'ai besoin d'un point de vue masculin. David... pourriez-vous m'inviter à dîner ce soir ? J'ai besoin de parler avec quelqu'un qui m'aide à y voir clair.

— Oh mon pauvre ange... pourquoi faut-il que ce soit ce soir ? J'ai déjà un rendez-vous à sept heures et demie. Mais écoutez... jusque-là je suis libre... Voulez-vous que je vous rejoigne pour boire un verre ? Il n'est que cinq heures et demie.

— Non. Je préfère vous rencontrer quelque part. J'ai besoin de sortir d'ici.

— January... quelque chose ne va pas ?

— Non, simplement, je suis restée trop longtemps claquemurée à écrire.

Il se mit à rire.

— Je suis très impressionné. Ecoutez, il faut que je sois quelque part dans l'East Side à sept heures et demie. Pourrions-nous nous retrouver à l'Unicorn ? Nous aurions ainsi plus de temps pour bavarder.

— Très bien, David... J'y serai dans dix minutes.

— Mettons quinze, dit-il en riant. Je viens de rentrer chez moi et je voudrais simplement me raser.

Ils s'installèrent à une petite table de l'Unicorn et, sous le regard stupéfait de David, elle commanda un Jack Daniels. Elle avait horreur du bourbon, mais cela lui donnait l'impression d'être un peu plus proche de Tom.

— Très bien, dit-il en souriant. Et maintenant, racontez-moi ce qui embarrasse à tel point l'écrivain le plus neuf et le plus séduisant des Etats-Unis.

— Voilà. C'est une nouvelle que j'essaie d'écrire. Je viens de réaliser que je l'écris entièrement du point de vue de la femme et que j'ai besoin de connaître celui de l'homme.

Il fit un signe approbateur, gravement.

— Très juste, dit-il en regardant sa montre. Continuez, allez-y.

— Eh bien, mon héroïne est amoureuse d'un homme marié, un homme beaucoup plus âgé qu'elle...

— Oh, avec des petits-enfants, etc. ?

— Non, il a un bébé... et une femme. Pas de petits-enfants.

— Quel âge a-t-il ?

— Il approche de la soixantaine.

— Dans ce cas, votre intrigue ne colle pas. Un homme qui approche de la soixantaine devrait avoir des petits-enfants, pas un bébé. Mettez donc plutôt des petits-enfants... ça fait déjà plus émouvant.

— Cela n'a pas tellement d'importance : le nœud de mon histoire c'est la relation entre cet homme et la jeune fille.

— Quel âge a la jeune fille ?

Elle prit une bonne gorgée de bourbon.

— Elle... Je ne sais pas encore exactement.

— Mettons trente-deux. Il est rare qu'un homme au-delà de la cinquantaine épouse une fille de moins de trente ans. Sinon, ça ne marcherait pas. Et s'il a un bébé d'une autre femme... celle-là aussi doit avoir la trentaine.

— Pourquoi la fille n'aurait-elle pas de vingt à vingt-cinq ans ?

— Ce n'est possible que si l'homme est un parfait salaud. Et dans ce cas, rien ne vous empêche de donner quatorze ans à la fille. Mais s'il a une femme et un enfant en bas âge, il faut que ce soit vraiment une femme, pas une gamine.

— Très bien. Mettons qu'elle ait la trentaine, qu'ils tombent amoureux et qu'elle éprouve un sentiment de culpabilité à l'égard de la femme et du bébé... Elle refuse que ce soit une simple aventure. Mais elle est folle de lui, elle lui dit qu'elle ne veut ni casser son mariage ni rien de semblable, mais que s'il existe des rapports entre eux, il faut qu'ils soient d'amour...

— Et alors, quel est votre problème ?

— Pensez-vous qu'elle aurait tort de lui parler ainsi ?

Il contempla son verre.

— Pourquoi aurait-elle tort ? Toutes les filles disent ce genre de choses, même lorsqu'il s'agit de passades d'une nuit.

— Ce n'est pas ce que je veux dire, David. Je veux dire... Supposons qu'ils aient passé plusieurs jours ensemble... sans relation sexuelle... ensemble, simplement... qu'ensuite, ils soient séparés. Lorsqu'il revient, il lui dit qu'il la désire, et elle répond : « Il faut que tu me dises que tu m'aimes », et...

— Oh ! non ! grommela-t-il. January, pour quel canard écrivez-vous donc, pour *Screen Romances* ? N'importe quelle fille un peu futée se garde bien d'exiger d'un garçon qu'il lui fasse une déclaration d'amour.

— Vraiment ?

— Bien sûr. Il n'y a pas de meilleur moyen pour le faire détaler.

— Bon. Mais dans mon histoire, la fille est passablement idiote. Mieux, elle trouve le moyen de placer cette conversation juste avant qu'il ne parte pour un voyage d'affaires. Elle lui dit qu'elle veut de l'amour et rien de moins, et aussi qu'il lui manquera pendant les quelques jours où il va être absent. A quoi, il répond : « C'est l'affaire de quelques jours. Peut-être est-ce mieux ainsi. Cela nous permettra de réfléchir ».

Il resta un instant silencieux, puis sourit :

— Joli !

— Comment ?

— January, peut-être que là, finalement, vous tenez un bon morceau d'écriture. Quelle fin ! Je vois cela d'ici. Cette phrase, vous en faites votre dernière ligne, points de suspension. Et vous laissez votre lecteur là-dessus : reviendra ? reviendra pas ?

Elle but une autre gorgée de bourbon.

— Si vous étiez lecteur, comment l'interpréteriez-vous, cette phrase ?

Il rit et fit signe au garçon pour demander l'addition.

— Elle a tout fichu en l'air. Elle ne le reverra plus.

— Tout le monde l'interprètera ainsi ?

Il griffonna l'addition et secoua la tête.

— Non, et c'est cela qui est bien. Les femmes s'imagineront sans doute qu'il reviendra. Mais n'importe quel homme comprendra. Ce genre de phrase : « Cela nous permettra de réfléchir », c'est vraiment l'aveu le plus transparent du monde.

— A vous entendre, dit-elle, c'est sans appel.

Il se leva et l'aida à passer son manteau.

— Mais c'est vous qui l'avez écrit, ma chère.

XVIII

Le lendemain soir, elle accepta une invitation de Ned Crane, un jeune homme beau et fade qu'elle avait rencontré avec David. Il l'avait invitée à plusieurs reprises, elle avait toujours refusé. Mais soudain tout lui sembla préférable à une autre nuit blanche.

Ils allèrent dîner au Club, où ils se joignirent à un groupe d'amis de Ned. Pendant quelques instants, elle fut plutôt contente d'être entourée de bruit et de mouvement, elle but du vin blanc, fit un effort pour danser et pour prendre part à la conversation. Mais, vers onze heures, elle se sentit brusquement épuisée. Elle ne parvenait plus à réprimer ses bâillements, et se demandait comment elle pourrait s'éclipser. Elle fut tirée d'affaire vers onze heures et demie, lorsque quelqu'un proposa d'aller jouer au tric-trac chez Vera... January déclara alors qu'elle ne connaissait pas Vera et qu'elle ne savait pas jouer au tric-trac. Elle réussit même à convaincre Ned qu'elle pouvait parfaitement rentrer chez elle en taxi.

Il était minuit quand elle s'écroula sur son lit, si fatiguée qu'elle s'endormit. Elle dormait encore à huit heures et demie le lendemain quand le service des abonnés absents l'appela :

— Miss Wayne, je viens de prendre mon travail, et je constate que vous n'avez pas appelé hier soir pour prendre vos messages.

— Mon Dieu non ! J'étais si fatiguée... J'ai même oublié de remonter mon réveil. Merci de m'avoir appelée. De toute façon il était temps que je me lève.

— Ne voulez-vous pas vos messages ?

— Oh si... Si, bien sûr.

— Sara Kurtz a appelé. Elle espère recevoir quelques bandes dans l'après-midi. Elle a dit que vous comprendriez.

— En effet, merci.

— Il y a également un certain Monsieur Colt, qui a appelé de Washington.

— *Quoi* ?

— Monsieur Colt a appelé de Washington hier soir, d'abord à huit heures et demie, puis à dix heures. Il a demandé que vous le rappeliez à l'hôtel Shoreham.

— Oh merci ! Merci !

— Désolée de vous avoir réveillée.

— Non ! Au contraire... C'est merveilleux. Je... De toute façon il est grand temps que je me lève. Merci infiniment !

Elle réussit à joindre Tom au Shoreham juste au moment où il allait partir.

— Oh Tom... Je suis rentrée à minuit et j'ai complètement oublié de rappeler les abonnés absents. Je suis désolée.

— Une minute ! dit-il en riant. D'abord, comment vas-tu ?

— Je vais bien... Non pourtant, non... Tu me manques. Et toi, comment vas-tu ? Est-ce que je te manque ?

— Oui... pour tout.

— Quand reviens-tu ?

— Vendredi soir. Veux-tu dîner avec moi ?

— Est-ce que je... Oh je... Oui, j'en serais ravie.

— Très bien. Je t'appellerai dès mon arrivée.

— D'accord. Ecoute, Tom. Peut-être vaudrait-il mieux que ce soit moi qui appelle... Je resterai en contact avec le Plaza... Parce que tu risques de m'appeler au moment où je serai entre mon bureau et mon appartement.

— Je te trouverai, January, ne t'inquiète pas.

Et il raccrocha.

Toute la matinée, elle s'appliqua à dicter un compte rendu sans passion du cocktail donné en l'honneur de Tom Colt. Elle décrivait son attitude, celle des gens qui étaient là, et cette impression d'être pris au piège que ressent l'écrivain lorsqu'il est soumis, seul, aux feux de la rampe.

Linda écouta la bande et hocha la tête :

— Cela ne me paraît pas mauvais. Je le donne à Sara.

Alors elle regarda January dans les yeux.

— Mais que t'arrive-t-il ? Tu as une mine affreuse.

January attendit un instant avant de répondre.

— Linda, je ne sais que faire... J'ai tellement peur.

— De quoi ?

— Eh bien... Tom rentre demain.

— Ne me raconte pas que tu veux continuer à jouer les princesses lointaines !

— Non... Je... Je vais coucher avec lui. Mais suppose que je n'arrive pas à l'exciter.

— Un homme de la race de Tom Colt, ça s'excite, ne t'en fais pas.

January fixa ses mains posées sur ses genoux.

— Linda, quand il m'a serrée contre lui l'autre soir au Plaza, il... il ne portait rien sous son peignoir et...

— Et ?

— Il n'y a rien eu.

Linda sifflota.

— J'oubliais. Evidemment. Il approche de soixante ans et il boit : mortelle coïncidence. Il va falloir que tu commences par l'exciter oralement.

— Je ne crois pas que je le pourrais. Je... je ne sais même pas comment faire.

— Fais comme si c'était par jeu ; fais comme... Oh ! cela nécessite un peu d'expérience : je peux te le dire, car je suis sans doute la plus experte dans cet exercice-là, tous les hommes le disent. Le tout est de commencer. C'est un peu une question d'instinct... et puis, Tom te guidera, j'en suis sûre.

— Mais... que faire s'il jouit ?

— Tu l'avales.

— *Quoi* ?

Linda grommela d'impatience.

— January, quand tu fais l'amour avec un homme que tu aimes vraiment, c'est là l'expression ultime, l'accomplissement de l'amour : l'homme éjacule... toi, tu le prends... et tu l'avales. Tu avales un peu de lui-même.

— Linda, je serais capable d'en vomir ! C'est la chose la plus dégoûtante que j'aie jamais entendue.

Linda se mit à rire.

— Ecoute, ô femme de l'âge de la pierre : c'est en outre quelque chose qui peut te faire le plus grand bien, car c'est très riche en hormones, et c'est excellent pour la peau. Je m'en sers comme masque de beauté chaque fois que je le peux.

— *Tu... quoi* ?

— Je m'en fais un masque. Lorsque Keith vivait avec moi et que nous faisions l'amour tous les soirs, je l'excitais manuellement, mettons trois fois par semaine, et juste avant l'explosion, je me tenais prête, un verre à la main. Je le transvasais ensuite dans un flacon que je mettais au frigidaire. Epatant, je te le dis. Un peu comme le blanc d'œuf, mais en mieux. Tu le laisses environ dix minutes, jusqu'à ce qu'il commence à durcir en séchant, et tu rinces à l'eau froide. Pourquoi t'imagines-tu que j'aie gardé chez moi ce toqué de l'agence publicitaire ?... Parce que lui m'en produisait un demi-verre.

— Linda, c'est vraiment ce que j'ai jamais entendu de plus affreux. Je suis sûre que je ne pourrai pas... J'en ai la nausée. C'est...

— Bon, quand tu seras penchée sur Tom, si tu ne peux pas te résoudre à l'avaler, laisse-le gicler sur ta figure... étale-le sur ta peau et...

January bondit sur ses pieds.

— Linda, je ne peux pas en écouter davantage ! Je...

— Assieds-toi ! Mon Dieu ! Maintenant je constate que tu as vraiment passé trois ans loin de tout et de tous, au fin fond de la Suisse. Et ce n'est pas précisément chez miss Haddon que Masters et Johnson iraient poursuivre leurs recherches. Personne ne te dit que tu *dois* faire une seule de ces choses que je te raconte. Seulement il est grand temps que tu saches que ceux qui les font ne sont pas des tarés... et le moins que tu puisses faire, c'est d'écouter !

— Soit. Mais je ne veux ni étaler, ni avaler, ni stocker ce genre de produit.

— D'accord. Tu ne peux pas non plus rester sur le dos, raide comme une planche, en lui accordant pour seul plaisir la faveur de te pénétrer. L'amour se fait *à deux*.

— Mais que puis-je faire ?

— Réagis !

— Comment ?

— Oh mon Dieu ! soupira Linda qui se leva, fit quelques pas dans la pièce, puis revint à son bureau et se pencha un peu en avant, les yeux plongés dans ceux de January : quand il t'a embrassée, tu l'as embrassé à ton tour, non ?

— Oui.

— Et alors ! Tu as réagi, non ?

— Oui.

— Trrrès bien ! Maintenant, quand tu seras au lit avec lui et qu'il t'embrassera les seins, commence à le caresser.

— Où ça ?

— Mais enfin, January, n'importe où. Frotte-lui d'abord la nuque, par exemple. Embrasse-lui le cou... les oreilles... la joue... montre-lui que tu es vivante, quoi. Que tu *aimes* ce qu'il est en train de te faire. Remue et geins de plaisir, mords-le.

— Le mordre ?

— Pas jusqu'au sang... des morsures gentilles... comme les petits

314

chats... griffe-lui le dos... puis laisse courir tes mains.. et enfin ta langue...

— Oh mon Dieu, dit January en retombant contre le dossier de son siège ; Linda, et si je ne peux pas ? Suppose que je me fige tout à coup quand je serai au lit avec lui ?

Linda la considéra pendant un instant.

— Je sais, fit-elle en claquant ses doigts. A quelle heure dois-tu le voir demain ?

— Quand il reviendra de Washington, pour le dîner.

— Alors, tu prends une injection de vitamines à quatre heures.

— Une injection de vitamines ?

Linda compulsa son fichier, retint une carte, et griffonna un nom et une adresse.

— Voici. Docteur Simon Alpert. Lui et son frère Preston sont extraordinaires. Keith m'a emmenée chez lui deux ou trois fois quand il avait sa passion de la grande forme — il l'a toujours, j'imagine, et ça doit être une nécessité vitale pour lui, avec Christina Spencer.

— Mais comment des injections de vitamines peuvent-elles me mettre en forme pour faire l'amour avec Tom Colt ?

— Ecoute, tout ce que je sais c'est que le jour où Keith m'a fait faire une de ces piqûres, le monde entier a explosé... tout s'est passé en technicolor. Je travaillais vingt heures par jour, j'avais des orgasmes, avec Keith, qui semblaient durer une heure entière, j'étais parfaite au lit, sans être trop agressive. — Keith disait toujours que j'étais trop agressive parce que je le guidais. C'était son chauvinisme mâle. Je veux dire : quel mal y avait-il à ce que je lui suggère... va plus à gauche... ou plus fort... ou plus doucement. Certains hommes s'imaginent que s'ils y mettent la langue nous serons pleines de reconnaissance. Et c'est ceux qui le font à demi qui me tuent. Tu sais... un petit frôlement de leur langue l'espace d'une seconde, et ils nous regardent comme s'ils venaient de nous offrir la lune. En retour, tu es supposée t'emballer et t'échiner sur eux des heures durant, même si leur machin a l'allure d'un spaghetti. En tout cas, lorsque j'étais sous l'effet d'une piqûre de vitamines, tout ce qu'il faisait me plaisait follement, et je ne cherchais jamais à diriger la mise en scène. Vraiment c'est quelque chose de merveilleux, cette piqûre. Un mélange de vitamines B et de quelques vitamines E, je crois. Le docteur Alpert le prépare devant toi. Tâche d'avoir le docteur Simon Alpert plutôt que Preston — il a la main plus légère pour manier l'aiguille. Mais c'est comme si on t'injectait de la dynamite. D'ailleurs, il est normal que ces piqûres soient exceptionnelles — elles coûtent vingt-cinq dollars et pour que Keith y mette ce prix, tu sais... Je crois qu'on m'en a fait trois... Et il me semble qu'elles ont tendance à diminuer l'appétit, car après, je n'avais même plus envie de toucher à la nourriture. Beaucoup de femmes y vont pour soigner leur obésité. Et beaucoup de médecins font faire ce genre de traitement. Il y en a un qui ne l'applique, dit-on, qu'aux vedettes, à certains gros bonnets de Washington, et à plusieurs producteurs de Hollywood.

— Pourquoi donc y as-tu renoncé ?

— A vingt-cinq dollars la piqûre... Leur effet dure environ trois jours, et une femme que j'avais rencontrée dans la salle d'attente m'a dit qu'elle s'en faisait faire quatre par semaine. Mais depuis que j'ai rompu avec Keith, je n'ai plus besoin de tant d'énergie. En tout cas, pas pour les Léon qui traversent ma vie en ce moment.

— Mais n'est-ce pas dangereux ?

— Ecoute, January : tu as vingt et un ans, tu as eu une aventure qui te laisse un souvenir pénible... avec un rêveur qui ne t'a pas plu. Et tu as liquidé David. Maintenant, tu vas essayer Tom Colt... et tu restes là, devant moi, à me raconter que tu as peur d'échouer. Dieu ! si j'avais la perspective d'un rendez-vous avec lui, je courrais déjà les magasins de Madison avenue en quête d'une robe divine et je ne resterais pas à me demander si oui ou non j'arriverai à le faire bander : *ça*, j'en serais sûre...

January sourit...

— A t'entendre, je me fais l'effet d'une attardée... sexuelle.

— Ecoute, dit Linda en riant, tu n'as rien qui ne se guérisse en baisant un bon coup. Alors, appelle le docteur Alpert et prends rendez-vous pour cet après-midi. Tu verras que tu n'auras plus envie de quitter le lit ensuite. Oh !... passe aussi au bureau de Léon et demande-lui de te trouver un *popper*.

— Qu'est-ce que c'est ?

— Quelque chose que tu mets dans un inhalateur Benzedrex, et que tu laisses sur la table de nuit. Vous en respirez un peu tous les deux juste au moment où vous allez jouir. C'est dingue !

— Linda ; puis-je te demander une chose ? Dis-moi... n'existe-t-il tout de même pas des gens qui couchent avec quelqu'un qu'ils aiment et qui vivent une bonne vieille histoire d'amour ?

— Bien sûr que si, chérie. C'est ce qui t'est arrivé avec David.

Elle quitta le bureau à cinq heures et se précipita chez elle. Après s'être longuement prélassée dans son bain, elle s'aspergea de parfum. Elle prépara deux tenues — des pantalons et un chemisier, une maxi-jupe et une blouse de soie ; elle choisirait selon l'endroit où il voudrait aller. Elle mit son nouveau soutien-gorge de chez Pucci, en se demandant si Linda trouvait que les soutiens-gorge Pucci étaient dans le vent. Mais Linda déclarait que tous les soutiens-gorge étaient dans le vent.

A sept heures, elle attendait toujours en soutien-gorge, l'œil fixé sur le téléphone. Elle avait fumé un demi-paquet de cigarettes, et goûté du Jack Daniels — elle en avait pris une bouteille pour le cas où il viendrait chez elle. Elle avait également acheté du vrai café et quelques œufs. Elle ne savait pas au juste ce qu'elle attendait — mais en tout cas, elle ne voulait pas être prise au dépourvu. A huit heures, elle avait déjà appelé le Plaza à trois reprises et chaque fois l'opérateur confirmait : oui, ils avaient bien fait une réservation pour M. Colt, mais il n'était pas encore arrivé...

Il l'appela à neuf heures.

— January... pardonne-moi... Comme plus aucun avion ne décollait à cause du mauvais temps, j'ai dû prendre le train. Un train qui était censé arriver à six heures — c'est pourquoi je n'ai pas téléphoné, mais il y a une heure d'attente à Baltimore ! Et — tu me croiras si tu veux — nous avons dû nous arrêter une demi-heure à cause d'une femme qui accouchait.

— Oh Tom !... pas possible !

Elle était tellement soulagée de l'entendre qu'elle riait de tout son cœur.

— Ecoute, je suis brisé. (Elle sentit son cœur lui manquer). Accepterais-tu que nous nous fassions simplement servir à dîner dans mon appartement du Plaza ?

— Mais Tom... si tu es trop fatigué pour que nous nous voyions, je le comprendrai très bien. (Elle en disait, des choses !)

— Non, il faut que je mange. Et même, je meurs de faim... à moins que pour toi il ne soit trop tard ?

— J'arrive dans un instant.

— Bien. Tu trouveras ma voiture devant ton immeuble.

— Tu veux dire... tu savais que j'accepterais ?

— Bien sûr... N'est-ce pas toi qui as dit : pas de comédie ?

Quand elle déboucha dans le couloir, il l'attendait à la porte. Elle se jeta dans ses bras et il l'embrassa gaiement.

— Mon Dieu, tu es superbe ! dit-il. Entre donc, les steaks vont être prêts. Je me suis dit qu'une fille amoureuse se soucierait peu du menu.

Il débordait d'histoires sur son voyage, dont, à vrai dire, il avait détesté chaque minute. Il s'était senti réduit à l'état de singe savant, surtout devant la télévision. Tous les autres participants avaient eu beau lui déclarer leur admiration pour son œuvre, c'est lui qui admirait leur aisance, leur maîtrise tandis qu'assis sous les projecteurs ils échangeaient des propos distingués. Quand vint son

tour, il eut l'impression d'être parmi eux une sorte d'animal préhisto-
rique, trop lourd, déplacé dans ce contexte et dans ce lieu. Mais les
animateurs des émissions l'avaient tous aidé, et il s'en était tiré tant
bien que mal.

— Vraiment, chaque livre que tu vends... tu le gagnes, com-
mentait-il. Il ajouta qu'il arrivait maintenant en troisième position
sur la liste des best-sellers du *New York Times*.

Ils dînèrent, puis s'installèrent sur le divan pour regarder les
dernières informations. Il buvait du bourbon. Elle aussi en prit un
peu, à petites gorgées.

Tom sembla étonné qu'elle y goûtât. Mais elle savait que s'ils
devaient entrer dans la chambre à coucher voisine, elle devait être
détendue. Soudain, il se tourna vers elle et lui demanda :

— Dis-moi... Que penserais-tu d'aller à la plage ?

— A Westhampton ?

— Oui. Hugh m'a invité. Nous pourrions y passer le week-end
puisque, de toute façon, il dort la moitié de la nuit sur les dunes...
et il m'a assuré que s'il avait envie de rentrer dans la maison, il
pourrait toujours camper sur le divan.

— Quand ? demanda-t-elle.

— Demain. Nous pourrions partir à trois heures. Le matin, j'ai
deux interviews.

— Ce serait formidable.

Il se leva, la prit dans ses bras et l'embrassa doucement. Se rap-
pelant ce que Linda lui avait dit (Fais quelque chose. Montre-lui
que tu tiens à lui !) elle essaya de laisser courir sa main... le long de
son dos... puis vers l'avant. Soudain, il s'écarta.

— Ecoute, il se fait tard et je suis épuisé. Nous allons avoir tout
le week-end à nous. Il lui passa son manteau et alla vers la porte.

— January, dit-il, tu n'en as pas parlé une seule fois de toute
la soirée.

— Parlé de quoi ?

— D'amour, dit-il en souriant. M'aimes-tu toujours ?

— Oh !... Tom, tu sais bien que oui !

Il sourit et frôla ses lèvres. Elle se demanda pourquoi il lui avait
dit cela, puis elle leva soudain les yeux vers lui.

— Tom... m'aimes-tu ?

— Je crois que oui... Je crois vraiment que oui, répondit-il en
hochant lentement la tête.

Le lendemain matin, elle était dans le bureau du docteur Alpert
dès neuf heures. Elle remplit la carte que lui tendait la réception-

niste, non sans un brin d'appréhension. Mais elle savait qu'il lui fallait quelque chose. La nuit précédente, Tom avait interrompu leurs effusions... parce qu'il n'avait pas eu d'érection, et il s'était écarté parce qu'il ne voulait pas qu'elle s'en rendît compte. Elle n'avait pas réussi à l'exciter. Ainsi, le parfum Fracas, le soutien-gorge de Pucci n'avaient servi à rien.

A minuit, elle avait appelé Linda, et quand Linda avait crié : « Qu'est-ce qui s'est passé ? » et qu'elle avait répondu : « Rien », Linda lui avait conseillé de voir le docteur Alpert, si elle ne voulait pas gâcher complètement le week-end.

— Mais est-il possible qu'un homme vous aime et n'ait pas d'érection ?

— Mon Dieu, January ! Si tu savais combien de types arrivent chez moi chauds comme des locomotives, me sautent dessus... et repartent après avoir vu leur engin tomber comme du caoutchouc mou, tout juste bon à remballer...

— Linda !

— Veux-tu cesser de crier « Linda ! » et agir ? Cet homme a possédé des femmes de toutes sortes. Il a aussi cinquante-sept ans et il commence à être un peu fatigué. C'est à toi de savoir l'allumer. La vue de ton corps de nymphette n'y suffira pas. Il faut que tu t'en occupes.

Maintenant, chez le docteur Alpert, elle avait fini de répondre à toutes les questions posées par la carte.

La réceptionniste la conduisit vers une pièce minuscule, avec pour tout mobilier une table d'auscultation. Il y avait au moins sept cabines semblables dans le cabinet du médecin, et toutes étaient occupées. La salle d'attente était déjà assez pleine quand elle en sortit. La réceptionniste lui montra une blouse de papier et lui dit :

— Otez tout et allez ensuite à l'autre bout du couloir.

Elle s'enveloppa dans la blouse de papier crêpon et se dirigea vers la pièce située à l'autre bout du couloir. Une infirmière l'y attendait avec un électrocardiographe. Elle fit signe à January de s'allonger sur la table et se mit à lui poser les électrodes.

Quand l'examen fut terminé, l'infirmière la mena dans une autre pièce :

— Maintenant, Miss Wayne, nous allons vous faire une prise de sang.

— Mais je ne suis venue que pour une injection de vitamines : je l'ai précisé au docteur ce matin, par téléphone.

— Le docteur Alpert exige toujours un examen complet lors de la première visite.

January tendit son bras. Elle cligna des yeux quand l'infirmière préleva le sang, et plus encore quand elle lui piqua le doigt. Mais tout ceci lui inspirait confiance. Ce docteur était vraiment un homme sérieux, on pouvait compter sur lui. Pas étonnant qu'il fasse de bonnes piqûres.

On la ramena ensuite à sa cabine. Elle s'installa sur le bord de la table d'auscultation et attendit. Certes, le cabinet du docteur était rempli de clients, mais elle était venue de bonne heure exprès, expliquant — comme Linda le lui avait recommandé — qu'elle avait un avion à prendre et devait donc en avoir fini pour midi.

Au bout d'un quart d'heure, un homme d'âge mûr, un stéthoscope pendu à son cou, entra dans la pièce. Il avait un sourire sympathique.

— Je suis le docteur Simon Alpert. Quel est votre problème ? Vous sentez un peu d'apathie peut-être ? J'ai noté que vous n'avez que dix de tension. Voilà qui indique une petite tendance anémique : oh ! rien d'inquiétant, mais vous devriez avoir douze.

Elle remarqua qu'il avait un col élimé et des ongles en deuil. Etait-il possible que cet homme fût le patron du superbe cabinet de Park avenue, de cette réceptionniste et de cette infirmière si nette, si efficace ? Peut-être ressemblait-il à Einstein qui ne se peignait jamais et qui déambulait en espadrilles. Il avait les dents entartrées et comme il souriait toujours, elle se surprit à en observer les taches. Ses gencives non plus n'étaient pas brillantes : on avait envie de lui conseiller quelques vitamines.

— Dites-moi donc exactement ce qui vous amène, commença-t-il. Je crois que vous êtes recommandée par une de mes anciennes patientes, Miss Riggs ?

Elle regarda au loin, puis fixa ses ongles parfaitement manucurés.

— Je... je... il y a quelque temps j'ai fait la connaissance d'un homme et...

— Nous ne nous occupons pas d'avortement ici... et nous ne donnons pas la pilule...

— Oh ce n'est rien de semblable. Cet homme, voyez-vous est un dieu. Toutes les femmes l'adorent et je...

— N'en dites pas plus, dit-il avec un sourire entendu. J'imagine le reste : il vous a quittée, vous vous sentez déprimée, crispée... Ne bougez pas.

Il sortit de la pièce — il avait la démarche lourde. — Il revint moins de cinq minutes plus tard, muni d'une seringue.

— Avec ceci, vous vous sentirez une autre femme. Vous allez le reconquérir. J'en suis sûr.

Il ajustait l'aiguille. Elle espérait qu'il allait se laver les mains.

— Vous autres jeunes filles, quand vous tombez amoureuses,

vous vous donnez à fond. Trop ! L'homme s'en lasse et c'est vous qui commencez à lui téléphoner. Pas vrai ?

Avant qu'elle pût lui répondre, il continua :

— Mais si. C'est toujours la même histoire. On lui téléphone, on le prie, on le supplie, et ce faisant on l'éloigne de plus en plus. Toujours la même histoire.

Il dénoua le lacet de sa blouse qui lui glissa jusqu'à la taille, mais c'est à peine s'il remarqua sa nudité. Il posa son stétoscope entre ses seins, écouta, sembla satisfait de ce qu'il entendit. Puis il passa un tampon d'alcool sur la veine de son bras.

— Ecoutez, il ne faut pas le rappeler. Promettez-le à l'oncle Simon... Ne rappelez pas ce vaurien.

Elle sentit l'aiguille glisser dans sa veine. Elle détourna les yeux. Si étonnant que ce fût, il avait la main légère... elle ne souffrit pas vraiment. Abaissant le regard, elle vit son propre sang jaillir dans la seringue, s'y mélanger avec le liquide et rentrer peu à peu dans son bras. Il lui sourit :

— Maintenant, gardez votre bras levé, comme ça. Gardez-le ainsi une seconde. Vous avez de jolies veines.

Elle ne pouvait y croire... et pourtant la réaction fut instantanée. Une légère impression de flottement... l'esprit un peu vague... mais au total une sensation agréable. Puis tout à coup, elle se sentit parcourue par une merveilleuse sensation de chaleur... comme après le pentothal de sodium à Rome... Cette stupéfiante impression de fluidité gagnait tout son corps. Mais au lieu du vide et du sommeil qui suivaient l'injection de pentothal, elle se sentait exploser de vitalité. Elle dut même glisser vivement sa main entre ses jambes, car c'est là qu'elle sentait vibrer une irrésistible pulsion.

Le docteur Alpert lui sourit.

— Vous sentez-vous mieux ? Il lui pinça la pointe d'un sein et elle sourit. Ce n'était pas le geste d'un vieux lubrique. Ce n'était qu'un petit signe d'amitié d'oncle Simon.

— Vous verrez que vous serez contente, ajouta-t-il. Votre tension va monter à douze ou treize en un rien de temps. Peut-être voudrez-vous une piqûre par semaine... à moins que vous ne vous inscriviez pour une série... Arrangez cela avec Miss Sutton, ma réceptionniste. Certaines personnes aiment avoir leurs piqûres deux fois par semaine... d'autres les veulent plus légères mais quotidiennes. J'ai un client qui a quinze de tension, mais qui en prend tout de même une tous les matins : c'est un compositeur célèbre, qui travaille dix-huit heures par jour. Il met tant d'énergie dans son œuvre qu'il lui faut beaucoup de piqûres. C'est exactement la même chose pour vous, mes petites chéries, qui travaillez toute la journée et faites l'amour toute la nuit, n'est-ce pas ?

Il lui pinça de nouveau le sein et sortit. Elle sauta de la table d'auscultation et la blouse blanche tomba par terre. Elle se caressa les seins du bout des doigts, recommença, et leurs pointes durcirent. Elle sentait toujours entre ses jambes cette douceur incroyable. Elle se toucha ; c'était délicieux, oh ! admirable docteur Alpert, avec ses ongles noirs et ses merveilleuses vitamines. Elle comprit avec une évidence toute nouvelle qu'elle n'avait vécu qu'à moitié jusqu'à présent. Peut-être souffrait-elle d'anémie depuis toujours. Ou du moins depuis l'accident. Bien sûr... auparavant. Elle s'était toujours sentie aussi vive qu'aujourd'hui tant qu'elle était auprès de Mike. Voilà que tout lui était rendu, la vitalité, la perception aiguë des choses. Le monde entier s'offrait à elle.

Elle se vêtit rapidement, écrivit un chèque de cent vingts dollars pour l'électrocardiogramme, les analyses de sang et la piqûre. La réceptionniste lui expliqua qu'à l'avenir les autres piqûres lui coûteraient vingt-cinq dollars à moins quelle n'en désire une série de vingt, et dans ce cas, le prix était de quatre cents dollars, payables d'avance. January sourit ; elle se ferait faire une piqûre quand elle en aurait besoin et paierait vingt-cinq dollars.

Elle s'arrêta chez Saks, où elle acheta une cravate pour Tom, puis chez Gucci d'où elle fit envoyer à Linda une ceinture qu'elle avait admirée avec ce mot : « Merci pour le docteur Alpert ».

Elle courut enfin chez elle pour faire ses bagages et quand, à trois heures, la sonnette retentit, et que le chauffeur lui annonça que la voiture l'attendait, elle se laissa descendre avec délice par l'ascenseur, ne songeant plus qu'au week-end qui commençait.

Elle mourait de hâte de revoir Tom. Et Hugh également... lui aussi était merveilleux. Le monde entier était merveilleux !

XIX

Tom fut enchanté de la cravate.

— Je la porterai chaque fois que je passerai à la télévision, dit-il.

Il avait une bouteille d'alcool dans la voiture et lui en offrit. Elle secoua la tête en disant : « Mon alcool, c'est toi ».

Quand ils arrivèrent à Westhampton, elle se précipita dans les bras de Hugh Robertson, qui fut surpris d'un abord aussi exubérant mais n'en laissa rien paraître. Elle avait pensé si souvent à cette journée passée ensemble à Westhampton qu'elle avait le sentiment, aujourd'hui, de retrouver sa maison. L'immense divan et la cheminée étaient exactement tels qu'elle se les rappelait. Le bruit du ressac semblait lointain, bien qu'elle pût voir l'océan à travers la baie du living-room.

Ils s'assirent autour du feu. Tom buvait, Hugh grillait les steaks et January allait de l'un à l'autre, tantôt blottie contre Tom dans un angle du divan, tantôt pour donner un coup de main à Hugh.

A dix heures, Hugh se leva.

— Eh bien, il est temps que j'aille faire mon tour dans les dunes.

— Vous allez geler, dit January.

— Oh, je n'y resterai pas longtemps. J'ai un atelier derrière la cuisine avec un canapé. J'y dors souvent quand j'ai la flemme de grimper les escaliers pour monter à la chambre. Vous pouvez donc vous installer là-haut en toute tranquillité.

Il sourit. Tom et January restèrent à regarder le feu qui faisait craquer les bûches et à écouter la rumeur des vagues sur le rivage. January ne se lassait jamais des vagues. Il y avait quelque chose de têtu dans leur façon de grandir, de se dresser, de s'abattre sur la plage, et de se rassembler à nouveau pour un autre assaut. Elles lui rappelaient ces enfants espiègles qui courent en titubant vers l'eau pour le seul plaisir de se laisser rattraper par leur mère.

Elle se serra davantage contre Tom et s'amusa à suivre son profil du bout des doigts. Il se pencha pour l'embrasser, prit la bouteille de bourbon et, lui donnant la main, l'emmena vers la chambre.

C'était un grenier aménagé où le propriétaire avait manifesté son patriotisme dans le choix des couleurs : meubles ripolinés bleu et rouge sur fond blanc. Un énorme lit à édredon de plumes occupait presque toute la pièce. January y plongea, envoya promener ses souliers et se mit à bondir joyeusement :

— Tom ! Viens !... oh... pas de ressorts. On a l'impression de flotter !

Puis, redescendant du lit, elle vint vers lui :

— Je t'aime, dit-elle en déboutonnant son corsage.

Ses yeux rencontrèrent alors les siens et ne les quittèrent plus, tandis qu'elle défaisait ses jeans, qui tombèrent au sol. Lentement, elle dégrafa son soutien-gorge, ôta son slip.

— Et me voici, murmura-t-elle.

Il la contempla un instant avec un demi-sourire. Elle mit ses bras autour de son cou.

— Allons viens, paresseux, souffla-t-elle en déboutonnant sa chemise. Allons au lit.

Il se retourna vers le bureau et se versa un verre qu'il but d'un trait, puis tendit la main pour éteindre la lumière. Etendue sur le lit, elle le regarda se déshabiller dans la pénombre. Elle remarqua le contraste entre la couleur claire de ses fesses et celle bronzée de ses épaules et de son dos. Il avait des cuisses vigoureuses. Il se retourna et sauta sur le lit avec une telle vigueur que celui-ci craqua. Ils rirent tous les deux et s'enlacèrent.

Il se mit sur elle, son poids reposant sur ses épaules et lui caressa les cheveux en murmurant dans le noir :

— Je veux te rendre heureuse.

— Je suis heureuse, Tom.

Elle mit de nouveau ses bras autour de son cou et l'attira vers elle. Il roula sur le côté et la tint serrée contre lui tandis qu'ils s'embrassaient. Elle laissa courir ses doigts le long de son dos. Elle se sentait détendue, à l'aise, comme si leurs corps avaient déjà connu pareille intimité. Elle ne songeait qu'à le toucher... à être prise par lui... à lui appartenir.

Il s'écarta ensuite doucement, et elle sentit sa langue courir sur tout son corps... sur ses seins... sur son ventre... elle étreignit sa tête... c'était une sensation si chaude et si merveilleuse. Mais elle voulait lui faire plaisir, à lui... faire tout ce qu'il désirait... Maintenant sa langue caressait sa cuisse... ses doigts l'exploraient... chaque nerf de

324

son corps répondait à l'excitation... il lui sembla que sa langue était partout à la fois. Puis elle éprouva cette sensation folle.. si insupportablement délicieuse. Elle ne pouvait croire à ce qui arrivait... elle n'avait jamais rien ressenti de pareil. Elle gémit. Tout son corps se dissolvait dans une éclatante extase... elle lui tint la tête, frissonna... et retomba enfin, totalement vidée, épuisée. Il remonta s'allonger près d'elle et lui caressa les seins.

— Est-ce que je t'ai fait plaisir ?

— Oh, Tom... je n'ai jamais rien senti de comparable... mais... nous n'avons pas... je veux dire... tu...

— Je voulais te faire plaisir, dit-il.

— Et maintenant...

Elle sentait revenir ses forces. Il allait sûrement la pénétrer.

— Maintenant, restons ainsi, simplement, dans les bras l'un de l'autre.

Elle resta immobile, figée. Quelque chose n'allait pas. Il la serrait contre lui, mais elle se sentait mal, éperdue. Elle n'avait pas réussi à l'exciter. Elle se mit à l'embrasser dans le cou... à le caresser. Elle ne savait trop comment s'y prendre... mais peut-être qu'en faisant comme lui...

Elle se redressa et commença à lui embrasser la poitrine, puis glissa de plus en plus bas. Mais elle ne trouva rien de semblable à ce membre frémissant que David avait dressé vers elle... Elle ne vit entre ses jambes qu'une petite chose inerte, pas plus grande qu'un pouce d'homme. Elle n'en croyait pas ses yeux. Comment un homme aussi viril que Tom pouvait-il n'avoir qu'un si petit pénis ? Elle se mit à le caresser, mais il resta sans réaction. Puis elle y posa ses lèvres. Elle se sentit portée vers lui par une vague soudaine de tendresse protectrice... Le célèbre Tom Colt, dont les romans débordaient de sexualité ardente. Tom Colt, adulé par les femmes, respecté par les hommes.... Tom Colt, vivant symbole de la virilité et qui n'avait qu'un pénis de jeune garçon ! Dieu ! Comme il avait dû en être hanté sa vie durant. Autrefois, à l'école, elle s'était inquiétée parce que ses seins ne grandissaient pas assez... mais du moins en avait-elle. Tandis que pour un homme, ne rien avoir... un homme dont le pénis est l'unique objet sexuel. Telle était donc la raison de toutes les compétitions, des plongées, des championnats de golf et de tennis... des rixes dans les bars.

Elle lui manifesta un amour d'autant plus tendre. Pauvre, pauvre Tom... réduit à décrire sur le papier des fantasmes sexuels qu'il ne pouvait réaliser dans la vie.

Soudain, il l'attira vers lui :

— January, ne crois pas que tu m'aies déçu. Mon plaisir, c'est de te faire plaisir.

Elle ne bougea pas. Elle se demanda à combien de femmes il avait pu dire la même chose. Et elle décida tout à coup qu'elle lui rendrait la sensation de sa virilité. Elle se mit à le caresser. Elle fit courir sa langue le long de son bras... de ses hanches... Elle se fit obsédante... se serrant contre lui, de plus en plus, puis s'éloignant, sans cesser de le caresser... Et elle vit que le petit pénis se mettait à durcir... Elle continua de plus belle le frôlant de ses lèvres... puis bondissant vers un autre point de son corps... ses doigts l'explorèrent... soudain, il la fit rouler sur elle-même et se plaça sur elle... il commença à se mouvoir à rythme régulier... plus vite... intensément... puis elle l'entendit gémir et sentit son corps retomber, inerte. Il resta sur elle quelques secondes encore, puis la regardant dans les yeux il lui dit :

— Merci January.

— Merci Tom.

Il se retira et la prit dans ses bras :

— January, je t'aime.

— Moi aussi, je t'aime, murmura-t-elle.

Il lui caressa les cheveux.

— Sais-tu ce que tu viens de faire pour moi ? demanda-t-il. C'est la première fois depuis dix ans que j'y arrive.

— Je suis tellement heureuse, Tom.

Elle lui embrassa la joue : elle était humide. Elle vit alors les larmes dans ses yeux.

— Tom... quelque chose ne va pas ?

Il enfouit sa tête contre son cou et elle l'enlaça, le réconfortant comme elle l'eût fait pour un enfant. Au bout de quelques minutes, il descendit du lit et alla jusqu'au bureau. Il but une longue rasade de bourbon sans se retourner.

Elle sauta du lit et le rejoignit.

— Tom... je t'aime.

Il pivota... la regarda :

— Je suis navré d'une telle manifestation de faiblesse. Je ne crois pas avoir versé une seule larme depuis vingt ans.

— Est-ce que c'est ma faute ? demanda-t-elle.

Il lui caressa la tête.

— Non, mon petit...

Il la ramena vers le lit et ils s'y étendirent côte à côte. Il la serra contre lui en disant :

— Tu m'as donné un grand bonheur, January. Je crois que les larmes étaient pour nous deux. Pour moi, parce que j'ai trouvé

une fille d'une grande classe... et pour toi parce que tu n'auras connu
que des débris de Tom Colt. Non que j'aie jamais été mieux
équipé... un homme ne peut se servir que de ce qu'il a... mais du
moins était-ce en bon état. Durant ces dix dernières années, j'ai eu
beau recourir aux call-girls, aux aphrodisiaques — c'est bien ainsi
qu'on les appelle ? — rien n'a marché. Jusqu'à ce soir... avec toi...
— Mais Tom... Tu as un enfant ?
— Je veux que tu saches la vérité. Tu vois, toute ma vie, les femmes que j'ai eues ont accepté que je ne sois pas bâti comme un étalon.
Mais elles voulaient qu'on les voie en ma compagnie. Et, bon Dieu,
j'avais d'autres moyens de les satisfaire. Mais voici quelques années,
j'ai commencé à m'interroger... Toutes ces années de travail, toute
mon œuvre d'écrivain... à qui allais-je les laisser ?... qui s'en inquiète-
rait ? Je n'avais personne. J'ai perdu deux frères dans la Seconde
Guerre. J'ai une sœur aînée qui n'a pas d'enfant. Alors, tout à coup,
j'ai réalisé que je voulais un gosse. J'ai décidé d'en adopter un. Mais
pour pouvoir adopter un enfant, il faut être marié. J'ai commencé à
passer en revue toutes les femmes que je connaissais pour voir laquelle ferait la meilleure mère. Aucune d'entre elles ne convenait. Ou bien
elles avaient déjà des enfants d'un précédent mari... ou bien elles
déclaraient de but en blanc qu'elles détestaient les gosses. Il n'y avait
donc personne dans mes relations qui fasse l'affaire. Puis, il y a de
cela un an et demi environ, je suis tombé sur Nina Lou Brown, une
espèce de starlette, dans une réception à Malibu. A vrai dire, pour
une starlette elle avait plutôt passé le cap... Elle avait vingt-sept ans
à l'époque et arrivait au bout de sa carrière, ne passant plus que dans
des spots publicitaires de télévision. Elle me sauta dessus et nous nous
mîmes à discuter. Elle me raconta qu'elle était originaire de Georgie,
qu'elle avait douze frères et sœurs et qu'elle n'avait pas porté de
chaussures avant l'âge de douze ans. Elle disait aussi qu'elle adorait
les gosses et qu'elle songeait même à épouser un caméraman de ses
relations parce qu'elle voulait des enfants et qu'à vingt-sept ans elle
estimait qu'il était temps. D'abord, tout cela me sembla trop beau
pour être vrai... puis je me dis que cela ne pouvait pas être inventé
à mon intention, puisqu'elle ignorait mon désir d'avoir un enfant.
Notre hôte avait deux petits garçons et plus tard dans l'après-midi,
le plus jeune qui avait environ cinq ans s'enfonça un éclat de bois dans
le pied : une grosse et vilaine écharde provenant d'un quelconque
bois de flottaison. Il ne voulait pas que sa mère y touche. Soudain
Nina Lou s'avança. Elle commença sur le mode du jeu, pariant avec
lui qu'il ne pourrait pas l'aider à sortir l'écharde. Elle se fit apporter
un verre de scotch et demanda à l'enfant d'y plonger l'aiguille. C'était
pour la stériliser, mais elle lui raconta qu'elle allait lui saouler le pied.

Eh bien, crois-moi si tu veux, il la laissa enlever cette saleté... qui était entrée diablement profond dans les chairs. Et quand elle eut fini, il l'embrassa. De ce moment, j'ai eu la certitude que ce serait elle la mère de mon enfant.

Nous nous sommes revus régulièrement pendant un mois environ, sans jamais coucher ensemble. Au contraire, je lui ai exposé mon problème en lui demandant de m'épouser. Et c'est Nina Lou qui eut la grande idée : une insémination artificielle. Je n'y avais jamais pensé. Nous nous mariâmes et nous allâmes aussitôt voir un médecin... il fallut plusieurs mois... mais ça marcha. Et il y a environ six mois, elle m'a donné un fils.

January restait étendue, immobile. Tom alluma une cigarette et la lui tendit :

— Maintenant tu connais l'histoire de ma vie.

— Oui... répondit doucement January. Tu dois donc être bien amoureux d'elle.

— Reconnaissant serait le mot juste. Je n'ai jamais été amoureux d'elle. Mais je l'aime pour ce qu'elle m'a donné. En échange, je lui laisse sa liberté sexuelle... dans la mesure où elle est discrète. Elle a un jeune acteur qui vient lui rendre ses devoirs de temps à autre. Mais c'est une sacrée mère pour Tom Junior. Et elle aime être Madame Tom Colt. Elle aime le prestige, les soirées où elle est invitée, la maison de Malibu... Et le mariage tient, si tant est que l'on puisse appeler cela un mariage. Mais, je ne peux tout de même pas demander à une fille de vingt-neuf ans de renoncer à une vie sexuelle normale jusqu'à la fin de ses jours. Elle adore le petit et...

— Tom... entre nous, ce soir, tout s'est passé normalement. As-tu jamais vraiment essayé avec elle ? Il me semble que tu as failli ne rien tenter avec moi.

Il secoua la tête.

— Bien sûr, j'ai essayé. Elle m'assurait qu'elle ferait des miracles. J'ai souffert l'humiliation de la laisser essayer... nuit après nuit... jusqu'à ce que nous tombions d'accord qu'il n'y avait aucun espoir. Ce soir, je ne m'attendais vraiment pas à ce qu'il se passe quoi que ce soit entre nous... mais je t'aimais assez pour te dire l'importance réelle de ce qui s'est passé.

Il la serra davantage contre lui :

— January, tu vois ce que tu as fait pour moi. Même si cela ne se reproduit jamais plus... je te serai reconnaissant pour le reste de ma vie.

— Cela se reproduira.

— January, je ne pourrai pas divorcer. Nina Lou ne me l'accordera jamais... et je ne peux pas abandonner mon fils. Je veux que tout lui revienne. C'est pour cette seule raison que j'ai consenti à cette tournée de promotion. J'ai bien assez d'argent pour vivre à l'aise le temps qu'il me reste à vivre. Mais je veux en laisser un gros paquet, à elle et au petit.

Il sortit du lit et revint avec la bouteille.

— On se verse un grog ?

Elle secoua la tête et murmura :

— Non merci je me sens bien ainsi.

Il but une longue gorgée.

— Je ne sais pas quels mots employer pour le dire... Je t'aime... comme je n'ai jamais aimé aucune femme. Je n'ai jamais été sincère avec aucune femme, excepté toi et Nina Lou. Avec elle il le fallait. Avec toi, je le voulais. J'ai été mufle avec la plupart des femmes. Je me contentais de leur dire qu'*elles* ne m'excitaient pas ; comme si avec celles qui en étaient dignes mon sexe pouvait dépasser un mètre... Ecoute, je ne sais pas pendant combien de temps encore tu voudras de moi, mais aussi longtemps qu'il en sera ainsi... ce sera comme tu voudras... pas de comédie. Je t'aimerai sans limite... et si tu me veux tel que je suis... alors... je t'appartiens.

Elle l'étreignit.

— Oh Tom... Je t'aime. Et je te veux... Et je serai avec toi quand tu voudras de moi... et pour aussi longtemps que tu le voudras... pour toujours... nous *sommes* liés pour toujours... Je le jure.

Ils restèrent étendus l'un près de l'autre puis, au bout d'un moment elle comprit à son souffle régulier qu'il s'était endormi. Elle était encore tout à fait éveillée et avait envie d'une cigarette. Elle voulait aussi réfléchir un peu. Elle l'aimait — la taille du pénis d'un homme n'est pas un baromètre de l'amour. Il fallait qu'elle arrive à l'en convaincre.

Elle se glissa hors du lit en prenant garde de ne pas l'éveiller, enfila sa robe de chambre et descendit l'escalier sur la pointe des pieds. Dans le living-room désert, le feu finissait de mourir. Elle y mit du papier journal et une nouvelle bûche, et bientôt elle retrouva le pétillement et la chaleur du feu.

Elle s'assit sur le divan, ses jambes repliées sous elle, et contempla les flammes en pensant à Tom. Elle avait toujours cru que les hommes étaient, en gros, construits de la même façon. Oh, elle savait bien que certains étaient plus grands que d'autres... mais elle n'aurait jamais pensé qu'on pût être comme Tom. Elle s'interrogea soudain sur son père. Etait-il, comme David, un étalon ? Bien sûr. Il ne pouvait en être autrement. Mais pauvre Tom. Ses sentiments se mêlaient : elle pensait à lui avec quelque chose de protecteur, et pourtant aussi avec tendresse et désir. Le désir d'être entre ses bras, de sentir sa poitrine nue contre ses seins... de le sentir proche, de sentir ses lèvres sur les siennes — tous les désirs de l'amour.

Elle entendit la porte s'ouvrir et comprit que Hugh venait d'entrer derrière elle. Il s'approcha et la regarda, puis jeta un regard vers l'étage.

— Il dort, dit-elle. Il a fini la bouteille de Jack Daniels.

Il alla jusqu'à la table de bois qui servait de bar et se versa un scotch.

— En voulez-vous ?

Elle secoua la tête :

— Mais je veux bien du coca.

Il lui apporta un verre.

— Voulez-vous de la viande froide ? Vous devez mourir de faim. Vous n'avez pas mangé une bouchée du dîner.

Elle s'étira.

— Je me sens délicieusement bien. Délicieusement. Je n'ai aucune envie de manger.

Il parut soucieux.

— January, je ne sais pas ce que vaut son mariage, mais il adore son petit et...

— Hugh, je sais qu'il ne m'épousera jamais. Ne vous faites pas de souci à ce sujet.

— Vous êtes amoureuse de lui ?

— Oui.

Il s'assit près d'elle.

— J'ai déjà vu d'autres filles tomber amoureuses de lui. Toutes disaient qu'elles sauraient s'y prendre. Mais quand il se mettait à vivre vraiment à son rythme... plusieurs d'entre elles avaient besoin de leurs calmants.

— Hugh... vous connaissez bien Tom ?

— Qui peut dire qui le connaît vraiment ? J'ai fait sa connaissance il y a six ans. Il voulait écrire un passage sur l'espace dans l'un de ses romans et il est venu à Houston pour se renseigner sur le sujet. Nous sommes devenus copains. Quand je suis venu à Los Angeles, il était sur le point de divorcer, si bien que nous avons battu la semelle ensemble. Il m'a refilé un certain nombre de celles qui ne l'intéressaient pas et pour moi, ce fut loin d'être banal. Mon propre ménage était en train de se détruire, mais j'hésitais à divorcer pour des raisons du genre... vous savez... « Attendons que les enfants soient en âge de comprendre », etc... Bon Dieu, ils ne comprennent jamais vraiment, même lorsqu'ils sont devenus adultes et qu'ils ont leurs propres gosses. Ma fille, que Dieu la bénisse, a un gamin de trois ans, et elle dit :

« Papa, pourquoi vous séparer, maman et toi, après tant d'années ! »
Eh bien, je...

Il s'arrêta soudain :

— Qu'est-ce que j'ai donc à parler à tort et à travers ? Vous me
posez une simple question et je vous réponds en vous racontant ma
vie... alors qu'en fait c'est celle de Tom qui vous intéresse. Bon.
Est-ce que je connais bien Tom ? Non. Il n'est pas facile de connaître
Tom. Nous sommes amis. De bons amis. Je sais que si jamais j'ai
besoin de lui, je peux l'appeler. Il sait qu'il peut faire de même avec
moi. Nous nous ressemblons beaucoup sur plus d'un point. Tom,
c'est le genre d'homme qui se perd dans son œuvre d'écrivain : ses
personnages deviennent lui et inversement. Moi aussi, je me perds
dans mon travail. Je n'ai jamais réussi à bien connaître mes gosses...

Il se mit alors à parler de ses enfants et du temps de ses premiers
vols. Elle l'écoutait avec attention, comprenant qu'il cherchait à se
délivrer de sa propre culpabilité, celle d'avoir raté sa vie conjugale et
perdu le contact avec ses enfants. Elle lui dit qu'il ne devait pas se
sentir coupable et qu'il ne faisait que suivre sa propre destinée...

— Vous croyez vraiment que les gens doivent vivre d'abord en
accord avec eux-mêmes ? demanda-t-il.

Elle fit signe que oui, et pas une seconde il ne lui sembla étrange
qu'elle en fût à conseiller Hugh Robertson, car en cet instant il lui
semblait qu'elle pouvait tout résoudre. Elle parla du mystère de la
vie... du système solaire... de l'infini. Il lui expliqua que le principe de
l'existence d'êtres intelligents au-delà de notre système solaire était
désormais communément admis. Il estimait que les siècles à venir
verraient s'amorcer la communication entre systèmes solaires. Il y
aurait des telstars et des planètes-satellites... en chaînes... jetant à travers l'espace une sorte de pont gigantesque entre planètes et systèmes
solaires.

— Mais, demanda-t-elle, comment entrerons-nous en contact avec
les petits hommes verts ?

— Qu'est-ce qui vous fait croire qu'ils sont verts ? Si une planète
est proche d'un autre soleil, dans la même position que notre terre
par rapport à notre soleil, elle ne peut produire que le même type
d'êtres vivants.

— Vous voulez dire qu'il y a peut-être une autre terre ? Avec
une race supérieure ?

— Des millions. Certains sont des milliards d'années en avance
sur nous... et d'autres sont, bien sûr, des milliards d'années en retard...

Ils restèrent un moment silencieux. Puis elle eut un petit sourire
désabusé :

— Voilà qui, par comparaison, ramène ce que nous sommes ou

ce que nous pensons à de bien petites proportions. Je veux dire que si l'on songe que dans tous ces autres mondes, il existe des gens comme nous, priant Dieu, quand je pense à la façon dont je le suppliais de m'aider à marcher...

— Marcher ?

Ils se retournèrent ensemble : c'était Tom qui descendait l'escalier. Il avait enfilé une robe de chambre et tenait à la main une bouteille vide.

— Quand je me suis réveillé, j'ai constaté qu'il n'y avait plus auprès de moi ni fille ni alcool...

Il vint s'asseoir près de January.

— Vous ai-je bien entendus parler de marche ? Il est près de deux heures du matin...

— Non, répondit Hugh. January racontait qu'elle priait Dieu de l'aider à marcher.

— Je n'arrivais pas à dormir, dit-elle en se blotissant contre lui. Hugh et moi avons discuté des étoiles.

— Et cette histoire de marche ? insista Hugh.

— C'est une longue histoire.

— Il me semble que je t'en ai moi-même raconté d'assez longues cette nuit, dit Tom. Maintenant, c'est ton tour.

Elle commença à raconter, d'abord avec hésitation. Mais bientôt elle se mit à revivre ces mois interminables et désespérés. Le feu mourut, sans qu'aucun des deux hommes parût s'en apercevoir. Et tandis qu'elle parlait, le regard sombre de Tom la soutenait, lui témoignant en silence admiration et sympathie. Elle réalisa qu'elle n'avait jamais confié à personne tout ce qu'elle avait vraiment souffert. A Linda, elle n'avait relaté que les faits. Mike lui-même n'avait jamais su quel abîme de désolation elle avait traversé parce qu'elle avait toujours arboré devant lui son air le plus courageux. Mais ici, dans la pénombre, avec le bras de Tom autour de son épaule, elle laissait soudain échapper la vérité sur ces années de souffrance et de solitude. Quand elle eut fini, les deux hommes gardèrent le silence. Puis Tom se leva.

— Je crois que nous avons tous bien besoin d'un verre maintenant.

Hugh se versa un scotch.

— Veux-tu de cela ? Il ne nous reste plus une goutte de bourbon.

— Je ne suis pas venu sans munitions, répondit Tom. J'ai demandé au chauffeur d'en mettre une caisse dans la cuisine. Je reviens tout de suite.

Hugh le regarda sortir de la pièce. Puis il leva son verre à la santé de January qui était toujours blottie sur le divan.

— A présent, j'ai une tout autre opinion de vous. Vous savez, je crois que ça marchera entre Tom et vous. Il a su dénicher une sacrée femme dans une petite gamine de rien du tout.

La porte extérieure s'ouvrit si doucement qu'aucun d'eux n'entendit entrer les deux hommes. January allait se retourner quand une main s'abattit sur sa bouche, et elle vit luire la lame d'un couteau qu'on venait de poser sur sa gorge.

Au même moment, l'autre homme surgit devant Hugh et lui braqua une lampe électrique en pleine figure.

— Maintenant, bonhomme, si tu ne veux pas qu'on supprime ta gonzesse, passe la monnaie et les bijoux. Si tu cries, si tu appelles au secours, on lui tranche la gorge.

— Il n'y a ni argent, ni bijoux, souffla Hugh.

— Allons... Allons...

L'homme dominait Hugh de sa taille gigantesque : il devait mesurer plus de deux mètres.

— La semaine dernière, reprit-il, on s'est déjà intéressé à des gens sur la côte. Un couple en week-end, comme vous. Il a fallu menacer le type de lui couper les couilles pour que sa bourgeoise se décide à cracher ses perles. Vous autres, les gens bien qui venez en week-end au bord de mer, vous avez toujours du fric et des bijoux.

— Elle n'a pas une bague, rien ! murmura celui qui tenait le couteau sur la gorge de January.

Hugh vida ses poches. Un peu de monnaie... deux billets de cinq dollars, quelques billets de un dollar et des clés s'éparpillèrent sur le sol.

— Tu peux te la garder, ta mitraille, grommela le géant, qui avisa les escaliers.

— Toi, garde la fille ordonna-t-il à l'autre. Moi je l'emmène là-haut. Il finira bien par me dire où il cache les trucs intéressants.

January resta seule avec l'homme au couteau. Où donc était Tom ? La cuisine était derrière l'atelier. Il ne pourrait l'entendre que si elle criait. L'homme était petit, il lui arrivait tout juste à l'épaule, mais il tenait son couteau tout près de sa gorge...

Il avança une de ses mains et dénoua la ceinture de son peignoir qui s'ouvrit, révélant sa nudité aux yeux de l'homme dont le rictus se fit plus obscène.

— Oh... toi et ton vieux, vous étiez prêts pour un peu de rigolade, hein ?

Elle ferma les yeux et s'efforça de ne pas crier tandis que la main rugueuse se posait sur ses seins. Glissant alors la fermeture éclair de son pantalon, il se dénuda lui-même.

— Fameux pour un petit gars comme moi. Comme je dis toujours, il faut prendre ce qui vous va. Mon copain qui est là-haut — il secoua la tête en direction de l'escalier — y pense qu'au pognon. Mais moi, je combine le travail et le plaisir. Comme ça, toi et moi, on va se payer un petit baisage.

Il arracha complètement le peignoir.

— Tourne-toi !

— Je vous en prie... implora-t-elle.

— Oh, pt'être que tu voudrais du romantisme hein ? Sur le divan là, ce serait doux, toi dessous et moi dessus. Et même que ça te donnerait une chance de piquer le couteau. Oh non, ma vieille. Tu vas prendre ça comme les chiens. Comme ça, tu seras pas en position pour la bagarre. Allez tourne ! et baisse-toi ! ricana-t-il.

— Je vous en prie !... je ne prendrai pas votre couteau... Je vous en prie.

— Tu parles que tu le prendras pas. Et puisque t'as des lèvres qui causent, je vais te les faire servir moi, tes lèvres. Marrant ce que je dis, non ? Tu piges au moins ? Mais avant que je te la mette, tu vas travailler un peu.

Il la fit tomber sur les genoux et lui flanqua son pénis en plein visage. De dégoût, elle oublia sa peur. Elle se leva d'un bond et courut à l'autre bout de la pièce. En un instant il la rattrapa, la prit par le bras, la giffla, et la poussa de nouveau à terre.

— A genoux, connasse. Finie la comédie. Je vais te la mettre si profond dans le cul qu'elle te ressortira par la gorge !

Au moment où il se penchait, elle hurla. Surpris, il sauta instinctivement en arrière. Mais elle sentit presque aussitôt sur sa nuque la lame glacée du couteau.

— Tu veux réveiller les voisins ? Ben y a personne... des deux côtés. On a piqué quelques transistors, mais rien d'intéressant. Toi essaie de plus crier, tu pourrais m'enlever mon plaisir et je pourrais bien te tailler la peau avant de t'avoir baisée.

Elle continua pourtant à se débattre, tandis qu'il s'efforçait de la faire retomber à genoux. C'est alors qu'elle vit l'ombre de Tom sur le pas de la porte. Il avait entendu son cri ! Dans un sursaut d'énergie, elle se tordit sur elle-même et réussit à s'échapper. Le petit homme la saisit à nouveau. Elle le sentit contre elle, essoufflé, faisant encore un essai dérisoire pour la pénétrer. Elle savait que Tom évoluait silencieusement dans la pièce. Dans un ultime effort, elle s'arracha à l'emprise de l'homme. Fou de colère, il lui griffa le sein en tentant de la reprendre pour l'attirer vers lui. Mais Tom était maintenant derrière son dos.

Elle entendit le bruit sourd de la bouteille assénée sur le crâne de son agresseur qui suffoqua, lâcha prise et glissa sur le sol.

Elle se mit alors à sangloter nerveusement.

— Oh Tom ! Il essayait de... Oh mon Dieu ! Si tu n'étais pas arrivé à temps !

Il prit son peignoir et l'en enveloppa. Claquant des dents elle lui désigna l'étage.

— Il y en a un autre. Un géant. Il est avec Hugh.

Tom regarda l'homme qui gisait, inconscient, sur le sol, et tendit la bouteille à January.

— Ecoute, si ce salaud fait le moindre mouvement, frappe-le avec ça. Pas de pitié. Songe à ce qu'il voulait te faire.

Il monta vers la chambre où l'on entendait des bruits de lutte. Manifestement, le géant commençait à malmener Hugh. Tom grimpa les marches une à une. Il fit craquer une planche. January retint sa respiration. Le petit homme, par terre, remua un peu. Elle leva la bouteille en vacillant, mais après avoir émis un faible gémissement, l'homme retomba dans l'inconscience.

Elle en fut soulagée. Elle avait l'impression qu'elle n'aurait pas pu le frapper, pas à terre : ce n'était pas comme quand il l'attaquait. Elle l'observa : étendu, les yeux fermés, la bouche ouverte, ce vilain petit homme avec sa barbe de deux jours et son odeur de pourri avait paradoxalement quelque chose d'innocent et de pitoyable.

Elle se retourna et regarda Tom qui montait lentement l'escalier. De nouveau, des échos de bagarre retentirent dans la pièce. Du mobilier craqua, et l'on eût dit que le plafond allait dégringoler. Du coup, Tom monta les marches deux à deux.

Il venait d'arriver en haut lorsque la porte s'ouvrit. Le géant apparut. Il s'immobilisa un instant, surpris par l'arrivée inattendue de ce deuxième homme, et son regard alla de Tom à son complice inanimé sur le sol. Il lâcha un juron guttural et sauta sur le nouveau venu. Ils roulèrent ensemble jusqu'au bas des marches. Tom fut le premier debout, face au mastodonte qui bientôt repassa à l'attaque.

— J'ai laissé ton pote à moitié mort dans la chambre, ricana-t-il. Mais avec toi je vais en finir.

Et il envoya son poing dans l'estomac de Tom, qui se plia en deux, titubant. Sans perdre une seconde, l'homme visa sa mâchoire. Cette fois, Tom esquiva. Il tenta de reprendre son souffle, mais son énorme adversaire ne lui en laissa pas le temps et lui envoya un nouveau coup, terrible, dans l'estomac. Tom s'écroula.

January resta figée sur place tandis qu'il s'approchait d'elle. Puis, voyant le couteau par terre, elle le saisit et s'enfuit à l'autre bout de la pièce.

Le géant éclata de rire.

— Oh ! on veut s'amuser ! Tu veux que le grand Henry essaie de prendre le petit couteau à la petite fille ?

Il s'avança. Elle sauta derrière le divan. Il la rejoignit. Elle bondit de l'autre côté.

— TOM... HUGH... AU SECOURS ! cria-t-elle.

Le petit homme se remit à rire.

— Personne d'éveillé à part nous, les poules !

Et sa plaisanterie le fit rire de plus belle. Il s'approchait. Elle hésita. Si elle tentait de le poignarder et qu'elle le manque, c'en serait fini pour tout le monde. Il lui fallait traîner en longueur, gagner du temps. Elle courut de l'autre côté du divan. Le géant riait.

— Fine mouche, va ! Si j'avais le temps de te la mettre !

Il était plus près d'elle. Elle recula, faillit trébucher dans le corps du petit homme... et entendit remuer du côté de Tom. Le géant l'entendit aussi, et son sourire disparut.

— Bon, ça va, garce. Assez de comédie.

Enjambant le divan, il se précipita sur elle. Elle essaya de lui lacérer le visage à l'aide du couteau, mais il lui tordit le bras, lui arrachant un cri de douleur, et le couteau tomba par terre. Il le ramassa, la poussa de l'autre côté de la pièce, et marcha sur Tom qui, de nouveau, était debout.

— Mon vieux, cette fois-ci tu vas regretter de t'être réveillé, ricana-t-il.

Il avança brusquement sa main armée du couteau, visant la gorge de Tom. Celui-ci put parer à temps et enchaîna avec un direct en pleine mâchoire. Mais l'homme ne parut même pas le sentir. Déjà il revenait sur Tom à pas lents, souriant. Tom recula encore ; puis il s'accroupit comme un chat, attendit. L'homme arrivait, brandissant son couteau. Tom ne broncha pas. L'homme s'approcha encore.

Et soudain Tom jaillit comme une panthère, assénant le côté de sa main sur la trachée du goliath, et aussitôt après, son poing dans sa mâchoire. Ce fut si rapide que January n'en crut pas ses yeux. Elle contempla ahurie, le corps immense de l'homme, affalé par terre comme un vieux sac de papier.

Déjà Tom se précipitait vers Hugh, dans la chambre. January le suivit. Hugh, étendu sur le plancher, commençait seulement à reprendre ses esprits. Sa mâchoire enflait, et l'un de ses yeux restait fermé, mais il réussit à faire un petit sourire.

— Je survivrai, allons... Je crois que je n'ai pas servi à grand-chose... Je ne suis plus en très bonne forme pour la bagarre.

Ils redescendirent. Le petit homme était en train de revenir à lui. Hugh se dirigea vers le téléphone, mais Tom l'arrêta.

— Que vas-tu faire ?

— Appeler la police. Ce sont des drogués. Regarde le bras de celui-ci... criblé de piqûres d'aiguilles.

— Laisse tomber, ordonna Tom. Nous allons trouver de la corde pour les attacher ensemble et avec la voiture nous irons les déposer à un ou deux kilomètres d'ici... Si nous faisons d'abord venir la police, January sera inévitablement impliquée, et tu vois d'ici ce que les journaux vont en tirer !

Hugh alla chercher de la corde, tandis que Tom essayait, à grand renfort de claques, de ranimer le géant. Lorsque Hugh revint, il s'y escrimait toujours ; il lui massait même la nuque. En vain : l'autre restait aussi inerte qu'une poupée de chiffons.

— Nous ne pouvons pas les déposer dehors, objecta Hugh. Ils ne tiendront jamais le coup, ils crèveront de froid.

— Mais si, ils tiendront le coup. Les drogués, ça ne sent pas les températures... Hugh, je crois que celui-ci est mort. Tom considérait de nouveau la masse amorphe du géant. Hugh se pencha sur lui, tâta son poignet et son cou.

— Je sens un léger pouls, dit-il.

— Alors il faut l'envoyer à l'hôpital. Hugh, tu vas reconduire January à New York. January, habille-toi immédiatement.

C'était un ordre et January monta les escaliers en courant.

— Mais que vas-tu faire ? demanda Hugh.

— Dès que vous serez partis tous les deux, j'appellerai la police et je leur demanderai d'envoyer une ambulance. Je raconterai que je voulais écrire un peu et que tu m'avais prêté la maison. Pour le reste, je dirai ce qui s'est passé, que j'étais dans la cuisine... que je les ai surpris...

— Pourquoi ne ramènes-tu pas toi-même January à New York ? J'appellerai l'ambulance et je racontai la même histoire. January préférerait qu'il en soit ainsi, j'en suis sûr.

— Moi aussi, répliqua Tom. Mais écoute, mon vieux. Tu mesures un mètre soixante. Il n'est pas vraisemblable que tu aies pu frapper ce type à la gorge ou à la mâchoire, à moins qu'il n'ait bien voulu se pencher vers toi...

Il regarda son poing écorché.

— D'ailleurs, mes mains prouveront ce que je leur dirai, conclut-il.

January descendit avec son sac. Elle était extrêmement pâle, et se serra contre Tom lorsque Hugh partit chercher la voiture.

— Je vous ai entendus faire vos plans, dit-elle. Mais que se passera-t-il si ces hommes parlent et disent qu'en fait nous étions trois ?

— Ils se droguent. Donc, ils ont pu voir double, ou triple — mon témoignage l'emportera sur le leur. Ne t'en fais pas.

Ils entendirent le klaxon de Hugh et il la conduisit jusqu'à la porte.

— Oh Tom, dit-elle en s'accrochant à lui, je pensais que nous passerions tout le week-end ensemble, et pas seulement une nuit.

Il la regarda, et réussit tant bien que mal à sourire.

— Je sais. Mais reconnais tout de même... que ce fut une sacrée nuit.

XX

Sur le chemin du retour, January et Hugh étaient demeurés silencieux, plongés dans leurs réflexions. La nuit s'était fondue en une aube couleur d'ardoise lorsqu'ils arrivèrent à New York. La voiture était surchauffée, mais January fut soudain prise d'un frisson. Tout, dans cette ville lui paraissait désespérément gris. En même temps, il lui sembla que Westhampton et la scène atroce qui s'y était déroulée glissaient dans l'irréel. Hugh arrêta la voiture devant l'immeuble où elle habitait. Les rues étaient désertes. Une brise aigre faisait valser des lambeaux de papier sur le trottoir. Elle se sentait l'âme aussi sombre que la rangée de stores noircis qui bordait la rue.

— Ces immeubles ont l'air mort sans leurs portiers, dit-elle.

Hugh sourit et lui tapota la main.

— Allons, dépêchez-vous d'aller prendre un peu de repos, January.

Il l'aida à sortir de la voiture. Ils restèrent un instant sur le trottoir.

Le froid du petit matin lui fit claquer les dents.

— Vous devez être fatigué et engourdi d'avoir conduit si longtemps, dit-elle. Je n'ai à vous offrir qu'un mauvais café, mais si vous en voulez...

— Non, merci. Les policiers de Westhampton font les choses correctement, mais à fond. Et bien que Tom soit capable de faire face à toutes les situations, ou presque, je crois qu'il préférerait que je sois là.

Il se pencha pour l'embrasser sur la joue.

— Voyez-vous, January, j'aimerais que vous oubliiez une grande partie des mises en garde que je vous avais faites si généreusement au début. Il s'est produit entre vous et Tom quelque chose qui n'est encore jamais arrivé avec aucune autre fille. Je ne le dis pas seulement parce que je m'adresse à une femme amoureuse ; je le dis parce que j'ai observé Tom, la manière dont il vous regardait cette nuit et son attitude : c'était nouveau et différent. Maintenant, vous allez vous reposer et nous reviendrons vous voir dès que tout aura été arrangé.

Quand elle rentra chez elle, elle eut le sentiment que le temps s'était arrêté. Dans l'appartement traînait encore tout ce qu'elle avait renoncé à emporter dans ses bagages. Un pantalon sur la chaise, un tee-shirt sur le lit, comme autant de signes figés d'un passé lointain : une vie entière s'était écoulée en vingt-quatre heures.

Elle ouvrit le réfrigérateur et se versa un coca. A ce moment, elle se rendit compte soudain qu'elle n'avait rien mangé. Hugh lui avait reproché en plaisantant de ne pas faire honneur à sa cuisine. Elle aurait pu se faire cuire des œufs. Mais elle ne savait pas trop pourquoi, la seule idée de nourriture lui répugnait. Elle se sentait hyperlucide, parfaitement éveillée, débordante d'énergie. Elle avait envie d'une promenade matinale et solitaire. Elle se pencha à la fenêtre : la rue était comme emmitouflée d'un épais brouillard. Il lui sembla que si elle se promenait, elle le dissiperait tel un génie tout-puissant et qu'il lui suffirait d'un geste de la main pour tout inonder de soleil. Elle était plus forte que le brouillard... plus forte que tous les éléments... Parce que, comme Hugh le lui avait dit, elle était une femme amoureuse. Mais voilà, elle ne pouvait pas sortir : elle devait attendre le coup de téléphone de Tom.

Elle fuma cigarette sur cigarette, but un autre coca... Il était encore trop tôt pour appeler Linda. D'ailleurs, elle ne voulait pas occuper la ligne pour le cas où Tom appellerait. Elle alluma la télévision. Sur l'une des chaînes, il y avait un sermon. Elle passa à une autre : un dessin animé pour enfants. Après, ce fut un vieux film de Van Johnson, — les débuts du cinéma — dont la bande sonore était si mauvaise qu'elle n'arrivait pas à suivre. Elle éteignit le poste.

Soudain, elle pensa à ses messages téléphonés. Elle les avait complètement oubliés. Non qu'elle attendît rien d'important... Aux abonnés absents, la femme était furieuse.

— Miss Wayne, il faut que vous pensiez à nous appeler. Ou du moins à nous laisser un numéro si vous vous absentez un certain temps. Votre père était très mécontent. Il s'est fâché contre nous comme si nous étions responsables de ne pas pouvoir vous joindre. Après tout, nous ne sommes que le service des abonnés absents, pas un...

— Quand a-t-il appelé ? interrompit January.

— Vendredi soir à six heures. Il avait téléphoné du Plaza et voulait que vous l'appeliez (*vendredi soir, dix heures... elle était au Plaza... et bien sûr elle avait oublié de demander ses messages*). Puis, de nouveau samedi soir, à neuf heures trente, continua la femme. Il voulait que vous déjeuniez avec lui (*Elle était allée chez le docteur Alpert*). Ensuite à midi (*elle était chez Saks, pour son shopping*), puis à cinq heures... à sept heures... et enfin à dix heures hier soir. Il est parti pour Palm Beach et souhaite que vous l'appeliez là-bas.

Elle regarda la pendule : huit heures dix. Elle attendit neuf heures avant d'appeler Palm Beach.

— Où diable étais-tu ? demanda Mike.

Elle parvint à rire :

— Tu ne le croiras pas, Mike, mais j'oublie toujours de m'enquérir de mes messages téléphonés. Je suis sortie ce matin,... pour faire des courses. J'ai oublié de rappeler les abonnés absents. Je suis ressortie dans l'après-midi et j'ai dû te manquer de justesse. Enfin, j'ai dîné en ville. C'est affreux... je suis absolument désolée. Mais dis-moi, comment était Gstaad ?

— Epatant. Dee est arrivée deuxième du tournoi. Elle a repris l'avion aussitôt pour Palm Beach, mais j'ai voulu m'arrêter à New York pour te voir. Et au lieu de m'installer dans notre appartement du Pierre, je suis allé au Plaza, pensant que tu aimerais changer. Je n'ai pas pu obtenir ma suite habituelle... Devine qui l'occupe ? Tom Colt. Mais on m'en a donné une autre, identique, quelques étages plus bas, et c'est là que je suis resté — tel le jeune marié qu'on laisse devant l'autel — pour attendre ma fille.

— Oh Mike...

Il rit.

— Ce n'est pas grave. Ecoute, Dee n'en sait rien. Je lui ai assuré que nous nous étions vus, ne voulant pas avoir l'air d'un imbécile.

— Evidemment.

— Bon. Maintenant, écoute-moi bien. Nous restons ici jusqu'à Pâques et ce week-end là, nous comptons bien que vous le passerez ici, toi et David, car pour Dee, ce sera le jour de la grande finale. Et puis, j'ai une vraie surprise pour toi.

— Laquelle ?

— Le festival de Cannes.

— Le quoi ?

— Rappelle-toi, nous en parlions en Suisse, tu rêvais d'y aller ! Eh bien, il y a un tournoi de tric-trac à Monte-Carlo vers la même époque. J'ai convaincu Dee d'y aller. Nous descendrons au Carlton, à Cannes — maintenant que tu as vingt et un ans, je peux t'emmener au casino, t'initier au chemin de fer et au baccarat... Nous irons voir tous les films... tous mes vieux amis... et j'aurai peut-être encore quelques autres surprises pour toi.

— Et quand tout cela, Mike ?

— Le festival commence en mai, mais je suppose que si nous

débarquons autour du quinze, nous aurons tout ce que nous souhaitons. Dee aura ainsi le temps de revenir de Palm Beach à New York, d'ouvrir la suite du Pierre qui doit être ensevelie sous des kilomètres de housses. Et moi, je vais me remettre à jour côté films. Peut-être m'accompagneras-tu, si David le permet ? Mais il faut que je t'apprenne le tric-trac qui me passionne, et où je finirai par jouer gros jeu. Pour l'instant j'en suis seulement à cinq dollars du point, mais ce n'est qu'une question de temps.

— Tu es heureux, Mike, n'est-ce pas ?
— Je joue, je flambe et c'est tout — pour moi du moins.
— J'en suis ravie.
— Comment vont les choses entre toi et David ?
— David est vraiment un gentil garçon.
— Tu l'as dit...
— Je crains que...
— Quelqu'un d'autre en vue ?
— Oui... Mike...

Elle sentit soudain qu'elle allait lui raconter. Il comprendrait.

— Mike... J'ai rencontré quelqu'un... Je crois... Je veux dire, je suis sûre...
— Qui est-ce ?
— Il est marié.
— Continue, dit-il d'une voix brusquement durcie, déplaisante.
— Tu ne vas pas me dire que cela te choque.
— Cela me dégoûte. Quand je m'amusais, moi, je m'amusais avec des putes. C'est le seul mot qui leur convienne, même s'il s'agissait de vedettes, parce qu'elles savaient toutes, au départ, que j'étais marié et père d'un enfant. Aussi quand tu... à vingt et un ans... une fille qui a tout reçu... alors qu'un garçon comme David est amoureux de toi.
— L'amour, il faut que ce soit partagé, Mike.
— Tu veux me faire croire que, de tous les types que tu pouvais rencontrer, le seul qui te convienne devait être un homme marié ? Et père de famille, bien entendu.
— Il a un enfant.
— Peut-il obtenir le divorce ?
— Je l'ignore. C'est...
— Ne me le dis pas. Je vois le tableau d'ici : un publiciste quelconque... environ la trentaine... fatigué de la fille qu'il a épousée en début de carrière et qu'il relègue à Westchester...
— Pas du tout Mike.
— January, dis-moi une chose. As-tu... as-tu été... intime avec cet homme ?

342

Elle regarda le récepteur, sidérée. Elle n'en revenait pas de cette expression « as-tu été intime », ni de cette voix hésitante dont il l'avait prononcée. Un ton de prédicateur, tellement étranger à Mike... Elle ne *pouvait* pas se confier à lui, il ne comprendrait sûrement pas. Bien qu'elle trouvât affreux de devoir mentir à Mike, elle s'entendit lui répondre :

— Nous n'en sommes pas là, Mike. Je t'ai seulement dit que j'ai fait la connaissance de quelqu'un et...

— January, t'ai-je jamais mal conseillé ? Ecoute-moi bien... je t'en prie. Il ne peut pas avoir de respect pour toi s'il s'imagine que tu vas le fréquenter alors qu'il est marié...

— Mike... tu parles comme... comme... un arrière-grand-père.

— Je parle à ma fille, et je me moque de ce qui a pu changer. Evidemment, il y a plus de liberté sexuelle. Je ne serais pas choqué si tu me disais que tu as couché avec David... disons... quelques mois avant de l'épouser. Ou que tu as déjà couché avec lui et qu'il t'a laissée indifférente. Voilà pour l'évolution, la libéralisation, la transformation des mœurs. Mais, pour ce qui est de leurs émotions, les hommes ne changent pas, et laisse-moi t'affirmer qu'ils ne respectent toujours pas une fille qui couche avec eux tout en les sachant mariés. Car quel que soit le genre d'histoire qu'ils te racontent... que leur femme n'est plus leur femme que de nom... ou qu'ils font chambre à part... ou qu'ils ont conclu un accord, mieux vaut te dire que les soirs où ils ne te voient pas et doivent rentrer à la maison, ils continuent à partager le lit de leur femme. Même si c'est une corvée faite par pitié. Je le sais... parce que j'y suis passé. Et leur culpabilité même accroît leur respect pour leur femme, au point qu'elle y gagne le prestige d'une madone, et plus la fille est bonne au lit, plus ils se sentent coupables envers leur femme. Et quand la culpabilité devient trop lourde, quand la fille demande plus de quelques nuits par semaine... ou un voyage clandestin... ou se fait trop exigeante, ils la laissent tomber et retournent à leur femme pour quelques semaines, le temps de dénicher une autre fille. Alors, ne me fais pas le couplet de la libéralisation. Un homme marié reste un homme marié ; en dix-neuf cent cinquante... soixante... ou soixante-dix. Les lois peuvent changer, la morale aussi, mais les émotions sont toujours les mêmes.

— D'accord, Mike. Je t'en prie calme-toi. Tout va bien.

— Bon. Alors, retourne vers David ou un garçon comme lui. Fais plaisir à ton vieux père. Je te rappellerai plus tard dans la semaine. Maintenant, il faut que j'aille au golf. C'est un jeu où j'ai joué beaucoup d'argent car, comme je l'ai toujours dit, quand on a de la chance, il faut en profiter.

Il raccrocha. Elle reposa le récepteur, fit quelques pas jusqu'à la fenêtre et contempla d'un regard absent la surface aride de la cour. Elle était folle d'avoir pensé que Mike pourrait comprendre. Même s'il ne s'était pas emballé, elle n'aurait jamais pu tout lui raconter. Et, à moins qu'il ne connût le problème secret de Tom, il n'y aurait aucun moyen de persuader Mike que Tom l'aimait vraiment et que leur amour était différent des aventures qu'il avait eues. Ses pensées retournèrent vers Tom... avec un tel élan d'amour et de tendresse qu'elle se sentit oppressée. Cher grand homme, si fort, si exceptionnel... qu'elle avait réussi à rendre heureux.

Le téléphone retentit. Elle se précipita, si vite qu'elle faillit se tordre la cheville.

— Allo...

Elle s'arrêta. Elle avait failli dire « Allo Tom », mais c'était Mike.

— January, je ne peux pas partir au golf en te laissant sur notre conversation de tout à l'heure. Ecoute, si ce rigolo qui a l'air de te plaire est un bon gars, s'il est prêt à divorcer et que tu l'aimes vraiment...

— Oh, Mike, il n'y a rien de semblable, je t'assure.

— J'ai exagéré en faisant un tel esclandre... excuse-moi.

— Ce n'est rien Mike.

— Je t'aime, chérie. Et rappelle-toi que tu peux tout confier à ton père. Tu le sais, n'est-ce pas ?

— Oui, Mike.

— Tu m'aimes ?

— Bien sûr.

— Bon. Je te rappelle dans quelques jours.

Elle passa le reste de la journée assise auprès du téléphone. A cinq heures, Tom appela enfin.

— J'ai envoyé la voiture pour te prendre. Veux-tu venir au Plaza ?

— Bien sûr, Tom. Tout va bien ?

— Tout ira bien... dès que je te reverrai.

La circulation était dense. Elle se sentit de plus en plus nerveuse à mesure que la voiture approchait du Plaza. Quand elle y parvint, elle courut littéralement jusqu'à son appartement.

Bien qu'il semblât tendu et fatigué, c'est avec un sourire qu'il la reçut dans ses bras. Il s'installa sur le divan et, tout en sirotant son bourbon, la mit au courant des derniers événements.

L'homme était dans le coma, mais aucun chef d'inculpation n'avait encore été retenu. Il avait déjà été arrêté à plusieurs reprises. La police était toujours occupée à interroger son complice.

344

— Je ne sais pas comment tu y es parvenu, dit-elle. Tu avais passablement bu.

Il sourit avec mélancolie.

— Quand je me bats, c'est jusqu'au bout.

— As-tu jamais perdu ?

— Parfois quelques dents. Mais il y a en moi un instinct de tueur qui me fait toujours gagner. Parfois, je m'en inquiète car je pourrais tuer pour de bon... C'est un coup de karaté que j'ai donné au grand type. J'ai voulu éviter sa trachée et, Dieu merci, j'y ai réussi, sans quoi il serait mort à l'heure qu'il est. Je me suis promis un jour de ne jamais recourir à ce coup, sauf si ma vie était menacée.

— Mais elle l'était.

— Non. J'aurais pu l'assommer à coups de poings. Tandis qu'au karaté — il lui montra le mouvement du revers de sa main — tu frappes ton homme à l'endroit voulu avec ça... et c'est fini.

Elle passa la nuit avec lui et réussit une fois encore à provoquer chez lui un comportement sexuel normal.

Il lui en manifesta une gratitude débordante et quand il l'étreignit en lui disant qu'il l'aimait, elle savait que c'était sincère.

Le lendemain, ce fut la ruée des reporters. L'affaire de Westhampton avait éclaté dans tous les journaux : c'était exactement le genre d'histoire que la presse associait au nom de Tom Colt.

A midi, la police reçut une fiche concernant l'un des agresseurs : le petit. Il était recherché à Chicago pour le viol et le meurtre de trois femmes. Du coup l'histoire prenait une dimension nationale. On vit arriver les policiers de Chicago. Les téléphones allèrent bon train, et l'appartement de Tom Colt fut littéralement envahi par un flot de policiers et de reporters que Rita Lewis, ravie, s'efforçait de canaliser.

Le matin, January s'était glissée dehors dès huit heures et demie, avant la première interview inscrite au programme et avant que la nouvelle fût connue : il l'appela dans l'après-midi à son bureau et lui dit :

— Je suis dans une véritable maison de fous. Même le FBI s'en mêle maintenant. Il est possible que je doive aller à Washington demain, pour témoigner au sujet du petit homme, je crois. Et comme si je n'en avais pas par-dessus la tête, on m'apprend que le grand, qui se nomme Henry Morse, a une épouse légitime avec deux enfants à charge... et que l'avocat de celle-ci me réclame un million de dollars pour coups et blessures.

— Elle ne peut rien contre toi, n'est-ce pas ? demanda January.

— Rien, sinon me faire perdre mon temps. Pour finir, elle se satisfera de quelques centaines de dollars.

— Mais, pourquoi donc faut-il que tu lui verses le moindre sou alors que cet homme était là pour nous tuer tous les trois ?

— C'est moins ennuyeux que de s'engager dans une interminable procédure judiciaire et son avocat ne l'ignore pas. C'est malheureusement ainsi que les choses se passent : des gens, qui ont tout leur temps et rien à perdre, escomptent que leur obstination vous obligera à payer, de guerre lasse. Et, en effet, on paie.

— Oh, Tom... c'est écœurant.

— Quoi qu'il en soit, mieux vaut que tu te tiennes à distance dans les jours qui viennent. Le petit gangster qui se nomme Buck Brown commence à bredouiller qu'il y avait là une fille aux longs cheveux noirs. Personne ne le croit, mais il vaut mieux qu'on ne me voit pas en ta compagnie tant que les choses ne se seront pas tassées.

— C'est-à-dire, combien de temps ?

— Seulement quelques jours. Mon éditeur jubile, comme si j'avais monté cette mise en scène pour mieux lancer le bouquin. Nous avons reçu plus de huit mille nouvelles commandes durant les dernières vingt-quatre heures. Ils vont faire une grosse réimpression. Tout le monde semble persuadé que je suis en bonne voie de devenir best-seller.

— Oh Tom, formidable !

— J'allais y arriver sans cela, dit-il d'une voix morose. J'étais déjà en troisième position cette semaine. J'enrage à l'idée que je puisse devoir la première place à une bagarre à coups de poings.

— Tu sais bien que si le livre n'existait pas, toutes les bagarres du monde ne pourraient pas le faire vendre.

— Dis-moi, January, comment ai-je pu vivre sans toi ?

— J'en étais justement à me demander, moi, comment j'allais arriver à passer cette journée sans toi.

— Le téléphone nous permettra de rester en contact et, dès que je le pourrai, nous nous retrouverons.

Il partit l'après-midi même pour Washington et la rappela vers minuit.

— Je vais rester ici quelques jours. Comme j'en profite pour écrire un peu, tout ira bien. Tu sais, ce petit gangster de Buck Brown — celui qui t'appuyait un couteau sur le cou — je crois qu'il t'aurait vraiment tuée. Il procédait toujours ainsi : viol, puis meurtre. Il s'était acoquiné avec le grand depuis quelques semaines seulement, pour une affaire de drogue. Ils s'intéressent aux stupéfiants tous les deux, comme consommateurs et comme trafiquants. Mais le petit est paranoïaque : on estime à présent qu'il a tué six femmes et la liste n'est sans doute pas close. Il reconnaît en tout cas que, lorsqu'il a violé, il faut qu'il tue.

Il reprit un ton plus bas :

— Tu sais, petite, je vais peut-être cesser de boire. Supposons que j'aie eu une vraie cuite... je serais resté endormi tout ce temps et tu... Ecoute, reprit-il après un instant de silence, je serai de retour à la fin de la semaine. Toi, repose-toi. Ensuite, nous passerons le week-end ensemble...

— Pas à Westhampton, dit-elle vivement.

— Non au Plaza. Dans la totale sécurité de la grande ville. Et au nom du ciel, January, ne va surtout pas dire à Linda que tu étais là-bas. Après tout, j'ai prêté serment.

Ce ne fut pas si facile, car dès que la nouvelle fut connue, Linda se transforma en Torquemada.

— Où étais-tu donc quand tout cela est arrivé ? Je croyais que tu passais le week-end avec lui à Westhampton ?

— Non. J'y suis allée seulement pour la journée. Il m'a renvoyée pour pouvoir travailler.

— Et rien ne s'est passé ?

— Eh bien, on dirait qu'il s'est passé pas mal de choses après mon départ.

— Je veux dire... côté lit.

— Tout va très bien Linda.

— January, es-tu franche avec moi ?

— Oui.

— Quand donc as-tu fait l'amour ?

— Mais enfin, Linda ! Je ne suis partie de là-bas que vers dix heures.

— Il a été... bien ?

— Oui...

— Tu n'as pas l'air bien enthousiaste.

— Je suis fatiguée, simplement... Je n'ai pas beaucoup dormi.

— Tu as très mauvaise mine, January. Et tu maigris.

— Je sais. Je vais prendre un dîner copieux et me mettre au lit de bonne heure.

Mais elle n'avait rien mangé et, après sa conversation avec Tom, elle fut également incapable de dormir. Une semaine entière sans lui... soudain la sensation de bien-être qu'elle éprouvait jusque-là disparut. Le lendemain matin, elle s'éveilla crispée, la nuque douloureuse. Elle alla tout de même au bureau, mais vers trois heures, elle déclara qu'elle avait certainement attrapé un virus. Linda lui dit de rentrer chez elle :

347

— Sincèrement, January... D'ordinaire, quand les filles sont amoureuses, elles s'épanouissent... tandis que toi, tu dépéris.

Elle se mit au lit. Bientôt elle eut des frissons et se mit à trembler. Comme elle ne connaissait pas de médecin et ne voulait pas déranger Linda, elle pensa au docteur Alpert. Evidemment, c'était sûrement un bon docteur : elle repensa aux nombreux tests auxquels il l'avait soumise avant de lui faire sa piqûre. Mais quand elle lui téléphona, la réceptionniste répondit qu'il ne faisait pas de visites à domicile et lui conseilla de venir immédiatement à son cabinet.

Il y avait foule dans l'antichambre. La réceptionniste la fit entrer discrètement dans une petite salle d'auscultation.

— Je vais m'arranger pour vous l'envoyer, promit-elle.

Quelques minutes après, le docteur Alpert entra, nonchalant. Il la regarda, hocha la tête et ressortit, toujours nonchalant. Il réapparut peu après avec une seringue.

— Ne faut-il pas que vous preniez ma température ? demanda-t-elle. Je veux dire... je sais que les vitamines font toujours du bien. Mais je me sens malade, comme si j'avais attrapé quelque chose.

Il lui toucha le front.

— Pas de sommeil... pas de nourriture... trop de dépenses énergétiques. A quand remonte votre dernier repas ?

— Euh, je...

Elle tenta de se souvenir. Tom l'avait grondée la veille au soir parce qu'elle n'avait pas touché à son steak, et elle n'avait avalé ce matin qu'un fragment de toast.

— Pas depuis... depuis... vendredi, peut-être. J'ai grignoté de temps à autre. Mais je n'ai pas faim.

Il acquiesça.

— Ceci va vous remettre d'aplomb, je vous le garantis.

Elle portait une salopette et un chemisier. Elle remonta sa manche et tendit son bras, mais il secoua la tête :

— Enlevez le pantalon... C'est une piqûre intramusculaire.

Elle fit glisser la salopette et se mit sur le côté. L'aiguille pénétra sans peine dans sa fesse, mais elle ne sentit pas jaillir en elle la bouffée de bien-être qu'elle espérait. Elle se redressa et remonta son pantalon.

— Je ne sens rien, dit-elle.

— Vous n'êtes pas venue ici chercher des sensations. Vous êtes venue parce que vous vous sentiez malade, bougonna-t-il.

— Oui, mais la dernière fois, la piqûre de vitamines m'avait donné une sensation délicieuse.

— Quand vous vous sentez bien, la piqûre vous donne une sen-

348

sation délicieuse. Quand vous vous sentez mal, elle vous permet de vous sentir mieux.

Elle s'assit sur le bord de la table et le regarda, étonnée. Elle devait reconnaître que sa nuque n'était plus ankylosée. Mais elle ne retrouvait pas la moindre trace de cette extraordinaire euphorie qu'elle avait goûtée la fois précédente. Elle passa dans l'antichambre et versa vingt-cinq dollars à la réceptionniste.

En rentrant chez elle, elle remarqua que les frissons avaient disparu, qu'elle se sentait plus forte et qu'elle ne souffrait plus du tout ni du dos ni du cou. Mais enfin, elle n'avait décidément pas, contrairement à la dernière fois, l'impression d'être prête à conquérir le monde.

Quand Tom revint, le vendredi après-midi, elle se précipita au Plaza pour l'accueillir. Il semblait plus solide, moins fatigué. Quand il ouvrit la bouteille de Jack Daniels, il insista pour qu'elle boive avec lui.

— Je sais que j'ai dit que j'allais peut-être y renoncer, et j'ai diminué ma consommation... mais aujourd'hui, on arrose. Je viens d'apprendre que depuis une semaine — depuis dimanche — je suis best-seller. Il semble aussi que je sois devenu une affaire à ne pas manquer pour ces messieurs du cinéma : en ce moment, j'ai des propositions de la Columbia, la Metro, la Century et la Twentieth, sans compter quelques bons producteurs indépendants. Et, meilleure nouvelle encore, le gangster — le grand — va s'en tirer. Il est sorti du coma — je ne risque donc plus d'avoir à porter toute ma vie ce fardeau de culpabilité.

Il fouilla alors dans sa poche d'où il tira un paquet qu'il lui remit.

— Ce n'est pas à proprement parler un cadeau, commenta-t-il. C'est simplement quelque chose que j'ai vu dans une vitrine et je n'ai pas pu m'empêcher de le prendre pour toi.

Elle défit l'emballage. C'était une magnifique écharpe de soie, où était imprimé le mot *Capricorne*.

— Oh Tom... Elle me plaît... Mais plus encore... Je suis heureuse que tu y aies pensé.

Mais cette nuit-là, elle ne parvint pas à lui donner d'érection. Il l'étreignit et s'efforça de le lui faire oublier :

— Je suis épuisé, dit-il, et peut-être que je n'ai pas vraiment diminué la boisson comme je l'avais promis. Prenons tous deux une bonne nuit de sommeil. Demain, ce sera différent.

Le lendemain matin, elle lui dit qu'elle avait rendez-vous chez le dentiste. Il lui dit de l'annuler, mais elle promit d'être de retour en début d'après-midi :

Elle se précipita aussitôt chez le docteur Alpert, sans même prendre de rendez-vous. Heureusement, il y avait peu de monde, et le docteur Alpert avait retrouvé son sourire. Il lui assura qu'elle avait meilleure mine. Elle lui répondit qu'elle avait mangé et suivi un rythme de vie plus régulier. Comme si elle quémandait des bons points auprès du maître d'école. (Vous voyez comme je suis docile ? *Maintenant* allez-vous me donner la vraie piqûre de vitamines ?) Elle attendit avec espoir pendant qu'il sortait chercher l'aiguille. Son cœur battit plus vite quand elle le vit revenir de son pas traînant, avec la grande seringue. Elle n'avait pas revêtu la blouse blanche habituelle mais elle mit moins d'une seconde pour ôter son corsage. Elle lui tendit le bras.

— Vous me promettez de manger... même si vous n'avez pas faim ?

Elle fit signe que oui, avec ferveur, tandis qu'il nouait autour de son bras le ruban de caoutchouc. Elle regardait l'aiguille pénétrer dans la veine et comme l'autre fois, un flot de son propre sang emplit la seringue qui le refoula ensuite dans sa veine. De nouveau elle se sentit parcourue par un extraordinaire courant d'énergie magnétique. Elle se sentait renaître, ou pleinement vivante pour la première fois... ses sens percevaient les couleurs, les odeurs, avec un regain d'acuité.

Mais surtout, il y avait cette sensation de puissance : aucune tâche ne lui semblait au-dessus de ses forces. Son corps entier fourmillait et tout à coup, elle crut avoir un orgasme.

Elle n'avait plus qu'une hâte : rejoindre Tom. Elle enfila son corsage, embrassa le docteur, griffonna un chèque pour la réceptionniste et se précipita dehors. Le froid était revenu, mais elle savait que le printemps arrivait. Elle le sentait. Tout ce qu'il y avait de bon sur la terre approchait. Le Plaza n'était qu'à quelques centaines de mètres, mais elle héla un taxi, toute à son impatience de se retrouver dans les bras de Tom.

Il était au téléphone quand elle arriva. Comme il s'agissait d'une interview « à longue distance », elle s'assit patiemment, tandis qu'il répondait aux questions habituelles. De temps à autre, il levait les yeux vers elle et lui souriait. Mais au bout d'un moment, il poussa un soupir : le journaliste glissait vers des considérations générales sur la médiocre qualité littéraire du roman contemporain. Tom s'efforça de rester poli.

— Ecoutez, je préférerais ne pas m'engager sur ce terrain. Je ne critique jamais les autres écrivains. Vous savez, c'est du boulot d'écrire un roman. Même mauvais.

Comme l'autre insistait, January se leva et entoura Tom de ses bras. Il était toujours en robe de chambre. Elle commença par lui embrasser le cou. Puis elle passa devant lui, se glissa sur ses genoux et se blottit dans ses bras, sous le téléphone. Ses mains glissèrent sous la robe de chambre. Il sourit et tenta de poursuivre son interview tout en la retenant d'une main. Elle se mit alors à l'embrasser sur la joue. De guerre lasse, il déclara :

— Ecoutez, je crois que nous avons fait le tour des choses. Comme j'ai un autre rendez-vous assez urgent, si vous le permettez nous nous arrêterons là.

Il raccrocha aussitôt et la serra dans ses bras.

— Tu viens de démolir une interview, dit-il en riant.

— Tu essayais d'en finir.

— J'ai essayé, mais toi tu as réussi.

Elle encercla sa poitrine nue... puis ouvrant son corsage et dégrafant son soutien-gorge, elle pressa ses seins contre lui.

— Je t'aime, Tom. Vraiment.

Ce disant, elle se leva et l'attira dans la chambre à coucher.

Plus tard, tandis qu'ils étaient allongés côte à côte, il lui demanda :

— Comment faut-il te remercier ?

— Pour quoi ? demanda-t-elle en se serrant contre lui.

— Pour m'avoir évité de ruminer après mon échec d'hier soir, pour m'avoir « allumé » ce matin, puis maintenant et avoir fait de ces instants les meilleurs que nous ayons eus.

— Oh Dieu ! C'était merveilleux dit-elle en l'embrassant avec violence.

— Etait-ce merveilleux pour toi ? Pour moi, oui, parce que je me suis comporté normalement, mais pour toi... rien ne s'est passé ?

— Si, Tom.

— January, dit-il en se penchant pour la regarder dans les yeux gravement, n'était-ce pas une partie de notre contrat la sincérité absolue ? Surtout ne me mens jamais...

Elle l'étreignit.

— Tom, une femme et un homme, ce n'est pas la même chose : je n'ai pas besoin de jouir à chaque fois. Le seul fait de te tenir dans mes bras en sachant que je te rends heureux me donne le sentiment d'être une vraie femme plus que tout ce que j'ai vécu auparavant.

Les yeux sombres de Tom brillèrent dans la pénombre de la chambre.

— January, je ne pourrai plus vivre sans toi... jamais.

— La question ne se posera pas, Tom : je serais toujours là à attendre... chaque fois que tu voudras de moi.

Il lui donna une tape sur les fesses.

— Très bien. Allons prendre notre douche ensemble. Dis-moi, fais-tu de la bicyclette ?

— Est-ce que je fais quoi ?

— De la bicyclette.

— Je ne sais pas... non. Je n'ai jamais essayé.

— Alors tu vas commencer aujourd'hui.

Ils louèrent des bicyclettes et passèrent l'après-midi à Central Park. Elle eut vite fait d'apprendre car elle avait un excellent équilibre et bientôt, sur les pistes, elle le dépassait en coup de vent. Après avoir vu un film sur la Troisième avenue, ils dînèrent d'une pizza et regagnèrent le Plaza, où Tom insista pour la satisfaire jusqu'à ce qu'elle lui demande grâce.

Le lendemain, ils se promenèrent en ville à bicyclette. Il l'emmena jusqu'à Irving Place pour lui montrer l'endroit où avait vécu Mark Twain. Il lui indiqua aussi la maison de grès qu'avait habitée Oscar Wilde durant son séjour aux Etats-Unis. Ils déjeunèrent dans un petit restaurant français où il lui raconta des anecdotes sur Sinclair Lewis — du temps où lui-même était jeune homme, et où Lewis le « Rouge » s'était mis en tête de devenir acteur. Il lui parla de sa rencontre avec Hemingway et aussi avec Tom Wolfe, quand il enseignait à l'université de New York.

Il évoqua aussi son enfance. Né à Saint-Louis, il était venu travailler à New York où il avait trouvé un emploi au *Sun*. Il avait fait ensuite un très bref séjour à Hollywood, le temps d'en connaître la faune à l'époque où les industriels du cinéma manifestaient le plus parfait mépris des écrivains :

— Voilà pourquoi je n'accepte plus jamais d'adapter pour l'écran aucune de mes œuvres, quel que soit le prix qu'on m'en offre. J'ai écrit tellement de scénarios taillés aux mesures des vedettes des années quarante que je me suis juré de ne plus en écrire un seul, si je parvenais à être romancier.

Durant les semaines qui suivirent, le temps et les jours se fondirent, pour January, en une étrange nébuleuse. Elle avait beau faire un effort pour se concentrer au bureau, sa vie n'avait de sens que lorsqu'elle était avec Tom. Lorsque, le matin, elle s'éveillait dans ses bras, prenait un déjeuner rapide en sa compagnie, s'éclipsait juste avant l'arrivée de Rita Lewis... Puis elle courait chez elle se changer, se précipitait tous les trois jours chez le docteur Alpert pour une piqûre, retournait au journal où elle expédiait en deux heures le travail d'une journée.

Un jour, elle dicta cinq textes après une piqûre de vitamines et même Sara Kurtz dut reconnaître qu'ils étaient bons. Elle parlait de la solitude du grand écrivain Tom Colt, des importuns qui lui volaient son temps, de son opinion sur l'ambiance de cirque qui accompagne aujourd'hui la publicité promotionnelle d'un livre. Elle rapportait ses commentaires sur l'évolution des média — il n'y avait à New York que trois journaux — enfin, elle fit un portrait qu'elle intitula « L'écho d'un lion », où elle comparait le célèbre Tom Colt au lion sorti de sa jungle et qui affronte notre civilisation. Au bout de quinze jours, Sara déclara qu'elle avait matière à un bon papier.

Mais elle ne s'animait vraiment que le soir quand, débordant d'une force incroyable et neuve, elle courait chez elle prendre sa douche, se changer, puis arrivait en trombe au Plaza. Ils allaient parfois au spectacle et chez Sardi : un soir, il l'emmena dîner chez Danny's Hide-a-Way, où ils prirent la table de devant... l'ancienne table de Mike.

Parfois, quand il avait eu une dure journée, ils se faisaient servir à dîner dans l'appartement et elle l'écoutait faire le récit de ses empoignades avec les journalistes, les gens de la télévision, ses propres agents... Ensuite, il y avait toujours la merveilleuse tendresse de ses bras.

Certains soirs, ils ne faisaient pas l'amour.

— J'ai cinquante-sept ans, petite, et je suis fatigué, disait-il alors. Mais je veux que tu sois près de moi.

Et quelques-unes de ces nuits furent les meilleures. Quand elle eut ses règles, elle le lui dit et lui demanda s'il préférait qu'elle reste dormir chez elle. Il la regarda stupéfait :

— Je te veux dans mes bras, la nuit, pas seulement pour te prendre, mais parce que je t'aime. Je veux te trouver là quand je me réveille, je veux pouvoir tendre le bras et t'enlacer au milieu de la nuit — n'est-ce pas ainsi que nous l'entendons tous les deux ?

Il y eut aussi des nuits où il voulait seulement la satisfaire... ces nuits où il lui faisait l'amour jusqu'à ce qu'elle tombe inerte d'épuisement.

Et puis il y avait l'inévitable Linda avec ses éternelles questions, toujours aux aguets.

Vers la fin du mois de mars, Tom dut partir pour une nouvelle mais brève tournée publicitaire : Détroit, Chicago, Cleveland.

— Il vaudrait mieux que tu ne viennes pas, lui dit-il. Pourquoi déchaîner les commérages ? En ce qui me concerne, cela m'est indifférent. C'est à toi que je pense... De toute façon, la tournée ne durera que cinq jours.

Voyant ses yeux pleins de larmes, il la serra dans ses bras :

— January, au nom du ciel... Tu sais bien que tu peux venir. Je t'en prie, petite, ne pleure pas.

Elle secoua la tête :

— Ce n'est pas de cela qu'il s'agit. Bien sûr, tu as raison : cinq jours seulement et puis tu reviendras. Mais tout à coup j'ai pensé qu'un temps viendra où tu devras t'éloigner beaucoup plus que cinq jours... où tu ne reviendras pas...

— Moi aussi, j'y ai pensé dit-il lentement. Bien plus que tu ne pourrais le croire. C'est quelque chose à quoi je dois réfléchir pendant ce voyage. Je t'ai dit une fois... que je ne pourrais jamais vivre sans toi. Et je le pense. Mais j'ai aussi réfléchi au nouveau livre que je veux écrire. Maintenant, je tiens mon sujet. Et, d'habitude, quand j'en suis là, il faut que je parte immédiatement pour écrire dans la solitude. Pourtant, ce n'est pas exactement ce qui s'est produit cette fois-ci. Je réfléchis au livre... et tu traverses mes réflexions. Jusqu'à présent, pour moi, la rédaction d'un nouveau livre prenait toujours le pas sur tout le reste... Je rompais le contact avec le monde extérieur et mon livre devenait ma nouvelle maîtresse. Cette fois-ci, il n'en est pas ainsi...

— Mais il ne faut pas Tom... Il faut que tu écrives.

— Je le sais... et je vais devoir y penser. Ecoute, nous en reparlerons quand je serai de retour.

Il partit, et ce fut comme si l'air avait perdu son oxygène. Elle laissa passer son rendez-vous habituel avec le docteur Alpert. Au bout de deux jours, elle se sentit apathique et crispée. Elle fit pourtant l'effort de dîner avec Linda qui était récemment tombée amoureuse d'un certain Donald Oakland, journaliste à la télévision locale. Elles allèrent chez Louise, où January écouta Linda lui conter par le menu sa vie sexuelle avec Donald.

— Il n'est pas très fort côté oral... mais c'est parce qu'il est juif. Les garçons israélites trouvent ces sortes de pratiques inconvenantes. Il apprendra. J'ai chargé Sara de faire un papier sur lui, continua-t-elle en croquant une branche de céleri. Pour l'instant, il est chargé des informations locales, continua-t-elle. Mais quand l'article paraîtra, qu'il aura vraiment goûté à la renommée et compris ce que je veux faire pour lui, il laissera tomber sa femme pour se mettre avec moi. Je ne peux pas supporter ce style trois-soirs-et-un-après-midi-par-semaine.

— Désires-tu te marier ?

Linda haussa les épaules.

— J'approche de trente ans ; alors pourquoi pas ? En tout cas, j'aimerais qu'il vive avec moi. Il m'apprend des foules de choses. Tiens-toi bien : il a un quotient intellectuel de 155 — autrement dit, proche du génie. Je viens de réaliser combien je suis ignare en politique. Je n'ose pas lui avouer que je n'ai jamais voté. Il m'a donné à lire toutes sortes de bouquins. Il est démocrate à fond. Comme je veux être capable de me mesurer avec lui et ses amis, je lis maintenant *La Nouvelle République* et la *Nation* comme s'il s'agissait de *Cosmo* et de *Vogue*. Jusqu'à présent, j'étais tout occupée de mes concurrents afin que *Gloss* n'ait rien à leur envier. Mais je me rends compte tout à coup que *Gloss* s'est épanoui et moi non. Je veux dire qu'au-delà de ce qui intéresse le magazine, je ne sais pas grand-chose. Comme Donald pense beaucoup de bien de la Libération des Femmes, je vais peut-être entrer dans un de leurs groupes...

Elle se mit à rire...

— Mais quand il passe la nuit chez moi, il oublie tout de la libération des femmes au point qu'il compte sur moi pour laver ses slips.

— Et tu le fais ? demanda January.

— Bien sûr. Je lui ai même acheté une brosse à dents et son dentifrice habituel pour qu'il les trouve toujours chez moi. Quand il dort là, je lui prépare son déjeuner... un déjeuner supérieur à celui que lui fait sa bobonne. Elle prétend devenir poète : résultat, elle passe la première partie de la nuit à écrire et dort toujours quand il quitte Riverdale. Certains soirs aussi, je fais à dîner — comme un vrai cordon bleu parce qu'il n'a pas les moyens de m'emmener toujours au restaurant. Tu comprends, il faut qu'il paie pour sa maison de Riverdale... où sa femme vient d'installer une piscine... et pour les études de son frère à l'université et...

— Linda, tu ne trouveras donc jamais un garçon sympathique... et libre ?

— Non... et toi ?

XXI

Tom téléphonait tous les soirs : ils s'entretenaient des conférences de presse qu'il avait faites, d'un accrochage qu'il avait eu avec un critique lors de son passage à l'émission de Kup, des interviews qui n'en finissaient pas, des comptes rendus contradictoires publiés sur son livre. Bien qu'il fût toujours best-seller, il s'inquiétait de la concurrence des nouveaux titres de la saison de printemps. Mais il ne disait mot de ses projets.

Vers le milieu de la semaine, January se sentit mal en point au physique et au moral. Il lui avait dit qu'il ne pourrait jamais plus vivre sans elle. Mais il vivait bien sans elle en ce moment. De plus, il avait avoué que son travail avait toujours été sa préoccupation majeure. Cette brève séparation n'allait-elle pas lui faire changer d'avis ?

Dès le lendemain matin, elle attendait dans l'antichambre du docteur Alpert. Elle n'avait pas pris rendez-vous, mais cette fois encore la réceptionniste l'introduisit dans la petite salle d'auscultation et elle entendit de nouveau le pas traînant du docteur Alpert. Il n'eut qu'à lui introduire l'aiguille dans la veine pour que disparût toute incertitude au sujet de son avenir avec Tom, et elle sortit sur un petit nuage, royalement sûre d'elle.

Tom revint le vendredi soir et décida d'aller directement chez elle, à l'improviste. En le voyant, elle poussa un cri de joie et lui tomba dans les bras.

Ils s'étreignirent, parlant tous les deux à la fois, chacun jurant à l'autre que son absence lui avait été intolérable. Serrée contre lui, elle fut soudain certaine que ses inquiétudes étaient sans fondement : jamais plus il ne la quitterait.

Il s'écarta et regarda autour de lui. Il était si massif là, au centre de la pièce, que celle-ci parut soudain plus étroite.

357

— Quand est-ce que ton bail arrive à échéance ?

— C'est une sous-location. En principe en avril, mais Monsieur Bailey m'a écrit que je pouvais le conserver un an de plus si je le souhaitais, car il reste en Europe.

— Tu peux t'en débarrasser. Je vais acheter un appartement pour nous deux. Et je te charge de le découvrir : je voudrais qu'il donne sur le fleuve, qu'on puisse brûler des bûches dans la cheminée, qu'il y ait une chambre à coucher, une salle de séjour et une pièce où je vais pouvoir m'atteler à mon nouveau livre.

— Mais la Californie ?

— Eh bien ?

— Ne dois-tu pas y aller ?

— Si. Nous partons la semaine prochaine.

— Nous ?

— Ecoute, dit-il en la regardant d'un air grave, je ne sais pas ce qu'il en est pour toi, mais ces cinq jours m'ont semblé aussi longs que cinq grandes années. Et j'ai beaucoup réfléchi. Dans deux ans, j'aurai soixante ans. Toi, tu seras encore une enfant. Nous n'avons donc que maintenant. Je ne sais pas combien de temps ce « maintenant » va durer. Mais il faut le saisir. Je t'aime. Je veux que tu vives près de moi. Il me reste encore deux semaines de promotion à subir sur la côte. Je ne supporterai pas d'être séparé de toi si longtemps. J'ai téléphoné à Nina Lou pour lui parler de toi... sans te nommer, mais j'ai été franc avec elle. Je lui ai dit exactement où nous en étions : que je t'emmenais et que, aussi longtemps que tu voudrais de moi, je vivrais avec toi. Je lui ai annoncé que je descendrais dans un bungalow de l'hôtel Beverly Hills, aux frais de mon éditeur ; pour sauver les apparences, je louerai à ton nom une chambre que tu n'occuperas pas. Aux yeux de tous, tu seras là-bas pour écrire un article sur moi dans ton magazine. J'irai au bord de la mer pour voir mon fils, mais les choses s'arrêteront là. Nina Lou est d'accord. D'ailleurs, elle est très amourachée de son acteur et donc, tant que je ne la mets pas en mauvaise posture aux yeux de ses amis, elle a les meilleures raisons de ne pas s'en faire.

January trouvait que les choses allaient beaucoup trop vite, mais elle l'écoutait d'un cœur léger, toute à la certitude et à la joie de l'avoir bien à elle.

— Comme nous restons encore une semaine à New York, continua-t-il, ton travail va consister à trouver l'appartement. Prends-le tout meublé afin que nous puissions emménager dès notre retour. Evidemment, c'est un peu court, mais un bon agent immobilier devrait nous dénicher ça : vois-les tous et quand le choix ne sera plus qu'entre deux ou trois appartements qui te plaisent, je viendrai les voir, pour que nous décidions ensemble.

— Mais Tom, si tu es à New York avec moi... tu ne pourras pas voir ton fils ?

— Je prendrai l'avion pour la côte un week-end sur deux. Ne t'en fais pas, tout ira bien. Je sais seulement que je ne peux plus vivre sans toi.

Dès lors, elle passa huit heures par jour à visiter des appartements. Linda fut à ce point transportée par la nouvelle qu'elle offrit à January de prendre le voyage sur la côte aux frais du magazine.

— C'est une prime, et tu la mérites bien. Et rappelle-toi : ne te soucie de rien d'autre que de contenter ton homme de génie. En attendant, il nous faut trouver l'appartement le plus sensationnel de New York. Te rends-tu compte, January, qu'en tant qu'amie de Tom Colt, tu pourrais tenir salon ? Etant donné sa personnalité, tout ce qui compte dans la ville y viendrait. Nous pourrions lancer quelque chose de totalement nouveau, genre « déjeuner du dimanche », dont je tiendrais la chronique dans *Gloss*... Oh ! ce sera formidable. Nous deviendrons *le* club à la mode, nous ferons l'événement... nous donnerons le ton ! Et comme je vais épater Donald Oakland ! Il est déjà très impressionné que je connaisse Tom Colt. Alors, quand il viendra dans ton salon et verra toutes les personnalités que j'y rencontre... January, ton histoire tombe à pic. Exactement ce dont New York a besoin en ce moment. Bon. Il faudra un immense living-room, de préférence débouchant sur une salle à manger...

Amusée par l'enthousiasme de Linda, elle se dit qu'il valait mieux la laisser donner libre cours à son imagination. Mais l'appartement serait la forteresse exclusive de Tom. Pas d'invités, pas de réceptions, rien qu'eux deux.

Elle permit pourtant à Linda de l'accompagner dans quelques visites d'appartements, car elle avait un peu peur de la matrone que l'agence avait chargée de l'accompagner.

Au bout de quatre jours, January estima qu'elle avait vu tout ce que New York comptait de beaux immeubles. Elle ne retint que deux appartements : l'un près des Nations Unies, l'autre à Sutton Place, un rez-de-chaussée avec une immense terrasse surplombant le fleuve. Linda aimait l'immeuble des Nations Unies, Tom fut emballé par l'appartement de Sutton Place.

Il était vendu en co-propriété, et le prix de cent dix mille dollars ne sembla pas l'émouvoir. Notant avec satisfaction les charges mensuelles relativement basses et le bail emphytéotique, il se borna à hocher la tête tandis que la femme dévidait sa litanie de précisions juridiques.

— Marché conclu, trancha-t-il enfin. Faites rédiger le contrat de vente et adressez-le à mon notaire, sur la côte. J'enverrai le chèque.

La matrone immobilière était aux anges. Après lui avoir remis toutes les adresses et numéros de téléphone utiles, il emmena January au bar le plus proche pour arroser le nouvel appartement.

— J'aime son histoire de bail emphytéotique, dit-il avec un sourire de mélancolie. Quatre-vingt dix ans ! January, dire qu'un homme de mon âge espère voir ceci durer avec une enfant comme toi... Je sais que je suis fort, dit-il en hochant la tête, mais je veux faire sérieusement les choses : ne songeons pas à ce qu'elles dureront, songeons à être heureux.

— Tom, cela va durer toujours.

Il leva son verre.

— Alors, à toujours. Pour moi, cinq bonnes années, ce serait déjà pas mal.

Elle passa les jours qui restaient à s'acheter des vêtements pour la Californie et à régler au bureau des problèmes de dernière heure. Tous les soirs, elle courait au Plaza, débordante de vitalité.

Ils devaient partir le mercredi après-midi. Le matin même, elle rendit visite au docteur Alpert. Il parut surpris de la voir.

— Vous êtes venue il y a seulement deux jours... Vous ne deviez revenir que demain.

— Je pars pour Los Angeles aujourd'hui, répondit-elle en le regardant préparer la seringue. Docteur Alpert, continua-t-elle, je vais m'absenter pour une semaine au moins. Ne pourriez-vous pas me donner une piqûre dont l'effet soit à plus longue échéance ?

— Où descendez-vous à Los Angeles ?

— A l'hôtel Beverly Hills.

— Vous avez de la chance, dit-il en souriant. Mon frère, le docteur Preston Alpert y est depuis une semaine. Il doit suivre pour la durée de son contrat un chanteur célèbre qui fait là-bas sa rentrée dans un grand club et auquel il faut une injection quotidienne de vitamines. Vous l'appellerez à l'hôtel Beverly Hills.

— Docteur Alpert, demanda-t-elle, en proie à une soudaine appréhension, ces piqûres créent-elles une accoutumance ?

— Pourquoi le feraient-elles ?

— Eh bien... si ce chanteur doit en recevoir tous les jours...

— Il boit plus d'une demi-bouteille d'alcool par jour, il ne mange pas et couche chaque nuit avec une nouvelle femme... Vous comprenez qu'il lui en faut des piqûres de vitamines ? Vous aussi d'ailleurs vous en avez grand besoin. Dites-moi : avant votre première visite ici, auriez-vous souffert d'un traumatisme ?

360

Elle sourit :

— Mettons trois ans de traumatisme... suivis d'une espèce de choc, mais qui remonte à septembre. Depuis tout va bien.

Il secoua la tête.

— Effet à retardement. Ecoutez-moi bien ma petite. Il existe des médecins qui soignent la tête. Et pour quelle raison ? Parce qu'un événement qui a eu lieu il y a vingt ans déclenche une souffrance psychique aujourd'hui. Alors, pourquoi ne pas imaginer aussi que des faits survenus il y a plusieurs mois puissent agir aujourd'hui sur votre corps ? De toute façon, puisque vous êtes déprimée, quel mal peut-il y avoir à prendre trois fois par semaine des piqûres de vitamines qui vous permettent d'aller de l'avant et de vous sentir bien dans votre peau ? Ne faites-vous pas nettoyer vos dents plusieurs fois par an ? Ne les brossez-vous pas trois fois par jour ? Ne mettez-vous pas de collyres, le soir, dans vos yeux ? Eh bien, pourquoi refuseriez-vous les tonifiants dont a besoin votre jeune sang lorsqu'il est épuisé ? Avec la nourriture d'aujourd'hui, vous autres filles vous mangez... ou plutôt, vous ne mangez pas...

Il avait raison. Le cher homme, qui prenait le temps de lui expliquer toutes ces choses alors qu'une clientèle nombreuse attendait dans son antichambre.

— Amusez-vous bien, dit-il avec un bon sourire. Téléphonez à mon frère. Et quand vous reviendrez, prenez rendez-vous à l'avance.

Elle rentra à pied, sachant qu'il lui suffirait de quelques instants pour faire ses bagages. C'était une de ces admirables journées d'avril, fraîches et lumineuses, où le ciel est limpide et bleu comme de la porcelaine. Elle se demanda pourquoi la nouvelle année débutait au milieu de l'hiver quand tout était mort, alors qu'elle devrait commencer en avril, par un jour comme celui-ci, où affleure de partout une vie nouvelle. Cette vie, elle la voyait dans ce chiot minuscule que promenait une dame et qui vagabondait au bout de sa laisse ; ou dans les bourgeons qui naissaient au branches nues de ces arbres nouvellement plantés, et dont la tige frêle s'appuyait sur des tuteurs, des attaches et des canevas destinés à le faire survivre sur son maigre carré de terre en plein New York.

Mais elle vit aussi une vieille femme avec des bas en accordéon sur des jambes trop maigres et un chien arthritique qui peinait autant qu'elle pour avancer le long du trottoir. January sentit les larmes lui monter aux yeux. Elle eut pitié de tout ce qui vieillissait. En fait, elle plaignait tous ceux qui n'allaient pas partir en Californie et n'avaient pas la chance de connaître un homme tel que Tom Colt.

Son état d'euphorie s'accrut à mesure que le jour avançait. Jamais elle n'avait atteint ce degré de plénitude et de lucidité. Elle s'assit enfin près de Tom dans le 747. Le voyage fut sans heurt et le service sans accroc, tout fut parfait... Jusqu'au moment où l'hôtesse plaça sur leur assiette de dessert les petits œufs de Pâques en sucre glacé. Des œufs de Pâques !

Nous étions mercredi.

Dimanche prochain ce serait Pâques !

Et demain, l'avion de Dee viendrait l'attendre pour l'emmener passer le week-end pascal à Palm Beach.

Dès son arrivée à l'hôtel, elle envoya un câble à son père.

SUIS A LOS ANGELES, HOTEL BEVERLY HILLS. JE FAIS UN PAPIER SUR TOM COLT. DEVRAI MANQUER LE WEEK-END PASCAL. BONS BAISERS. TA PROFESSIONNELLE DE FILLE.

Elle espérait que la légèreté volontaire du ton ferait attribuer son absence à une obligation de dernière minute et non à une totale insouciance. Elle fit mine de s'installer dans sa « propre chambre » dans le bâtiment principal, mais ses bagages furent envoyés au bungalow de Tom.

— J'irai tous les jours là-bas pour chambarder le lit, histoire de sauver les apparences, dit-elle.

Il se mit à rire et hocha la tête.

— Avec tous ces gens qui cohabitent et ces vedettes qui ne se cachent même plus d'avoir des enfants hors mariage, crois-tu vraiment que quelqu'un se soucie de savoir où tu passes tes nuits ?

— Oui. Moi.

L'éditeur avait mis sur pied un programme des plus chargés pour les deux jours suivants : petit-déjeuner-interview, déjeuner-interview, émission de Merv Griffin, conférence de presse, et même... émission à sept heures du matin. Elle l'accompagna partout, arborant un calepin et toutes les mimiques qu'on est en droit d'espérer d'une journaliste en reportage pour *Gloss*.

Le samedi, Tom lui suggéra de s'installer à la piscine tandis qu'il allait voir son fils à Malibu.

Sven, le jeune et beau garçon de cabine, lui indiqua une confortable chaise longue en plein soleil, lui apporta de la crème solaire et quelques magazines.

Mais elle ne parvenait pas à se décontracter. Au bout d'une heure, elle se sentit même de plus en plus tendue. Elle s'imposa de rester à la piscine, espérant que le soleil lui ferait du bien. D'ailleurs, Tom avait admiré son hâle la première fois qu'ils s'étaient rencontrés. Elle crispa nerveusement ses doigts sur les accoudoirs de la chaise, faisant un terrible effort pour tenir bon, car elle avait intérieurement l'impression de perdre pied. Elle voulait croire qu'il s'agissait d'une simple nervosité due à l'absence de Tom. Mais bientôt elle dut admettre que son cou lui faisait vraiment mal et qu'elle était en proie à une migraine de plus en plus insupportable. Elle reconnaissait ces symptômes sans erreur possible... il était temps d'appeler le frère du docteur Alpert.

Elle quitta la piscine et monta dans sa chambre. Une jolie chambre vraiment, mais malgré la chemise de nuit et le peignoir qu'elle avait accrochés dans la salle de bains, il était évident que personne ne l'occupait. Elle se demanda ce que pouvait bien penser la femme de chambre. Elle alluma une cigarette, décrocha le téléphone et demanda le docteur Preston Alpert. L'opérateur lui répondit qu'il devait rentrer à six heures. Il était à Malibu. Tout le monde était donc à Malibu aujourd'hui ?

Il n'était que trois heures. Comment ferait-elle pour tenir tout le reste de l'après-midi ? Elle s'étendit sur le lit, espérant atténuer ainsi la douleur qui lui martelait l'intérieur du crâne. Vers quatre heures, elle alla jusqu'au lavabo et fit couler l'eau froide sur sa nuque. Deux heures encore à endurer...

Elle quitta la chambre et regagna le bungalow pour se changer. Après avoir revêtu un pantalon et une chemise, elle se versa un verre de bourbon. Ses deux mains tremblaient. Elle faillit suffoquer en buvant, mais un peu d'alcool passa. Qui sait ? Le bourbon semblait faire tant de bien à Tom... Peut-être calmerait-il son mal de tête ? Elle en prit une nouvelle gorgée. La gorge lui brûlait, mais il lui sembla que sa migraine perdait de son intensité. Elle glissa la bouteille dans son sac et regagna sa chambre.

Elle s'étendit de tout son long sur le lit et se remit à boire à petites gorgées. Que cette chambre était calme ! et qu'il était dommage de la laisser inoccupée...

— J'en suis désolée, chambre, dit-elle à haute voix. Je n'ai rien contre toi, mais voilà... mon homme est dans un bungalow...

A mesure qu'elle buvait, la douleur s'assourdissait mais elle sentait aussi qu'elle s'enivrait, et elle ne voulait pas que Tom, en rentrant, la retrouve dans cet état. Peut-être un bain chaud lui ferait-il du bien ? En tout cas cela l'aiderait à passer le temps. Elle s'imposa de rester dans la baignoire jusqu'à ce que la peau de ses doigts commence à se friper. Quand elle eut retouché son maquillage, elle regarda sa montre : cinq heures quinze. Elle rappela la chambre du docteur Alpert, mais on lui fit la même réponse : le docteur ne serait de retour qu'à six heures.

Le mal de tête reprenait de plus belle et il lui semblait que son cou n'était plus qu'une masse de ganglions enflammés. Oh Dieu, cette fois, elle devait être proprement anémique. Elle n'avait rien mangé de la journée, depuis le café du matin avec Tom. Le docteur Alpert l'avait pourtant mise en garde : elle devait manger. Or, elle avait perdu du poids, au point que ses vêtements tenaient mal.

La demi-heure suivante fut interminable ; souffrant de la chaleur, elle mit l'air conditionné. Mais alors elle eut froid et dut l'arrêter. A cinq heures quarante-cinq, elle laissa un nouveau message pour le docteur Alpert précisant que c'était urgent. A six heures quinze il n'était toujours pas de retour.

Mon Dieu... Et s'il ne revenait plus du tout ? S'il décidait de passer le week-end entier à Malibu ? Elle constata qu'elle n'avait plus de cigarettes, et se mit à fumer ses mégots.

Tom devait revenir à sept heures. Elle voulait être en grande forme pour l'accueillir. Après tout, sa femme devait être très belle. Fatalement, puisqu'elle avait été starlette... Bah ! le temps des starlettes était révolu ! Elle se versa un autre verre. Cette femme avait fait de la figuration, rien de plus. Une figurante qui avait même passé l'âge. Oui... mais on pouvait avoir passé l'âge de certaines figurations, et être quand même jolie. Il n'y avait qu'à voir combien d'entre elles étaient devenues vedettes de la télévision.

Allons, tout ceci était stupide. Tom était allé voir le bébé... Mais peut-on passer une journée entière avec un bébé de huit mois ? Cet enfant ne devait-il pas dormir beaucoup ?

Il était six heures trente. Elle venait de finir le dernier mégot à peu près potable. Bien sûr, le drugstore était en bas, mais elle craignait de quitter la chambre et de manquer le coup de téléphone du docteur. Elle se fit apporter un paquet de cigarettes par un employé de la réception qu'elle gratifia d'un dollar de pourboire.

A sept heures moins le quart, elle tenta de nouveau d'appeler le docteur Alpert. Sa ligne était occupée ! Elle s'assit à côté du téléphone, tambourinant des doigts sur la table. Pourquoi sa ligne était-elle occupée ? N'avait-elle pas laissé un message en précisant qu'il était urgent ? Elle attendit cinq minutes et recommença. Une voix calme, quasi-léthargique, lui répondit :

— Ouiii ?

— Le docteur Preston Alpert ?

— Qui est à l'appareil ? répondit la même voix molle.

— January Wayne.

— De quoi s'agit-il ?

— Oh, je vous en prie, dites-moi si vous êtes le docteur Alpert.

— J'ai demandé : de quoi s'agit-il ?

— Je suis une cliente du docteur Simon Alpert, qui m'a dit que vous le remplaceriez, et que vous...

— Peu importe, trancha-t-il, d'une voix soudainement raffermie. Que voulez-vous ?

— Une piqûre de vitamines.

— A quand remonte la dernière ?

— Mercredi matin.

— Et il vous en faut déjà une autre ?

— Oui... sérieusement, docteur, oui...

Il s'arrêta un instant.

— J'en parlerai à mon frère dans la soirée. Voudriez-vous rappeler demain midi ?

— Oh non ! Je vous en prie, pas demain... Il me la faut tout de suite. Ecoutez, je travaille pour *Gloss*. Je suis en train de faire un reportage « en profondeur » sur Tom Colt, et...

— Tom Colt ? fit la voix impressionnée.

— Oui. Et, vous comprenez, il faut que je sois constamment sur le qui-vive, que je remarque tout et que je m'en souvienne... car je ne pratique pas la sténo.

— Oh... je vois... Bon... Je vais demander à mon frère quelle sorte de vitamines vous prenez. Monsieur Colt est au bungalow n° 5, n'est-ce pas ?

— Oui... mais moi je n'y suis pas... Je suis à la chambre vingt-trois.

— Vous n'êtes donc pas la fille qui vit avec lui ?

— Il n'y a pas de fille avec lui !

— Ma chère, si vraiment vous l'interviewez, vous ne pouvez pas ignorer qu'il est accompagné d'une superbe jeune femme... assez jeune en vérité pour être sa fille. Il n'y a pas une personne dans cet hôtel qui ne soit au courant.

Après un silence, elle répondit :

— Merci. Mais elle ne sera bientôt plus ni jeune ni jolie si vous ne vous dépêchez pas d'arriver. Au nom du ciel... Il est déjà sept heures cinq...

— Je viens tout de suite.

Dix minutes plus tard il frappait à sa porte. D'emblée, il lui déplut. Grand, avec une épaisse chevelure roussâtre et un nez aquilin, il avait une vilaine peau et de longs doigts osseux, si blancs qu'ils paraissaient exsangues. Elle préférait son frère, qui était peut-être plus négligé, mais sympathique et si humain. Celui-ci était une sorte de poisson parfaitement aseptisé... Elle remonta sa manche pendant qu'il préparait la seringue. Puis il lui dit, sans la regarder :

— Etendez-vous sur le côté et ôtez votre pantalon.

— On me les fait en intraveineuses.

Bien qu'il semblât surpris, il lui serra le ruban de caoutchouc autour du bras et mélangea la solution. Elle tiqua lorsque l'aiguille pénétra dans son bras, puis retomba sur l'oreiller.

Jamais, on ne lui avait fait de semblable piqûre. La tête lui tourna comme si elle venait d'être projetée dans l'espace. Son cœur battait violemment, sa gorge se noua, et elle sentit monter... monter. Puis elle eut l'impression de choir dans un trou d'air infini et sans fond... Elle s'affola un instant. Puis tout s'apaisa et elle ne sentit plus dans tout son corps que la chaude circulation de la vie.

Il lui mit un sparadrap sur le bras et elle rabaissa sa manche.

— Combien vous dois-je ? demanda-t-elle.

— C'est un cadeau.

— Comment ?

— Une fille capable d'intéresser un homme tel que Tom Colt mérite bien qu'on lui fasse cadeau d'une piqûre de vitamines...

— Eh bien... merci, merci beaucoup.

— Combien de temps pensez-vous rester ici tous les deux ?

— Une semaine encore. Il travaille beaucoup. Il lui reste quelques interviews à faire la semaine prochaine, après quoi il doit passer deux jours à San Francisco et regagner New York pour...

Elle s'arrêta.

— Pour retourner auprès de sa femme ?

Une seconde plus tôt elle avait failli dire à cet affreux individu qu'ils allaient signer l'acte d'achat de leur nouvel appartement. C'était là le danger de la piqûre : on se sent si bien que l'on a envie de parler à tout le monde, de se confier à tout le monde.

— Je crois que je dois regagner le bungalow, dit-elle.

Il hocha la tête.

— Un homme comme Monsieur Colt... qui a tant de travail... tirerait certainement profit d'une série de piqûres...

— Il n'en a pas besoin, répondit-elle en se forçant à sourire, il marche au Jack Daniels.

— Vous savez que je traite un chanteur...

Elle fit quelques pas vers le bureau et fit semblant de se recoiffer. Ses façons onctueuses lui portaient sur les nerfs. Mais elle ne pouvait pas le remettre à sa place trop brutalement, car elle pourrait avoir encore besoin de lui.

— J'ai aussi dans ma clientèle un très célèbre compositeur qui prend un piqûre par jour, et je viens de commencer à traiter plusieurs personnalités de la télévision. Un homme qui arrive à l'âge de Tom Colt — et bien qu'assurément il semble très viril — gagne à recourir aux vitamines comme n'importe qui d'ailleurs, vivant à un tel rythme : écrire un livre, sa publicité, faire l'amour avec une jeune personne...

Ses yeux gris brillaient grivoisement de ce qu'il prétendait n'être qu'une discrète allusion.

Elle trouva la seule réponse qui lui évitât de le mettre à la porte :

— Je lui en ferai la suggestion, dit-elle en se tournant vers lui avec un léger sourire. Maintenant... il faut vraiment que j'aille me changer.

Il referma sa mallette et sortit. Elle attendit qu'il se fût éloigné, puis se précipita au bungalow. Tom n'était pas rentré. Elle se sentait merveilleusement bien. La piqûre du docteur Preston Alpert était beaucoup plus puissante que celle de son frère. Elle se versa un autre verre de bourbon : Tom serait content s'il la trouvait en train d'en boire. Dieu ! La bouteille était presque vide et elle était aux trois-quarts pleine quand elle l'avait emportée dans sa chambre !

Elle alla jusqu'au bar, en ouvrit une autre et, tout à coup, pensant à Tom, elle porta le goulot à ses lèvres et but longuement. Elle suffoqua un peu, mais l'alcool passa. Elle recommença. Bientôt, toute la pièce se mit à flotter autour d'elle. Elle comprit alors qu'elle était ivre. Follement ivre, et la chose lui parut très drôle. Elle se mit à rire, de plus en plus, jusqu'à ce qu'elle sentît les larmes lui couler le long du visage, et une crispation de plus en plus aiguë lui saisir l'estomac. Elle voulut s'arrêter de rire, mais en vain. Son corps lui semblait de plus en plus léger, aérien. Elle riait encore lorsque le téléphone sonna.

Elle regarda la pendule : presque huit heures. Ce ne pouvait être que Tom qui voulait s'excuser d'être tellement en retard. Elle allait décrocher, puis se ravisa : après tout, pourquoi Tom et l'opérateur ne se donneraient-ils pas un peu de mal pour la trouver ? Elle les imaginait cherchant au Polo Lounge, dépêchant un garçon dans le hall d'entrée... Bon. Maintenant, elle allait se laisser trouver. Elle décrocha le téléphone.

— Hello, l'opérateur ?... Ici, Miss Wayne. Vous avez un appel pour moi ?

Elle se remit à rire. Tout cela était si incroyablement drôle. Puis il y eut un silence, le temps que l'opérateur établisse la communication, et enfin elle entendit la voix de Mike :

— January...

— Mike.

Elle se mit à rire de plus belle. C'était Mike, ce n'était pas Tom. Elle rit encore. Non parce que c'était drôle, mais parce qu'elle ne pouvait plus s'en empêcher. Elle essaya de s'arrêter...

— January, qu'y a-t-il ? Qu'y a-t-il de si drôle ?

— Rien, répondit-elle, calmée. Simplement une piqûre et du

bourbon et je... je me sens... si merveilleusement bien... et...

Elle s'arrêta de nouveau secouée par le rire.

— Mais *quelle* piqûre ?

— Des vitamines. C'est... divin.

Elle ne riait plus. Elle se sentait portée par un nuage. Les vitamines avaient pris le pas sur le bourbon. Il lui semblait que son corps était léger comme la soie, et que son lit, tel un nuage, flottait dans l'espace.

— January, es-tu sûre que tout va bien ?

— O mon père bien-aimé... Jamais je n'ai été mieux. Jamais... Jamais... Jamais...

— Avec qui es-tu en ce moment ?

— Personne... J'attends Tom.

— Dis-moi, comment se fait-il que le magazine t'ait choisie *toi*, pour cette interview ? Depuis quand es-tu devenue grand reporter ?

Elle se remit à rire. Mike semblait si sérieux. Si sévère. Ah si seulement il avait pu savoir combien elle était heureuse, combien tout le monde devrait être heureux. Elle voulait qu'il sache ce que c'est que de flotter.

— Mike, es-tu heureux ? demanda-t-elle.

— Mais de quoi parles-tu ?

— Du bonheur. La seule chose qui compte. Es-tu heureux avec Dee ?

— Qu'importe. Que fais-tu là-bas ? Que sont ces piqûres dont tu me parles ?

— Rien que des vitamines. De célestes, de merveilleuses vitamines. Oh Mike, il y a des palmiers ici, plus beaux que ceux de Floride. Et le bungalow n° 5 est ma résidence privée. As-tu jamais habité le bungalow n° 5 quand tu étais ici ? Je parie que oui... Parce que toi et lui, vous vous ressemblez beaucoup. Après tout, il a même loué notre suite au Plaza.

Il l'interrompit d'une voix dure.

— Je veux que tu quittes Los Angeles immédiatement.

— Pas question ! Et après Los Angeles, je m'installe dans mon grand appartement tout neuf avec un jardin-terrasse au-dessus du fleuve et...

Elle perdit soudain le fil de ses pensées.

— Qu'est-ce que je disais, déjà ?

— Tu en as bien trop dit. Au revoir, January.

— Au revoir, ô père magnifique... mon seigneur... mon beau... mon...

Il avait raccroché.

368

Elle était étendue sur le lit, sans le moindre vêtement lorsque Tom rentra, à neuf heures. Il la contempla un moment, puis sourit.

— Eh bien, voilà ce que j'appelle une réception.

Elle tendit les bras vers lui, mais il secoua la tête en s'asseyant sur le bord du lit :

— Je suis trop fatigué. Ce voyage a été pénible. Et cette journée a été aussi casse-pied que les autres.

— Autrement dit, tu t'es épuisé à jouer avec le bébé ?

Il éclata de rire.

— J'ai tenu le bébé dans mes bras pendant exactement vingt minutes. Après quoi, il s'est mis à vomir, la nourrice m'a jeté un regard assassin et l'a escamoté aussitôt. Je ne l'ai revu qu'après son bain.

— Qu'as-tu donc fait pendant tout ce temps ?

Il se leva et enleva sa veste.

— Aurais-tu des humeurs de femme jalouse ? Tu n'as pourtant pas lieu d'en avoir. Je t'ai dit que je m'étais engagé à sauvegarder une façade conjugale. Eh bien... aujourd'hui, il m'a fallu être gentil envers toutes sortes de gens que Nina Lou avait invités pour un « brunch », des cocktails, etc. bref, elle a pratiquement tenu table ouverte toute la journée en l'honneur du grand écrivain, etc.

— Je me sens hors-jeu, dit-elle soudain. Comme si tu avais une autre vie, où je suis étrangère, alors que toi, tu es toute ma vie.

Il se rassit sur le bord du lit.

— Ecoute, petite. Ma vie, c'est d'écrire. Tu y es entrée par la grande porte et tu y resteras tant que tu voudras. Je t'aime. Mais aucune femme ne peut prétendre être toute ma vie. Sauf en ce moment où, dans ce cirque publicitaire, tu es le seul être réel. Mais dès que je recommencerai à écrire, tu devras accepter que pour moi l'écriture ait priorité absolue.

— Oui, mais pas une autre femme.

— Aucune autre femme, je le jure.

Elle sourit joyeusement et sauta du lit.

— J'accepte tes conditions. A toi d'accepter les miennes... pour ce soir.

Elle l'obligea à se mettre debout et commença à déboutonner sa chemise.

— Maintenant que tu as sacrifié au devoir conjugal, voici venue l'heure de ton amoureuse geisha, dit-elle en lui caressant la poitrine et en faisant courir ses doigts le long de son dos.

Il lui prit les mains et les serra.

— Chérie, je ne m'en sens pas la force, dit-il, parce que je suis trop fatiguée, mais si tu veux, je te ferai...

— Non... Passons simplement la nuit à bavarder dans les bras l'un de l'autre.

— Très bien. Mais je crois qu'il serait temps de te commander à dîner.

— Je n'ai pas besoin de dîner... Je t'ai, toi.

— Je suis curieux de savoir de quoi tu te nourris... J'aimerais y goûter aussi.

— De vitamines, répondit-elle. Tu devrais essayer.

Il se mit à rire.

— Que c'est merveilleux d'être jeune. Il te suffit de recharger les piles pour fonctionner à nouveau. Moi aussi je pouvais me le permettre à ton âge. La vieillesse est une saloperie, dit-il avec un profond soupir. Je ne pensais pas que j'en ferais l'expérience à mon tour. Je croyais que je resterais toujours fort... toujours jeune... et que j'irais toujours de l'avant avec des excès d'alcool et peu de sommeil. Pour moi, santé et dynamisme étaient des choses qui allaient de soi. Mais voilà, ça s'empare de vous, dit-il avec un nouveau soupir. Et c'est moche de se dire qu'on arrive à soixante ans.

— Tu n'es pas vieux, protesta-t-elle. Et je t'assure que je prends des vitamines. Des piqûres... ici... regarde mon bras.

Elle le tendit vers lui et ôta le sparadrap.

— Que diable fabriques-tu là ? s'exclama-t-il en regardant la petite trace bleue de l'aiguille.

— C'est une piqûre de vitamines.

— Mais on les fait dans la fesse !

— On m'en a fait une seule dans la fesse, et elle n'a pas été aussi efficace. Ce n'était qu'une intramusculaire, tandis que celle-ci est une intraveineuse.

— Très bien, docteur Kildare. Maintenant dis-moi : où as-tu fait faire cette piqûre ?

— Le docteur Preston Alpert. Il est ici en ce moment. A New York, je m'adresse à son frère.

— Et quel effet font ces piqûres exactement ?

— Elles te donnent l'impression de posséder la terre.

— Fais-le venir, ordonna-t-il.

Ils découvrirent le docteur Alpert dans le Polo Lounge. Quinze minutes plus tard, il arrivait au bungalow. Il fut si impressionné de faire la connaissance de Tom que sa main tremblait tandis qu'il adaptait l'aiguille à la seringue.

January était assise sur le lit, emmitouflée dans un des peignoirs de Tom. Et Tom, qui portait encore son pantalon de cotonnade blanche n'avait pas de chemise. L'air de la plage lui avait bruni la peau. A côté de lui, le docteur Alpert faisait penser à une longue

sauterelle verte. Il prit la seringue et se pencha sous le regard atten-
tif de Tom. January détourna les yeux au moment où l'aiguille pénétrait dans la veine. Si Tom sentit quelque chose, il n'y parut pas.
Il attendit, impassible et silencieux, que le docteur Alpert eut fini.
Il regarda le sparadrap collé sur son bras puis fouilla dans sa
poche.

— Combien vous dois-je ?

— Cent dollars.

— Cent dollars ! s'exclama January. Mais c'est incroyable ! Votre frère ne m'en prend que vingt-cinq !

Le docteur Alpert lui jeta un regard mauvais.

— Il s'agissait de consultation à son cabinet. Ici, il s'agit d'une
visite à domicile et en dehors des heures en plus.

Tom lui flanqua l'argent dans la main.

— Prenez votre argent et écoutez-moi bien. Si jamais vous re-
mettez les pieds ici, je réduis en miettes tous les flacons que vous
avez dans votre sacoche.

Le docteur Alpert resta abasourdi.

— Voulez-vous dire que la piqûre ne vous satisfait pas ? Vous
ne sentez donc rien ?

— Oh si je sens. A volonté. Beaucoup trop pour une simple
piqûre de vitamines. Il y a un cocktail de stupéfiants là-dedans.

Le docteur Alpert se dirigea vers la porte, mais Tom le suivit
et l'empoigna par les revers de la veste :

— Rappelez-vous que je ne veux plus vous voir approcher d'ici,
dit-il, sinon je vous fais chasser de cette ville.

Le docteur Alpert reprit contenance.

— Monsieur Colt, dit-il, si l'on vous faisait une prise de sang
et une analyse sur le champ, on y trouverait de fortes doses de
vitamines A, E, C et tous les B.

— Et aussi des méthamphétamines, j'en suis sûr. Je ne doute pas
que vous y mettiez des vitamines, mais c'est la drogue qui donne au
patient la sensation d'être si bien.

Dans son empressement à quitter le bungalow, le docteur Alpert
trébucha en passant le seuil de la porte. Tom se retourna alors vers
January :

— Depuis combien de temps t'es-tu mise à ces choses-là ?

— Je ne me suis mise à rien, Tom. Je veux dire... J'ai seulement
fait quelques piqûres... C'est Linda qui m'en a parlé...

Et elle lui raconta tout sur Keith et ces autres gens haut placés
qui recouraient aux frères Alpert.

Tom la prit dans ses bras et la serra très fort.

— Ecoute, petite, en ce moment, il me semble que je pourrais faire l'amour avec toi toute la nuit, que je pourrais écrire mon prochain livre d'une seule traite, que je pourrais plonger du point le plus élevé du Miramar à Acapulco... et discerner les courants comme n'importe quel plongeur professionnel mexicain... C'est une sacrée sensation. Je l'ai déjà éprouvée lorsque j'étais correspondant au cours de la deuxième guerre mondiale. Je prenais des amphétamines qui me donnaient ce genre de coup de fouet. Les pilotes de bombardiers qui faisaient leurs raids à l'aube avalaient ça comme de la boule de gomme. Souvent, ils avaient plutôt mal dormi la nuit précédente, craignant qu'elle fût la dernière. Vers quatre heures du matin, ils se mettaient ces trucs-là dans la bouche. Une heure plus tard, ils décollaient et s'en allaient planer là-haut, dans le bleu infini, avec la certitude d'être devenus invulnérables aux balles. Je pense que la moitié d'entre eux croyaient même pouvoir se passer d'avion... En ce moment, j'éprouve la même chose. Je pourrais... Allons, nom de Dieu, ne gaspillons pas cette piqûre.

Et il la jeta sur le lit.

Le lendemain matin, la piqûre semblait déjà faire moins d'effet sur Tom mais January débordait toujours d'énergie et d'entrain. Tom la fit asseoir et essaya de la mettre en garde :

— Moi, tu comprends, je mesure plus d'un mètre quatre-vingts et je pèse quatre-vingt-quinze kilos. Mon organisme est donc capable d'éliminer assez vite. Mais toi... je parie que tu ne pèses même pas cinquante kilos. Or, il y avait très probablement de la méthamphétamine là-dedans. Ce n'est pas un produit qui crée l'accoutumance comme les drogues « lourdes », mais à mesure que son effet s'estompe, il te laisse une gueule de bois carabinée.

— Mais rien qui puisse me faire vraiment du mal ?

— A la longue, si tu en fais une habitude, tu peux en mourir : le pouls s'accélère, le cœur bat plus vite... Donc suis plutôt mon conseil : si tu veux de l'ivresse, cherche-la dans l'alcool. Tu n'arriveras pas à en boire assez pour te démolir. Moi si, je le peux — et je le fais. Mais j'ai vécu ma vie... Alors plus de piqûres, hein ? Promis ?

— Promis.

Ce soir-là, ils se firent servir à dîner dans leur chambre et ils n'avaient pas tout à fait terminé lorsqu'il se leva d'un bond et la tira par la main vers la chambre à coucher.

— Tom, dit-elle en riant, le serveur pourrait revenir.

— Qu'il revienne. Nous allons fermer la porte de la chambre. Peut-être est-ce le bourbon qui réactive les derniers restes de la piqûre... en tout cas, je ne veux pas en perdre le bénéfice.

Ils n'entendirent pas qu'on sonnait à la porte d'entrée. Ils n'entendirent même pas s'ouvrir la porte de la chambre. Ensuite, tout se passa si vite qu'elle eut du mal à réaliser ce qui arrivait. Elle vit bien que les lumières s'allumaient, et qu'on arrachait Tom d'entre ses bras. Elle vit bien un poing qui décochait un coup formidable dans la mâchoire de Tom. Et Tom, titubant, crachant du sang. Alors, elle faillit suffoquer de surprise : c'était Mike !... là... debout devant elle, les poings fermés, les regardant.

— Mike !

Son cri s'étouffa dans sa gorge.

Tom s'était ressaisi et fonçait sur Mike, mais celui-ci lui expédia de nouveau son poing dans la figure. Tom riposta. En vain : Mike avait des ruses de lutteur de foire, échappait régulièrement à Tom, puis l'assaillait avec une violence proche de la démence, lui martelant le visage de ses poings.

January voulait crier, mais ne pouvait émettre aucun son.

Tom tenait bon, face à Mike qui le bourrait de coups. Il essaya de riposter, mais à contretemps. Le visage couvert de sang, il continua d'encaisser les coups redoublés de Mike dans la mâchoire, l'estomac, le visage encore, et de nouveau la mâchoire, des coups plus violents que tout ce que January avait jamais imaginé.

Elle les regardait, hébétée, comme dans un rêve. Des images se succédaient devant ses yeux à la vitesse de l'éclair : Tom battant des bras commençait à lâcher pied devant l'impitoyable assaut de Mike... Mike jetant Tom à terre et lui assénant ses poings sur le visage interminablement...

Le sang coulait à flots de la bouche de Tom. Il avait une blessure à l'œil. Elle le vit s'appuyer, titubant, contre le mur, et cracher des dents...

Elle bondit sur son père :

— Laisse-le ! Arrête ! ARRETE ! hurla-t-elle.

Mike s'arrêta et Tom glissa le long du mur jusqu'à terre. January s'agenouilla près de lui, puis leva les yeux vers son père.

— Fais quelque chose... aide-le. Mon Dieu ! Tu lui as cassé toutes ses dents de devant.

Mike fit un pas vers elle, l'aida à se relever.

— Ce ne sont que des jaquettes, répondit-il, et ce n'est pas la première fois qu'on les lui casse.

Alors seulement, il parut s'apercevoir qu'elle était nue. Extrêmement gêné, il devint cramoisi et se retourna :

— Habille-toi. Je t'attends dans l'autre pièce.

— Comme ça ! cria-t-elle. Tu entres, tu laisses à moitié mort l'homme que j'aime et tu donnes des ordres. Et pourquoi ? Serais-tu jaloux ? C'est bien ça ? continua-t-elle en dressant devant lui. M'as-tu jamais vue faire irruption dans ta chambre pour matraquer Dee ? Non, je vais à Palm Beach, moi, et je fais des sourires, comme une brave petite fille.

— C'est un vaurien.

Elle avait le visage inondé de larmes.

— Je l'aime. Ne comprends-tu pas ? Je l'aime... et il m'aime.

Il passa outre, consultant sa montre.

— Habille-toi. L'avion m'attend.

— Pourquoi es-tu venu jusqu'ici ? sanglota-t-elle.

— Parce que hier soir, au téléphone, tu étais complètement dans les nuages. J'ai crains que tu ne sois embarquée dans une affaire de drogue. Le voyage m'a semblé interminable. A présent, je regrette d'être venu. Mais puisque je suis là, finissons-en. Nous oublierons tout ceci. Rentre à Palm Beach avec moi. .

— Pas question, répondit-elle.

Il regarda de nouveau sa montre.

— Je vais m'installer pendant une demi-heure dans le Polo Lounge. Si au bout de ce temps-là tu ne me rejoins pas, je partirai. Mais s'il te reste un brin de cervelle, tu vas ramasser tes affaires et lui dire de téléphoner à sa femme pour qu'elle vienne le chercher. Je t'attends au Polo Lounge. Une demi-heure exactement, répéta-t-il. Puis il sortit en claquant la porte du bungalow.

Elle resta un instant les yeux fixés sur la porte. Puis réalisant que Tom avait réussi à se traîner jusqu'à la salle de bains, elle courut après lui, prit une serviette humide et la lui posa sur le visage. Il revêtit un peignoir et, avec son aide, regagna la chambre à coucher.

— Tom... tes dents...

Il essaya de sourire, mais ne parvint qu'à cligner de l'œil.

— Comme le vieux l'a dit... des jaquettes. Je peux les faire arranger. C'est plutôt ma mâchoire... je crois qu'elle est cassée...

— Oh ! Tom !

— T'en fais pas... elle a déjà été cassée. Ton père a une sacrée poigne.

— Pardon, Tom.

— Je déteste ce type, reprit-il, mais je crois que j'en aurais fait autant s'il s'était agi de ma fille.

— Tu n'es pas fou ?

— Non, dit-il. Il a simplement précipité les choses. J'ai toujours vaguement soupçonné que je remplaçais quelqu'un auprès de toi. Maintenant, je sais. Alors il vaut mieux que tu t'habilles et que tu partes avec lui.

— Tom... Je t'aime. Je lui ai dit que je t'aime.

— Cette remarque que tu lui as décochée à propos de sa femme m'a ouvert les yeux, mon petit.

— Quelle remarque ?

— Laisse tomber, dit-il en se détournant.

Quand elle eut enfilé son pantalon et sa chemise, il la regarda, hocha la tête et dit simplement :

— Au revoir.

— Je reviens, dit-elle.

— Tu reviens ?

— Oui. Je veux seulement le voir... pour lui dire que je reste.

— De toute façon, s'il ne te voit pas paraître au bout d'une demi-heure, il le saura bien.

— Mais il faut que je lui parle.

Il lui saisit la main.

— Ecoute, petite. Nous y voici. Nous voici au moment où tu dois faire le grand choix. C'est moi ou papa... mais pas les deux. Parce que si tu sors d'ici, ton choix est fait.

— Je veux seulement lui dire... je veux dire... Je ne peux pas le laisser partir comme ça. Je ne peux pas le laisser attendre ainsi...

— Si tu sors d'ici, il est inutile de revenir, répéta-t-il lentement.

— Mais Tom, il faut que je lui parle. Ne peux-tu pas le comprendre ?

— Tu m'aimes, non ?

Elle fit signe que oui, l'air angoissé.

— Bien continua-t-il. Quelqu'un vient d'entrer ici et de me tabasser parce que tu m'aimes. Comprends que si tu me quittes, ne serait-ce que dix minutes pour faire la paix avec ce type, tu fais de moi un pauvre con.

— Mais ce n'est pas un type... C'est mon père.

— Pour l'instant, c'est le type qui m'a cassé la figure... et tu es sa fille. Mike connaît la loi. Sors d'ici, pour quelque raison que ce soit, et ce sera comme un autre coup dans mes gencives.

Il regarda la pendule et conclut :

— Il te reste vingt minutes.

Elle hésita. Elle pensa à Mike qui l'attendait au bar. Puis elle regarda l'homme meurtri qui était étendu sur le lit. Elle hocha la tête et marcha lentement vers lui. Il la prit dans ses bras et ils restèrent ainsi immobiles à écouter s'égrener les minutes...

En sortant du bungalow n° 5, Mike alla jusqu'aux toilettes et laissa couler l'eau froide sur sa main. Elle commençait à enfler et sur les articulations, la peau était déchirée en plusieurs endroits. Il se demanda s'il n'avait pas de fracture et pensa avec déplaisir à ce que Tom Colt devait éprouver du côté de la mâchoire.

Il se dirigea vers le Polo Lounge et commanda un scotch. Il regarda sa montre : dix minutes s'étaient écoulées. Elle viendrait. Mais il fallait bien qu'elle aide Tom Colt à se remettre un peu.

Il n'avait pas eu l'intention de massacrer le bonhomme. Seulement, pour avoir jadis été témoin des bagarres de Tom Colt, il savait que, contre lui, on ne gagnait jamais. C'est pourquoi ce soir il avait cogné sans arrêt, s'attendant toujours à recevoir de Colt un coup qui le mettrait K.O. et dans l'attente de ce coup, il avait frappé de plus belle.

S'il avait pu réfléchir, il aurait peut-être hésité à s'accrocher avec Colt. Mais de le voir ainsi, sur sa fille... quelque chose s'était déclenché en lui, et il lui était devenu *impossible* de s'arrêter.

Il était stupéfait de s'en être tiré avec seulement une main abîmée. Il est vrai qu'un type qui vient de tirer son coup n'est pas précisément en grande forme pour la bagarre. Il repensa à January avec Colt. Son cœur se souleva : son corps si mince, si beau était trop pur, trop fin pour un type comme celui-là.

Il regarda de nouveau sa montre. Quinze minutes. Elle devait être en train de faire sa valise. Il commanda un autre verre. Il lui sembla que le serveur le regardait d'un air compatissant. Non... c'était son imagination. Ils ne devaient même pas savoir qu'elle était sa fille.

Un type qui s'installe tout seul au Polo Lounge a toujours l'air de quelqu'un à qui on a posé un lapin. Mais elle ne lui poserait pas de lapin : elle ferait irruption dans la salle d'un instant à l'autre... il sourirait et on ne parlerait plus de rien. Il avait fait bien des gaffes dans sa vie, mais aujourd'hui, il ne ferait pas celle de la chapitrer. Vingt minutes. Pourquoi tardait-elle tant ? Bah ! L'essentiel était qu'elle revienne. Et tout allait être différent... Il l'emmènerait à Cannes au mois de mai... ils ne parleraient que de cela dans l'avion jusqu'à Palm Beach. Il lui parlerait de sa chance, qu'il était en train de retrouver.

Vingt-cinq minutes. Dieu ! et si elle ne venait pas ? Mais elle viendrait parce qu'elle était sa fille. C'est à lui qu'elle appartenait. Elle avait crié quelque chose au sujet de Dee. Etait-elle jalouse de Dee ? Elle n'avait pas lieu de l'être, elle savait parfaitement qu'il n'éprouvait pas d'amour pour Dee. Il n'était pas jaloux de Tom Colt, lui... mais il avait eu la nausée de la trouver avec un homme comme lui. Il était trop vieux, il était marié, il était ivrogne... et il avait fréquenté toutes les traînées possibles. Il n'était pas digne de toucher sa fille.

La demi-heure s'était écoulée. Il contempla sa montre, incrédule, puis jeta un coup d'œil vers la porte. Il lui concéderait cinq minutes de plus.

Il commanda un troisième verre. Jamais il n'avait bu trois scotchs en une demi-heure. Mais il savait qu'elle ne viendrait plus, et ce verre lui fournirait une excuse pour s'attarder dix minutes de plus. Il le fit durer un quart d'heure et en commanda un autre. Allons, il lui accorderait une heure. Merde... après tout il prendrait son temps. Il était trop abruti pour bouger. Il avait besoin de réfléchir à cette histoire : ainsi, sa petite January le laissait tomber pour Tom Colt... Il avait toujours pensé qu'elle était capable de marcher sur n'importe qui pour lui, comme il le ferait pour elle. Et il en avait toujours été ainsi. Oui, toujours. Mais à présent, c'était Tom Colt qui avait la suite d'angle au Plaza. Tom Colt qui avait le bunga-low n° 5. C'était le livre de Tom Colt qui était en tête de liste. Oui, Tom Colt était un vainqueur, alors que lui, Mike Wayne... n'était que le mari de Dee Milford Granger !

Bon, elle ne viendrait pas. Elle appartenait pour l'instant à Tom Colt. Seulement, quand cette aventure s'achèverait — ce moment finirait bien par arriver — comment s'y prendrait-il pour restaurer leur vieille intimité ? Lui pardonnerait-elle jamais d'avoir surgi comme un intrus... et lui accorderait-elle jamais le respect qu'elle avait témoigné à ce vaurien, à cet ivrogne ? Pour rester avec un type qui recrachait ses dents, il fallait qu'elle eût de l'amour pour lui... ou de la pitié. Non. January n'était pas le genre de fille à rester par pitié. Elle était *sa* fille, et il n'était jamais resté avec personne par pitié. Si elle était avec Tom Colt, c'était parce qu'elle respectait ce vieux salaud. Et après tout pourquoi pas ? Comme écrivain, il arrivait pre-mier de liste. Et comme baiseur aussi sans doute.

De nouveau, il tiqua en évoquant la relation de Colt avec sa fille. Puis il s'imposa de regarder les choses en face. Tom Colt avait toujours charmé les filles. Aucun doute là-dessus... c'était un terrain où il excellait. Quant à January... elle était sa fille, et donc elle de-vait aussi avoir quelque talent en matière de sexe. Il serra son verre si fort qu'il le brisa. Maintenant, sa main blessée était entaillée aussi du côté de la paume. Le garçon se précipita vers lui... Il enveloppa sa main dans son mouchoir, jeta un billet de vingt dollars sur la table et quitta l'hôtel. Il avait attendu une heure et quinze minutes.

Il continua d'y réfléchir en roulant vers l'aéroport : comment se présenterait, plus tard, une éventuelle réconciliation ? Jamais aucune femme ne lui avait résisté. Et jamais il n'oublierait la façon dont elle l'avait regardé : comme un étranger.

Il alluma une cigarette et poursuivit ses réflexions. Pour com-mencer, il devrait reconquérir son estime. Il le pouvait ; sa chance avait tourné, et il avait déjà gagné plus de cent trente mille dollars au jeu : golf, gin, et même tric-trac. Si cela continuait... Il écrasa sa cigarette. Si cela continuait, il n'aboutirait nulle part. Car, lorsqu'on tient la chance, il ne suffit pas de la laisser faire, il faut l'aider. C'est ce qu'il avait fait autrefois et il avait gagné dans les deux millions de dollars.

Mais à quoi cela rimait-il, pour lui, de s'asseoir comme une vieille dame à toutes les tables de jeu, de thésauriser ses gains, et de les mettre à la banque au nom de sa fille ? A quoi bon cet argent si elle le méprisait, lui ?

Ce n'était pas en continuant à jouer petit qu'il se ferait respecter d'elle à nouveau !

Arrivé à l'aéroport, il traversa le terrain à pied jusqu'à son avion.

— Nous regagnons Palm Beach ? demanda le pilote.

— Non, trancha Mike. Demandez l'autorisation de partir pour Las Vegas. Nous allons y passer quelques jours.

Installé dans l'avion, il songea à d'autres vols qu'il faisait autrefois, chaque week-end, de la côte à Las Vegas. Le fait d'être le mari de Dee lui donnerait le meilleur crédit. Il allait tout miser et entasser un vrai magot pour Cannes. Une fois de plus il jouait gros jeu, peut-être le plus gros jeu de sa vie : c'était pour sa fille qu'il jetait les dés.

XXII

Le bruit de la pluie réveilla January. Oh Dieu ! Encore la pluie ? Rien n'est pire que la Californie sous la pluie. Il était sept heures treize à la pendule. Elle referma les yeux et essaya de se rendormir.

Elle commençait à accepter le battement monotone de la pluie sur le toit du bungalow, comme une donnée de sa vie quotidienne ; de même qu'elle acceptait le cliquètement incessant de la machine à écrire de Tom. Elle n'était en Californie que depuis un mois, mais elle croyait y être depuis toujours. Peut-être à cause de cette similitude des journées : quand le soleil brillait il semblait éternel, et la pluie aussi, quand elle tombait, semblait éternelle.

Seulement, la pluie faisait d'elle une captive du bungalow n° 5. Tom dormait encore. Elle le regarda dans la lumière obscure du matin. Il avait toujours une petite ecchymose sous l'œil gauche, mais sa capacité de récupération avait stupéfié January. Ses dents, elles, avaient été réparées en trois jours : il lui expliqua que son dentiste lui gardait toujours en réserve une série complète de jaquettes.

Assez bizarrement, c'étaient ses côtes cassées qui le faisaient le plus souffrir... Mais il le prenait avec philosophie : il avait à son palmarès un trop grand nombre de bagarres pour se laisser démoraliser à cause de quelques côtes cassées.

— Quand on a le nez cassé et la mâchoire raccommodée, plaisantait-il, alors on peut commencer à se plaindre... Et pourtant, ces bagarres-là, je les avais gagnées.

Il décréta qu'après tout, il avait bien besoin d'un peu de repos, et qu'ainsi il serait disponible quand son agent aurait fini de négocier les droits d'adaptation de son livre à l'écran. Quand l'accord serait conclu, ils s'envoleraient pour New York et fêteraient l'événement. L'accord fut bien conclu, en effet, et ils l'arrosèrent... mais c'était sa faute à elle s'ils étaient encore dans le bungalow n° 5.

L'enthousiasme s'était emparé de Tom le jour où il avait signé le contrat. Il l'avait emportée dans un vrai tourbillon tout autour de la pièce.

— Cinq cent mille dollars pour vingt-cinq pour cent du bénéfice net. Tu réalises ce que cela représente ? Ils comptent deux millions pour lancer le film. Donc au-delà de cinq millions, tout est pur bénéfice. Si la recette est supérieure à la moyenne, je peux arriver au million.

— Elle le sera à condition qu'ils mettent en scène le livre tel qu'il est. Mais j'ai vu tant de bons livres « adaptés » qui, en fait, étaient démolis...

— Il n'y a qu'à espérer qu'ils trouvent un bon adaptateur et un réalisateur dynamique. En attendant, nous arroserons cela ce soir chez Mattéo. Demain, j'irai voir mon fils, et le lendemain nous décollons pour New York où je signerai l'acte d'achat de l'appartement.

— Tom, pourquoi ne fais-tu pas le script ?

— Je te l'ai déjà dit : je ne fais jamais de scénario.

— Pourquoi ?

Il haussa les épaules.

— Parce que ma réputation n'y gagnera rien.

— Tu restes marqué par un mauvais souvenir de tes débuts. Mais aujourd'hui beaucoup de romanciers font leur propre adaptation. Regarde Neil Simons... il les fait toujours lui-même. D'ailleurs si je devais recevoir vingt-cinq pour cent des bénéfices, je ferais diablement attention de les garantir par un bon scénario.

Il resta un moment les yeux fixés sur elle.

— Tu sais ? Tu viens de me donner à réfléchir. Jamais encore je n'avais été associé aux bénéfices.

Peu après, il appelait son agent. Les jours suivants, le téléphone fonctionna beaucoup. A la fin de la semaine, ils purent s'attabler au Polo Lounge pour arroser l'accord conclu : Tom recevrait cinquante mille dollars pour l'adaptation, et une fois celle-ci acceptée, il recevrait cent cinquante mille dollars de plus pour la rédaction proprement dite.

— Pour acheter l'appartement de New York, dit-il. A ta santé, Max... ce contrat est vraiment très bien. Et à la santé de January qui m'a poussé à le faire.

— Quel appartement de New York ? demanda Max Chase.

— Un appartement que j'achète. Mon conseiller juridique doit encore apporter quelques retouches au projet de contrat qu'ils nous ont envoyé — hypothèques, etc. — mais l'affaire est pratiquement réglée. A mon avis, nous pourrons emménager vers le mois de juin. January s'occupera de l'ameublement, et moi j'adapterai mon texte. Je suppose que je devrai revenir ici pour discuter du scénario.

— J'ai une longueur d'avance sur vous, dit Max Chase en souriant. J'ai réussi à faire ajouter quelques petites choses à votre contrat... Sur ma demande, la Century s'est engagée à payer la note du bungalow, et à vous fournir une voiture tout le temps que vous travaillerez à l'adaptation et au scénario. Alors ne parlons plus de New York pour l'instant. D'ailleurs, il est bien préférable pour vous de travailler ici ; vous verrez la tournure que prennent les choses, vous saurez qui ils engagent comme réalisateur et comme acteurs. Etant présent, vous aurez une chance d'en discuter au lieu d'en être informé par écrit après coup.

Tom se tourna vers January et lui sourit :

— Crois-tu pouvoir t'accommoder du bungalow n° 5 quelques mois de plus ?

Elle fit signe que oui et ajouta :

— Je vais annoncer à Linda que je quitte le magazine.

— Ne sois pas ridicule, s'exclama-t-il. Elle peut te donner quelques travaux à faire ici, au moins assez pour t'occuper.

Linda y consentit avec enthousiasme.

— Bien sûr ! Fais-moi un reportage sur Doris Day... sur George C. Scott... sur... Dean Martin, et aussi sur Barbara Stanwyck : demande-lui ce qu'elle pense de la télévision, du nouveau Hollywood par rapport à l'ancien. On m'a dit que Mélina Mercouri vient d'arriver : essaie aussi de ce côté. Et fais-moi quelque chose sur cette élégante colonie de Malibu, où ton homme a sa maison.

Mais ce ne fut pas si facile. Quand elle voulut prendre contact avec les attachés de presse des vedettes, on lui répondit le plus souvent qu'elles étaient là en vacances.

Après quelques coups de téléphone, elle dut renoncer. Une étrange léthargie s'était emparée d'elle. Une fois disparus les derniers effets de la piqûre, elle avait dû endurer deux jours atroces de migraine et de nausée.

Mais Tom l'avait soutenue et l'avait obligée à résister jusqu'au bout : maintenant, elle allait mieux, mais se trouvait étrangement désorientée, comme si on l'avait amputée d'une jambe ou d'un bras.

Elle sentait que ceci avait quelque chose à voir avec Mike, de même, d'ailleurs, que sa totale désaffection pour *Gloss*. Elle comprit qu'elle n'avait pris ce travail que dans un seul but : attirer son attention, mériter son approbation. Une approbation qu'elle ne recevrait jamais plus. Ce regard qu'il lui avait jeté en sortant, comment pourrait-elle l'oublier ? Quelle raison de vivre lui restait-il, à part Tom ?... Mike l'avait rejetée. C'est Tom qui l'aimait.

Les premiers temps, elle avait passé ses journées à la piscine, à lire les derniers romans. Tom était toujours best-seller. Comme il était aussi de plus en plus absorbé dans son travail, elle s'imposait de rester loin du bungalow jusqu'en fin d'après-midi et tâchait d'oublier qu'il ne se passait plus rien entre eux la nuit. Bien sûr pendant les deux premières semaines, il avait été trop mal en point. Il disait que ses côtes mettaient longtemps à guérir. Mais elle devinait que ce qui les séparait, c'était son travail.

Souvent, quand elle rentrait, il lui faisait signe d'aller dans l'autre pièce, sans même lui dire un petit mot de bienvenue, de peur de casser le rythme. Parfois, aussi, il se plaignait du bruit de la télévision. Le soir, ils se faisaient servir à dîner dans le bungalow et il lui lisait ce qu'il avait écrit dans la journée.

Etendue maintenant dans son lit, écoutant la pluie, elle se demandait pourquoi elle se sentait si découragée. Rien ne se passait qu'elle n'eût prévu. D'une certaine manière, elle collaborait à son travail par sa présence et par l'attention qu'elle lui accordait. Pourtant quelque chose lui manquait. Elle tendit la main pour toucher son épaule. Il marmonna dans son sommeil et se tourna de l'autre côté. Elle sentit les larmes lui monter aux yeux : même dans son sommeil il la repoussait. Quel jeu jouait-elle donc avec elle-même en s'imaginant lui être utile ? Elle ne l'aidait pas du tout. La place qu'elle tenait dans sa vie n'était même pas indispensable ! Elle se glissa hors du lit et s'habilla sans bruit.

Elle s'assit au comptoir de la cafeteria, demanda du café noir et un petit pain. Il n'y avait plus un siège de libre. Tout Los Angeles semblait déborder de vie et d'ardeur dès huit heures du matin. Certains lisaient les dernières nouvelles de la Bourse, et elle entendit des bribes de conversation — les coûts de distribution... distribution à l'étranger... le plan Eady... pas de tennis ce midi à cause de cette foutue pluie.

Elle régla son addition, monta jusqu'à la réception et fit amener la voiture de Tom. La pluie tombait toujours à verse. Une file de voitures arrivait ; une autre sortait. Il y eut des mots ironiques sur le merveilleux soleil de Californie et, bien sûr la réponse rituelle : « ce n'est qu'une forte rosée ».

Elle vit le docteur Preston Alpert monter en voiture avec un chanteur — une célébrité du disque — qui venait d'arriver de Londres pour un récital. Ciel ! Se faisait-il piquer lui aussi ?

Enfin, sa voiture arriva. Elle suivit Sunset Boulevard, sortit de la ville, alla jusqu'à Santa Monica et y resta longtemps à regarder battre la pluie sur la plage désolée.

Tom devina-t-il son humeur ? En tout cas, lorsqu'elle rentra, il cessa d'écrire et insista pour qu'ils prennent un verre ensemble. Il ne buvait plus depuis qu'il écrivait, mais cette fois il se versa un double, insista pour qu'elle en prît un elle aussi, et l'emmena dîner au restaurant *The Bistro*.

A son arrivée, la conversation s'anima. On eût dit qu'il connaissait tout le monde. Avant la fin du repas, plusieurs acteurs et réalisateurs s'étaient installés à leur table, parlant boulot : ils échangeaient des anecdotes, discutaient l'attribution de certains rôles... Et elle se sentit plus que jamais hors-jeu.

Il était en très grande forme quand ils rentrèrent au bungalow et, une fois au lit, il fit même une tentative... sans succès. Il voulut néanmoins la satisfaire. Lorsqu'il la crut endormie, il sortit du lit et passa dans le living-room. Elle attendit quelques secondes, puis se leva en cachette pour aller voir ce qu'il faisait... Il relisait les pages qu'il avait écrites dans la journée.

Elle retourna se coucher. N'avait-il pas dit, au début, qu'il travaillerait seulement quatre heures par jour, et passerait le reste du temps avec elle ? Et au début, il la rejoignait souvent à la piscine pour nager quelques instants. Mais il ne tardait pas à retourner vers sa machine à écrire. Quand donc s'était-elle trompée ? Qu'était devenu ce qu'il y avait de si merveilleux dans leurs rapports ?

Le lundi, la pluie reprit. Elle alluma la télévision et essaya de suivre une histoire de cœurs malheureux. Le mardi, la pluie tombait toujours et elle s'efforça de lire. Le mercredi, elle voulut écrire un article intitulé « Une forte rosée », mais les mots ne venaient pas. Enfin, le jeudi vit apparaître le soleil. Elle entoura de ses bras les épaules de Tom qui était installé devant sa machine à écrire :

— Accompagne-moi à la piscine... promenons-nous un peu... faisons quelque chose d'amusant...

— Tu devrais prendre des cours de tennis, répondit-il les yeux rivés sur sa machine.

— Tom, je joue très bien au tennis. Je n'ai pas besoin de leçons.

— Ah ? Très bien. Alors je vais demander à Max Chase de te trouver quelques joueurs.

— Tom, si je suis restée en Californie c'est pour être avec toi, pas pour jouer au tennis.

— Tu es avec moi.

— Oui, mais toi, tu n'es pas avec moi.

— Je suis écrivain.

Il ne quittait toujours pas des yeux sa feuille de papier sur la machine.

— Je t'en prie, c'est seulement une adaptation pour le cinéma. Ce n'est pas *Guerre et Paix*.

— Ecrire est mon métier. Tu devrais le comprendre.

— Le métier de mon père était de produire des films, mais il trouvait toujours un peu de temps pour les gens qu'il aimait.

— January, je t'en supplie, va te distraire un peu, va acheter des vêtements à la boutique de l'hôtel. Tu le mettras au compte du bungalow.

— Je n'ai pas besoin de vêtements. Tom, il n'est que onze heures du matin... je me sens perdue... dis-moi ce que je dois faire.

— Peu m'importe ce que tu fais pourvu que tu cesses de tourner autour de moi.

— Je rentre à New York, fit-elle calmement.

Il se retourna le visage dur.

— Pour quoi faire ? Pour te remettre bien avec lui ?

— Non... Pour sauver ce qui reste... de *nous*. Je vais reprendre mon travail. Au moins, je pourrai me promener dans New York, voir les gens dans la rue, parler à l'aveugle qui a un gros chien et qui vend des crayons... aller au parc et me faire attaquer... n'importe quoi. Mais au moins, je cesserai de te tourner autour !

Il la prit violemment dans ses bras.

— Je ne l'entendais pas ainsi. Je t'en prie, chérie. J'ai besoin de toi. J'ai besoin de toi ici. Ecoute, tu n'as encore jamais vécu avec un écrivain. Ce qu'il y a entre nous est épatant : je n'ai jamais été plus heureux, je n'ai jamais mieux écrit. Si tu me quittais, je me dirais que j'ai manqué à mes engagements envers toi. Ne me fais pas une chose pareille maintenant... quand l'échéance est si proche. Du moins, nous aurons appris quelque chose : nous savons que nous ne pourrons pas rester à Los Angeles quand j'écrirai mon prochain livre. Vivre ensemble, c'est cela : découvrir ce qui va et ce qui ne va pas. Mais il y a une chose qui va, nous le savons : c'est nous deux. Non ?

— Je ne sais pas, Tom. Vraiment je ne sais pas. Je me sens... perdue.

Il se détourna.

— Je vois. C'est Mike, n'est-ce pas ?

— Tom, je mentirais si je te disais que je n'ai pas pensé à lui... du moins inconsciemment. Je veux dire que... bien... je l'aimais... je l'aime encore. Je l'ai toujours aimé. Je regrette que cette nuit-là ait existé. Mais j'ai pris ma décision, qui était de rester avec toi... et lui, je l'ai perdu.

— Mais qu'est-ce qui te fait croire que tu l'as perdu ?

— Tom, si je partais demain pour New York... est-ce que je te perdrais ?

— Oui, répondit-il doucement. Parce que je saurais pourquoi tu es partie.

— Et tu ne crois pas que Mike sait pourquoi je suis restée ?

Il hocha la tête lentement.

— Sans doute ai-je été égoïste. Ecoute, laisse-moi seulement finir ce projet. Je le leur remets, nous montons dans la voiture et nous allons passer dix jours ensemble à San Francisco. J'ai plein d'amis là-bas. Ils te plairont. On s'amusera comme des fous. Et je te promets qu'à partir de maintenant, je n'écrirai plus que quatre heures par jour.

— Alors, je vais attendre. Nous pourrons aller à la piscine à deux heures. Il n'est encore que onze heures.

— Je n'ai pas tellement envie de me baigner... Vas-y, je te rejoindrai peut-être un peu plus tard.

Mais il ne vint pas.

Et le lendemain, il passa toute la journée, jusqu'à huit heures du soir, devant sa machine à écrire.

Le samedi, la pluie recommença. Le matin, il partit voir son fils à Malibu. Il avait promis qu'il serait de retour à cinq heures, qu'ils iraient dîner quelque part, qu'ils iraient peut-être même au cinéma. Il ne lui téléphona qu'à neuf heures. Elle entendait de la musique derrière lui et les voix de gens qui parlaient... riaient... Au timbre de sa voix, elle sut qu'il avait bu.

— Ecoute, mon chou, fit-il, il pleut vraiment des cordes, ici. Il vaut mieux que je reste passer la nuit, je crois. Fais-toi servir à dîner dans ta chambre. A demain.

Il raccrocha.

Elle resta quelques instants figée. Ainsi, il prenait du bon temps chez sa femme. Il n'avait aucune hâte de venir la rejoindre. Pourquoi d'ailleurs... puisqu'elle ne savait que se plaindre ?

Elle se demanda où était passée toute leur joie. Toute sa vitalité, son entrain. Elle était la fille qui, un soir, lui avait permis d'être à nouveau un homme. Pourtant, il n'essayait jamais plus. Il se contentait de la satisfaire quand il pensait qu'elle en avait besoin. Le coup de la pitié, dirait Linda.

Et maintenant, il allait passer la nuit à Malibu. Il reviendrait seulement demain. Mais si elle continuait ainsi, un jour il ne reviendrait plus du tout.

Tout lui sembla soudain désolé... désespéré... Elle ne pouvait pas perdre Tom... elle ne le pouvait pas ! Il ne lui restait plus que lui. Il fallait que leur vie retrouve son éclat, sa passion. Elle resta encore quelques instants immobile, puis décrocha le téléphone et appela le docteur Preston Alpert.

XXIII

Accoudé au bar du « 21 », David attendait son père. Le vieil homme était en retard de dix minutes. David avait les yeux fixés sur la table vide qu'il avait fait retenir devant la banquette du fond. Le restaurant se remplissait. Peter pointait sa liste pour essayer de satisfaire les VIP qui arrivaient sans avoir fait de réservation. Walter venait d'ajouter une table sous la voûte qui séparait la première et la deuxième salle. Mario distribuait des œillets blancs à trois jolies femmes.

David finit son verre et estima qu'il valait mieux attendre à sa table : trop de nouveaux venus la guignaient depuis la porte.

Il en était à son second martini lorsque son père arriva. Il commanda à boire et se répandit en excuses.

— Dieu, que les femmes peuvent être insupportables, soupira-t-il.

David se mit à rire.

— Ne me dites pas que vous êtes lancé dans une nouvelle aventure sentimentale !

Son père s'empourpra légèrement.

— David, j'ai toujours eu le plus grand respect pour ta mère. Mais elle, euh, elle n'est pas ce que tu appellerais une personne « physique ». Néanmoins, je n'ai jamais eu d'aventures sentimentales, comme tu dis. Bien entendu, j'ai eu quelques écarts discrets de temps à autres, mais jamais de liaison.

— Alors, comment se nomme ce nouveau et insupportable, mais discret, écart ?

— Rien de tel. C'est ta mère, mon cher, qui est insupportable, et c'est à cause d'elle que je suis en retard. Nous partons pour l'Europe dans trois semaines ; ce sera la première fois depuis six ans, et nous avons dû faire renouveler nos passeports. Croirais-tu que je suis resté au bureau des passeports depuis onze heures ce matin, et que ta mère y est *encore* ?

— Tant de monde ?

Son père haussa les épaules.

— Mais non, assez peu, nous sommes hors saison. Mais ta mère en est à sa troisième séance chez le photographe. Elle refuse de laisser mettre sur son passeport une photo qui la désavantage. Pourtant, qui diable la verra, à part quelques fonctionnaires des douanes et quelques réceptionnistes d'hôtel étrangers ?

David rit à nouveau.

— Si elle y attache tant d'importance, elle devrait peut-être se faire rajeunir le visage. Elle serait vraiment merveilleuse ensuite.

— Grands dieux, quelle idée.

— Cela *se fait*, vous savez.

— Pas ta mère. La seule idée d'aller chez le dentiste la met en transes. Ce genre de chose n'est pas pour elle. D'ailleurs...

Il s'arrêta tandis qu'une rumeur parcourait le restaurant. Tous les regards étaient braqués vers la femme qui venait de faire son entrée.

— C'est Heidi Lanz ! s'exclama George Milford. Nous parlions de visages refaits, eh bien, elle doit en être au dixième. Mon Dieu, cette femme approche de soixante ans et n'en paraît toujours que trente.

David observa la célèbre actrice viennoise qui recevait les effusions des patrons du restaurant et serrait des mains. Accompagnée de deux jeunes femmes, elle saluait les gens à la ronde tout en se dirigeant vers sa table. Elle avait une allure superbe et, à la différence de Karla, elle n'avait *jamais* pris sa retraite. Quand sa cote au cinéma avait baissé, elle était venue à Broadway pour faire de la comédie musicale. Tous les ans, elle paraissait dans un show télévisé hors série et se produisait à Las Vegas.

— Je me demande comment elle s'arrange pour garder une telle silhouette, continua George Milford. Est-ce que tu l'as vue le mois dernier à la télévision dans cette robe très ajustée ? Elle a le corps d'une fille de vingt ans.

David approuva.

— J'ai vu l'émission avec Karla. Elle m'a assuré que Heidi portait une gaine pour obtenir cette fermeté des formes.

— Karla est bien placée pour le savoir, insinua George Milford.

— Pourquoi ? demanda David, agressivement. La silhouette de Karla est sensationnelle. Mais elle s'en occupe, elle...

— Du calme, fils. Je veux seulement dire que Karla doit être bien informée de ce qui touche à la silhouette de Heidi Lanz. Tu n'ignores pas la liaison qu'elles ont eue autrefois.

David rougit et but une grande gorgée de martini.

— Les cancans de Hollywood, répondit-il enfin.

— Peut-être. Mais je me rappelle avoir lu des anecdotes à leur sujet dans des rubriques de potins. Vers les années quarante, les journaux publiaient leurs photos folâtrant ensemble en slip, ce qui pour l'époque était assez osé. Bien sûr, ta Karla ne fuyait pas les photographes comme elle le fait aujourd'hui. Elle était encore en début de carrière, alors que Heidi était la grande vedette.

— Karla avait aussi failli s'enfuir avec un de ses partenaires, rappella David.

— Exact.

Les yeux de George Milford n'avaient pas quitté Heidi.

— Enfin, n'oublions pas que Heidi est mariée et qu'elle a déjà des petits-enfants. On dit aussi, il est vrai, qu'elle a toujours quelques petites amies par-dessus le marché.

— Karla ne s'intéresse qu'aux hommes, dit David.

— Alors, ça marche toujours ? demanda George Milford.

David acquiesça.

— Je la vois presque tous les soirs.

— January est toujours sur la côte ouest ?

David fit signe que oui.

— Ne t'inquiète pas. Je ne la perds pas de vue. Nous nous écrivons.

— Tu ne crois pas qu'il va être temps de prendre une décision ?

David fixa les yeux sur son verre et approuva :

— Sans doute que si. Surtout que Dee est maintenant de retour. Quand January reviendra, nous annoncerons nos fiançailles. Oh, ne vous en faites pas, je ferai ce qu'il faut pour me l'attacher vraiment. Je crois que je ne peux plus reculer. Ce voyage qu'elle a fait en Californie aura été pour moi une sacrée chance. Et maintenant, sans doute parce que je sens approcher l'échéance, je n'arrive pas à me rassasier de Karla.

— Le mariage n'est pas nécessairement le point final, dit son père.

— Je crois qu'il le serait pour Karla et moi. Après tout, si je veux obtenir de January qu'elle m'épouse, je vais devoir me consacrer tout entier à lui faire la cour. Or, Karla n'est pas le genre de femme que l'on met sur la touche en lui disant « je te verrai un jeudi sur deux ».

David poussa un profond soupir.

— Le mariage comporte une certaine part de sacrifices, dit son père. Allons, prenons un autre verre. J'ai toujours constaté que cela éclaircit l'horizon.

Après avoir quitté son père, David s'arrêta chez Bonwit's pour acheter la chemise sport de Cardin qu'il avait admirée toute la semaine. Soixante dollars. Mais elle allait parfaitement avec son pantalon gris. Il la porterait ce soir. La télévision diffuserait un film que Karla avait souligné dans le *T.V. Guide.* Elle allait faire des steaks et — chose rare — elle lui avait promis qu'il pourrait rester toute la nuit chez elle.

— Le film est long, avait-elle dit. Nous le regarderons au lit. Ensuite, nous ferons l'amour. Et comme il sera vraiment très tard ensuite, je veux bien que tu restes.

En rentrant chez lui, il se rasa de nouveau, bien qu'il n'en eût pas vraiment besoin, puis il passa dix minutes sous la lampe pour renforcer son bronzage de Palm Beach. Il essaya sa nouvelle chemise avec le pantalon gris, puis avec le bleu-marine, pour enfin revenir au gris. Il noua une écharpe dans l'encolure de la chemise et puis il prépara un martini. Karla ne buvait que du vin. Mais il avait toujours besoin de ce premier martini pour se donner des forces avant d'aller la voir.

En buvant, il réfléchit à leur situation. C'était dément. Dans quelques jours, cela ferait un an qu'ils étaient ensemble et pourtant, à chaque début de soirée avec elle, il lui fallait surmonter des anxiétés de collégien.

Bon Dieu ! Il était pourtant son amant ! En ce moment même elle était en train de préparer de la salade... pour *lui* ! De ses propres mains ! Pour *lui* ! Et plus tard, quand il la tiendrait dans ses bras, elle gémirait et s'accrocherait... à *lui* !

Quand donc viendrait le temps où il envisagerait tout cela avec décontraction et s'habituerait à elle ? Dieu ! si telles étaient ses réactions au bout d'un an, comment saurait-il rompre et commencer à courtiser January, pour de bon ? Il ne le pourrait pas !

Mais il préférait ne plus y penser pour l'instant. D'ailleurs, la lettre de January ne faisait aucune allusion à un retour imminent. Elle avait même dit qu'elle profiterait peut-être de son séjour là-bas pour écrire d'autres nouvelles.

Il regarda sa montre : il avait encore une demi-heure. Le temps d'un autre verre. Rapidement. Une vodka nature, cette fois. Il était vraiment mal parti. La seule pensée de renoncer à Karla lui donnait le vertige.

Il but son verre à petites gorgées. La vodka le réchauffa agréablement. Il savait bien qu'il était en train de se saouler à petites étapes. Mais quelle importance ? Il aimait être un peu éméché lorsqu'il allait la voir. Il y gagnait l'impression d'être plus détendu.

Quand il eut fini son verre, il se sentit mieux. Peut-être son père avait-il raison, peut-être le mariage avec January ne serait-il pas le point final. Peut-être pourrait-il expliquer à Karla toute la stratégie, y compris les dix millions de dollars ? Non. Elle le mépriserait.

Alors quel moyen lui restait-il de la convaincre et de la persuader d'attendre ? *Aucun*. Il se sentit emporté par une vague de dépression.

Pourtant, tout ceci était ridicule. January était à plus de cinq mille kilomètres. Elle serait peut-être absente un mois encore ou davantage. En attendant, tout son temps était pour Karla. Il ne voulait plus penser au mois prochain... Ni même à la semaine prochaine. Il jouirait de la vie au jour le jour. Et ce soir il allait chez Karla.

La sonnerie du téléphone le fit sursauter. Il bondit et décrocha au deuxième coup.

— David, je suis si contente d'avoir pu te joindre.

— J'allais partir, dit-il joyeusement.

La voix rauque de Karla semblait essoufflée.

— Tu ne peux pas venir ce soir.

— Pourquoi ?

— Un... un ami est arrivé impromptu.

— Je ne comprends pas. (C'était la première fois qu'il n'acceptait pas de bonne grâce de remettre une de leurs soirées.) Karla, nous avons rendez-vous !

— David, reprit-elle d'une voix chaude, presque suppliante, moi aussi je suis désolée de renoncer à cette soirée. Mais il s'agit d'un très vieil ami. D'Europe... mon imprésario... Il est arrivé chez moi par surprise... Et comme il s'agit d'affaires, il faut que je reste avec lui.

— N'est-ce pas Jeremy Haskins, dont tu m'as souvent parlé ?

— Oui, mon vieil ami.

— Mais cela ne va sûrement pas durer toute la soirée, si ? Je pourrais venir un peu plus tard.

— Je ne crois pas. Je serai fatiguée.

— Peut-être que non. Laisse-moi te rappeler, Karla, donne-moi ton numéro de téléphone.

— David, il faut que je raccroche.

— Bon Dieu, Karla ! Donne-moi ton numéro !

Le déclic du téléphone lui retentit dans l'oreille. Il eut un moment de désarroi : il était allé trop loin, elle était fâchée, elle ne rappellerai peut-être pas demain. Peut-être même jamais. Il s'efforça de se ressaisir. Toutes ces inquiétudes étaient sans fondement. Demain, elle lui téléphonerait et ils en riraient ensemble.

Il se versa une grosse lampée de vodka et y ajouta quelques gouttes de vermouth. Encore un verre et il serait ivre. Après tout pourquoi pas ? Pourquoi ne pas s'étourdir une bonne fois ? Il sentit des picotements dans la peau de son visage. C'était l'effet de la lampe à bronzer. Il se regarda dans la glace : sa chemise avait de l'allure et la lampe avait ajouté à son bronzage une nuance cuivrée. Jamais il n'avait eu meilleure mine. Il valait mieux qu'un vieillard, non ?

Il finit son cocktail et en prépara un autre. Peut-être devrait-il appeler Kim ? Il n'était que six heures trente. Il était ivre et le savait. Il se versa encore un verre : de vodka pure, encore une fois.

Assis dans le noir, il but lentement, méthodiquement. Il était là avec sa chemise neuve, la peau de son visage qui picotait et pas d'endroit où aller. Pas d'endroit où il eût envie d'aller. Sauf chez Karla...

Ce serait pour demain... D'ici là il aurait peut-être dû ôter sa chemise, pour ne pas l'abîmer... Mais quelque chose lui disait qu'il ne la mettrait jamais plus. Elle portait malheur.

Il alluma une cigarette et essaya de réfléchir à la situation. Rien d'irrémédiable ne s'était passé. D'accord, il avait demandé, exigé, son numéro de téléphone. Et elle lui avait raccroché au nez. Moche. Mais ils ne s'étaient pas vraiment querellés. Demain, tout irait bien. Ce Jeremy, après tout, n'était qu'un vieux bonhomme. Elle lui avait expliqué comment il était devenu son impresario. Comment il l'avait trouvée dans un abri anti-aérien. C'était même un des rares épisodes de sa vie qu'elle lui ait racontés. A l'époque, Jeremy était déjà un homme mûr. Il éatit son plus vieil ami. Il se rappelait cette fois où elle lui avait dit : « Jeremy est si bon, si généreux... il faut que vous fassiez connaissance un jour ».

Il reposa son verre, d'un geste lent, très lent. « Il faut que vous fassiez connaissance un jour »... Pourquoi donc n'avait-elle pas saisi l'occasion, ce soir ? Tous les trois ensemble, dans sa cuisine ? Elle n'avait pas à le décommander. Elle et ce Jeremy auraient pu parler d'affaires demain...

A moins qu'elle eût auprès d'elle quelqu'un d'autre que Jeremy. A cette pensée, son cœur se serra. Mais il n'y avait pas d'autre homme dans sa vie ! Elle le voyait presque tous les soirs. Et les soirs où elle ne le voyait pas, c'était parce qu'elle était lasse. Et même, il lui arrivait souvent de l'appeler pour lui dire quel programme télévisé elle regarderait. Non. Il n'y avait pas d'autre homme.

Soudain, surgit en lui comme l'éclair, l'image de Heidi Lanz faisant son entrée au « 21 ». La belle Heidi ! Heidi la gouine ! Elle aussi venait d'arriver en ville !

Ce n'était pas possible. Il se versa un autre verre, et se porta un toast à lui-même. A David Milford, roi des jobards, champion des imbéciles ! Amoureux d'une beauté de cinquante-deux ans au visage refait... qui ne voulait même pas lui donner son numéro de téléphone.

Mais ce n'était pas n'importe quelle femme. C'était Karla ! Et en ce moment, elle était avec Jeremy Haskins, tandis que lui, David, était ivre, en proie à des imaginations délirantes...

Pourquoi avait-il fallu qu'il voit Heidi Lanz au « 21 » ce jour même ? Et qu'avait donc son père à vouloir lui enfoncer cette idée dans la tête ? Evidemment, il avait dû entendre courir des bruits au sujet de Karla. Mais n'était-il pas également convaincu que toutes les femmes européennes avaient cédé un jour ou l'autre à ce genre de penchant, comme tous les hommes d'Angleterre à l'attrait des garçons ? Non, il était impossible que Karla aimât une femme. Non, elle n'aurait pas eu cette façon de s'abandonner dans ses bras, cette façon de s'accrocher à lui... Non. En ce moment elle était avec Jeremy. Il sentit qu'il ne pourrait pas rester chez lui une minute de plus. Il sortit précipitamment et descendit Park Avenue. L'air lui rafraîchit les idées. Il se dirigea vers Lexington. Marchant toujours, il se rendit compte que ses pas le conduisaient vers l'immeuble de Karla. Et pourquoi pas ? Pourquoi pas ? Il pouvait faire un saut, simplement. Le portier le croirait attendu. Le garçon d'ascenseur aussi. Il sonnerait à sa porte. Si c'était Jeremy et si elle se montrait fâchée, il implorerait son pardon, il lui dirait que c'était son anniversaire. Oui, voilà une bonne excuse. Il lui dirait qu'il avait eu besoin de la voir, ne fût-ce qu'un instant. Après quoi, même si elle lui proposait de rester, il s'en irait. Oui, c'étai cela. Même si elle se montrait pressante et penaude, il refuserait de rester — rien qu'un verre pour arroser son anniversaire et il partirait. Mais au moins, une fois rentré chez lui, il pourrait dormir.

Quand il atteignit le bloc d'immeubles où elle habitait, son courage s'envola. Il bifurqua vers la Première avenue et entra dans un bar. Il se fit servir une vodka — double — et se sentit mieux. Il n'y avait pas de quoi s'inquiéter : il s'était monté la tête. Elle rirait, sans doute, et le trouverait charmant, jeune, impétueux. Il descendit la rue. Le portier lui fit son petit salut habituel, qui lui rendit confiance. Le garçon d'ascenseur qui le menait jusqu'au quinzième étage acheva de la rassurer en lui parlant de la bonne étoile de l'équipe des Yankees, ces temps-ci.

Il suivit le couloir, et resta un moment immobile devant la porte de Karla. On n'entendait aucun bruit à l'intérieur. Pas de télévision. Il hésita. Il n'était pas trop tard encore. Il pouvait repartir, et elle ne saurait jamais qu'il était venu. Il fit quelques pas vers l'ascenseur. Mais que penserait le garçon d'ascenseur ? Et le portier ? Ils savaient qu'elle était chez elle.

Il revint vers la porte et très vite appuya sur la sonnette. Il sentait, jusque dans sa gorge, les pulsations de son cœur qui battait la chamade. Il sonna une deuxième fois. Des pas retentirent. Elle ouvrit la porte prudemment, sans retirer la chaîne de sûreté. Quand elle l'aperçut, ses grands yeux gris s'assombrirent de colère.

— Que veux-tu ? demanda-t-elle, glaciale.

Ce qui arrivait dépassait son entendement. Karla, qui lui avait toujours ouvert sa porte toute grande — cette même Karla — le regardait par l'étroite fissure de sa porte enchaînée... le regardait comme un intrus !

— C'est mon anniversaire, dit-il d'une voix pâteuse, et non de cette voix légère, aisée qu'il avait prévue.

— Va-t-en, fit-elle.

Il coinça son pied dans l'entrebâillement de la porte.

— C'est mon anniversaire. Je veux seulement boire un verre pour arroser ça, avec toi... et Jeremy.

— Je t'ai dit de t'en aller !

— Je ne partirai pas.

Il voulut sourire, mais la crainte l'en empêcha. Il se sentait en plein cirage. Karla était vraiment furieuse. Désormais, il n'était plus possible d'en sortir élégamment. Il fallait qu'il entre, il fallait qu'il lui explique combien il l'aimait... et qu'il lui était impossibe de vivre ainsi, sans même pouvoir lui téléphoner.

— Si tu ne pars pas, je vais devoir appeler à l'aide, dit-elle.

Dieu ! Il avait tout gâché !

— Karla, pardonne-moi. Je suis navré... Il fit un pas en arrière.

Elle profita de cette fraction de seconde pour lui claquer la porte à la figure.

Il resta figé sur place, n'en croyant pas ses yeux. Karla. Lui faire ça à lui ! La garce ! Bien sûr, il n'y avait pas de Jeremy à l'intérieur. Elle devait être avec Heidi Lanz. Il appuya de nouveau sur la sonnette, puis se mit à marteler la porte.

— Ouvre la porte, cria-t-il ! Ouvre et montre-moi ton vieil impresario. Ouvre et je partirai. Prouve-moi que tu dis la vérité !

Il attendit quelques secondes, conscient qu'à l'autre bout du couloir quelqu'un avait ouvert une porte pour regarder. Il lui sembla qu'il avait le visage en feu. Là-bas, la porte finit par se refermer. Il appuya de nouveau sur la sonnette de Karla.

— Laisse-moi entrer, bon Dieu... Laisse-moi entrer !

Il cogna du pied dans la porte. Puis, prenant une allumette, il s'en servit pour coincer la sonnette.

— Je vais rester ici. J'attendrai, cria-t-il. S'il le faut, j'attendrai toute la nuit. Pour voir qui sortira de cet appartement.

Il donna un aure violent coup de pied dans la porte. Il avait perdu tout contrôle de lui-même. Il le savait, mais il n'était plus en état de s'arrêter. Plusieurs portes s'ouvrirent dans le couloir.

Puis il entendit claquer la porte de l'ascenseur, et deux poignes vigoureuses s'emparèrent de lui. Il rua et se débattit. C'étaient le portier et le garçon d'ascenseur qui tentaient de l'éloigner de la porte de Karla. Ses vieux amis toujours souriants — le portier qu'il avait gratifié de tant de pourboires, le garçon d'ascenseur qui venait de discuter avec lui des Yankees. Ils s'efforçaient tous deux de le traîner dans le couloir.

— Lâchez-moi, hurla-t-il. Miss Karla n'a pas entendu la sonnette, c'est tout. Elle m'attend !

— Du calme, fiston, dit le portier. Elle vient de nous téléphoner pour nous dire de venir te chercher. Elle a dit que tu faisais du tapage.

Incroyable ! Karla le faisait jeter dehors ! Il les regarda, puis regarda la porte. Il y donna un dernier coup de pied.

— Espèce de gouine ! hurla-t-il. Gouine et double-gouine ! Je sais qui est avec toi. C'est Heidi, *Heidi Lanz* ! *Heidi*. Pas Jeremy... *Heidi Lanz* !

Des portes s'ouvrirent. Les autres locataires de l'étage le regardèrent avec stupéfaction. Ces gens qui, par le passé, l'avaient considéré d'un œil envieux parce qu'il était admis auprès de leur prestigieuse voisine, le voyaient à présent traîné par le portier et le garçon d'ascenseur, ruant et hurlant toujours.

Il entendit un craquement. Il comprit que c'était sa chemise neuve. Karla le faisait jeter dehors ! Jeter dehors ! Etait-ce possible ? Non, ce ne pouvait être qu'un cauchemar.

Quand ils furent dans l'ascenseur, le portier relâcha un peu son étreinte.

— Ecoute-moi bien, petit. On dirait que t'as bu un petit coup de trop, ce soir. Laisse-moi te mettre dans un taxi qui te ramènera chez toi. Demain il fera jour encore : tu lui enverras quelques fleurs et tout recommencera comme si de rien n'était.

Il se dégagea de l'emprise de l'homme et sortit de l'ascenseur en se tenant aussi droit qu'il le pouvait.

— Il n'y aura pas de « demain ». Jamais plus je n'enverrai de fleurs à cette lesbienne. Et ne vous fatiguez pas à me chercher un taxi. Je ne veux plus rien devoir à l'un d'entre vous. Jamais plus je ne m'approcherai de cet immeuble.

Puis, fixant les fenêtres du quinzième étage, il bredouilla : « Je te déteste, salope... ». Et, titubant, il se mit à redescendre la rue.

Karla, près de sa fenêtre, le suivit des yeux jusqu'à ce qu'il fût hors de vue. Alors seulement, elle alla frapper à la porte de la salle de bains. Elle avait le visage pâle et crispé.

— Tout va bien, Dee. Maintenant tu peux sortir. Je ne crois pas que David revienne nous embêter.

XXIV

Dee s'étira dans son bain de mousse. La radio jouait de vieux airs de Sinatra. C'était merveilleux. Le monde entier était merveilleux. Mai était un mois si merveilleux à New York. Avril aussi avait été merveilleux. Tous les mois étaient merveilleux lorsque Karla était là. Ce dernier hiver à Palm Beach avait vu leur plus longue séparation. Il y avait des moments où elle devait faire appel à toute sa volonté pour s'empêcher de décrocher le téléphone et supplier Karla de venir. Peut-être qu'une telle initiative aurait été cependant couronnée de succès car, à son retour elle trouva Karla réellement brûlante de la voir.

Bien sûr, il y avait eu cette affreuse nuit où David avait frappé à la porte comme un taureau en rut. Elle n'aurait jamais cru que David puisse perdre le contrôle de lui-même à ce point. Mais il avait bu. Elle n'avait pas entendu trop de vacarme — elle avait été si terrifiée lorsque le tapage avait commencé qu'elle s'était précipitée dans la salle de bains. Mais cela avait manifestement mis fin aux relations de David et de Karla — il n'était plus l'un de ses « gentils petits » hommes qui accompagnaient au théâtre ou au cinéma.

Curieusement, David ne semblait pas trop souffrir de cette rupture. D'après les journaux, il voyait de temps en temps ce mannequin hollandais, et parla sans arrêt de January.

Il avait dû être très affecté lorsqu'elle n'avait pas pu venir à Palm Beach pour Pâques. Bien sûr, c'était un rude pensum que d'écrire un article sur un homme comme Tom Colt. Elle était en Californie depuis quelque temps déjà. Dee se demandait s'il y avait quelque chose entre eux. Ridicule ! Tom Colt était marié et bien trop démodé pour January. Mike avait montré singulièrement peu d'enthousiasme pour l'importance de la tâche de January. Il avait insisté pour prendre l'avion et aller la voir. Il était resté presque une semaine et lorsqu'il revint tout semblait O.K. Eh bien, il fallait qu'elle change son testament. Maintenant que David ne représentait plus une menace du côté de Karla il n'y avait aucune raison de s'inquiéter de savoir s'il allait ou non épouser January.

En sortant du bain, elle appela George Milford. Il répondit immédiatement.

— Dee... J'étais justement sur le point de m'en aller. Qu'est-ce qui me vaut le plaisir de t'entendre ?

— George, je veux modifier mon testament.

— Parfait. Est-ce urgent ?

— Non, mais voyons-nous demain après-midi.

— Eh bien, c'est pour cela que j'ai demandé si c'était urgent. Margaret et moi partons demain pour Paris. La fille de sa sœur se marie, et nous n'avons pas pris de vacances à l'étranger depuis longtemps. Alors nous faisons ça bien... par bateau... pendant tout un mois. Nous nous embarquons demain.

— Oh.

Dee se mordit les lèvres pensivement.

— Mais si c'est urgent, je peux te recevoir tout de suite. Il est cinq heures et demie. Nous pouvons discuter des avenants. Ça ne me gêne pas de rester quelques heures de plus au bureau... tu es libre de ton côté, bien sûr. Nous pouvons voir cela ensemble et je prendrai des notes. Demain matin je referai tout taper au propre et si tu peux passer, disons, à dix heures, nous pourrons le faire certifier devant témoins et notaire et...

Karla l'attendrait à six heures et demie. Cela prendrait trop de temps.

— Non George, ce n'est pas urgent à ce point. Cela peut attendre ton retour. Bon voyage, et mes amitiés à Margaret.

Elle raccrocha et commença à s'habiller. Mike était au Friars Club. Elle lui avait raconté qu'elle allait à une réunion d'anciennes élèves. Elle insista pour qu'il y reste dîner et qu'il joue aux cartes.

— Je *dois* y aller. C'est quelque chose que je fais tous les ans. Nous ne sommes qu'une vingtaine, assises en rond pendant des heures à parler de l'ancien temps chez Miss Briarly. Et si tu rentres avant moi, ne reste pas debout à m'attendre.

Le mariage l'étouffait. Lorsque Karla était si disponible, demeurer avec Mike la rendait folle. Depuis son retour de Palm Beach, Karla était toujours d'une joie exubérante lorsque Dee lui annonçait qu'elle était libre. Et depuis peu il n'y avait plus eu de ces anciennes excuses (« Oh, Dee, j'ai invité le Maestro à venir manger un steak. Il n'a pas travaillé depuis si longtemps et il doit bientôt rentrer chez lui pour le film »). Karla avait toujours eu de bonnes raisons mais qui n'en désespéraient pas moins Dee. Pourtant, depuis son retour, il n'y avait plus eu une seule excuse. Chaque fois qu'elle appelait et disait « Je peux sortir ce soir », Karla s'écriait joyeusement. « Je suis si heureuse !... Je t'attends avec impatience... » ou « J'ai été invitée à dîner chez Boris, mais je vais décommander ».

Bien sûr, elle pouvait voir Karla dans la journée, si elle voulait la suivre dans ses allées et venues. Mais elle avait l'impression de perdre quelque peu de sa dignité à jouer les dames de compagnie, assise, par exemple, dans un morne studio, à regarder Karla faire des exercices à la barre. Elle s'y était pliée, les premières années, lorsque le simple fait de voir Karla — d'avoir la permission d'être avec elle — était un privilège. Curieusement, pendant toutes ces années, elle éprouvait toujours un sentiment de frivolité chaque fois qu'elle voyait Karla. Mais dès que leurs relations avaient été fermement établies, elle sentit qu'il était dégradant pour elle de s'asseoir comme une fan hébétée. Elle ne voulait pas non plus marcher sous la neige et la pluie. Elle n'était pas comme Karla, toujours en super-beauté même avec de la neige sur les cheveux ou de la pluie sur le visage. Dee avait le nez et les yeux qui coulaient lorsqu'il faisait froid. Karla pouvait rester sous la douche, sortir et se frotter les cheveux avec une serviette, être irrésistible. Dee aurait été perdue sans un coiffeur pour s'occuper de ses cheveux tous les jours.

Non, la seule façon de voir Karla d'égale à égale, c'était de l'avoir pour invitée dans l'une de ses maisons... ou de la voir à New York la nuit. Aucune femme de plus de quarante ans n'a l'air glorieux à la lumière du jour. Dee avait tout essayé. Quel que soit le fond de teint qu'elle utilisait, il semblait trop rose, trop orange, trop blême. Mais la nuit, elle était étonnante. Surtout en face d'un feu de bois, ou dînant aux chandelles avec Karla. Elle avait pris la ferme résolution de ne plus manger dans la cuisine. Cela manquait de romanesque. En outre, elle avait une tête affreuse sous cette lumière. Karla avait toujours l'air légèrement bronzé, elle n'avait jamais besoin de fond de teint. Karla était Karla. Elle était unique. Même après dix années, il semblait encore incroyable que Karla lui appartienne. Non... elle ne lui appartenait pas, Karla n'appartiendrait jamais à personne. Pas même à Jeremy Haskins, dont elle disait qu'il avait été son impresario et son grand ami. Elle reconnaissait ouvertement qu'ils avaient essayé de devenir amants mais que cela n'avait pas marché. Dee avait rencontré Jeremy lorsqu'il était venu aux Etats-Unis en 1966, et lorsqu'elle avait vu ses cheveux blancs et ses épaules tombantes, elle avait été si soulagée qu'elle avait même donné un dîner en son honneur. Et chaque année elle lui envoyait un cadeau de Noël.

Sous le coup de l'impulsion, elle prit son carnet de chèques et fit un chèque de dix mille dollars. Elle avait cessé d'essayer de surprendre Karla par ses cadeaux. Karla ne portait jamais de bijoux. Et elle se servait du manteau de zibeline qu'elle lui avait offert comme d'un imperméable. Elle le portait sous la neige, et pour aller aux répétitions. Karla ne reprenait réellement vie que lorsqu'on lui donnait de l'argent. C'était un phénomène que Dee n'arrivait pas à comprendre. Après tout, Karla avait beaucoup d'argent. Mon Dieu... toutes ces années où elle avait tourné ces films. Et maintenant elle ne dépensait rien... juste de quoi entretenir son appartement. C'était un appartement fabuleux, surtout par ses dimensions. Un décorateur aurait pu le transformer en musée. Mais Dee se demandait s'il y avait seulement cinq mille dollars de meubles. Bien sûr, il était impeccablement tenu. Karla ne voyait aucun inconvénient à astiquer les planchers et les fenêtres elle-même. Et il y avait les tableaux — un Monet, deux Dufy, un Vlaminck, et des dessins de Daumier. Tous, des cadeaux. A la question de Dee : « Pourquoi as-tu besoin d'un duplex de dix pièces pour n'en utiliser que trois ? » Karla avait répondu avec un haussement d'épaules : « C'était un cadeau... et maintenant il vaut le double de son prix d'origine ». Elle avait renoncé à essayer de rationaliser les excentricités de Karla. Excentricités ! Karla était carrément mesquine. Même les cadeaux de Noël qu'elle offrait à Dee étaient ce que Karla appelait des « cadeaux-gags ». Une chope de bière disant « Souvenir de New York »... une chemise de nuit de flanelle rouge... un décoration polonaise d'arbre de Noël. Dee mettait cela sur le compte d'une névrose datant de la guerre. Tous ces réfugiés étaient plutôt bizarres.

Dee quitta la maison à six heures quinze. Elle avait laissé partir le chauffeur. Elle prit un taxi qui cahotait en se frayant son chemin à coups de klaxon enroué ; mais rien ne pouvait entamer sa belle humeur. C'était le printemps, la nuit était magnifique, et dans quelques minutes elle allait voir Karla. Mon Dieu, si seulement elle pouvait retenir le temps jusque-là. Faire durer cette nuit éternellement. Elle joua à un jeu avec les feux de circulation. Lorsque le taxi arrivait à un feu rouge, elle comptait Un... puis épelait... U - N. Deux... D - E - U - X. Autant de chiffres qu'elle pouvait dire et épeler avant le changement de feu, autant de mois qu'elle et Karla allaient passer ensemble. Une fois, elle parvint ainsi à compter jusqu'à seize, mais le temps d'arriver à la Seconde avenue, elle avait amélioré son score et était allée jusqu'à trente-cinq. Elle fronça les sourcils. Cela ne faisait que trois ans de plus. Non, elle n'allait pas se contenter de ça. Elles devaient être ensemble pour toujours. Mon Dieu, si seulement elle pouvait y croire. Si elle avait vraiment pu croire que Karla ne la quitterait jamais, elle ne se serait jamais mariée avec Mike. Mais, même au moment de leur plus grande intimité, Dee avait conscience de ce que Karla ne pourrait jamais être vraiment possédée par personne. Et si Karla pensait un jour qu'elle était toute la vie de Dee, Karla pourrait disparaître... peut-être pour toujours. Non, Mike était sa soupape de sécurité, sa béquille, son bon sens. Mais Mike était aussi un problème... Les mensonges tortueux qu'elle devait lui faire pour avoir ses « nuits libres » ! En juillet, elle insisterait pour que Karla vienne à Marbella. Mais maintenant, ce n'était que le début de mai. Cela siginifiait six semaines de tourments à New York. Elle pensa qu'elle avait été très habile en montrant tant d'enthousiasme à Mike au sujet de Cannes. Il n'y avait aucun tournoi de tric-trac à Monte Carlo, et elle n'avait jamais eu la moindre intention de commencer par aller là-bas. Mais tout devait être préparé soigneusement, dans la mesure où tout marchait en fonction du plan. La suite au Carlton était réservée pour le 14 mai. Elle prévoyait d'attendre jusqu'à la veille, puis de lui dire que le tournoi était annulé. Mais elle insisterait pour qu'il y aille — la suite était réservée, et il méritait deux merveilleuses semaines avec ses amis du studio. Elle resterait à New York pour s'occuper de sa garde-robe d'été. Elle avait répété tout le discours — il devait y aller sans elle. Alors elle aurait deux semaines avec Karla... elles pourraient être ensemble toutes les nuits !

Karla l'attendait lorsqu'elle arriva. Elle avait le visage net et ses lourds cheveux étaient tirés en arrière par une barrette. Elle jeta les bras autour de Dee et la conduisit à la table près de la fenêtre. Tout était prêt pour le dîner et Karla désigna les bougies.

— Regarde. Je les ai achetées aujourd'hui. Elles n'ont pas besoin de pique pour tenir... elles fondent par l'intérieur. Oh, ça a été merveilleux. Cette merveilleuse petite boutique, et le petit homme ne m'a pas reconnue. Il m'aimait pour moi-même. Et il s'est donné tant de mal pour me faire sentir tous les parfums. Cette nuit, nous avons du gardénia. Dee, aimes-tu le gardénia ? Je l'adore... J'espère que tu l'aimes aussi...

— Naturellement.

A la lumière des bougies, avec l'obscurité qui commençait à tomber sur l'East River, Karla ressemblait à l'une de ses plus belles photos de film. Les ombres qui envahissaient son visage, le creux sous ses pommettes. Soudain Dee comprit qu'elle jouait un rôle. Elle mit la main dans son sac.

— Karla, je t'ai apporté un petit cadeau.

Karla ne regarda même pas le chèque. Elle sourit et le glissa dans le tiroir de son bureau.

— Merci, Dee. Viens maintenant, assieds-toi. J'ai préparé une grande salade de crevettes et de homard. Et regarde... un pichet de sangria. Nous allons faire un festin.

Et cette nuit-là, lorsqu'elles firent l'amour, Karla fut d'une joie débordante. En fait, tout son comportement était plus gai que d'habitude et lorsqu'elles furent étendues toutes les deux, elle chanta une chanson polonaise qu'elle avait apprise lorsqu'elle était petite. Puis, comme embarrassée d'avoir révélé un côté caché d'elle-même, elle sauta du lit et alluma la télévision.

— Il y a un bon vieux film, mais je sais que tu préfères les informations. Je vais prendre une douche. Dis-moi s'il se passe quelque chose d'important dans notre triste petit monde.

Dee regarda les informations. Elle entendit Karla chanter sous la douche. Karla était heureuse. Elle-même était heureuse. Mais, à son propre bonheur, se mêlait un sentiment de désespoir. Parce que dans peu de temps elle devrait partir pour rejoindre Mike. Elle tendit la main vers la table de nuit et décida d'essayer l'une des fortes cigarettes anglaises de Karla. Comme elle prenait le paquet, une enveloppe tomba par terre. C'était la note de téléphone de Karla. Elle fut soudain curieuse. La quittance devait être minuscule. Karla appelait rarement les gens, et, dans ce cas, elle ne faisait qu'exposer ses affaires ou sa requête. Il n'existait pas de conversation téléphonique avec Karla. Dee sortit la note de l'enveloppe. Ses sourcils se soulevèrent lorsqu'elle jeta un coup d'œil sur le total. Quatre cent trente et un dollars ! Elle regarda de nouveau. Comment Karla pouvait-elle en arriver à une note pareille ? Elle l'examina avec soin. Karla n'avait pas dépassé le maximum en appels urbains. Mais il y avait une longue liste d'appels en Angleterre. Bostwick 3322. Seize appels à ce numéro ! Et l'un d'eux durait plus de trois minutes. Il y en avait trois à un autre numéro, au central Lowick, et deux au central Belgravia. Mais seize à Bostwick 3322. Elle écrivit les chiffres sur un bout de papier, le fourra dans son sac, et remit la note de téléphone sous les cigarettes de Karla. Mais lorsque Karla sortit de la douche et lui refit l'amour, l'incident sortit complètement de son esprit. Elle n'y pensa plus jusqu'à son retour à la maison où elle trouva le bout de papier dans son sac. Elle le mit dans son coffret à bijoux. Karla avait probablement quelques affaires à Londres. Peut-être était-elle constamment en contact avec Jeremy. Peut-être sa note de téléphone était-elle élevée tous les mois. Les gens connus pour leur avarice ont souvent un domaine dans lequel ils se livrent à de folles prodigalités. Peut-être que pour Karla c'était les appels téléphoniques outre-Atlantique.

Le jour suivant fut l'une de ces rares journées où Dee ne réussissait pas à joindre Karla. Le matin, Karla était partie se promener. Et à une heure, au moment où Karla rentra chez elle, Dee était coincée dans un lunch au Plaza, en l'honneur de *Baby Town, U.S.A.*, maison de rééducation pour jeunes droguées enceintes. Cela n'intéressait pas terriblement Dee, mais c'était un bon moyen d'avoir un écho favorable dans les journaux. Tous les gens « bien » figuraient à cette commission, et cela serait bon pour son image de marque.

Elle appela Karla à cinq heures, mais Karla n'était pas là. Puis, juste au moment où elle allait essayer de nouveau, Ernest était arrivé pour la coiffer. Mike et elle devaient aller à un horrible dîner à Park avenue chez la princesse Marina, en l'honneur d'un Sénateur, ce qui signifiait qu'ils devraient s'asseoir et écouter ses radotages sur Washington. Mais la Princesse donnait de grandes réceptions à Marbella. Comme elle avait la manie de vouloir se tenir *au courant* de la politique, alors il n'y avait qu'à en prendre son parti.

Le matin suivant, Dee se fit servir son petit déjeuner au lit, en attendant midi et demie, heure à laquelle Karla rentrerait de sa promenade. Elle essayait aussi de trouver une excuse pour laisser Mike cette nuit. Le reste de la semaine était pris, mais cette soirée était libre. Mike avait parlé de voir deux films en une nuit. Il aimait vraiment s'asseoir dans ces infectes salles de cinéma, et mangeait même du popcorn. En fait, il essayait de la convaincre de construire une salle de projection au Winter Palace pour qu'ils puissent y projeter leurs propres films. Le cinéma ennuyait Dee. Elle adorait revoir les anciens films de Karla, mais les films récents présentaient peu d'intérêt pour elle. Elle détestait ces mornes films pleins de jeunes gens à motocyclette qui portaient tous des blue-jeans et fumaient de la marijuana. Elle pouvait se rappeler l'époque où lorsque l'on allait au cinéma, on était sûr de voir sur l'écran les dernières créations des grands couturiers. Mais les films d'aujourd'hui étaient laids et sales. Sa vie à elle était bien plus excitante, bien plus merveilleuse.

Elle jeta un coup d'œil sur les journaux. Elle était citée dans le dernier numéro du *Women's Wear,* à propos du lunch de la veille. Bonne photo — elle la montrerait à Karla. Mais maintenant elle devait penser à un plan pour se débarrasser de Mike cette nuit. Le tric-trac n'était plus une excuse. Il *aimait* le tric-trac. Seigneur, pourquoi le lui avait-elle appris ? Elle regarda l'heure. Peut-être devrait-elle lui dire d'aller au club, de jouer au golf, qu'elle voulait *quoi* ? Cela la rendait furieuse d'avoir à mentir et penser à une excuse. Elle était Dee Milford Granger. Elle entretenait cet homme. Pourquoi ne pouvait-elle pas dire simplement : « Je veux sortir ce soir », comme elle l'avait fait avec les autres. Parce que, au fond d'elle-même, elle savait qu'elle ne pouvait tout simplement pas dire cela à Mike. Il pouvait répondre : « D'accord. Tu peux sortir pour de bon ». Surtout qu'il ne semblait pas s'inquiéter pour sa fille. Il n'en parlait jamais ces derniers temps. Peut-être que les dix millions qu'elle avait légués en fidéicommis l'avaient pleinement rassuré sur le sort de January. Eh bien, lorsqu'il rentrerait, il apprendrait que ce n'était pas irrévocable. Elle allait changer tout cela. Faire de David son exécuteur testamentaire. Oh, elle laisserait les dix millions à January, mais il y aurait un codicille... Les dix millions ne reviendraient à January que si Mike Wayne était le mari de Dee Milford Granger. Elle commença à sourire. Bien sûr... alors elle pourrait sortir toutes les nuits si elle le désirait. Mais pour le moment elle devait trouver quelque chose pour ce soir. Elle ne pouvait plus inventer une amie imaginaire pour le tric-trac. Il connaissait toutes ses amies. C'était ridicule ! Toute sa vie, elle avait fait exactement ce qui lui plaisait, et maintenant, pour la personne qui comptait le plus pour elle, elle devait intriguer comme une criminelle pour avoir une nuit libre.

Peut-être Karla aurait-elle une idée. Non qu'elle eût jamais montré une quelconque imagination. Dee l'aimait à la folie, mais c'était tout de même une Polak bornée. Il n'était que midi dix ; mais elle essaya d'appeler Karla. Quelquefois elle rentrait plus tôt. Elle composa le numéro, mais il n'y eut pas de réponse. Bien sûr... C'était jeudi. La bonne n'était pas là. Comment pouvait-on entretenir cette maison avec une bonne qui ne venait que trois fois par semaine !

Elle prit le *Daily News* et le feuilleta. La princesse n'avait eu qu'une demie colonne. On parlait d'elle et de Mike. Mais c'était le sénateur qui avait pris toute la publicité. Elle jeta le journal par terre. Il tomba ouvert sur la page du milieu. Elle le fixa pendant un moment, les yeux grands ouverts. Puis elle sauta à bas du lit et saisit le journal. Il y avait Karla... se protégeant le visage de la caméra, arrivant à l'aéroport de Heathrow.

Karla était à Londres !

Elle roula le journal en boule et le lança dans la chambre. Pendant tout le temps où elle était restée couchée à faire des plans — se demandant comment rester avec elle — cette garce était à Londres.

Londres !

Elle sortit du lit, se précipita sur son coffret à bijoux, et trouva le bout de papier qui portait les trois numéros. Puis elle alla au téléphone. Midi. Cela voulait dire qu'il était cinq heures de l'après-midi à Londres. Elle envoya un préavis à Anthony Pierson. La maison Pierson et Maitland s'occupait de toutes ses affaires à Londres.

Ils rappelèrent moins de cinq minutes après et Anthony Pierson était au bout du fil. Il était ravi d'avoir de ses nouvelles — ils parlèrent de la merveilleuse période de beau temps que connaissait Londres, de quelques-unes de ses actions en Bourse... Puis, essayant de paraître désinvolte, elle dit :

— Tony, je sais que ce n'est pas du tout de votre ressort... mais... eh bien... vous savez, je dois me renseigner sur trois numéros de téléphone, à Londres. Oh, ce n'est pas pour moi. C'est — c'est ma belle-fille. Oui, voyez-vous... elle vit avec nous et je viens juste de recevoir ma note de téléphone, et il y a trois numéros qu'elle a appelés à Londres. Elle n'a que vingt et un ans. Et naturellement je m'inquiète. Vous savez ce que c'est... quelques-uns de vos artistes de rock viennent ici et les filles de son âge s'imaginent qu'elles sont amoureuses. Elle rit. Oui... c'est exactement ça... Je ne voudrais pas qu'elle ait des ennuis ou se compromette avec n'importe qui. Alors, si vous pouviez vérifier ces trois numéros... Oh, Tony, je vous suis reconnaissante. Elle lui donna les numéros, puis, combien de temps cela prendra-t-il ? Juste une heure ? Oh, Tony vous êtes adorable.

Elle prit un bain en gardant les yeux rivés sur la lumière du téléphone, sur la coiffeuse. Elle la regarda en se maquillant. Et à une heure précise, la lumière s'alluma, et Anthony Pierson fut en ligne.

— J'ai les informations, dit-il. Mais je dois dire qu'elles me déconcertent un peu. Le numéro de Bostwick correspond à une maison particulière près d'Ascot. Le numéro de Lowick correspond à Jeremy Haskins, un rentier qui vit retiré et qui a quelque célébrité car on le voit souvent avec Karla lorsqu'elle est là... Soit dit en passant, vous la connaissez, n'est-ce pas ? Elle est là en ce moment, au Dorchester. Et le numéro de Belgravia correspond à un psychiatre très connu. C'est un peu déroutant, car aucun de ces numéros ne semble convenir à quelqu'un qu'une jeune fille de vingt et un ans aimerait appeler.

— Qui vit dans la maison d'Ascot ?

— Un couple nommé Harrington. Ils ont une fille. J'ai fait comme si j'étais un employé des postes ayant besoin de renseignements sur eux pour des problèmes de tonalité. J'ai trouvé cela très habile... pas vous ?

— Quel âge à la fille ?

— Je n'ai pas demandé, mais les Harrington ont l'air d'avoir dans les cinquante ou soixante ans.

— Tony, je dois en savoir plus sur eux. Surtout sur le psychiatre.

— Eh bien, cela sort un peu de mes activités... mais je connais un type un Donald Whyte... une sorte de détective privé... tout à fait digne de confiance...

405

— Oui... s'il vous plaît... renseignez-vous sur tout ce que vous pouvez. Ne vous occupez pas de Jeremy Haskins. Mon mari était producteur, et il est très possible que ma belle-fille veuille le connaître. Mais renseignez-vous sur les Harrington et leur fille.

Elle raccrocha et tenta de maîtriser son affolement. Les Harrington étaient peut-être de vieux amis de Karla... peut-être les avait-elle rencontrés par l'intermédiaire de Jeremy... ou peut-être étaient-ce de vieux amis du temps où elle était à Londres...

Seize appels en un mois !

Aucun ami ne méritait seize appels de Karla. Sauf si elle était amoureuse. Peut-être la jeune fille était-elle riche et appelait-elle aussi Karla seize fois par mois. Peut-être se parlaient-elles toutes les nuits... ou deux fois par jour. Cette garce menait probablement une double vie. Ascot était une ravissante région. La jeune fille *devait* être riche. Peut-être était-ce pour cela qu'elle prenait toujours si secrètement l'avion.

Peut-être la jeune fille avait-elle rompu avec elle... oui, c'était certainement cela, et cela expliquerait les seize appels. Karla suppliant de reprendre... cela expliquerait aussi pourquoi Karla avait été soudain si gentille et si chaleureuse avec elle... Non, elle ne pouvait s'imaginer Karla suppliant qui que ce soit, pour quoi que ce soit. Mais *seize appels en un mois !*

Lorsque Mike rentra ce soir-là, Dee avait déjà fait ses plans. Elle allait apprendre ce qu'il en était avec Karla, et y faire face ! Mais elle devait jouer serré avec Mike.

Elle alla voir les deux films avec lui... et plus tard, lorsqu'ils furent chez Sardi, elle attaqua la première phase. Elle regarda fixement le vide et poussa un profond soupir.

Ils avaient commandé des steaks. Il avait presque fini le sien. Il regarda son assiette intacte :

— Tu n'as pas faim ?

— Non... je... Oh, Mike... Je me sens bête.

— A quel propos ?

Il prit un peu de son steak.

— J'ai commis une erreur stupide.

— Quel genre d'erreur ? Ça ne doit pas être le bout du monde.

— Mike, le tournoi de tric-trac a lieu à Londres.

— Quand ?

— Oh... les quinze, seize et dix-sept, je crois.

— Eh bien ! ce n'est pas une affaire ! Nous irons à Cannes un peu plus tard. As-tu l'intention de finir ton steak ?

Elle poussa l'assiette vers lui.

— Mike, je pensais... Ecoute, je ne suis pas tellement folle de

Cannes... et c'est *ta* ville. Je veux dire que tu y connais tout le monde... et tu voudras être avec tes vieux amis... et il y a le casino. Je ne suis pas une vraie joueuse, du moins pas devant les tables de jeu, et...

Il la regarda attentivement.

— Arrête-toi. Qu'essaies-tu de me dire ?

— Mike... j'aimerais aller à Londres et...

— J'ai dit que nous irions.

— Mais je me sentirai tous les jours coupable de te faire manquer ton festival. J'ai des amis à Londres. Je voudrais y rester une semaine. Puis aller à Paris acheter quelques robes. Et ensuite te rejoindre à Cannes pour la fin.

— D'accord.

— Comment ?

— J'ai dit d'accord. Nous partirons le quatorze, je te déposerai à Londres et reprendrai l'avion pour Nice. Je te le renverrai et tu pourras me rejoindre quand tu voudras.

— Oh, Mike... tu es un ange !

— Ecoute, ma chérie, je ne veux pas· te tenir en laisse. Personne ne te force à aimer un festival de cinéma. Je pense que tu feras un séjour sensationnel à Londres.

— Ce ne sera pas sensationnel, dit-elle, mais ce sera intéressant.

XXV

Dee s'assit dans le bureau d'Anthony Pierson et regarda les tableaux. Elle était encore déphasée par le décalage horaire. Elle était arrivée à Londres à dix heures la nuit précédente ; mais il n'était que cinq heures à New York. Elle avait appelé Tony Pierson chez lui ; il lui avait dit qu'il avait un dossier complet, mais qu'il avait de la peine à croire que cela avait un rapport avec sa belle-fille. Elle lui répondit qu'elle serait dans son bureau le lendemain matin à onze heures. Puis elle prit trois Seconal pour dormir. Elle ne pouvait pas supporter une nuit sans sommeil seule à Londres. Il n'y avait pas de programme de télévision pendant toute la nuit, et elle n'arrivait pas à se concentrer suffisamment pour lire. Elle était descendue au Grosvenor House car Karla était au Dorchester. Elle ne voulait pas avoir de contacts avec Karla. Pas encore.

Elle sentit venir le début d'une migraine en s'asseyant dans le bureau calme et conservateur d'Anthony Pierson, mais elle se domina pour avoir l'air calme.

Elle regarda rapidement les photos qu'il lui avait tendues.

— Excellentes, dit-elle, d'une voix atone.

Anthony Pierson acquiesça.

— Ce garçon, Donald Whyte, celui qui a fait — dirons-nous — recherches, a pris cette maison au téléobjectif pendant des jours. Le pauvre garçon était en fait assis dans un arbre. Le psychiatre est en vacances... parti depuis deux jours... aussi n'avons-nous pas grand-chose de ce côté. Mais les clichés de Karla et de la jeune fille sont fantastiques, vous ne trouvez pas ? Bien sûr j'ai les négatifs... cela faisait partie de nos conventions. Whyte est quelqu'un de bien, sur qui l'on peut compter, mais Karla est encore une personnalité très connue et je crois qu'il est heureux que j'aie pris ces précautions.

— Grands Dieux, s'écria Dee à bout de nerfs. Ce n'est pas comme s'il les avait trouvées au lit ensemble.

Anthony Pierson approuva.

— Tout à fait juste. Mais cette photo... les bras de la jeune fille autour du cou de Karla... et cette autre où elles s'embrassent... et regardez ici... marchant enlacées. Non, elles n'ont pas été prises au lit... mais cela ferait une rudement bonne affaire dans l'un de ces magazines à scandale.

Dee regardait fixement les photos. Sa tête commençait à bourdonner. Comment pourrait-elle rivaliser avec quelqu'un d'aussi jeune et ravissant que cette fille ?

— Elle est très belle, dit doucement Dee.

— Tout à fait extraordinaire, n'est-ce pas ? Whyte a appris que les Harrington ne sont pas ses parents. De toute évidence, ils s'occupent d'elle. Parce que cette fille s'appelle Zinaida Jones. La maison est louée ; elle est charmante. Pas trop grande, mais en retrait — un beau petit bout de terrain et le reste. Karla est venue tous les jours. Elle y a passé trois fois la nuit.

La main de Dee tremblait pendant qu'elle fouillait pour chercher une cigarette. Elle regardait la jeune fille d'un air hébété. La photo était floue à cause de l'agrandissement. Elle aspira à fond la fumée de sa cigarette.

— Avez-vous de l'aspirine, Tony ? Je crains d'avoir attrapé un léger mal de tête avec le décalage horaire.

— Bien sûr ! Il se dirigea vers l'armoire à pharmacie dans la salle de bains. Lorsqu'il revint, Dee étudiait toujours les photos.

— Ça à l'air plutôt particulier, n'est-ce pas ? dit-il. Il semblerait que la grande Karla se soit trouvée un nouveau jeune amour de sa vie. Mais de toute façon... il y a toujours eu cette rumeur autour de la dame, n'est-ce pas ?

— J'en ai entendu parler, dit Dee. Mais je connais Karla. Elle a habité chez moi, et je n'ai jamais rien vu qui puisse y faire croire.

— Sauf ces photos, répliqua Anthony Pierson. Bon sang ? Pourquoi ces gens ne peuvent-ils pas réserver leurs ébats amoureux à leur chambre à coucher ? Pourquoi devait-elle marcher dans le jardin, ses bras autour de cette fille ?

— Peut-être parce qu'elle ne savait pas que Monsieur Donald Whyte était assis dans un arbre avec un téléobjectif. Vous dites que c'est un endroit retiré ?

— Il s'étend sur un demi-hectare de pelouse. Mais ma chère Madame Wayne, en quoi cela peut-il concerner votre belle-fille ?

Dee secoua la tête :

— Eh bien... peut-être... peut-être connaît-elle Zinaida.

— Oh, Anthony Pierson rougit légèrement pendant une seconde. Eh bien... oh... je vois. Tous les appels... vous pensez que peut-être votre belle-fille était, euh... en bons termes avec cette Zinaida Jones ?

Dee haussa les épaules :

— Pourquoi pas ? Elle est allée à l'école en Suisse. Elle a été élevée dans des écoles de filles. Elle se leva. Avez-vous l'adresse exacte de la maison ?

— Oui, la voilà. C'est à peu près à une heure en voiture de la ville.

— Merci. Pouvez-vous vous occuper des services de Monsieur Whyte et m'envoyer la note ? Envoyez-la demain au Grosvenor. Pour des raisons évidentes, je ne voudrais pas que ceci arrive à New York.

En voiture, elle essaya d'imaginer un plan d'action. Le chauffeur connaissait le chemin et ils se trouvaient maintenant en-dehors de Londres, dans un paysage verdoyant, ils approchaient d'Ascot... Mais quoi ? Elle ne pouvait pas simplement sonner à la porte et dire à cette Zinaida Jones : « Ecoutez... elle est à moi ! » Peut-être devrait-elle rester à l'extérieur de la maison et essayer de les apercevoir. Tout cela était de si mauvais goût qu'elle se rencogna au fond de son siège. Mais elle était déterminée à aller jusqu'au bout. Toutes les années d'adoration qu'elle avait vouées à Karla... tous les « cadeaux ». Karla avait-elle utilisé son dernier chèque de dix mille dollars pour courir rejoindre son nouvel amour ? Pour la première fois, elle comprit ce que cela faisait à un homme d'être cocu. Cocue ! Comment avait-elle pu en arriver à cette expression ? Mais c'était exactement ce qu'elle ressentait. Cocue ! C'était un grand mot. Elle ne pouvait pas dire qu'elle se trompait là-dessus... il ne faisait aucun doute que Karla avait fait et refait cela tout le temps. Elle ne lui avait jamais vraiment posé la question, de même que Karla ne lui avait jamais rien demandé sur sa vie sexuelle avec Mike. Elle avait essayé d'en parler à Karla une fois... de lui dire qu'elle ne faisait que se résigner avec Mike... combien elle était soulagée lorsque la partie sexuelle était terminée... parce que cela voulait dire qu'il la laisserait tranquille pendant au moins deux ou trois jours. Elle y pensait maintenant. Amusant... les derniers mois, il s'était écoulé des semaines sans que Mike l'approche. Elle n'avait même pas remarqué. L'idée la troublait. Ce n'est pas qu'elle voulait qu'il la touche... mais était-elle si peu attirante ? Elle savait que son corps avait une certaine douceur... ses cuisses... son ventre. Elle en avait conscience lorsqu'elle était allongée à côté de Karla, parce que Karla n'avait pas un pouce de graisse. Mais elle ne s'était pas intéressée à la douceur de son propre corps...

d'une certaine façon, cela l'avait rendue plus féminine avec Karla. Mais pourquoi Mike s'écartait-il ? Jouait-il trop au golf ? Il jouait toujours tard. Elle se demanda combien de points il avait gagnés.

Mais cela ne l'intéressait pas. A cette heure, ce qui l'intéressait, c'était Karla... et la nouvelle fille. Mais peut-être n'était-elle pas nouvelle. Peut-être étaient-elles ensemble depuis quelque temps. Peut-être Karla entrait-elle dans une période « jeune ». Il y avait eu David pendant un moment... maintenant cette fille...

Le chauffeur se rangea le long d'une haute haie d'arbres.

— Voici la maison, Madame. L'entrée est un peu plus bas. Mais vous avez dit que vous vouliez vous arrêter ici.

— Oui. Je veux faire une surprise à des amis. Si la voiture arrive par l'allée principale, eh bien... il n'y a plus de surprise, n'est-ce pas ?

— Non, Madame.

Elle se demanda s'il la croyait. Les Anglais peuvent prendre l'air tellement inexpressif lorsqu'ils le veulent. Il pensait probablement qu'elle allait surprendre un amant. Eh bien, c'était le cas.

La petite grille de fer n'avait pas de serrure. Elle l'ouvrit et prit l'allée. Il commençait à pleuvoir. Elle portait un imperméable et mit son écharpe sur sa tête. C'était une allée sans prétention, mais les pelouses étaient bien entretenues. La maison était de style Tudor. Une petite voiture anglaise était garée devant.

Dee s'approcha doucement. Elle se demandait si cette Zinaida avait un chien. Ce serait horrible si un dogue anglais lui sautait à la gorge. Elle pouvait imaginer les titres : DEE MILFORD GRANGER ATTAQUEE PAR UN CHIEN ALORS QU'ELLE ESSAYAIT DE S'INTRODUIRE DANS UNE MAISON. Mon Dieu, comment pourrait-elle expliquer cela ? Il y avait de la lumière dans la maison. Zinaida était probablement là... ou bien elle marchait dans la campagne, son bras autour de la taille de Karla comme sur les photos ? Karla aimait marcher par n'importe quel temps et elle était prête à parier que Zinaida prétendait elle aussi adorer cela.

Elle s'avança vers la fenêtre sur la pointe des pieds. C'était une salle de séjour confortable, rien de prétentieux ; et personne. Peut-être que si elle faisait le tour... Karla adorait toujours les cuisines...

— Pourquoi n'entres-tu pas... c'est tout mouillé dehors.

Elle sursauta en entendant la voix. Elle se retourna... Karla était derrière elle. Son visage était trempé par la pluie, et elle portait un foulard et un imperméable.

— Karla... je...

— Entre. Il fait froid et humide.

Karla ouvrit la porte. Dee remarqua qu'elle avait la clé. Elle voulut s'enfuir. C'était la fin... Elle n'aurait jamais dû venir. Le visage de Karla était un masque. Elle était manifestement folle de colère et allait probablement lui dire que tout était fini entre elles. Mon Dieu, pourquoi avait-elle fait cela ? Elle se souvint d'avoir vu une pièce dans laquelle la maîtresse avait fait son possible pour que la femme la trouve... parce que, une fois que la femme aurait confronté le mari avec l'évidence, il ne pouvait plus rien faire d'autre que de l'admettre. Et si Karla l'admettait, Dee devrait s'en aller. La mort dans l'âme... elle devrait s'en aller avec fierté. Parce que sans fierté, il n'y a pas de rapports possibles. Pourtant, au même moment, elle brûlait de tomber à genoux et de demander à Karla d'oublier qu'elle était là... d'oublier complètement l'horrible incident.

Karla accrocha son imperméable à un portemanteau près de la porte. Elle portait un pantalon en gabardine et une chemise d'homme. Elle avait laissé ses cheveux longs et raides. Elle avait l'air fatigué, mais elle était toujours aussi belle.

Dee ne bougeait absolument pas. Karla se retourna et désigna le portemanteau.

— Enlève ton manteau. Il fait humide.

Dee l'enleva et sut que ses cheveux étaient aplatis par l'écharpe. Elle n'avait probablement jamais été plus laide. Et quelque part dans cette maison — attendant Karla — se trouvait cette splendide jeune créature.

— Assieds-toi, dit Karla. Je vais chercher du cognac. Elle disparut dans une autre pièce.

Dee regarda autour d'elle. Il y avait une photo de Karla dans un grand cadre. Puis la photo d'un berger allemand manifestement mort depuis longtemps, car la jeune fille avec lui était une petite fille. Probablement l'un des animaux favoris de Zinaïda enfant. Où était-elle ? Sans doute en haut, respectant la vie privée de Karla comme tout le monde, s'adaptant à l'humeur de Karla.

Karla revint avec une bouteille de cognac et emplit deux verres. Dee regarda avec surprise Karla avaler la boisson d'un seul trait. Puis elle s'assit.

— Bon, Dee... Je ne te demanderai pas comment tu m'as trouvée. Je t'épargnerai cet embarras.

Les larmes montèrent aux yeux de Dee. Elle se leva et marcha jusqu'au feu qui se consummait.

— Je donnerais dix années de ma vie pour supprimer cet après-midi.

— Je représente tant que cela pour toi ? La voix de Karla était presque douce.

Dee se retourna vers elle, en tâchant de retenir ses larmes.

— Si tu représentes tant que ça pour moi ? Oh, mon Dieu...
(Elle traversa la pièce et alla chercher une cigarette dans son sac.
Elle l'alluma et se tourna vers Karla.) Non... tu ne représentes pas
grand-chose. Juste assez pour me rendre malade chaque fois que tu
pars... assez pour faire de moi une menteuse torturée et une lâche
vis-à-vis de mon mari... l'envoyer seul à Cannes pendant que je...
je... J'ai appelé un ami... et appris où tu étais... et trouvé Zinaida. Et
je dois être une sorte de masochiste. Au lieu de te chasser tout simplement de ma vie, je viens ici... pour voir par moi-même... pour.
Oh, Dieu sait quoi. Pourquoi dois-je me torturer à ce point ? Je sais
qu'elle a des années de moins que moi... et qu'elle est très belle...
et Dieu sait que je n'aurais jamais dû venir... parce que si je n'étais
pas venue ! nous serions encore ensemble.

— Où l'as-tu vue ? demanda Karla.

Dee ouvrit son sac et jeta les photos sur les genoux de Karla.

Karla les examina. Elle regarda Dee d'un air stupéfait.

— C'est du travail de paparazzi.

Dee secoua faiblement la tête.

— Non... c'est un Anglais qui s'appelle Donald Whyte. Ne t'inquiète pas... j'ai les négatifs. Ecoute, Karla, j'ai ma voiture qui attend
dehors... je ferais mieux de partir.

Elle se dirigea vers la porte. Elle tendit la main vers son imperméable et se tourna vers Karla.

— Dis-moi seulement une chose... depuis combien de temps cela
dure-t-il ?

Karla regarda les photos... puis Dee. Puis avec un triste sourire
elle hocha la tête.

— Oui... je vois... les photos... que sais-tu d'autre ?

— Je sais que tu as passé plusieurs nuits ici.

— Ah, ton homme est consciencieux. Pas assez consciencieux
pourtant... non ?

— Ce jeu t'amuse ? Dee saisit son imperméable sur le portemanteau.

— Non... je souffre plus intérieurement que tu ne pourrais le
croire. Mais puisque tu es venue de si loin... et venue au devant de
tant de chagrin... je pense qu'avant de partir tu devrais rencontrer
Zinaida.

— Non.

Dee essayait péniblement d'enfiler son manteau. D'un mouvement brusque, Karla bondit vers le centre de la pièce et la poussa
sur une chaise.

— Tu as fouiné partout... et maintenant tu veux partir. Eh bien,
une fouine mérite de voir la fin du travail. Peut-être cela te servira-

t-il de leçon à l'avenir. Karla marcha vers l'escalier et cria : Madame Harrington.

Une petite dame à cheveux gris regarda par-dessus la rampe.

— Dites à Zinaida de s'arracher de la télévision et de descendre. Je voudrais lui faire rencontrer une amie.

Karla se remplit un autre verre de cognac. Elle désigna le verre de Dee intact.

— Bois le tien. Tu vas en avoir besoin.

Dee tint son regard attaché aux marches. Puis elle vit la jeune fille. Elle était plus belle que sur les photographies. Elle était grande, presque aussi grande que Karla. Ses cheveux blonds tombaient sur ses épaules. Elle paraissait plus jeune que sur ses photos. Dee lui donna à peu près l'âge de January.

Karla eut un doux sourire.

— Viens, Zinaida, nous avons une invitée, Madame Wayne.

La jeune fille sourit à Dee. Puis elle se tourna vers Karla.

— Je peux avoir du gâteau au chocolat ? Madame Harrington l'a fait cet après-midi et elle a dit que je ne peux pas en avoir avant le dîner.

— Nous faisons ce que dit Madame Harrington, dit doucement Karla. Peut-être voulait-elle que ce gâteau soit une surprise.

— Mais maintenant tu le sais, alors ce n'est plus une surprise. Je peux en avoir ? Juste un morceau ? S'il te plaît ? J'en ai tellement assez de ces biscuits d'avoine qu'elle fait tout le temps.

— Retourne à ta télé, dit Karla.

La jeune fille fit un signe de mécontentement. Puis elle désigna Dee.

— Elle reste pour dîner ?

— Lui demanderons-nous ?

Zinaida sourit.

— Bien sûr, à condition que tu me racontes l'histoire des chaussons rouges avant que j'aille me coucher.

Elle s'enfuit de la pièce.

Pendant un moment, Dee resta les yeux fixés dans sa direction. Puis elle regarda Karla.

— Elle est très belle.. mais que veut dire tout cela ? Une sorte de jeu pour initiés ? J'ai trouvé qu'elle se conduisait comme si elle avait douze ans.

— En fait, elle en a dix.

— De quoi parles-tu ?

— De son âge mental. C'est celui d'une fille de dix ans.

— Et c'est ton grand amour ?

— C'est ma fille.

Dee demeura incapable de parler pendant un moment.

— Bois ton cognac, dit Karla.

Cette fois Dee l'avala d'un trait. Puis Karla en versa un autre verre à chacune.

— Enlève ton manteau et reste dîner. Enfin, si tu aimes le gâteau au chocolat.

— Karla, quand as-tu eu cette fille ?

— Il y a trente et un ans.

— Mais... elle a l'air si jeune.

Karla haussa les épaules.

— Elles ont toujours l'air jeune. Peut-être parce qu'elles n'ont pas de soucis d'adultes.

— Veux-tu... me raconter tout cela ?

— Après le dîner. Mais d'abord, je te suggère de renvoyer ta voiture. Je te reconduirai en ville.

Le dîner se déroula très bien. Dee était si soulagée par le revirement des événements qu'elle débordait d'affection pour la merveilleuse femme-enfant qui se jetait sur la nourriture et récriminait sans cesse contre le repas. Monsieur et Madame Harrington étaient de toute évidence le couple qui s'occupait de Zinaida. Dee remarqua que Zinaida appelait Karla « Marraine ». Lorsque le dîner fut terminé, elle bondit de son siège en disant :

— Et maintenant Marraine va me raconter les chaussons rouges.

Dee resta assise, subjuguée, pendant que Karla racontait, mimait et jouait tout à la fois l'histoire. Elle n'avait jamais vu Karla donner autant d'elle-même. Mais elle avait pour Zinaida une chaleur radieuse et libre. A neuf heures, Madame Harrington apparut.

— Viens, Zinaida... Marraine a de la compagnie et il est temps de prendre ton bain et d'aller au lit.

— Tu viendras écouter mes prières après.

— Bien sûr, dit Karla en embrassant la jeune fille.

Karla remit du bois sur le feu. Elle s'assit et le regarda d'un air morose.

— Elle est adorable, n'est-ce pas ?

— Elle est fantastique à regarder, dit Dee. Je vois un peu de toi dans l'ossature de son visage... mais elle a les yeux noirs. Son père a dû être très beau.

— Je ne sais pas qui c'était.

Dee ne répondit pas. Elle s'assit et resta immobile, de peur de briser l'atmosphère. Karla parlait avec hésitation.

— Tu sais, j'ai été violée par une douzaine de soldats russes en une nuit. Chacun pourrait être son père.

Puis elle s'assit par terre et fixa le feu. Elle parlait doucement...

sans quitter les flammes du regard. D'une voix basse et sans émotion, elle raconta à Dee son enfance à Wilno... Sœur Thérèse... le ballet... la guerre... l'occupation russe... et la violence et le viol. Elle raconta aussi comment il lui avait été impossible de quitter Wilno après la naissance du bébé. Elle parla de Gregory Sokoyen, comment il était resté avec elle la nuit de son accouchement... comment elle ne pouvait pas crier à cause des autres enfants qui dormaient dans le couvent... les dix-neuf heures d'insupportable douleur... Gregory toujours là... même au dernier moment, lorsqu'il avait compris que quelque chose n'allait pas... un accouchement par le siège... c'est Gregory qui, dominant sa propre panique, avait attrapé, redressé le bébé et l'avait arraché littéralement. Elle pouvait encore le voir, debout sous l'affreuse petite ampoule qui pendait du plafond... donnant des claques sur les fesses de l'enfant tout sanglant... jusqu'à ce que s'élève le premier pitoyable gémissement.

Karla leva la tête vers Dee.

— Sur les photos, et même dans les hôpitaux, on voit toujours la mère à qui l'on tend un petit paquet enveloppé dans une couverture blanche immaculée. Mais cette nuit-là, mon alcôve ressemblait à un abattoir. Le bébé était couvert de mon sang... le long cordon ombilical pendait... Gregory s'est occupé de tout pendant le dernier spasme de douleur avant l'accouchement.

Elle frissonna doucement.

— Je n'oublierai jamais cette nuit... d'abord il a nettoyé le bébé... puis il a fait disparaître les draps ensanglantés... il a mis le bébé à mon sein pour la première fois. Je n'avais jamais imaginé que je puisse avoir une petite fille toute dorée. En quelque sorte, je crois que j'avais toujours pensé que ce qui sortirait ressemblerait à un petit soldat russe en miniature avec un gros nez et de l'alcool sur la poitrine. Et quand je l'ai tenue dans mes bras, j'ai su que je ne l'abandonnerais jamais.

Elle continua à parler d'une voix tranquille, racontant le voyage plein de risques avec les résistants. Se cachant à vingt dans les granges pendant le jour... traversant des toits et des tunnels souterrains la nuit... portant le bébé attaché sur son ventre... étouffant les cris du bébé avec quelques gouttes de vodka quand les Russes étaient proches.

— Et voici comment tout est arrivé. Zinaida avait à peu près trois mois... une magnifique petite fille normale. Nous étions arrivés près du couloir de Dantzig... les Nazis étaient tout autour de nous... et le bébé commença à crier. Nous avons tout fait — la vodka ne marchait pas... rien ne marchait... même le chocolat que nous économisions comme de l'or. Ses cris devenaient perçants. Je lui donnais le sein... mais j'avais si peu de lait. Je ne pouvais pas la calmer. Soudain l'un des hommes l'arracha de mes bras et lui couvrit la figure d'un oreiller pendant qu'un autre mettait sa main sur ma bouche pour m'empêcher de crier. Et lorsque les Allemands furent partis... Zinaida était morte. Oh, Dieu ! Je n'oublierai jamais ce moment... nous regardions ce petit corps sans vie. Je pleurais en silence... Et l'homme qui avait tenu l'oreiller avait le visage couvert de larmes. Soudain il la saisit et essaya de lui faire du bouche à bouche. Nous étions tous figés. Vingt personnes, sales et grelottantes de froid, qui avaient voyagé ensemble, dormi serrées les unes contre les autres pour avoir un peu de chaleur, s'étaient passé leurs poux, qui avaient vécu ensemble pendant trois longues semaines avec deux idées fixes : survivre et s'échapper. Et tout le monde avait les larmes aux yeux pendant que l'homme s'évertuait sur Zinaida. Même les petits enfants avec leurs visages gercés — quelques-uns n'avaient pas plus de cinq ou six ans, mais ils savaient ce qui était en train de se passer. Et lorsque Zinaida laissa échapper cette première ébauche de gémissement, chacun tomba à genoux pour remercier Dieu. Zinaida avait été ramenée à la vie. Je suppose qu'elle a été morte pendant quelques minutes... peut-être cinq... peut-être dix — juste assez longtemps pour perdre l'oxygène qui a endommagé son cerveau. Mais je ne le savais pas à ce moment-là. Et lorsque nous arrivâmes en Suède elle ressemblait à n'importe quel autre bébé, si ce n'est qu'elle était beaucoup plus belle. Je l'ai laissée avec une famille nommée Oleson. Ils croyaient que c'était une enfant abandonnée dans le couvent et que j'avais recueillie. Je suis partie pour Londres en promettant d'envoyer l'argent pour sa pension... et de venir la reprendre dès que la guerre serait finie. Tu sais, je devais habiter chez oncle Otto. Je ne pouvais pas l'encombrer avec un enfant, et j'espérais entrer dans le ballet. Alors je ne pouvais pas me charger d'elle.

Tu connais le reste. Jeremy m'a trouvée dans un abri sous les bombes et j'ai commencé à faire du cinéma. Cela semble aller de soi, mais c'était un monde si différent pour moi, avec une nouvelle langue à apprendre. J'étais tellement timide et je croyais que tout le monde se moquait de mon anglais, et j'avais si peu confiance en ma façon de jouer. La danse était la seule chose que je connaissais. Mais j'ai pu envoyer pas mal d'argent à Madame Oleson toutes les semaines, elle était très gentille et m'envoyait sans cesse des photos de la petite Zinaida. Zinaida avait environ trois ans lorsque les premiers signes de dérèglement apparurent. Les lettres de Madame Oleson devinrent moins enthousiastes. Zinaida était en retard pour marcher... elle babillait encore au lieu de parler... tous les autres enfants étaient en avance sur elle. Au début, j'ai essayé de me dire que beaucoup d'enfants

418

étaient en retard — tu sais ce que sais. Tout le monde vous raconte qu'Einstein ne parlait pas avant cinq ans... et vous chassez l'idée de votre esprit. L'enfant rattraperait. Et Madame Oleson finit par m'envoyer une autre lettre pour me demander la permission de mettre l'enfant à l'Assistance publique. En ajoutant : « Après tout, ce n'est pas la vôtre, c'est une orpheline. Pourquoi perdrez-vous encore de l'argent pour ça ? »

Karla commença à arpenter la pièce.

— Peux-tu imaginer ce que je je ressentais ? J'ai insisté pour que l'enfant soit ramenée à Londres... pour l'élever moi-même. Mais Jeremy avait l'esprit pratique. A ce moment-là, j'étais très connue à Londres, et Jeremy m'expliqua que divulguer l'existence d'une enfant illégitime — qui plus est une arriérée mentale — pouvait détruire toute espérance de carrière. Tu dois te rappeler, ce n'était pas en 1971, maintenant ce genre de choses est accepté. C'était en 1946 et une actrice avec un bâtard aurait été chassée des studios. Ce fut Jeremy qui alla chercher Zinaida. Il se débrouilla aussi pour obtenir un certificat de naissance anglais et choisit le nom de Jones. Nous mîmes Zinaida dans un hôpital psychiatrique, le temps que les neurologues fassent tous les tests possibles. Les rapports furent tous les mêmes. Cerveau endommagé. Elle pourrait recevoir un enseignement... Mais personne ne pouvait se prononcer d'une manière précise sur l'âge mental qu'elle aurait.

Karla traversa la pièce et se versa un autre cognac.

— Eh bien, je suppose qu'en un sens nous avons de la chance : elle a dix ans d'âge mental et à peu près six ans d'âge émotif.

— Mais une fille de dix ans est capable de faire beaucoup de choses, dit Dee.

Karla acquiesça.

— Tu as malheureusement raison. Elle est enceinte. Karla se dirigea vers l'escalier : « Maintenant je dois monter écouter ses prières. »

Lorsqu'elle revint, Dee l'attendait assise sur les marches.

— Karla... qu'allons-nous faire ?

— Nous ?

Il y avait des larmes dans les yeux de Dee.

— Oui... *nous*. Oh, Karla... maintenant je comprends tant de choses... toutes tes disparitions... pourquoi est-tu si... si.

— Si réservée ?

— Pas réservée... mais...

— Réservée, dit Karla avec un triste sourire. Dee, je n'ai pas autant d'argent que les gens le croient. Je me suis retirée avec un un quart de million de dollars. Je l'ai investi. Je vis des intérêts et des cadeaux que je reçois. Elle regarda Dee avec un faible sourire. Jeremy devient vieux. Il ne peut pas toujours m'appeler dès que les choses vont mal... comme maintenant. Alors j'ai trouvé une compagne pour Zinaida. En réalité, c'est une infirmière. Mais elle n'est pas habillée en infirmière. Elle vivra avec Zinaida et restera en contact permanent avec moi. Les Harrington sont des gens merveilleux... ils tiennent la maison... et font de leur mieux. Mais ils ne peuvent pas être avec elle à chaque seconde. Lorsque Mademoiselle Roberts arrivera, elle sera constamment avec Zinaida. Elle montera à cheval avec Zinaida, jouera aux dames, lui fera de la lecture... Elle me coûtera trois cents dollars par semaine, mais je serai tranquille. Je ne peux pas rester pour m'occuper d'elle... l'enfant m'adore. Lorsque je reste trop longtemps, elle s'attache. Elle... elle a essayé de faire l'amour avec moi une nuit. Karla se mit debout et leva les bras au ciel. Eh bien, pourquoi pas ? Grands dieux, elle a un corps de femme ! il a besoin de plaisir... il a besoin de plaisir partout où il peut en trouver. Maintenant elle est sous tranquillisants. Mais il vaut mieux que je ne reste pas longtemps. Le psychiatre que nous avons vu... s'occupe d'obtenir un avortement thérapeutique.

— Qui était l'homme ?

— Un livreur, peut-être. Qui peut savoir ? Les Harrington ont soudain remarqué ses maux de cœur du matin, sa taille qui épaississait... et ils lui ont posé des questions. Elle a été très franche. Elle a dit qu'un homme lui avait raconté que s'il mettait sa petite chose à lui dans sa petite chose à elle, cela leur ferait du bien. Mais elle n'a pas aimé ça, elle a dit que ça faisait mal. Nous lui avons dit de ne plus jamais recommencer, et elle a dit qu'elle ne recommencerait pas... Mais je me sentirai mieux la semaine prochaine, lorsque Mademoiselle Roberts sera arrivée.

— Karla, je veux t'aider.

Karla sourit et prit la main de Dee.

— Tu m'as aidée. Tes chèques m'ont été tellement utiles.

— Non.. plus que cela. Ecoute, la plupart des gens comme moi lèguent leur argent à des fondations et à des œuvres de charité. J'ai mes fondations et mes œuvres. Mais je veux aussi faire du bien de mon vivant... Lorsque je rentrerai... je modifierai immédiatement mon testament. Je laisserai dix millions de façon irrévocable à Zinaida et à toi. Je m'arrangerai pour qu'ils te reviennent maintenant. L'intérêt se montera à lui tout seul à plus d'un demi-million par an. Et lorsque nous serons rentrées aux Etats-Unis, nous créerons la Fondation Zinaida... nous ferons construire une école à son nom... pour aider les gens comme Zinaida. Nous travaillerons à cela ensemble. Et peut-être, plus tard, pourrons-nous ramener Zinaida aux Etats-Unis. Elle pourra vivre avec l'infirmière dans une petite maison d'amis à Winter Palace. Je ferai bâtir une salle de projection pour qu'elle puisse voir des films... Mike en veut une, de toute façon... et peut-être en tirerons-nous un grand profit... et peut-être pourrons-nous même apprendre à Zinaida à s'exprimer un peu. Montrons-leur combien une enfant attardée peut être belle. Et tu pourras sortir de ta retraite et leur dire que c'est une filleule que tu as adoptée... et consacrer ton temps et *mon* temps à quelque chose d'utile. Je peux arrêter tous ces déjeuners inutiles et tu peux arrêter tes fichus exercices de barres. Tu as maintenant un vrai travail pour remplir tes journées. Et moi aussi. Et, Karla... nous travaillerons ensemble.

Elle prit Karla dans ses bras car elle s'aperçut soudain que Karla pleurait.

Cette nuit-là, lorsqu'elles furent toutes les deux au lit, Karla chuchota :

— Je t'aime Dee, je ne te quitterai jamais. Je ne m'en irai plus jamais. Maintenant je peux respirer, Tu sais, Zinaida n'a que moi. Je me suis toujours demandé : et si je tombais malade ? C'est peut-être pour cela que j'ai essayé de rester en bonne forme. Je peux très bien vivre avec l'argent que j'ai. Mais la vieillesse ou une maladie prolongée pourraient tout balayer ; et alors, où Zinaida irait-elle ? Je ne pourrais pas supporter l'idée d'un hôpital. Et aussi, je mourrai avant Zinaida — les biens que je lui laisserai, après prélèvement des impôts, ne suffiront pas à la faire subsister le reste de sa vie. Mais maintenant, grâce à toi, pour la première fois je peux vivre sans avoir peur de l'avenir.

Dee passa son temps entre Grosvenor House et la petite maison d'Ascot. Elle attendit l'avortement de Zinaida, puis partit pour Cannes. Karla devait rester encore une semaine avec Zinaida, puis elles projetèrent de se retrouver à New York.

Dee s'assit dans son avion en se demandant si personne avait jamais connu le bonheur qu'elle éprouvait. Elle ferait même semblant d'aimer Cannes. Elle donnerait à Mike une semaine agréable. Elle pouvait se permettre d'être généreuse. Parce que, lorsqu'elle rentrait à New York, sa vie allait réellement commencer...

XXVI

Mike lança son troisième sept d'affilée. Il avait la même veine que la semaine qu'il avait passée à Las Vegas. La foule s'était amassée derrière son dos au casino de Monte Carlo. Il laissa venir l'argent et lança de nouveau le dé. Huit. Il couvrit le quatre, le cinq, le neuf et le dix. Puis il fit tourner la roulette. Le quatre sortit. Il fit monter l'enjeu.

— Annoncez les numéros ! cria-t-il en faisant rouler le dé.

Neuf... il accéléra... puis fit tomber deux six, un quatre, trois neuf, un dix, et un autre quatre avant de marquer le point. Il fit rouler de nouveau le dé. Onze ! Il était complètement échauffé maintenant. Le point suivant fut un six. Il continua à rouler le dé, en demandant les numéros. Des huit, des quatre, des dix... il poussa jusqu'à la dernière limite du possible. Il fit huit tours coup sur coup, et lorsqu'il fit ses comptes, il avait gagné près de vingt-cinq mille dollars. Il garda dix mille dollars de jetons et traîna dans le casino.

La nuit avait été bonne. Mais il sentait que ce n'était pas fini. Il passa à la table du chemin de fer et fit le banco. Il prit la banque et perdit. Il attendit la donne suivante et lança de nouveau le banco. Il prit la moitié de la banque et gagna. Puis il attendit son tour et tint la banque. Une heure plus tard, il partit avec plus de cent mille dollars. Il se dirigea en flânant vers la table de roulette où Dee jouait. Elle mit un jeton sur le trente-six. Il étendit la main et entoura le chiffre de jetons. Le trente-cinq gagna. Elle écarquilla les yeux de stupeur pendant que le croupier poussait la pile de jetons vers lui. Il les retira de la table et partit. Il alla à la caisse. En tout, il avait gagné près de cent cinquante mille dollars. Cela suffisait pour cette nuit. Il avait trouvé le film qu'il cherchait. L'histoire sans fard d'une fille qui va sur ses trente ans et gagne sa vie en passant des concours de beauté. Elle n'avait jamais gagné, mais elle était toujours là pour les finales. Toujours l'argent. Toujours un car... vers une autre ville... un autre concours. Il avait vu le film trois fois avant de prendre sa décision.

Il avait été tourné en extérieurs, au Texas, par deux jeunes réalisateurs indépendants. Ils s'étaient trouvés en panne d'argent et avaient emprunté trois cent mille dollars à une banque pour le terminer. Puis ils étaient venus à Cannes chercher un distributeur. Mike avait pris soixante pour cent sur leur film en remboursant leur emprunt bancaire et en garantissant les frais des publicité. Il avait couru chez Cyril Bean de la Century Pictures et lui avait demandé d'aller jeter un coup d'œil sur le film. Avant la fin de la projection, ils se serraient la main. La Century prendrait 35 % pour la distribution et participerait aux frais de publicité. Mike Wayne était revenu.

Il fit le projet de lancer le film dans une salle d'art et d'essai en l'accompagnant d'une énorme campagne de publicité. La fille qui jouait la beauté fatiguée était une actrice d'Off-Broadway, inconnue du public. Plusieurs des critiques qui avaient vu le film à Cannes étaient délirants. Il ne pouvait pas perdre. Même si ce n'était pas un triomphe sans précédent au box-office, cela ferait un malheur et Mike rentrerait dans son argent. Mais le plus important était que cela le remettrait dans le circuit. La fille était bonne pour le prix d'interprétation. Tout était réglé. Il avait le contrat signé dans le coffre-fort de l'hôtel. Il avait remboursé la banque et avait encore plus d'un demi-million de dollars en liquide. Encore quelques nuits au casino, puis, retour à New York...

Et *alors* il appellerait January. Il avait répété l'appel dans sa tête, nuit après nuit. Il savait exactement comment manœuvrer. Il ne parlerait même pas de Tom Colt. Il lui dirait qu'il était rentré dans le circuit et lui demanderait si elle voulait travailler avec lui, il ouvrirait son propre bureau. Elle pourrait l'aider tout le long de la campagne — aller dans toutes les villes avec lui pour lancer le film. Si elle refusait... il s'y prendrait différemment. Il ferait ça calmement... accepterait sa décision. Puis, quelques jours plus tard, il rappellerait, et lui demandrait un service — il lui dirait qu'il avait besoin de publicité sur le film. Voulait-elle écrire un article dans son magazine ? Couvrir le lancement... prendre quelques photos de lui dans son bureau et en déplacement... (L'article dans *Gloss* était la dernière chose dont il avait besoin. Il avait engagé une firme de publicité de première classe pour faire un travail terrible, mais il ne le lui dirait pas. Il agirait comme s'il avait *besoin* de son aide. Elle ne pourrait pas refuser). Il était certain qu'à partir du moment où ils se reverraient, passeraient du temps ensemble, tout reprendrait sa place. Ce serait com-

424

me avant. L'ancienne nouba... l'ancienne fièvre. Parce qu'à partir d'aujourd'hui il allait créer des tonnes de fièvre et de mouvement.

Il avait aussi effectué quelques tractations et conclu de bons marchés dans le hall du Carlton. Il avait pratiquement arraché les droits de distribution d'un grand film italien fait par un nouveau réalisateur. Il avait aussi obtenu cinquante pour cent des droits américains d'un film tchèque qui n'allait pas faire d'argent, mais serait primé à tous les festivals. Son nom y serait. En 1972, Mike Wayne serait de nouveau en piste.

Il allait aussi quitter Dee. Il la laisserait divorcer. Il la remercierait d'avoir essayé et lui expliquerait que ça n'avait simplement pas marché. Evidemment, cela signifierait qu'elle modifierait son testament et que les dix millions de dollars de January s'envoleraient. Mais l'année passée avec Dee avait mis beaucoup de choses en lumière. Il s'était marié avec Dee pour donner de la sécurité à January. Et où était-elle ? Bouclée dans un bungalow de l'hôtel Beverly Hills, avec un étalon entre deux âges, marié. Quelle sécurité avait-elle avec Tom Colt ? Elle devait savoir que son travail passait avant tout... et que sa femme et son enfant l'emporteraient en fin de compte sur elle. Mais elle s'était engagée là-dedans en sachant qu'elle n'avait qu'une pauvre troisième place à espérer. Elle avait pris le risque. Elle ne voulait pas d'une vie emballée comme un cadeau ou déposée sur ses genoux. Lui non plus. Il ne pouvait pas affronter un autre hiver à Palm Beach... un été à Marbella... les papotages des dîners... l'aimable sérénité vide de Dee... Pas étonnant qu'elle n'ait pas de rides sur le visage — elle ne ressentait rien. Ell vivait dans un monde de « papotages », tric-trac, shopping... Une vie de rien. Elle ne ferait probablement même pas de scène à propos de leur séparation. Oh, cela pourrait déranger quelques-uns de ses plans pour Marbella — en particulier la disposition des chaises pour ses dîners — mais elle n'éprouverait pas une grande perte. Et January ne perdrait vraiment pas grand-chose à ne pas devenir une héritière. Dès leur retour, il prendrait une solide assurance sur la vie, et, quoi qu'il arrive, il ne ferait pas d'emprunt dessus. Il reprendrait son ancienne suite au Plaza... avec deux chambres. Il lui demanderait de venir s'y installer. Non, il lui dirait que la chambre était là — serait toujours là — si elle le désirait.

Plusieurs fois, il avait été sur le point de l'appeler à l'hôtel Berverly Hills. Mais il s'était toujours repris à temps. Il s'était arrangé pour que son acquisition du film fasse un grand article dans *Variety*. Il l'avait découpé et le lui avait envoyé sans commentaire.

Ils projetèrent de partir pour New York le vendredi. Deux jours avant, il fit un petit voyage en Suisse et déposa un demi-million en liquide dans un compte en banque. Ensuite, il télégraphia au Plaza pour réserver son ancienne suite pour le samedi 28 mai. Il attendrait jusqu'à leur arrivée au Pierre... puis romprait avec Dee et s'installerait au Plaza.

L'après-midi du jeudi, Dee flâna rue d'Antibes pour acheter des parfums et des petits cadeaux à ses amis. Mike tomba sur un réalisateur qu'il n'avait jamais aimé. Il invita Mike à venir faire une partie de gin-rummy. Mike hésita. Le réalisateur était connu pour sa chance. Puis il accepta. Pourquoi pas ? Ce serait un dernier test.

Il quitta la suite tard dans l'après-midi, riche de trente mille dollars de plus, et alla chez Cartier acheter à Dee un mince étui à cigarettes en platine. Il s'arrangea pour le faire graver aussitôt. Le jour suivant, en voiture vers l'aéroport, il le déposa sur ses genoux. L'inscription portait : A DEE. LA FEMME QUI M'A REDONNE MA CHANCE. AVEC MA GRATITUDE, MIKE. Elle se pencha et lui embrassa la joue. Peut-être devrait-il lui parler maintenant et en finir... Mais il eut une meilleure idée. Ce serait un massacre que d'être coincé dans un avion pendant six heures, avec rien d'autre à faire que de ressasser un mariage inutile. En outre, ce n'était pas sa faute. Elle s'était achetée un cavalier légal. Et maintenant il était temps pour elle d'en trouver un autre. Celui-ci retournait à l'espèce humaine.

*
* *

Ils quittèrent Cannes et prirent leur avion à Nice. Il s'assit du côté de l'allée en face de Dee. Il avait apporté du caviar et du champagnée. Payé par lui. Il avait d'abord hésité, car c'était un rite qu'il réservait à January. Il était de retour vers elle et la liberté.

Ils ouvrirent le champagne et le caviar après le décollage. Le nouveau maître d'hôtel les servit. C'était un jeune Français qui avait été leur chauffeur à Cannes. Son rêve était de voir l'Amérique. Mike lui avait offert le passage, et Dee lui avait dit qu'il y avait toujours de la place pour un jardinier ou un chauffeur à Winter Palace. Il s'appelait Jean-Paul Valon et avait vécu ses dix-neuf années à Cannes. Il n'était jamais allé à Paris. Sa mère, sa tante, ses trois cousins, sa sœur et son beau-frère étaient venus le voir partir. Aucun d'entre eux n'avait jamais pris l'avion et l'opulence du jet personnel de Dee les avait éblouis.

Dee leva son verre et sourit à Mike :

— A Cannes... et à tes amis.

Il leva son verre :

— A Marbella... à ta vie et à tes amis.

Elle sourit et but à petites gorgées. Mike porta le verre à ses lèvres... mais ne put se décider à boire. Soudain, il lui sembla déplacé de boire du Dom Pérignon avec quelqu'un qu'autre que January. Il tint son verre et regarda par le hublot. Il n'allait pas être facile de rompre avec Dee. Après tout, elle n'avait rien fait... sinon d'être elle-même. Mais cela n'était pas pour lui.

Dee ouvrit son étui à cigarettes et prit une cigarette. Elle regarda par le hublot les nuages sous l'avion. L'inscription sur l'étui était très belle. Mike était si gentil... si doux... il s'occupait vraiment d'elle. Mais elle ne pouvait tout simplement pas continuer ainsi. Elle n'avait pas l'intention de passer toutes ses nuit éveillée à tenter de combiner des excuses pour être avec Karla. Non, lorsqu'elle aurait modifié le testament, elle lui parlerait. Et alors elle lui annoncerait qu'elle avait l'intention de mener sa propre vie — et qu'il pouvait en faire autant — aussi longtemps qu'il ne ferait pas de scandale et serait toujours disponible lorsqu'elle aurait besoin de lui. S'il acceptait ces termes, l'héritage de January serait sauf.

Elle regarda son superbe profil. Cela allait le déchirer. Mais il n'y avait pas d'autre solution. Elle contempla l'étui à cigarettes. C'était le premier cadeau coûteux qu'elle eût jamais reçu d'un homme. Elle le palpa doucement. Il avait dû dépenser beaucoup d'argent. Proba-blement de l'argent gagné au jeu. Ses yeux se brouillèrent. Mon Dieu, pourquoi fallait-il qu'il y en ait toujours un qui soit blessé ? Elle aspira une forte bouffée de sa cigarette. Puis elle l'écrasa dans le petit cendrier. Elle lui avait donné une bonne année... fait tout ce qu'elle avait pu pour sa fille... et la fille pouvait finir par devenir une femme très riche si Mike faisait ce qu'il fallait. Mais sa conscience la tour-mentait encore. Elle regarda de nouveau l'étui. Un homme devait être amoureux pour écrire une inscription comme : LA FEMME QUI M'A REDONNE MA CHANCE. Mais il n'y avait pas de raison qu'elle en ait un complexe de culpabilité. Si un homme était à sa place, serait-il généreux envers la femme ? Non, bien entendu ! Et il ne se sentirait pas coupable non plus. Karla avait quitté Londres pour New York trois jours avant... elles s'étaient parlé au téléphone pen-dant près d'une heure. Zinaida avait pris Mademoiselle Roberts en amitié et Karla était impatiente de revenir à New York et de voir Dee.

Karla avait dit d'une voix basse :
— Dee... s'il te plaît, dépêche-toi.

Rien que d'y penser cela la rendait faible devant le bonheur. Elle ferma les yeux et s'appuya en arrière, esssayant d'enraciner la vision de Karla dans son esprit. Karla lui appartenait, maintenant. Lui appar-tenait vraiment !

L'avion fit une embardée, mais Dee garda les yeux fermés. Le verre de Mike s'était renversé et Jean-Paul accourut pour nettoyer. Mike essuya l'attaché-case qu'il tenait. Le contrat pour le film était

427

dedans. Avec cent cinquante mille dollars en espèces. Assez pour lui permettre d'ouvrir un bureau et d'envoyer la publicité.

Jean-Paul remplit le verre de Mike bien qu'il eût fait signe qu'il n'en voulait pas. Il prit la bouteille des mains du garçon et remplit le verre de Dee.

— Et pour vous aussi, Jean-Paul. C'est une grande occasion... votre premier voyage en Amérique. Et à partir de maintenant, chaque fois que quelque chose de particulier arrivera dans votre vie... achetez-vous une bouteille et faites-en un rite. Un rite de chance.

Le garçon regarda attentivement Mike remplir son verre. L'avion fit une nouvelle embardée, et un peu de vin se renversa sur son pantalon noir tout neuf. Mike rit.

— Cela porte bonheur, Jean-Paul.

L'avion fit encore une embardée et descendit de cent-cinquante mètres... puis il sembla basculer. Les yeux du garçon devinrent vitreux de peur. Mike sourit.

— Attachez-vous, mon garçon. Cela ressemble à un coup de mauvais temps.

Mike se renversa contre son dossier et ferma les yeux. L'avion tressauta... puis remonta. Il était en train de penser à January lorsqu'il entendit un bruit irrégulier dans le moteur du jet — comme un emballement de motocyclette. Il se redressa sur son siège et écouta attentivement. Dee le regarda d'un air interrogateur. Il détacha sa ceinture de sécurité et entra dans la cabine. Les deux pilotes s'activaient furieusement sur les leviers de commande. De la fumée sortait d'un des moteurs. L'avion commença à louvoyer dans tous les sens.

— Arrêtez le moteur. Laissez tomber dit Mike d'une voix rauque.

— Je ne peux pas, cria le pilote. C'est coincé. Envoie le signal de détresse, dit-il à son voisin. Retournez vous asseoir, Monsieur Wayne, nous allons devoir faire un atterrissage forcé.

Mike retourna à son siège. Dee le regarda avec appréhension. Le jeune Français avait sorti son chapelet. Il avait le visage blême. Il regarda Mike, les yeux suppliants en quête d'un réconfort. Mike parvint à sourire.

— Tout va bien, un petit ennui de moteur imprévu. Nous allons atterrir et arranger cela. Détendez-vous.

C'est alors que la voix du pilote s'éleva :

— Monsieur et Madame Wayne, nous allons faire un atterrissage forcé. Ayez l'amabilité d'attacher vos ceintures de sécurité. Enlevez vos chaussures et mettez-vous à genoux par terre. Si vous portez des lunettes, enlevez-les, et mettez votre tête dans vos mains.

Jean-Paul commença à pleurer.

428

— Je ne verrai jamais l'Amérique. Nous allons tous mourir...

Dee était silencieuse. Elle avait le visage tendu et blanc. Oh Dieu ! Ces choses-là n'arrivent qu'aux autres ! ça ne pouvait pas lui arriver à elle... pas maintenant... pas maintenant qu'elle avait une véritable raison de vivre... Oh, s'il vous plaît, pas maintenant !

Mike s'agenouilla en tenant fermement l'attaché-case. Puis il tendit la main et saisit la bouteille de champagne qui était par terre. Il la porta à sa bouche et but une longue rasade. C'était une occasion maintenant... une sacrée occasion. Et juste avant que l'avion explose en plein ciel, il pensa à January. Il n'aurait jamais l'occasion de lui demander pardon et de lui dire combien il l'aimait. Et lorsque l'explosion se produisit, la dernière chose qui lui vint à l'esprit fut le numéro de son compte en banque en Suisse et que c'était certainement un fichu endroit pour y laisser filer sa chance...

XXVII

January ferma les yeux pendant que le Boeing 747 commençait à descendre sur l'Aéroport Kennedy. Elle ne pouvait affronter la vue de New York sachant que Mike ne serait pas à l'Aéroport, pour l'attendre. Sachant qu'il ne serait jamais plus dans aucun aéroport, pour l'attendre.

Moins d'une heure après que son avion eut explosé dans l'Atlantique, la nouvelle avait éclaté sur les écrans de télévision de New York, interrompant tous les programmes réguliers. Heureusement, Georges Milford était parvenu à joindre January à l'Hôtel Beverly Hills avant qu'elle ne l'apprenne autrement.

Tout lui avait semblé complètement irréel. Lorsqu'elle raccrocha, la lumière du soleil entrait toujours à flots dans la pièce. Tom tapait toujours sur sa machine à écrire dans la pièce à côté. Mike était mort... et le monde continuait.

Elle avait écouté calmement George Milford lui raconter les détails. Elle était silencieuse lorsque David lui présenta ses condoléances au téléphone. Devaient-ils venir la chercher ? Devaient-ils s'occuper des services funèbres ? Devaient-ils ?... Quelque part au milieu d'un « Devaient-ils », elle avait raccroché. Elle avait commencé par s'asseoir, se demandant pourquoi les oiseaux étaient toujours en train de chanter... se demandant pourquoi elle était toujours en train de respirer.

Elle ne se rappelait pas quand elle avait commencé à hurler. Tout ce qu'elle savait, c'est qu'elle hurlait et ne pouvait pas s'arrêter... et que Tom l'avait prise dans ses bras en la suppliant de s'expliquer. Et soudain les téléphones sonnèrent dans toutes les pièces et Tom finit par demander à l'opérateur de stopper tous les appels, et elle comprit en voyant son visage qu'il savait... et pendant ce temps-là, ce maudit soleil continuait à briller et les oiseaux s'inerpellaient et l'opérateur faisait appeler des gens à la piscine.

Elle se rappelait un brave homme, le docteur Cutler, qui était arrivé et lui avait fait une piqûre. Une autre sorte de piqûre que celles du docteur Alpert. C'était une piqûre douce et moëlleuse... elle fit cesser ses cris. Elle apaisa tout... même la lumière du soleil devint pâle... elle se sentait flotter et il lui semblait que les oiseaux étaient très loin. Puis elle dormit.

Lorsqu'elle se réveilla, elle pensa que peut-être tout cela avait été un rêve, un cauchemar insensé. Mais Tom n'était pas à sa machine à écrire. Il était assis à côté du lit, et lorsqu'elle lui demanda si cela avait été un rêve, il détourna les yeux.

Il l'avait tenue serrée toute la nuit. Elle ne pleura pas. Elle avait peur de pleurer car elle pourrait ne jamais s'arrêter...

Garder tout cela pour soi, c'était presque comme refuser d'admettre que c'était réellement arrivé.

Tom avait finit par débrancher tous les téléphones. Linda avait réussi à passer au travers ; elle avait proposé de venir et de ramener January. George et David Milford avaient fait la même offre. Mais January ne voulait pas que quiconque vienne. Tom prit les choses en main et lui réserva une place sur le vol TWA qui partait le lendemain à midi. Il télégraphia à David et à George le numéro de son vol et son heure d'arrivée. Il la conduisit à l'aéroport et obtint la permission de l'accompagner dans l'avion avant l'embarquement des autres passagers. Elle s'assit sur le premier siège de l'énorme avion vide et soudain, elle fut prise de panique.

— Viens avec moi, Tom. Je ne peux pas y faire face seule.

— Tu n'y feras pas face seule, dit-il doucement, je suis toujours avec toi. Souviens-toi seulement de cela, rattache-toi à cette pensée tout le temps. Et George et David Milford t'attendront à l'aéroport.

— Oh, Tom, ce n'est pas cela que je veux.

Il parvint à sourire.

— Ce n'est pas ce que nous *voulons*... mais ce qui doit être. Regardons les choses en face, ma chérie... Je *suis* un homme marié. David et son père croient réellement que tu es ici pour écrire un article sur moi. Ce n'est pas que je me soucie de ce qu'ils pensent, mais je m'inquiète pour toi. Après tout, il y aura des reporters à Kennedy.

— Des reporters ? Elle eut l'air hébétée.

— Eh bien... ton père a été un type sacrément original en son temps, et Dee Milford Granger était une des femmes les plus riches du monde. Ce sont des informations, et le public est morbide.

— Tom. Elle aggripa ses mains. Je t'en prie viens avec moi.

— J'en ai envie, ma chérie. Mais je ne peux rien faire pour t'aider. Je dois aller me cacher dans un hôtel pendant que tu fais les arrangements nécessaires. Parce que c'est tout ce dont la presse aurait besoin — toi venant préparer les arrangements funèbres avec un amant marié à la remorque. De plus je suis très en retard dans mon travail. Le studio est sur mon dos. Il semble que j'ai été trop amant et pas assez écrivain.

Elle se cramponna à lui et il lui assura qu'il serait là... qu'il l'attendrait.

— Tu arranges tout... et tu m'appelles... à n'importe quelle heure... chaque fois que tu as besoin de moi... je serai là.

L'avion survolait Kennedy en attendant de pouvoir atterrir. Elle ouvrit son sac, en sortit la coupure de *Variety* et la relut. Une fois de plus elle se demanda pourquoi il l'avait envoyée sans un mot ? Etait-ce parce qu'il était encore en colère ? Mais alors, il ne l'aurait pas envoyée du tout — c'était sa façon de dire que tout était bien. C'est ce que cela devait vouloir dire ! Oh Dieu... cela devait.

L'avion toucha la piste. L'atterrissage s'était fait en douceur. Tous les passagers détachèrent leurs ceintures de sécurité et se levèrent alors même que l'hôtesse continuait à demander à chacun de rester assis jusqu'à ce que l'avion s'arrête de rouler. Les gens cherchaient leurs bagages à main... un bébé cria à l'arrière... la passerelle fut poussée contre l'avion... l'hôtesse se tenait maintenant devant la porte ouverte... souriante... disant au revoir à chacun avec des sourires sincères... remerciant chacun d'avoir volé sur la TWA... Elle marcha vers la porte comme les autres passagers. C'était fou de voir que le monde pouvait s'arrêter, alors que vous, vous continuiez de faire toutes les choses ordinaires. Comme de s'asseoir pendant un vol de quatre heures et demie... et même de grignoter un peu de nourriture... et maintenant de descendre la passerelle comme tout le monde. Elle vit les photographes, mais il ne lui vint pas l'esprit qu'ils l'attendaient jusqu'à ce que les lumières éclatent sur son visage. Ils se serraient autour d'elle, puis David et son père brisèrent le cercle et la conduisirent dans un salon privé de l'aéroport tandis qu'un chauffeur prenait ses quelques bagages.

Puis il y eut le chemin du retour vers New York, le même que celui qu'elle avait pris avec Mike. La même route, les mêmes restes du World's Fair. Ils étaient toujours là... mais Mike était parti.

— ...Et c'est pourquoi nous pensons qu'il est préférable... était en train de dire George Milford.

— Préférable. Qu'est-ce qui est préférable ? Elle regarda les deux hommes.

433

David parla d'une voix douce.

— Préférable pour vous de rester au Pierre. Cela prendra quelque temps avant que la succession soit validée. Par la suite, le Winter Palace, Marbella et l'appartement du Pierre seront vendus, et l'argent reviendra à la Fondation. Mais jusque-là vous pouvez vivre où il vous plaira. Et vous serez bien installée au Pierre.

— Non... j'ai mon propre appartement.

— Mais votre vie privée sera garantie au Pierre.

— Vie privée ?

— J'ai peur que les journaux ne gonflent cela pendant des jours, expliqua George Milford. C'est que, quand la nouvelle a éclaté, la presse m'a appelé pour me poser des questions sur la succession de Dee. Et j'ai peur d'avoir laissé échapper par inadvertance que vous héritiez de dix millions.

— Dix millions ? Elle les regarda. Dee m'a laissé dix millions de dollars ? Pourquoi ? Je la connaissais à peine.

George Milford sourit.

— Elle aimait beaucoup votre père. Je suis sûr qu'elle l'a fait pour lui faire plaisir. Elle m'a dit combien il vous aimait... et c'est pour cela que vous devriez vivre au Pierre. Après tout, c'est ce que voulait votre père.

— Comment savez-vous ce que voulait mon père ? demanda-t-elle. Vous ne l'avez pas vraiment connu.

— January, je l'ai connu... assez bien, vers la fin, dit calmement David. Nous avons beaucoup parlé à Palm Beach pendant ce week-end de Pâques où vous n'êtes pas venue. Il m'a dit qu'il avait espéré que nous nous marierions plus tard... Je lui ai parlé de ce que je ressentais pour vous, et il m'a dit d'attendre, de ne pas vous forcer. Ce sont ses mots. Il n'a jamais voulu vous forcer à quoi que ce soit. Il détestait l'idée de vous voir vivre dans cet appartement à moitié terminé. Mais il a dit qu'il ne vous le ferait jamais savoir, pas plus qu'il ne vous a jamais parlé de sa déception lorsque vous avez quitté le Pierre.

Elle sentit des larmes couler sur ses joues. Elle inclina la tête dans l'obscurité.

— D'accord, David... Bien sûr, je resterai au Pierre.

Pendant les quatre jours suivants, à l'aide de Librium et de somnifères, January fonctionna comme une mécanique. Le docteur Alpert lui avait fait une piqûre la veille de l'accident d'avion. Elle faisait encore son effet à New York mais son angoisse l'emportait sur n'importe quelle réaction physique. Elle accueillait presque avec plaisir les maux de tête, sa poitrine oppressée, ses membres courbatus ; elle comprenait et savait que ce genre de douleurs passerait. Le vide immense de son existence sans Mike était autre chose, qu'elle ne pouvait pas accepter.

Sadie tournait autour d'elle comme une infirmière dévouée. C'était une âme en peine sans Dee. Elle semblait toujours en train d'écouter, comme si d'une seconde à l'autre elle allait entendre l'un des ordres coupants de Dee. Sadie était auprès de Dee depuis trente ans. Elle avait *besoin* de quelqu'un sur qui « veiller », et elle transféra ce besoin sur January, lui apportant des plateaux que January touchait à peine, répondant au téléphone, éconduisant tout le monde sauf les Milford, montant la garde comme une farouche sentinelle, silencieuse... triste... en attente.

David s'assit à côté de January au service funèbre de Dee et de Mike. Son visage n'avait aucune expression, un peu comme si elle était endormie les yeux ouverts. Le père de David s'assit de l'autre côté d'elle. Et la mère près de son mari, raide, pétrissant son mouchoir, l'air totalement affolé. L'église était assiégée et la présence de toute la haute société et de toutes les célébrités avait amené toutes les formes de la presse. Le Jet Set international était représenté par un personnage royal d'importance. Quelques amis européens de Dee avait frété un avion particulier pour être là. Et beaucoup de célébrités du show business, pressentant que les opérateurs de télévision seraient dans les parages, avaient soudain trouvé nécessaire de présenter leurs derniers respects à Mike. Mais ce fut l'apparition de Karla qui causa la plus grande sensation. La foule des curieux avait presque brisé le cordon de police lorsqu'elle était arrivée.

David ne l'avait pas vue. Mais il avait entendu s'élever les cris à l'extérieur, ses admirateurs l'appeler par son nom. Il savait qu'elle était assise quelque part au fond et il priait pour ne pas la voir. Après cette nuit dramatique, il avait chassé de son esprit tout ce qui se rapportait à elle. Il avait véritablement utilisé une forme d'auto-hypnotisme pour l'exorciser de ses pensées. Il pensait « haine » chaque fois que son nom venait à son esprit. Puis il pensait à tout ce qu'évoquait le mot haine : Hitler, des enfants brutalisés, la pauvreté. Et quelque part le long de l'association d'idées, son esprit se refermait sur un autre sujet. Il prit aussi de nouvelles initiatives et du travail supplémentaire. Et il s'assura de ne jamais être seul la nuit. Il faisait alterner Kim et Valérie, une splendide Eurasienne. Et lorsque la nouvelle de l'accident d'avion arriva, il laissa tout tomber et se jeta à

corps perdu dans l'urgence immédiate des « soins et considérations »
à donner à January.

Et maintenant, cela allait être January jusqu'au bout.

Sa mince, pâle, belle petite héritière. Les caméras de télévision
lui avaient fait passer un moment difficile lorsqu'elle était arrivée à
l'église. Désorientée, elle s'était accrochée à lui. Elle était vraiment
très belle, une très belle petite fille perdue — une très belle petite
fille perdue avec dix millions de dollars. Il pressa sa main gantée.
Elle le regarda, et il espéra que son léger sourire communiquait
sympathie et assurance.

Le service était débité sur un ton monocorde. Il savait que l'église
était comble. Les gens avaient une place pour trois dans le fond.
Quelqu'un avait dit que le gouverneur était là. Où Karla était-elle
assise ? Il prit conscience avec une certaine stupéfaction du fait qu'aujourd'hui — à cette minute — c'était la première fois qu'il s'autorisait
à penser à elle. Il la chassa de son esprit. Mais cela ne marcha pas.
D'une manière confuse, dans l'église bondée, il sentait sa présence.
C'était ridicule. Mais il la sentait vraiment. Et maintenant, soudain,
même l'auto-hypnose ne marchait pas. Il s'assit, sans ressources, et
permit à ses pensées d'envahir son esprit. Etait-elle venue seule ?
Etait-elle accompagnée par Boris ou par l'un de ses chevaliers ser-
vants ? Y avait-il quelqu'un de nouveau ? Il devait s'arrêter ! Pense à
January, se dit-il. Pense à Dee. Pense à la famille. Il était là comme
proche parent. Proche parent, mais exclu du testament. Dieu, pourquoi fallait-il que cet avion ait explosé ? N'aurait-il pas pu exploser
après que Dee ait modifié son testament ? Elle avait voulu le modifier. Pourquoi avoir attendu pour appeler son père la veille du jour
où le vieux partait pour l'Europe ? Et elle avait aussi câblé un message du Midi de la France disant qu'elle voulait faire d'importantes
modifications lorsqu'elle rentrerait. Pourquoi ?

Aurait-il été réintégré ? January aurait-elle été exclue ? Mais toutes les spéculations du monde n'avaient plus aucune importance maintenant. Le testament était fermé hermétiquement. Et January était la
fille la plus riche de la ville.

Puis il entendit l'orgue et les bruits assourdis de la prière du
Seigneur. Il baissa la tête et se leva automatiquement avec les autres.
Il prit le bras de January pendant que son père et sa mère sortaient
de leur banc. Il tint la tête baissée en faisant remonter la nef à
January, en s'éloignant du demi-jour paisible de l'église, vers le trou
béant de la lumière du jour où attendaient le public curieux et les
caméras de télévision.

En passant devant la troisième rangée à partir du fond, il la vit.
Elle portait un foulard de mousseline noire sur la tête et se pré-

parait à faire mouvement vers la sortie. Mais à un moment, avant qu'elle ne remette ses perpétuelles lunettes noires, leurs yeux s'étaient rencontrés. Puis elle était partie, se frayant un passage à travers un bas-côté, espérant s'enfuir par une entrée latérale. Il tint le bras de January et continua la marche solennelle jusqu'à la limousine. Et il parvint à avoir l'air sombre comme il le fallait, pendant que les caméras de télévision filmaient pour le journal de six heures.

Il ramena January au Pierre. Et pendant les trois heures qui suivirent, le salon reçut une avalanche de célébrités, ceux de la café-society et des drinks et « whiskies on the rock ». Des gardes veillaient à ce que les condoléances ne tournent pas à un cocktail de réception. Il resta à côté de January jusqu'à ce qu'elle montre des signes visibles de fatigue. Sadie la conduisit dans sa chambre, mais la réception continua. De nouveaux arrivants continuaient à affluer. Il regarda sa mère jouer les hôtesses. Même le vieux semblait se payer du bon temps. Il y avait quelque chose de barbare dans toute cette affaire. Il jeta un coup d'œil sur les cadres d'argent du piano. La plupart des figures célèbres étaient représentées en chair et en os dans l'immense salon du Pierre. Toutes sauf une. Ses yeux se posèrent sur la photo de Karla. Il se dirigea vers elle et la fixa. Ses yeux étaient distants, voilés de solitude, exactement comme ils l'avaient été aujourd'hui.

Il vit Sadie sortir de la chambre. Elle vint sur la pointe des pieds lui dire que January se reposait. Elle avait pris un sédatif. Et lorsqu'il fut sûr que personne ne le remarquait, il se glissa hors de l'appartement.

Il savait où il allait. Il avait cru qu'il ne pourrait jamais y retourner, qu'il ne pourrait jamais se trouver en face du portier ou du garçon d'ascenseur. Mais soudain cela n'avait plus d'importance. Après l'avoir regardée dans les yeux aujourd'hui, il savait qu'il pouvait tous les affronter — une armée entière — il devait la voir !

Néanmoins son soulagement fut énorme en voyant un nouveau portier devant son immeuble. Bien sûr, il n'était jamais venu à midi. Le portier l'arrêta avec un : « Tous les invités doivent être annoncés » de pure forme. Il hésita un moment. Si Karla renvoyait un mot disant qu'elle ne voulait pas le recevoir, il aurait l'embarras de faire face à ce nouveau portier.

Mais à présent, tout cela paraissait si peu important. Il donna son nom et attendit pendant que l'homme se dirigeait vers l'interphone. Ce gros maladroit d'étranger dans son uniforme galonné aurait le privilège de lui parler... et peut-être *lui* ne l'aurait-il pas. Il alluma une cigarette pendant qu'il attendait. Cela lui sembla une éternité. Peut-être n'était-elle pas rentrée. Si le portier disait qu'elle était sortie, ce pourrait être vrai. Mais il ne le saurait jamais.

Le portier revint lentement comme si les arcades pesaient sur lui. David jeta sa cigarette et attendit.

— Appartement quinze A, dit le portier. En face de l'ascenseur.

Pendant un moment David resta immobile. Puis il avança à grands pas dans les vestibule. Ce n'était pas le moment de se sentir nerveux. Il fut réconforté de voir que l'ascenseur attendait. Et lorsqu'il en sortit, elle se tenait à la porte de son appartement.

— Entre, dit-elle calmement.

Il la suivit à l'intérieur. La lumière du soleil faisait des ombres jaune sombre sur l'East-River brouillé. Il vit un remorqueur passer en provoquant de petites vagues à la surface de l'eau.

— Je ne savais pas que tu avais une telle vue, dit-il.

— Peut-être parce que tu n'es venu que la nuit, dit-elle calmement.

— Ou peut-être parce que je n'ai jamais vraiment regardé, dit-il.

Pendant un moment, aucun d'eux ne parla. Puis il dit :

— Karla... je ne peux pas vivre sans toi.

Elle s'assit et alluma une de ces cigarettes anglaises. Puis, comme après réflexion, elle lui tendit le paquet. Il fit non de la tête. Puis il s'assit à côté d'elle.

— Tu ne me crois pas, n'est-ce pas ?

Elle acquiesça doucement.

— Je pense que tu es vraiment sûr... en ce moment.

— Karla, je m'excuse pour l'autre nuit, dit-il avec difficulté. Soudain, tout sortit. Mon Dieu, je devais être fou. On ne peut même pas mettre ça sur le compte de l'alcool, car je m'étais saoulé exprès. Pour me donner la force de venir, pour faire cette scène. Il regarda ses mains. C'est que toute la scène était en moi. Se préoccuper constamment du temps, combien nous en aurions, quand tu repartirais à l'improviste. Mais aujourd'hui, quand je t'ai regardée, mes idées se sont mises en ordre dans ma tête et j'ai su ce qu'il en était. Je t'aime. Je veux être avec toi... devant tout le monde. Je veux me marier avec toi — si tu veux de moi — ou je resterai auprès de toi, comme ton Consort si c'est ce que tu veux. J'ai passé toute ma vie à me demander si j'allais hériter de l'argent de Dee et maintenant, il semble que je suis supposé passer ma vie à essayer d'avoir l'argent de January. Et j'étais prêt à continuer jusqu'à ce que je t'aie vue à l'église. Parce qu'avant cela je n'avais rien de mieux à faire. Mais lorsque je t'ai revue...

Elle posa sa main sur les lèvres de David.

— David, c'est bon de te voir. Et je suis désolée pour cette nuit.

Il saisit ses mains et les embrassa.

— Non, c'est moi qui te demande pardon. Je ne pensais pas un mot de tout ce que j'ai dit. Je — Il savait que son visage était brûlant. Je ne croyais pas ce que j'ai dit à propos d'Heidi Lanz. Je ne pensais pas vraiment qu'elle était là.

— Rien de tout cela n'a d'importance, dit-elle. Je l'ai connue il y a si longtemps, quand je suis arrivée en Amérique. Je ne l'ai pas vue pendant des années, sauf pour des reprises de ses vieux films à la télévision.

— Bien sûr. Et je l'avais vue ce jour-là au « 21 » et c'est elle qui m'est venue à l'esprit et...

Elle posa ses doigts sur ses lèvres et sourit.

— Je t'en prie, David. Rien de tout cela n'a d'importance. Heidi ou...

— Tu as raison, dit-il. Rien n'a d'importance sauf nous.

Elle se leva et traversa la pièce. Elle lui sourit, mais il y avait de la tristesse dans ses yeux.

— Non, David, nous n'avons pas tant d'importance. J'ai mené une vie très égoïste. J'ai toujours eu l'intention de faire tant de choses, mais j'ai toujours considéré que j'avais tout mon temps. La mort de Dee m'a appris à voir différemment. Nous ne savons jamais exactement combien nous avons de temps. Mon vieil ami Jeremy Haskins a presque quatre-vingts ans. Chaque fois que j'ai des nouvelles de Londres, je retiens ma respiration. Et pourtant qui aurait pu croire que Jeremy survivrait à Dee.

Il vint vers elle et essaya de la prendre dans ses bras, mais elle brisa son étreinte. Il la prit par les épaules et la regarda dans les yeux.

— Karla, c'est pour cela que je suis ici. Justement pour cette raison. Nous avons parlé de la différence d'âge entre nous. Mais maintenant tout cela paraît stupide. Tout ce qui compte c'est d'être ensemble, l'un pour l'autre.

— Non David, ce n'est pas tout ce qui compte. Elle s'écarta. Puis elle désigna le canapé. Assieds-toi. Je veux que tu m'écoutes. Oui, nous avons eu de merveilleux moments. Mais c'est le passé. Maintenant je vais te parler de ce qui compte. Je vais te parler d'une fille qui s'appelle Zinaida...

David roula en boule son paquet de cigarettes vide. Il fixait Karla debout contre le manteau de la cheminée. Plusieurs fois, il avait senti ses yeux se remplir de larmes pendant qu'elle racontait son combat pour élever son enfant. Son sang-froid lorsqu'elle parlait du viol des nonnes au couvent ne faisait qu'ajouter à l'horreur de la scène. Lorsqu'elle eut fini, elle dit :

— Ainsi, tu vois combien tout ce qu'il y a entre nous a vraiment peu d'importance. Jusqu'à présent je suis restée à distance, laissant les autres s'occuper de Zinaida. Mais maintenant tout est différent.

— Dee savait-elle pour ton enfant ? demanda-t-il.

Karla hésita. Puis elle parvint à sourire.

— Bien sûr que non. Pourquoi Dee aurait-elle su ? En réalité, nous n'étions pas si proches. Je n'étais que l'un des cadres d'argent sur son piano.

— Si elle avait su, elle aurait pu laisser quelque chose dans son testament.

Karla haussa les épaules.

— J'ai assez d'argent. Mais seulement si je change de style de vie. J'ai mis cet appartement en vente. Cela me rapportera une grosse somme. Et il existe une merveilleuse petite île grecque nommée Patmos. Il y a peu de touristes. C'est calme, je vais y acheter une maison et y vivre avec Zinaida et les Harrington.

— Fais-la venir ici, supplia David. Nous pourrons vivre tous ensemble.

— Oh David, tu ne comprends pas. Elle est très belle. Mais c'est une enfant. Il lui semblerait normal de gambader dans les rues, ou d'éclater en sanglots chez Schwarz si on ne lui achetait pas tous les jouets qu'elle veut. C'est une enfant. Une enfant de trente et un ans ! Je suis très secrète et tu sais combien je dois lutter pour conserver ce que j'ai de vie privée. Ce ne serait pas bon pour Zinaida de l'exposer aux photographes qui la pourchasseraient. Sa vie deviendrait un sujet de moquerie. Mais à Patmos... nous pourrons nager ensemble, nous promener ensemble, jouer ensemble. Personne ne me connaîtra là-bas. Nous vivrons dans le secret le plus complet. Jeremy a envoyé un homme pour arranger ça. Je pars demain choisir la maison.

— Karla... épouse-moi ! Je t'en prie ! Tu as assez d'argent pour faire vivre Zinaida. J'en gagne assez pour que nous puissions vivre et...

Elle toucha doucement son visage.

— Oui, j'en suis sûre. Et nous passerions une merveilleuse année ensemble.

— Des années, corrigea-t-il.

— Non David, un an tout au plus. Alors tu verrais ton adorable petite January se marier. Tu penserais aux dix millions de dollars, tu penserais au genre de vie que tu pourrais mener... Non, David, cela ne durerait jamais. Ma place est avec Zinaida. Je dois lui apprendre tant de choses. En particulier que je suis sa mère. Elle est tellement perdue. Et ta place est avec January. Je l'ai vue aujourd'hui. Elle aussi est perdue. Elle a grand besoin de toi.

— J'ai besoin de toi, dit-il.

Elle ouvrit les bras et il la serra pendant un moment. Il couvrit son visage de baisers. Puis elle s'écarta de lui.

— Non David...

— Karla... supplia-t-il, si tu me renvoies, je t'en prie, laisse-moi être avec toi une dernière fois...

Elle secoua la tête.

— Cela ne ferait que rendre les choses plus difficile pour nous deux. Adieu, David.

— Tu me renvoies ? demanda-t-il.

— Mais cette fois-ci je te renvoie avec mon amour.

Il se dirigea vers la porte. Soudain elle courut vers lui et le serra contre elle.

— Oh, David ! Sois heureux. Je t'en prie. Pour moi... sois heureux.

Et il sentit les larmes couler sur le visage de Karla, mais il ne se retourna pas pour la regarder en sortant, car il savait que ses propres yeux étaient remplis de larmes...

XXVIII

January avait pris trop de calmants pour se rappeler même le service funèbre. Elle savait que David avait été à côté d'elle. Mais tout ressemblait à une bobine d'actualités sans le son. Le docteur Clifford, le médecin de Madame Milford, lui avait donné des tranquillisants et elle avait pris trois fois la dose prescrite. Elle savait que l'église avait été comble et elle se rappelait avoir pensé : « Mike aurait aimé l'idée de jouer pour une salle pleine ». Mais elle s'était sentie bizarrement éloignée des caméras qui avaient crépité lorsqu'elle était sortie de l'église, ou des spectateurs curieux qui l'appelaient par son nom.

Elle avait été stupéfaite de la foule qui avait envahi l'appartement du Pierre, abasourdie par le fait qu'elle était censée les recevoir comme s'ils étaient des invités. Et quand cela avait été trop pour elle, elle s'était glissée dans la chambre et avait pris un peu plus de tranquillisants.

Les jours qui suivirent furent exactement comme un rêve. Des jours de rencontres sérieuses et de signatures de documents dans le bureau de George Milford, David toujours à ses côtés. Dee lui avait laissé dix millions de dollars ! L'énormité de la somme ne réussit pas à éveiller en elle la moindre émotion. Pouvait-elle faire renaître Mike ? Pouvait-elle faire revenir cette soirée au bungalow numéro 5 ?

Les jours se traînaient. David l'emmenait dîner chez ses parents tous les soirs. Elle essayait de tenir une conversation quelconque avec Margaret Milford, qui s'efforçait nerveusement de prévenir tous ses désirs. Par-dessus tout, elle éprouvait une juste reconnaissance envers David. Parfois, elle avait l'impression qu'elle était en train de se noyer lorsqu'elle était entourée par tous ces visages étrangers et par la batterie de journalistes qui semblaient surgir de tous les côtés.

C'était dans ces moments-là qu'elle s'accrochait à David... se trouvait soulagée de voir le visage familier. Et il y avait toujours Sadie... l'attendant quand elle rentrait au Pierre. Elle dormait maintenant dans la chambre de maître, sur le côté du lit que Sadie disait être celui de Mike. Et Sadie devait savoir, puisqu'elle avait apporté son café à Dee tous les matins.

Sadie lui distribuait aussi parcimonieusement les somnifères chaque nuit. Deux Séconals et un peu de lait chaud. A la fin de la semaine, January découvrit que de mélanger au lait, du Jack Daniels lui apportait un sommeil immédiat. Et surtout elle appelait sans arrêt Tom. Elle n'était jamais totalement consciente de l'heure à laquelle elle l'appelait... ni du nombre de fois. Elle l'appelait lorsqu'elle se réveillait... que ce soit le matin ou au milieu de la nuit. Chaque fois qu'elle se retrouvait seule, elle se précipitait sur le téléphone et l'appelait. Il la consolait toujours, même s'il paraissait parfois harassé ou ensommeillé. Plusieurs fois, il l'accusa gentiment d'avoir bu.

Mais ce qu'elle aimait par-dessus tout, c'était dormir. A cause du rêve. Il venait chaque nuit. La vision floue d'un homme très beau, avec des yeux d'un bleu aigue-marine. Elle avait rêvé de lui une fois, il y avait longtemps, lorsqu'elle avait rencontré Tom. Cela avait été un rêve déconcertant, alors, car l'homme lui avait rappelé Mike, d'une certaine façon. Mais lorsque Tom et elle devinrent amants, elle avait oublié le rêve. Et lorsqu'elle était sous l'effet des piqûres du docteur Alpert, elle ne dormait jamais car elle ne se sentait jamais sombrer réellement dans un profond sommeil. Mais le rêve était revenu la première nuit où elle avait pris les Séconal et le lait avec du Jack Daniels. Cela avait été un rêve étrange. Elle était dans les bras de Mike et il lui disait qu'il était encore vivant... que tout cela avait été une erreur... un autre avion avait explosé... il allait bien. Et soudain il tombait de ses bras et elle le voyait glisser dans l'océan... s'enfoncer... s'enfoncer... s'enfoncer... et juste au moment où elle essayait d'aller le chercher, elle était attrapée par deux bras puissants. C'était Tom... la tenant serrée et lui disant qu'il ne la quitterait jamais. Et lorsqu'elle s'accrochait à lui et lui disait combien elle avait besoin de lui... elle voyait que ce n'était pas vraiment Tom. Il ressemblait à Tom... et il ressemblait à Mike... sauf les yeux. Les yeux les plus magnifiques qu'elle ait jamais vus. Et lorsqu'elle se réveilla elle pouvait encore voir les yeux...

Elle demanda d'autres somnifères au docteur Clifford, et il lui suggéra de commencer à essayer de dormir sans.

— Si vous étiez une veuve ou une femme plus âgée, seule au monde, je pourrais vous donner des somnifères pendant plus longtemps pour vous aider à surmonter votre solitude. Mais vous êtes une jeune et belle fille, avec un fiancé qui vous adore, et vous devez commencer à essayer de vivre.

Elle passa une nuit sans sommeil, et, en désespoir de cause, la tête lourde et la gorge pâteuse, elle alla chercher une aspirine dans l'armoire à pharmacie de Dee, et tomba sur une mine d'or. Des tubes et des tubes de somnifères. Aucun d'entre eux ne portait le nom du docteur Clifford sur l'étiquette. De toute évidence, Dee avait son propre « docteur pilules », il y avait des pilules amaigrissantes (elles les reconnut car Linda en utilisait de temps en temps), deux tubes de barbituriques, trois tubes de Séconal, un tube de Tuinal, et plusieurs boîtes de suppositoires français. Elle les enleva rapidement du tiroir et les cacha.

Le rêve venait maintenant toutes les nuits. Parfois c'étaient juste les yeux. Ils avaient l'air d'essayer de la réconforter, de lui donner de l'espoir, de lui dire qu'il existait un monde merveilleux qui l'attendait... Mais lorsqu'elle se réveillait, il n'y avait plus que la solitude de la chambre obscure et le lit vide. Alors elle appelait Tom... et lui parlait jusqu'à ce que ses paroles deviennent embarrassées et qu'elle sombre dans le sommeil.

Ce fut au milieu de la troisième semaine que les pilules cessèrent de faire effet. Elle s'endormait immédiatement... et se réveillait quelques heures plus tard. Et une nuit elle se réveilla et s'aperçut qu'elle n'avait pas fait le rêve. Le sommeil n'avait été que quelques sombres heures de néant. Elle prit un autre Séconal dans le tiroir où elle gardait les pilules, et essaya en même temps un comprimé de barbiturique. Elle se sentit groggy mais elle ne put pas dormir. Elle appela Tom. Il ne répondit qu'après plusieurs sonneries. Il semblait titubant.

— January, pour l'amour du ciel... il est deux heures du matin.

— Eh bien, au moins je ne t'ai pas interrompu au milieu de ton travail.

— Non, mais tu m'as réveillé. Chérie, je suis très en retard. Le studio est sur mon dos. Je dois finir ça.

— Tom... j'aurai tout terminé dans quelques jours. Alors je reviendrai.

Il y eut une légère pause. Puis il dit.

— Ecoute, je crois qu'il est préférable que tu attendes.

— Attendre quoi ?

— Attendre jusqu'à ce que je finisse l'adaptation. Si tu viens ici, tu ne peux pas t'installer avec moi maintenant...

— Pourquoi pas ?

— Pour l'amour du ciel, tu n'as pas lu les journaux ?

— Non.

— On ne voit que toi partout. Ces dix millions de billets t'ont tout de suite rendue célèbre.

— On dirait Linda... Elle... elle... elle n'arrête pas de dire... que je.

Elle s'arrêta. Sa langue devenait pâteuse et elle ne se souvenait pas de ce qu'elle essayait de dire.

— January, tu as pris quelque chose ?

— Des somnifères.

— Combien ?

— Juste deux.

— Bon, eh bien vas te coucher. Ecoute, j'aurai bientôt fini le script. Alors nous reparlerons de tout cela.

Elle s'endormit le téléphone en main. Et lorsque Sadie l'éveilla le lendemain à midi, elle ne se rappelait rien de leur conversation. Mais elle avait l'impression que quelque chose n'avait pas marché.

Quelques jours plus tard, elle invita Linda à dîner. Le repas fut excellent. Sadie avait fait rafraîchir une bouteille du meilleur vin de Dee. Mais elles ne retrouvaient pas complètement leurs anciennes relations. Linda avait laissé pousser ses cheveux plus bas que les épaules, picorait à table et portait une combinaison qui la faisait paraître plus mince que d'habitude.

— Je veux être mince comme un fil, dit-elle. C'est ma nouvelle image. Comment trouves-tu mes lunettes ?

— Elles sont terribles. Mais je ne savais pas que tu en avais besoin.

— J'ai toujours porté des verres de contact. Mais je préfère ce genre. Je sors avec Benjamin James en ce moment. Elle attendit la réaction de January. Comme il n'y en avait pas, elle dit. Ecoute, ma chérie. Ce n'est pas exactement Tom Colt. Mais il a gagné des tas de petits prix. En réalité, il est considéré comme trop littéraire pour réussir vraiment. Son dernier recueil de poèmes ne s'est vendu qu'à neuf cents exemplaires. Mais il y a un authentique groupe « in » qui le considère comme un génie. En outre, il me convient très bien en ce moment.

— Linda, tu ne veux pas avoir un homme pour de bon ?

— Je n'en veux plus. Lorsque j'ai vu vos photos dans les journaux... Elle s'arrêta et jeta un coup d'œil circulaire sur la pièce. Lorsque je regarde cet appartement, cela ne fait que me prouver que je suis dans le vrai. Il n'y a que deux moyens de réussir. L'argent... ou la célébrité. Avec l'un ou l'autre, tu peux avoir n'importe quel homme. Et lorsque je serai célèbre, je n'aurai pas vraiment besoin d'un homme pour de bon.

— Pourquoi pas ?

— Parce que quand je réussirai, il n'y aura de place que pour une seule superstar dans mon organisation... *moi*. Jusque-là, il faut qu'il y ait des Benjamin pour m'aider. Mais lorsque j'y serai, je ne supporterai plus aucune saloperie d'aucun homme. C'est comme ça que je veux vivre — ne pas être une partie d'un homme, mais la *seule* Linda Riggs. C'est pour ça que je lave les chaussettes de Benjamin et que je fais la cuisine pour lui — parce qu'il est brillant et qu'il est avec des tas de gens intellectuels. J'ai besoin de lui maintenant. Jusqu'à la Convention. En fait je commencerai à travailler pour mon candidat en septembre. Je suis décidée à faire le maximum pour lui.

— Pour qui ?

— Muskie. Benjamin dit qu'il ne peut pas perdre. Après un instant, Linda demanda : Et maintenant, que se passe-t-il entre toi et Tom ?

— Il est en train de finir son adaptation.

— Et tu retourneras là-bas je suppose.

— Non.

— Ne me dis pas que c'est fini. Ni que tu n'as pas réellement besoin de lui en ce moment.

— Ce n'est pas fini. Et j'ai besoin de lui plus que jamais, dit January. Mais avec toute la publicité que j'ai eue... eh bien, Tom trouve que je suis trop connue pour... eh bien... pour arriver comme ça et m'installer chez lui.

— Eh bien, vas-y et loue une grande maison. Un château. Seigneur, tu peux faire tout ce que tu veux maintenant. Engager un attaché de presse, être invitée à toutes les réceptions chics. Donner le moins possible de toi. Maintenant que tu as dix millions de dollars, peut-être se laissera-t-il un peu fléchir pour le divorce.

— Le divorce ?

— Ecoute, January, voyons les choses en face. Tu es une vraie petite chatte. Tu as besoin d'un homme, et au fond de toi tu veux que tout se passe bien et d'une façon légale. Tu as essayé de continuer ce truc de la vie ensemble. Mais je suis prête à jurer que ça ne tourne pas rond. Tu m'as raconté il y a longtemps qu'il écrivait ce scénario pour préserver sa part de pourcentage, pour payer l'appartement. En d'autres termes, uniquement pour de l'argent. Eh bien, il n'a plus à se faire de souci pour ça, maintenant. *Tu* peux lui acheter l'appartement. Et si tu veux réellement faire la femme généreuse, tu peux verser à sa femme un tel dédommagement qu'elle te tendra Tom *et* l'enfant sur un plateau d'argent. Et s'il a vraiment la lubie de jouer au papa, tu peux te permettre d'avoir ton propre enfant avec lui. Je veux dire que tu es le genre de femme qui veut tout ça, non ?

— Je veux me marier. *Oui*, je le veux vraiment. Et je pourrais donner un enfant à Tom. Je pourrais... pourquoi pas ? Linda, tu as raison. Je vais lui en parler cette nuit.

Linda prit son sac et regarda toutes les photos sur le piano.

— Dee connaissait-elle réellement tous ces gens ?

— Oui.

— Tu vois. C'est bien ce que je disais. Avec l'argent ou la célébrité, tu peux posséder le monde.

January sourit.

— Je ne veux pas le monde. Je veux juste être sûre d'avoir une raison de me lever tous les matins.

Elle y pensa lorsque Linda fut partie. Elle n'avait pas bien dormi la nuit précédente. Elle avait attendu le rêve. Mais il n'était pas venu. Elle s'était réveillée désolée, presque comme si on l'avait repoussée. Ces derniers temps, les rêves étaient plus réels que ses pensées à l'état de veille. Le bel étranger aux yeux bleus était tendre et compatissant. Elle ne pouvait pas se rappeler s'ils avaient jamais parlé ensemble... ou s'ils s'étaient touchés... elle savait simplement qu'il était là lorsqu'elle s'endormait. Récemment, elle s'était retrouvée un après-midi allongée, essayant de flotter au fil du courant. Mais le docteur Clifford avait raison. Elle devait regarder la réalité en face. Tom était réel. Tom travaillait au bungalow numéro 5, travaillait sur ce scénario uniquement pour payer leur appartement. Elle pourrait être en train de le meubler en ce moment, de faire quelque chose. Elle aurait cette raison de se lever tous les jours !

Elle prit le téléphone et commença à composer le numéro. Puis elle se souvint de la différence d'heure. Il était onze heures — huit heures à Los Angeles. Tom devait être juste en train de s'installer pour son travail du soir. Il travaillait toujours de huit heures à onze heures. Cela signifiait trois heures d'attente...

Elle essaya de regarder la télévision. Elle passa de chaîne en chaîne. Puis à un film récent. Mais rien ne retenait son attention. Elle se déshabilla et prit un bain. Cela prit du temps. Puis elle s'allongea sur le lit. Elle sut qu'elle s'était endormie, parce qu'elle eut conscience de rêver. Mais ce n'était pas *le rêve*. C'était un cauchemar. Il y avait l'eau et le clair de lune. Puis elle vit un avion piquer. L'avion de Mike. Il tournoyait. Il piquait... piquait... piquait... jusqu'à ce qu'il disparaisse dans le sillon d'argent que répandait la lune sur l'océan. Elle se sentit prise de panique, comme si elle tombait aussi. C'est alors qu'elle sentit une force la soulever et qu'elle fut sauve. Puis elle vit les yeux bleus. Il venait de loin vers elle. Elle essaya désespérément de voir son visage. Il était dans l'ombre, mais d'une certaine façon elle savait que c'était un beau visage...

« Veux-tu vraiment venir avec moi ? » murmura-t-il. Et, avant qu'elle puisse répondre, il disparut, et elle se réveilla.

Le rêve avait été trop réel. Elle regarda la chambre, espérant à moitié l'y trouver. Quel qu'il fût, c'était l'homme le plus merveilleux du monde. Et cependant elle n'avait jamais vu son visage. C'était quelque chose qu'elle ne faisait que sentir. Mais c'était ridicule. Il n'existait pas. C'était un homme qu'elle avait créé dans ses rêves. Peut-être était-elle en train de perdre la raison. N'était-ce pas ainsi que cela arrivait ? Les gens commençaient par avoir des visions, par entendre des bruits qui n'existaient pas. Elle était vraiment effrayée. Car elle pouvait encore entendre sa voix... et il y avait un bruit discordant dans l'obscurité.

Ce ne fut qu'au bout d'un moment qu'elle comprit que le bruit discordant était celui du téléphone. Un son très réel. Et elle s'était réveillée parce qu'il sonnait. Dans l'obscurité, le cadran lumineux de la radio-réveil indiquait une heure cinquante-cinq. Qui pouvait l'appeler à cette heure ? Si ce n'est... *Tom* !

Elle saisit le téléphone, et lorsqu'elle entendit sa voix, elle ne fut pas surprise. Juste transportée. Elle avait besoin de lui plus que jamais à cet instant. Elle avait besoin d'être rassurée par un homme réel, non un homme imaginaire.

— Oh Tom, je suis si heureuse que tu aies appelé. J'allais t'appeler... dès que tu aurais fini d'écrire pour cette nuit.

Il rit.

— D'où vient ce nouvel élan de considération ?

Elle tâtonna dans l'obscurité pour chercher ses cigarettes.

— Je ne comprends pas.

— January, pendant ces trois dernières semaines tu m'as appelé en moyenne vingt fois par jour, à des heures variant de neuf heures du matin ici, à cinq heures de l'après-midi. Et maintenant ce soudain couvre-feu.

— Oh, Tom, je m'excuse, je ne m'étais pas rendu compte... c'est tout simplement parce que dès que je suis malheureuse ou perdue je tends la main vers toi. Tom, je n'en peux plus.

— Ce n'est pas la peine, January. Tout ce que tu as à faire est de traverser la rue.

— Je ne comprends pas.

— Je suis au Plaza. Je viens d'arriver.

— *Tom* ! Elle s'assit sur son lit et alluma la lumière. Oh, Tom, j'enfile un pantalon et j'arrive.

— Chérie, attends ! Je suis crevé. En plus, j'ai rendez-vous demain matin à neuf heures avec mon éditeur.

— Alors, quand te verrai-je ? Je ne peux pas attendre !

— Au déjeuner.

— Au déjeuner ? Oh Tom ! Qui a besoin de déjeuner ? Je veux être seule avec toi. Je veux.

— Mon chéri, mon avocat veut me voir chez l'éditeur. Nous réglerons les détails du contrat pour le prochain livre. Après cela, j'aurai besoin de me reposer et de prendre quelques verres. Alors, chez Toot Shor. Disons... midi et demi ?

— Tom... elle parlait à voix basse. Je veux te voir tout de suite. Je ne peux pas supporter l'idée que tu es juste de l'autre côté de la rue. Je t'en prie. Laisse-moi venir.

Il soupira.

— Chérie, tu te rends compte que tu parles à un homme de cinquante-huit ans qui débarque de l'avion et a besoin de sommeil ?

— Cinquante-sept, dit-elle.

— Cinquante-huit. J'ai eu un anniversaire pendant que tu n'étais pas là.

— Oh, Tom... tu aurais dû me le dire.

Il rit.

— C'est la dernière chose au monde que j'irais crier sur les toits. A demain, chérie. Midi et demie. Et, January... pour l'amour du ciel, n'apporte pas de gâteau d'anniversaire...

Il était debout, appuyé au coin du bar lorsqu'elle entra chez Toot Shor. Il avait déjà rencontré quelques vieux amis et leur payait à boire. Il ouvrit les bras en la voyant, et elle s'y réfugia pendant qu'il lui dégageait une place au bar. Il la présenta, puis fit un large sourire en la regardant.

— D'accord, les amis. A partir de maintenant je suis hors-circuit. Il l'embrassa doucement sur la joue. Vin blanc ?

— Non. La même chose que toi.

— Jack Daniels pour la dame. Avec beaucoup d'eau.

— Tom, tu es superbe. Tout bronzé et...

— J'ai enfin fini le script. C'est-à-dire l'adaptation. Et j'ai passé les derniers jours dans la piscine de mon metteur en scène pour apprendre que la fin doit être changée.

— Tom ! Tu ne peux pas changer la fin.

— Si je ne le fais pas, il nommeront quelqu'un d'autre qui le fera.

— Tu veux dire que tu n'as aucun droit de contrôle ?

— Aucun. Une fois que j'ai l'argent pour le livre, le livre leu
appartient. Et une fois que je prends leur argent pour écrire un scénario, cela veut dire que j'accepte d'écrire un scénario qui leur
conviendra.

— Qu'arriverait-il si tu refusais ?

— Eh bien, d'abord, ils ne me paieraient pas. Ensuite ils prendraient un type qui ferait exactement ce qu'ils voudraient. Il vida
le fond de son verre et dit, mais ne sois pas si triste. Cela fait partie
du jeu. Je savais ce qui m'attendait lorsque j'ai signé. La seule
chose que je ne savais pas... c'était que cela me ferait si mal.

Puis il fit signe au garçon qu'il était maintenant prêt à s'asseoir.
Elle attendit qu'ils soient installés à leur table et qu'il ait commandé
un autre verre. Puis elle dit.

— Sors-toi de là, Tom. Laisse quelqu'un d'autre le faire. Cela ne
vaut pas la peine.

Il secoua la tête.

— Je ne peux plus. De cette manière je garde au moins quelque
contrôle. Et sur des points très importants. Et si je dois transiger,
je veux au moins être là pour être sûr que le compromis sera bon.

— Mais tu n'as fait cette adaptation que pour payer l'appartement à New York et...

— Je l'ai fait parce que j'ai une participation aux bénéfices.
Tu te souviens ? Et je suis ici pour défendre mon livre.

— Mais tu as aussi dit que cela paierait l'appartement. Et maintenant tu ne dois pas t'inquiéter pour ça ou... je veux dire... eh
bien...

Il saisit sa main.

— January, j'ai annulé l'appartement.

— Comment !

— Ecoute, j'ai beaucoup réfléchi depuis que nous sommes séparés. J'ai aussi beaucoup travaillé pendant que tu étais partie. Et je
me rends compte que je ne pourrai jamais vraiment écrire si je vis
avec toi.

— Tom... ne dis pas cela !

Le garçon plaça les menus en face d'eux. Tom étudia le sien.
Elle avait envie de crier. Comment pouvait-il s'occuper de manger ?
ou penser à autre chose lorsque leur vie commune était en jeu ?

— Essaye les coquilles Saint-Jacques, lui dit-il. Conserves garan-
ties. Tout ce que tu aimes.

— Je ne veux rien.

— Deux hamburgers, dit-il au garçon. Et apportez de la sauce
piquante. Saignant pour moi. Comment veux-tu le tien, January ?

— Ça m'est égal.

aussi pour la dame.

garçon était-il parti, qu'elle se tourna vers lui.

que veux-tu dire ? Bien sûr que tu peux écrire quand
toi. Peut-être que tu ne peux pas lorsque nous vivons
bungalow. Mais si nous avons un grand appartement à
York, je ne serai jamais dans tes jambes. Je resterai dans
bre. Je ne te gênerai pas. Je te le promets.

Il soupira.

— Je sais bien que tu le feras, ma chérie. Malheureusement.
Ecoute, j'ai largement eu ma part d'amour dans la vie. Et je pensais
toujours que je continuerais à aimer et à boire jusqu'au bout. Mais
chaque année, le travail devient plus difficile et l'amour semble moins
important. J'ai aussi constaté que j'avais cinquante-huit ans et que
j'avais écrit la moitié des livres que je m'étais promis d'écrire. Je
ne crois pas que je puisse encore me permettre le luxe d'aimer.

Elle essayait de retenir ses larmes. Mais elles rendaient sa voix
rauque.

— Tom... tu ne m'aimes pas ?

— Oh, Dieu du ciel, January... je te suis tellement reconnaissant.
Tu m'as donné quelque chose d'assez merveilleux. Et je ne l'oublierai
jamais. Ecoute, ce que nous avons vécu a été formidable. Mais ça
ne pouvait pas durer. Peut-être que dans quelques mois... Mais peut-
être vaut-il mieux liquider ça maintenant.

— Tom, tu m'as dit une fois que tu ne pourrais jamais vivre
sans moi. Cela voulait dire quelque chose ?

— Tu sais parfaitement bien que je le pensais sur le moment.

— Sur le moment.

Le serveur vint remplir leurs verres d'eau. Ils gardèrent le silence jusqu'à ce qu'il parte. Puis Tom prit les mains de January.

— Maintenant écoute-moi... ce que j'ai dit... je le pensais. Sur
le moment. Et ce n'était pas des mots que l'on prononce quand on
ne sait plus ce qu'on dit. Je pensais ce que je disais. Mais les choses changent...

— Rien n'est changé, dit-elle d'une voix étranglée.

— D'accord. Disons que j'ai changé. Disons qu'une année de
plus a changé les choses. Mais chérie, à ton âge, tu as le monde
entier devant toi. Bon Dieu, ça fait un sacré bout de temps. Et tu l'as.
Le temps d'aimer, le temps de rêver, le temps de faire de folles équi-
pées... et je n'ai été que l'une d'elles.

— Non !

— Peut-être que je serai quelqu'un qui a compté pour toi, lorsque tu auras l'âge de regarder en arrière. Peut-être celui qui a le
plus compté. Mais chérie... pense un peu — dans trente-sept ans —

en 2008 — tu auras juste mon âge. Il s'arrêta et sourit. Cela paraît inconcevable, non ? Et je vais t'exposer des faits encore plus inconcevables. En 2008, *si* je suis encore là, j'aurai quatre-vingt-quinze ans !

Le garçon arriva avec les hamburgers. January se força à sourire pendant qu'il les servait. Dès qu'il fut parti, Tom se précipita sur le sien. January lui toucha le bras. Elle parla d'une voix sourde et pressante.

— Tom, tu as dit que si nous avions un an, deux ans... tout ce que nous pourrons récupérer — ce serait déjà bien.

— C'est exactement ce que j'ai dit.

— Alors, prenons-les. Ne me renvoie pas avant la fin de la course.

— Mais bon Dieu, January, c'est la fin de la course. Je ne peux plus travailler. Tu ne vois pas ? Je dois retourner à ce bungalow et au travail. Et puis je dois écrire encore quelques livres. Je le dois.

— Tom. Elle avala sa salive et baissa la voix, car il était évident que les gens de la banquette à côté essayaient d'écouter. Tom, je t'en prie. Je ferai tout ce que tu diras — mais ne me quitte pas maintenant. Je ne peux pas vivre sans toi. Je n'ai que toi.

Il la regarda et sourit tristement.

— Vingt et un ans, tout cet argent, comblée de beauté et de santé, tu n'as que moi ?

— Je ne veux rien d'autre. Ses yeux étaient maintenant noyés de larmes.

Il garda le silence pendant un moment. Puis il inclina la tête.

— D'accord. Essayons. Ce ne sera pas facile. Mais essayons. Je t'ai promis une fois que je ne te quitterai jamais, que tant que tu voudrais que nous restions ensemble, nous le ferions. Et je tiendrai cette promesse.

— Oh, Tom...

— Maintenant mange ton hamburger. Parce qu'il faut que tu rentres à la maison et que tu commences à faire tes valises. Je dois retourner à Los Angeles demain.

Elle picora sa viande et essaya de la repousser sur son assiette. Au fur et à mesure que le restaurant se remplissait, des gens qu'il connaissait s'arrêtaient à leur table pour le complimenter sur son livre, pour le féliciter de ce qu'il tenait toujours la première place. Quelques-uns lui posèrent des questions sur le film, sur la distribution des rôles... Et pendant ce temps-là, elle arrivait à sourire quand il faisait les présentations. Quelques hommes l'insultaient amicalement et demandaient à January ce qu'elle pouvait bien trouver à un affreux vieillard comme lui. Mais elle savait que leurs plaisanteries venaient d'une admiration et d'une affection véritables envers lui.

Ils furent enfin seul au moment de l'expresso. Il parla le premier.

— Bon, si tu crois pouvoir le supporter, retour au bungalow numéro 5.

Elle se serra contre lui.

— Il pleut toujours là-bas ?

— Non. Du moins pas quand je suis parti. Il soupira encore une fois.

— Tu ne veux pas vraiment rentrer, dit-elle ?

— Ce n'est pas ça. C'est ce foutu script.

— Ne le fais pas, Tom.

— Peut-être n'écoutais-tu pas quand je t'ai expliqué...

— J'ai entendu chaque mot. Je me souviens aussi que tu as dit que tu avais cinquante-huit ans, que tu voulais écrire tous les livres que tu t'es promis d'écrire. Alors, pourquoi t'enterrer encore pendant six mois à massacrer et à tailler en pièces ta propre œuvre ? Commence à faire les choses que tu veux vraiment faire.

— Il y a aussi en jeu la bagatelle de soixante-quinze mille dollars.

— Tom, j'ai beaucoup réfléchi pendant que nous étions séparés. Ecoute. J'ai dix millions de dollars. Je donne à ta femme un million si elle divorce. Je laisse un autre million en tutelle pour ton enfant. Cela te libère de toute culpabilité et responsabilité. Nous pouvons vivre ensemble, nous marier, avoir notre enfant, autant que tu en voudras... et tu pourras toujours écrire.

Il la regarda d'un air curieux.

— C'est la première fois que tu sens la millionnaire.

— Que veux-tu dire ?

— Chaque chose et chacun est à vendre aux enchères. Non ? Chacun a un prix. Un million, deux millions. Ce que veut le pauvre salaud que tu achètes ne compte pas. Dans la mesure où tu paies le prix, il est à toi.

— Tom, ce n'est pas vrai ! Je veux que tu sois mon mari. Je veux que nous soyons ensemble tout le temps. J'ai assez d'argent pour que tu ne t'enfermes pas avec cette machine à écrire pour faire ce que le réalisateur ou le producteur te demande de faire. Je veux que tu puisses écrire comme tu veux écrire. Et par-dessus tout, je veux que nous soyons ensemble. Pour nous aimer et être heureux.

Il secoua tristement la tête.

— January, tu ne vois pas ? Ça ne marchera pas. Il n'y a pas de place pour ce que nous avons connu ensemble avant. Tu es venue

454

à un moment où je m'embourbais. J'avais besoin de toi. Mon Dieu, j'avais tant besoin de toi. Et tu as donné à un homme entre deux âges sa dernière occasion d'être un étalon. Pour cela, je te serai toujours reconnaissant. Nous avons trouvé ensemble quelque chose de spécial, au bon moment. Tu m'as donné de la chaleur et le sens de la dignité pendant que je me prostituais sur le grand circuit. Et en échange j'ai remplacé ton père. Nous sommes quittes. Je vais retourner à mon écriture et tu vas retourner à l'argent que papa a gagné pour toi. Retourne à la vie de jeune fille. Là-bas, tout t'attend.

— Non ! Tom, tu ne le penses pas vraiment. Tu es seulement déprimé. Je ne veux pas d'autre vie. Je veux juste être avec toi et...

— Mais ma vie, c'est d'écrire ! Ne peux-tu pas comprendre ? Ecrire passe avant tout. Et ce sera toujours comme ça.

— Parfait. Bon. Tu peux écrire. Tu peux écrire tout ce que tu voudras. Je veux que tu écrives. J'achèterai une maison dans le Midi de la France, loin de tout. Tu n'auras plus jamais à écrire des adaptations. Tu n'auras plus jamais à écrire ce que tu ne veux pas écrire. Je serai très calme. J'aurai des domestiques pour s'occuper de tout ce que tu veux. Si tu aimes écrire à New York je t'achèterai le plus grand appartement que tu aies jamais vu. Je...

— Arrête, January ! Tu parles à Tom Colt. Pas à Mike Wayne.

Elle resta silencieuse pendant un moment. Lorsqu'elle parla, elle fixait la table et sa voix était tendue.

— Que voulais-tu dire par là ?

— Ce que cela signifiait. Je ne suis pas ton père. Je ne veux pas être entretenu par une femme riche.

Elle repoussa la table et se leva. Elle savait que le café s'était renversé, mais elle ne se retourna pas en sortant du restaurant.

XXIX

January dormit pendant trois jours d'affilée. Sadie venait avec dévouement lui porter des plateaux et essayait de la convaincre de manger. Parfois, elle l'écartait d'un geste ou marmonnait de façon incohérente qu'elle ne se sentait pas bien. Lorsque Sadie menaçait d'appeler le docteur Clifford, January faisait un effort pour avaler quelque chose et expliquait que ce n'étaient que des règles doulou-reuses. Cela soulageait Sadie qui racontait à son tour à David : « Mademoiselle January traverse sa mauvaise période du mois ».

Elle était arrivée au point où les pilules ne lui procuraient même plus un sommeil doux et vide. Le quatrième jour, elle était couchée à moitié éveillée, trop somnolente pour lire, trop droguée pour dor-mir. Elle avait également conscience d'être obligée d'aller dîner chez les Milford avec David le lendemain soir, car personne ne pouvait avoir une « mauvaise période du mois » de plus de cinq jours.

Chaque fois qu'elle prenait une pilule, recherchant l'inconscience floue qu'elle provoquait, elle se disait que c'était juste pour « main-tenant » ; pour l'aider à surmonter la blessure que Tom lui avait in-fligée. Elle ne voulait pas mourir. Simplement, elle ne pouvait pas supporter le profond abattement qui l'avait frappé lorsqu'elle s'était rendue compte de l'endroit où elle se trouvait et de ce qui était arrivé. Mike et Tom étaient partis tous les deux... et maintenant, mê-me « le rêve » l'avait abandonnée.

Elle revivait les dernières semaines passées avec Tom. En quoi avait-elle mal agi ? Qu'avait-elle fait ? Elle se rappelait la sincérité de sa voix, la tendresse de son regard lorsqu'il avait dit : « Je ne pourrai jamais plus vivre sans toi ». Comment pouvait-il dire cela en février et lui déclarer en juin que tout était fini ? Mais elle devait essayer de continuer. Elle se reporta aux jours où elle avait trouvé si difficile simplement de marcher et voilà qu'elle était couchée dans son lit, essayant d'acheter chaque jour un petit bout de mort avec des somnifères. Elle se dit que Dieu la punirait. Puis elle se cacha la tête dans l'oreiller parce qu'il lui semblait que Dieu l'avait suffisamment punie depuis vingt et un ans...

Elle avait retrouvé sa santé... et elle avait de l'argent. Mais à ce moment précis, ce n'était que des mots. Elle entendit sonner le téléphone et attendit que Sadie le décroche, mais il continuait à sonner. Elle décrocha l'appareil de sa chambre au moment où Sadie prenait la ligne. Elle entendit Sadie affirmer qu'elle ne prenait aucune communication. Soudain elle reconnut la voix et intervint.

— Ça va, Sadie. Je le prends. Hugh ! où êtes-vous ?

— Allongé sur une dune de sable avec mon téléphone personnel branché sur une étoile.

Elle parvint à sourire. Il semblait si vivant... si bon.

— Sérieusement... où êtes-vous ?

— Dans votre hall, en bas. Je passais justement par là et j'ai pensé que vous aimeriez sortir manger un morceau.

— Non... je suis au lit... mais montez.

Hugh s'assit sur une chaise près du lit. Sa vitalité faisait paraître la pièce étroite et étouffante.

— Voulez-vous quelque chose ? demanda-t-elle. Je peux vous faire préparer à boire par Sadie, ou vous faire faire un steak en vitesse si vous voulez. Elle tient toujours le congélateur rempli à ras-bord.

— Non. Mais pourquoi ne pas enfiler quelque chose et nous trouverions une boîte pour manger un hamburger.

Elle secoua la tête et chercha une cigarette.

— Je ne me sens pas en forme. Rien de sérieux. Juste cette période du mois.

— Des blagues.

— C'est la vérité, Hugh.

— Vous n'êtes jamais restée au lit pendant tous les mois où vous étiez avec Tom, sauf pour faire l'amour. Il vit sa grimace, mais il continua. J'ai pris un verre avec lui avant qu'il porte pour la Côte. Il m'a raconté l'épisode du Toot Shor. (Elle examina la cendre de sa cigarette sans répondre.) Cela devait finir, January, dit-il doucement. Cela n'aurait jamais pu marcher. Vous devez comprendre que ce qui compte avant tout pour Tom, c'est d'écrire. Cela a toujours été comme ça. Personnellement, je ne crois pas qu'il soit capable d'aimer vraiment aucune femme.

— Il m'a aimée, dit-elle obstinément. Il... il m'a même brouillée avec mon père.

Hugh secoua la tête.

— Il m'a raconté ça. Il a dit que c'était le plus mauvais coup qu'il ait jamais fait. Il l'a regretté dès qu'il s'est mis à y penser vraiment. Parce qu'il a compris à partir de ce moment qu'il s'était engagé envers vous. Et Tom ne veut pas être engagé, sauf envers son travail. Il a dit qu'en fin de compte c'était vous qui aviez rompu. Vous l'avez quitté.

— Je n'avais pas le choix.

— D'accord. Mais il se sent dégagé. Vous lui avez rendu tous ses esprits quand vous êtes sortie de ce restaurant.

— Mais Hugh... Tom m'aime ! Je sais qu'il m'aime. Il m'a dit qu'il ne pourrait jamais vivre sans moi.

— Je suis sûr qu'il l'a dit. Et il y croyait probablement sur le moment. J'ai dit la même chose à des femmes. Et j'y croyais aussi — sur le moment. Les hommes croient toujours ce qu'ils disent *quand* ils le disent. Si seulement les femmes pouvaient comprendre ça, et ne pas les retenir comme s'ils avaient signé un contrat à vie. Ecoutez, Tom est un écrivain... et un ivrogne. Vous avez fait de lui toute votre vie. Il ne pouvait pas l'accepter.

— Pourquoi me racontez-vous tout cela ?

— Parce que je me fais du souci pour vous. J'avais envisagé que vous le prendriez mal. Mais je ne m'attendais pas à vous trouver allongée comme un cadavre. Pour l'amour du ciel, avec toutes ces fleurs — il ne nous manque plus que de la musique d'orgue.

— Tom reviendra, dit-elle avec obstination.

— C'est terminé, January. Terminé. Fini. *Pour de bon* ! Bien sûr, Tom pourrait revenir si vous vous trainiez sur les genoux et l'y obligiez à force de remords. Si c'est comme ça que vous voulez qu'il revienne, allez-y. Mais si vous le faites, vous n'êtes pas la fille que j'imaginais. Maintenant sortez de là. Vous avez tout ce qu'une fille peut désirer.

— J'ai dix millions de dollars, dit-elle. Je vis dans cet endroit magnifique et j'ai un placard rempli de vêtements. Son visage ruisselait de larmes. Mais je ne peux pas coucher avec dix millions de dollars. Je ne peux pas mettre mes bras autour de cet appartement.

— Non. Mais vous pouvez commencer à prouver que vous aimiez vraiment votre père.

— Prouver que je l'aimais ?

— Exactement. Il se pencha vers elle. Ecoutez, Dee Milford Granger était une jolie femme. Mais d'après ce que j'ai entendu dire, Mike Wayne levait toujours les plus belles filles du coin. Tom Colt était un amateur, à côté de lui. Brusquement il se marie avec cette femme riche et maintenant vous héritez de dix millions de dollars. Pensez-vous qu'elle vous les ait laissés parce qu'elle aimait vos grands yeux noirs ?

Elle secoua la tête.

— Non... je ne sais toujours pas pourquoi elle me les a laissés.

— Doux Jésus ! Vous êtes si occupée à rester couchée et à vous lamenter sur votre sort que vous ne vous êtes même pas souciée de penser à tout cela. Ecoutez, gente dame. Votre père *a gagné* ces dix millions de dollars pour vous. Peut-êtes n'y a-t-il travaillé que pendant un an, mais je peux vous garantir que c'est l'argent qu'il a eu le plus de mal à gagner. Il la regarda tandis que les larmes coulaient sur son visage. Maintenant, arrêtez de pleurer ordonna-t-il. Ça ne le fera pas revenir. Sortez de ce lit, allez dehors, amusez-vous. Si vous ne le faites pas, cela voudra dire que Mike Wayne a sacrifié la dernière année de sa vie pour rien. Et il se sentirait probablement plus mal que vous s'il vous savait couchée, pleurant pour un homme qui ne veut pas de vous.

Elle bondit du lit et le serra dans ses bras.

— Hugh, il est trop tard pour ce soir, j'ai pris deux somnifères avant votre arrivée. Mais demain... voulez-vous m'emmener dîner ?

— Non. Elle le regarda, surprise. Je ne vous ai demandé de sortir ce soir que pour vous dire ce que j'avais sur le cœur, dit-il. J'ai tout dit maintenant.

— Mais cela ne veut pas dire que nous ne puissions pas être amis.

— Amis... oui. Je suis votre ami. Mais n'essayez pas de faire de moi un autre substitut de votre père et de Tom.

Elle sourit et dit d'une voix taquine.

— Pourquoi ? Je vous trouve très attirant.

— Je suis un type présentable et dans la force de l'âge. Et j'ai rencontré une gentille veuve de quarante-et-un ans, séduisante, qui me fait à dîner trois fois par semaine, parfois je l'emmène à New York voir un spectacle, et je me considère comme un homme heureux.

— Pourquoi me racontez-vous tout cela ?

— Parce que je sais que vous êtes encore au fond de l'eau et que vous vous agripperez à la première bûche qui flottera à la surface ; et ça ne va pas. Si vous tentiez d'être autre chose pour moi qu'une amie, je pourrais faiblir, et cela tuerait votre père une deuxième fois. Après tout, il n'a pas supporté tout cela pour vous voir finir avec un ex-astronaute entre deux âges.

— Je crois qu'il voulait que je finisse avec David.

— David ?

— Les fleurs. Elle regarda les roses.

— Il vous intéresse ?

— Je ne sais pas... Je n'ai jamais vraiment essayé. Au début je croyais que je le ferais. Et puis, eh bien, et puis j'ai rencontré Tom et...

— Essayez une autre fois. Essayez des tas de fois. Avec David, Peter, Joe, n'importe qui... Sortez, rencontrez des gens. Vous avez le monde à vos pieds. C'est ce que voulait votre père. Sortez et débrouillez-vous pour qu'il puisse reposer en paix.

Elle commença à sortir avec David tous les soirs. La mère de David avait affirmé que ni Dee ni son père n'auraient voulu qu'elle porte le deuil. Elle se força donc à écouter la musique hurlante au Club... à sourire dans le bruit au Maxwell's Plum et à l'Unicorn... elle alla chez Gino le samedi soir... rencontra des gens nouveaux, des filles qui l'invitaient à déjeuner, de jeunes amis de David qui la serraient de trop près lorsqu'ils l'emmenaient sur la piste de danse. Elle souriait, bavardait, acceptait les invitations à déjeuner... Et pendant tout ce temps-là, elle savait qu'elle ne faisait qu'attendre la fin de la soirée pour pouvoir prendre deux comprimés rouges et aller au lit.

Les jours se fondaient les uns dans les autres. Quelques-unes des belles jeunes femmes qu'elle rencontrait l'appelaient pour l'inviter à déjeûner, et elle se forçait à accepter. Ell s'asseyait au « 21 », chez Orsini, à La Grenouille... elle écoutait les papotages sur les nouvelles idylles, les dernières boutiques « in », les derniers endroits « in ». Elle recevait des invitations pour des week-ends à Southampton, pour une croisière aux îles grecques (trois couples allaient affréter un bateau ; David disait qu'il était certain de pouvoir prendre quatre semaines si elle voulait y aller). Et bien sûr, il y avait toujours Marbella. La maison de Dee était équipée en personnel toute l'année, à sa disposition à n'importe quel moment.

Oui, dehors le monde était plein de lumière. Un brillant été se préparait.

C'était le milieu du mois de juin et elle savait qu'elle devait faire des projets. Tout le monde lui disait qu'elle ne pouvait pas rester là, dans la chaleur de la ville. Aucun être civilisé ne restait en ville. Elle écoutait, approuvait, et savait que David attendait... patient et bon... suspendant ses projets... attendant qu'elle prenne une décision... n'importe quelle décision. Pourtant il ne se plaignait jamais. Il l'appelait tous les jours et la voyait tous les soirs.

Il n'était pas le seul à l'appeler tous les jours. Un prince, un bel acteur de cinéma, un jeune Italien dont la famille était très lancée, un agent de change qui travaillait dans une firme rivale de celle de David.

Ils appelaient... ils envoyaient des fleurs mais elle ressentait la même indifférence envers eux tous. Elle lut que Tom avait rendu son adaptation du scénario et était parti passer quelques jours à Big Sur. Avait-il emmené sa femme ou quelqu'un d'autre ?

Même Linda était partie. Elle avait loué une maison à Quogue pour le mois de juillet. Benjamin et elle allaient passer de longs week-ends ensemble ; Benjamin passerait tout le mois... à écrire.

Tout le monde était parti quelque part. Elle avait lu que Karla avait acheté une maison dans une île grecque nommée Patmos. Oui, tout le monde avait survécu, le monde continuait sans Mike, sans Dee et tout son argent. Le même soleil brillait. Tous les portraits des cadres d'argent du piano de Dee continuaient à sourire, à agir et à ressentir...

Elle *voulait* ressentir quelque chose. Elle voulait se lever un matin avide de commencer la journée. Parfois, lorsqu'elle ouvrait les yeux — ces premières secondes avant que la conscience l'envahisse — elle se sentait bien. Puis tout lui revenait, et elle sentait le poids de la dépression l'écraser de nouveau. Mike était parti... Tom était parti... même le rêve était parti. L'homme aux yeux magnifiques avait disparu avec son père et Tom...

Hugh l'appela plusieurs fois. Il lui faisait des discours d'encouragement. Lui disait qu'il faisait beau, qu'elle devait sortir et essayer d'être heureuse. C'était une chose d'essayer... et une autre de réussir.

Son placard était rempli de vêtements pour Marbella et Saint-Tropez. Tous les jours, elle avait fait du shopping avec ses nouvelles amies et acheté les mêmes choses qu'elles. Elle portait une mince chaîne autour du cou... des chaussures de chez Gucci... des boucles d'oreilles en or de chez Cartier... un sac à bandoulière de chez Louis Vuitton. Elle savait qu'elle commençait à avoir la même allure et à porter les mêmes vêtements que Vera, Patty et Debbie, car Vera lui montra un jour leur photo dans *Women's Wear* et elle dut chercher son nom pour se distinguer des autres.

Elle s'étira sur son lit. Elle avait dit à Sadie qu'elle se reposerait pendant une demi-heure. Mais elle n'avait pas pu dormir. Elle se demandait où David voudrait aller dîner. Elle n'avait porté aucune de ses nouvelles robes ; peut-être porterait-elle quelque chose de spécial ce soir.

Elle vit clignoter la lumière du téléphone. Elle oubliait toujours de rebrancher la sonnerie. Elle décrocha juste au moment où David disait à Sadie de ne pas le déranger si elle se reposait.

— Dites-lui que je ne pourrai pas venir ce soir. Il y a des petits problèmes au bureau. Dites-lui que je l'appellerai demain.

Elle entra dans la salle de bains. Il était cinq heures. Autant valait prendre un bain et faire préparer un plateau pour dîner. Elle laissa couler l'eau et mit des sels de bain dans la baignoire. David avait-il vraiment des problèmes... ou n'était-il simplement pas disposé à subir une autre soirée monotone avec elle ?

Elle s'immobilisa. Une autre soirée monotone avec elle... *Elle* l'avait dit ! Jusqu'à présent cela avait toujours été une autre soirée monotone avec David, mais soudain c'était comme si elle avait pénétré dans ses pensées à lui.

Bien sûr qu'elle était monotone et passive. Tout ce qu'elle faisait consistait à essayer de passer la soirée sans bâiller. Pourquoi voudrait-il passer toutes ses soirées avec elle ? A propos, Patty n'avait pas appelé depuis deux jours et Vera avait justement dit quelque chose aujourd'hui qui revenait à ce qu'elle n'aurait plus le temps de déjeuner — elle était trop occupée à faire les achats de dernière minute pour son voyage. Elle *était* un poids mort... Un poids mort de première classe. Bientôt tout le monde la laisserait tomber.

Elle rentra dans la chambre et regarda le parc. Le monde entier était dehors. Un monde que Mike lui avait offert sur un plateau et qu'elle ne pouvait pas se décider à prendre. Qu'était-il advenu de cette énergie sans bornes qu'elle avait avec le magazine... avec Linda... avec Tom ?

Elle s'immobilisa. Bien sûr ! Pourquoi ne pas y avoir pensé plus tôt ? Au lieu de prendre des pilules, elle avait besoin d'une piqûre ! Tom avait dit qu'elles lui faisaient du mal. Eh bien, cela ne pouvait pas être pire que les somnifères et cette sensation de total abrutissement. Elle regarda l'heure... cinq heures et demi. Le docteur Alpert serait encore à son cabinet. Elle laissa la baignoire se vider et fouilla dans le fond du placard pour trouver une paire de blue-jeans que Sadie avait essayé de jeter. Elle les enfila, mit un tee-shirt, prit des lunettes noires, son sac et s'élança dehors.

Elle ne voulait pas courir le risque d'appeler le docteur Alpert et de s'entendre répondre de venir le lendemain. Elle *devait* le voir maintenant.

Elle crut d'abord s'être trompée de cabinet. Cela ressemblait à la réunion d'un club de motos. Des garçons et des filles en jeans et tee-shirts sans manches étaient affalés sur des chaises. Une odeur de haschich flottait lourdement dans la pièce. La réceptionniste la regarda d'un air ébahi. Puis son visage s'épanouit en un lumineux sourire et elle lui prit la main.

— Félicitations. Je veux dire... je suis désolée pour votre père, mais félicitations pour votre héritage. Je lis tout ce qui sort sur vous.

— Sur moi ?

— Bien sûr. Vous êtes tous les jours dans les journaux. Irez-vous vraiment à Marbella, ou à Saint-Tropez ? J'ai lu que vous étiez pour ainsi dire fiancée avec David Milford.

January ne sut que répondre. Elle n'avait pas lu de journaux depuis la Californie. Elle savait qu'il y avait eu beaucoup d'articles sur l'enterrement. Mais pourquoi les journaux écrivaient-ils sur elle ?

Etaient-ce ses dix millions de dollars qui provoquaient soudain l'inté-térêt général pour les endroits où elle allait déjeuner, ou ceux où elle projetait d'aller en vacances ?

Elle regarda la salle d'attente comble.

— Je n'ai n'ai pas de rendez-vous, dit-elle.

— Oh, je suis sûre que nous pouvons vous prendre, dit la récep-tionniste. C'est toujours agité à cette heure-ci. Vous voyez, nous avons là toute la troupe d'un grand spectacle de Broadway. Ils viennent tous les soirs à cette heure-ci. Elle désigna de la tête les comédiens assis autour de la salle d'attente. Mais nous trouverons un moment pour vous. Le docteur Preston est revenu de la Côte. Nous avons donc nos deux médecins maintenant.

— Qu'est-il arrivé à tous ses gros clients de là-bas ?

— Oh, il n'a pas vraiment de cabinet là-bas. Il y est juste allé parce que Freddie Dillson ne pouvait pas chanter si le docteur Preston n'était pas dans les coulisses.

— Mais la semaine dernière, au journal télévisé, j'ai vu Freddie transporté en ambulance.

La réceptionniste hocha la tête tristement.

— Il s'est complètement effondré, juste au milieu du spectacle. Et après ça le docteur Preston a travaillé dur. Il est resté là-bas près de sept semaines pour essayer de le remettre sur pieds, mais la voix de Freddie est fichue.

— Mais il était si formidable, dit January. J'écoutais sans arrêt ses disques en Suisse.

— Vous auriez dû le voir lorsqu'il est venu ici, il y a deux ans. Sa femme l'avait quitté — c'est un grand joueur, vous savez — et il était sans un sou. Le docteur Preston l'a pris en main, il a fait sa rentrée au Waldorf et fait un retour spectaculaire. Puis il a joué à Las Vegas et est retombé. Le docteur Preston y est allé pour essayer de le remettre sur pieds pour sa rentrée à Los Angeles... et il a réussi. Mais il ne pouvait pas rester avec lui tout le temps. Le docteur Pres-ton n'est pas une bonne d'enfants, vous savez.

— Mais s'il a besoin des piqûres ?

La réceptionniste haussa les épaules.

— Ma chère, le docteur Preston a appris à deux de nos plus grands sénateurs à se faire eux-mêmes leurs piqûres d'I.V., mais Freddie ne pouvait pas s'habituer à l'aiguille. Enfin... après tout... supposez que quelqu'un soit diabétique... il ne faut pas avoir peur de l'aiguille.

— Je préférerais avoir le docteur Simon si c'est possible, dit January.

— Eh bien, il prend la troupe, mais voyons ce que nous pouvons faire. Je vais vous dire... suivez-moi et je vous ferai entrer dans l'autre salle d'attente, à l'intérieur. C'est toujours là que nous mettons nos célébrités.

Elle descendit avec la réceptionniste dans une grande salle juste au moment où un jeune homme sortait d'une cabine en baissant sa manche. Il s'arrêta en la voyant. Il se regardèrent un moment. Puis il la prit dans ses bras.

— Hé, l'héritière... qu'est-ce que tu fais ici ?

— Keith !

Elle le serra passionnément dans ses bras. Il avait maigri et ses cheveux étaient plus longs. Elle fut soudain si contente de le voir.

— Keith, qu'est-ce que *tu* fais ici ?

— Je viens ici tous les soirs. Je joue dans *Caterpillar*. Tu l'as vu, bien sûr.

— Non... je n'étais pas là.

— J'ai lu ce qui t'était arrivé. Sans blague, tu as besoin de ça ? Pourquoi as-tu besoin de piqûres d'amphétamines ?

Elle haussa les épaules.

— Les globules, je suppose.

— Eh bien, quand tu voudras voir la pièce... Il s'arrêta. Dis donc. Puis il secoua la tête. Non, pas la peine.

— Pas la peine de quoi ?

— Il y a une grande soirée ce soir chez Christina Spencer. Elle serait folle de joie si tu venais... Mais j'imagine que tu es prise.

— Non... je suis libre.

— Toute la soirée ?

— Dès que j'aurai eu ma piqûre.

— Tu veux voir la pièce ?

— Ça me ferait très plaisir.

— Formidable ! Je t'attends. Je te placerai devant, mais cette fois je ne peux pas m'asseoir à côté de toi.

— Et cette fois je ne m'en irai pas, dit-elle.

— Il y a du nu, là-dedans, la prévint-il.

— Je suis une grande fille maintenant, Keith.

— D'accord. Fais toi faire ta piqûre d'amphétamines. Je t'attends là-bas.

XXX

Elle était électrisée par l'activité frénétique du spectacle. Keith
« disait » l'une de ses chansons. A sa grande surprise, il n'était pas
très bon. Elle s'était attendue, à ce qu'il soit plus excitant sur scène.
Mais la vitalité de sa personnalité ne passait pas. Il y avait une scène
de nus de face. Keith y figurait avec presque toute la troupe. Elle
s'aperçut soudain que tous les pénis étaient de la même taille. A peu
près celle de David. Peut-être était-ce la taille standard. Il semblait
que presque tous les hommes sortaient d'une chaîne de montage.
Sauf Tom. Pauvre Tom ! Vraiment, elle se sentait désolée pour lui.
Etait-ce la piqûre ? ou était-elle enfin capable de voir les choses sous
leur véritable aspect ? Elle commença à rire nerveusement. Imaginez
une guirlande de pénis se démenant sur scène, et elle était là, à philo-
sopher sur l'existence.

Elle pensa à Mike. Elle savait qu'il était parti... mais soudain
elle parvint à l'accepter. Pour la première fois, elle pouvait penser
à Mike sans se sentir morte. Mike avait vécu pleinement sa vie. Pour
employer l'une de ses expressions, il était parti en beauté. Mike avait
vécu une vie pleine de moments, et il en avait goûté chaque minute...
sauf, peut-être, la dernière année. Comme l'avait dit Hugh, il avait
vécu cette année-là pour elle... pour qu'elle puisse avoir beaucoup de
bonnes années.

Merci à Hugh. Et merci au docteur Alpert. Peut-être les piqûres
n'étaient-elles pas bonnes pour elle ; c'est ce que disait Tom. Mais ça
ne pouvait pas être pire que tout ce Jack Daniels qu'il absorbait. Il
avait cinquante-huit ans, mais même avec tout ce bourbon, il pouvait
encore écrire et être ce que Linda appelait « une superstar ». Et avec
son petit pénis, il pouvait encore s'offrir le luxe de la chasser de sa
vie. Tout le ridicule de la chose lui apparut soudain. Comment avait-
elle pu être si désespérée parce que c'était fini ? Elle se sentait vivante

et ardente au milieu de ce public. Elle claquait des mains en cadence. Elle était capable d'avoir des idées claires. Elle était assise au troisième rang, regardait *Caterpillar,* et s'amusait. Elle n'était pas dans son lit au Pierre, en train de prendre des somnifères. Il *existait* un monde à l'extérieur, un monde que les gens applaudissaient sur la scène, des filles découvrant leurs seins et dansant un rock frénétique... et tout était bien ainsi.

Ils décidèrent de marcher pour aller à la soirée après le spectacle. L'appartement de Christina Spencer se trouvait dans la Soixantième rue, du côté Est, et la nuit était chaude et claire. January s'accrocha au bras de keith. Elle avait envie de sauter, de courir... Elle regarda le ciel noir.

— Oh Keith, n'est-ce pas magnifique de se sentir vraiment bien ?
Il hocha la tête.

— Le docteur Alpert a dû te faire la bonne dose. Il était tellement défoncé lui-même ce soir qu'il a dû penser que tu faisais partie de la troupe.

Elle rit très fort.

— C'est pour ça qu'il ne m'a même pas parlé ? Tu sais, j'étais vexée qu'il ne m'ait même pas dit : « Soyez la bienvenue », ou : « Heureux de vous voir ».

Keith sourit et la regarda.

— Tu tiens la grande forme, hein ?

— J'ai l'impression de pouvoir entendre pousser les arbres, sentir venir l'été... je *peux* voir grandir les feuilles. Keith, regarde cet arbre ; *ne vois-tu pas* comme cette feuille grandit ?

— Tu parles. C'est important de voir et de sentir tout ça. Il n'y aura jamais qu'un seul jeudi de juin comme celui-là. Demain sera vendredi, et ce jeudi ne reviendra jamais.

— Pourquoi as-tu quitté Linda ? demanda-t-elle brusquement.

— Linda exigeait trop de moi.

Elle hocha la tête. Personne ne pouvait avoir tout de quelqu'un. C'était pour cette raison que Tom l'avait chassée de sa vie. Elle s'arrêta et regarda le ciel. A cette minute précise, elle se sentit à la veille de quelque chose... Comme si elle pouvait prévoir l'avenir,... tout comprendre... Elle se tourna vers lui.

— Keith, ces piqûres, tu pourrais y être accroché ?

— Non, mais même si on ne s'en aperçoit pas, c'est un mauvais moment à passer lorsque l'effet s'en va. Parce que tu tombes au fond ; et les couleurs s'effacent. Tu regardes le ciel, et tu t'aperçois qu'il y a de la poussière sur le soleil, de la rouille sur les feuilles et de la merde dans la rue. Bon, si tu tiens à vivre dans un monde sale et moche, tu peux arrêter les piqûres. Chacun a le droit de vivre comme il veut. Les Jésus Freaks ont leur système, les adeptes de la nature ont leur truc... je suis un adepte du LSD et tant qu'il rendra tout vert et orange... ça ira. Un jour, peut-être que je ne voudrai plus voir tout en technicolor, et ce jour-là, peut-être que je décrocherai. Mais pourquoi maintenant ?

Ils s'étaient arrêtés en face d'un immeuble en pierre de taille, dans une rue à trois voies. Plusieurs limousines étaient garées devant. Keith fit entrer January. Elle vit un célèbre chanteur de rock dans l'entrée. Ils pénétrèrent dans la salle de séjour. Elle était pleine de visages connus. Des artistes pop, des acteurs underground, des vedettes du disque, plusieurs jeunes actrices de cinéma. Ils portaient des blue-jeans, des ensembles en velours, des blouses transparentes, des vestes rayées, avec des touches d'accessoires indiens ça et là.

Et puis il y avait Christina Spencer. Elle ondula vers eux, avec son visage si photographié en chair et en os, seulement un peu plus émacié. Elle avait une allure encore plus fantastique que sur ses photos. Elle devait avoir dans les cinquante ans. Son visage était tendu par plusieurs liftings. Elle portait un deux pièces de soie à fleurs, sa poitrine pleine débordait de son profond décolleté. Son corps était celui d'une femme de vingt-cinq ans. Elle accueillit chaleureusement January.

— J'ai connu votre père, ma chère. Nous avons passé quelques nuits merveilleuses ensemble, à Acapulco, il y a longtemps. C'était juste avant que je rencontre ce cher Geoffrey.

Keith entraîna January.

— Personnellement, je pense qu'elle a tué Geoffrey, chuchota-t-il. Elle s'est marié trois fois, et chaque mari est mort en lui laissant un peu plus d'argent. Avec la veine qu'elle a, elle finance *Caterpillar*, et ça fait un malheur.

— Je croyais que tu étais son amant, dit January.

— Oh, j'ai couché avec elle. Mais elle se disperse. Elle a besoin d'un nouvel amant jeune par semaine, pour se prouver que le médecin brésilien qui lui a tout retendu a fait du bon travail. Mais elle n'est pas mal. Et après tout... elle laisse chacun libre de faire ce qu'il veut. Je suis peut-être le premier de la liste, mais ce soir elle croit que je couche avec toi... et elle ne m'en veut pas.

Une fille s'avança vers Keith.

— Chéri... ça manque de sangria par ici, elle est dans la piaule d'en haut.

Keith conduisit January en haut, dans un salon obscur. Tout le monde était assis sur des coussins. Il fit asseoir la jeune fille par terre et tira de sa poche une mince cigarette. Il l'alluma et la lui passa. Elle aspira profondément, et expira une mince volute de fumée.

— Seigneur, chérie... tu fumes ça comme une Chesterfield.

— J'ai avalé la fumée, dit-elle.

— Mais avec l'herbe, tu ne dois pas laisser sortir la fumée. Il faut avaler de l'air avec.

Il prit la cigarette entre ses deux doigts du milieu pour illustrer la technique. Elle essaya... mais ne réussit pas à garder la fumée. Brusquement, il dit :

— Ne bouge pas... Je vais t'en filer une bouffée.

Puis il se pencha vers elle pour l'embrasser, mais il ne fit que lui souffler de la fumée dans la bouche en lui pinçant le nez.

— Maintenant, avale.

Elle serra les lèvres, mais parvint à garder presque toute la fumée. Il recommença deux fois, et elle commença à avoir le vertige et à sentir sa tête devenir légère. Une très belle fille arriva avec un pichet de sangria.

— Voilà quelques verres en carton. Un peu de cette bonne mixture ?

Keith acquiesça et prit les verres qu'elle leur tendait.

— January, voici Arlène.

— Bois du vin... ça ouvre l'esprit... Anita est remontée à mort dans la pièce à côté.

— Bois doucement, dit Keith. Il est pas mal mélangé.

— Quoi ? Elle reposa le verre.

— Détends-toi. Il y a juste assez d'acide pour un bon voyage. Crois-moi. Ecoute, nous devons tous jouer demain et j'en bois... Mais avale-le doucement.

Elle regarda autour d'elle. Une douce odeur de marijuana flottait dans l'air. De la musique sortait de toutes les pièces. Tout le monde était en train de boire de la sangria à petites gorgées. Elle haussa les épaules... pourquoi pas ? Tout le monde ici l'avait déjà fait... et ils semblaient tous impatients de recommencer. Cela devait être une sensation fantastique. Et, comme l'avait dit Keith, il n'y aurait qu'un seul jeudi de juin comme celui-ci dans sa vie !

Elle finit le vin. Puis elle lui tendit le verre vide. Elle s'appuya sur son épaule. Elle ne sentait pas de forte réaction. Elle était juste complètement détendue. Elle avait été tendue après la piqûre, tendue et en grande forme, surexcitée ; maintenant tout semblait calme et tranquille. C'était un monde agréable, paisible, mais le monde entier semblait paisible. Elle avait chaud et voyait le soleil ; puis un arc-en-ciel de couleurs traversa la pluie. Elle vit les vagues et l'océan... tout était doux et bleu et brusquement elle sut avec une étrange netteté que Mike n'avait pas eu peur lorsque l'avion était tombé... qu'il avait été presque heureux de glisser dans cette mer douce et bleue... il

allait se reposer... comme elle reposait, sa tête sur l'épaule de Keith...
et Mike n'était pas mort... rien ne mourait jamais... la vie existait toujours... et les gens étaient bons... les lèvres de Keith étaient chaudes...
Keith l'embrassait... il ouvrait son corsage et elle n'avait pas de soutien-
gorge... mais cela n'avait pas d'importance... tout semblait se dérouler
au ralenti maintenant... peut-être n'était-ce pas bien de sa part d'embrasser Keith... parce que Linda l'avait aimé... *avait* ... *avait*... tout
cela était si loin et rien ne durait éternellement.

Elle se renversa sur les coussins. Les lèvres de Keith étaient sur
ses seins. Elle vit une fille complètement nue danser seule... un garçon
était nu et serrait un autre garçon contre lui, et ils dansaient. Arlène
vogua à travers la pièce et tourna un bouton... des lumières psyché-
déliques dansèrent sur les murs. January changea de position et mit
sa tête sur les genoux de Keith. Il regardait le vide en caressant ses
seins. Elle regarda son visage, mais elle savait qu'il ne la voyait pas...
il écoutait sa propre musique. Il lui semblait qu'elle pouvait voir ses
cheveux devenir plus foncés... et tout était si calme que même à
travers la musique, elle pouvait entendre battre son propre cœur, et
soudain elle sentit qu'elle pouvait voir le passé et l'avenir. L'avenir
sans Mike. C'était comme si Dieu entrouvrait les cieux pendant un
moment. C'est alors qu'elle le vit... ses yeux bleus... il était revenu.
Il lui tendait les bras. Il était parti depuis si longtemps... et maintenant
il était revenu et elle ne dormait pas. Il avait les yeux si bleus...
peut-être était-ce Dieu. Dieu avait-il les yeux bleus ? ...

Elle entendit des voix... elles semblaient si lointaines. L'une
d'elles venait d'un jeune homme à côté de Keith... Norton... oui... il
avait fait un grand numéro dans le spectacle. Norton lui souriait...
mais elle regardait derrière lui.. où Dieu était-il parti ?... Norton avait
les yeux bruns... ambrés... dorés.

— Mon vieux, elle a des tétons tout petits, mais superbes... de
si petits bouts roses... J'adore les bouts roses. Je peux les avoir, vieux ?

Et puis Norton caressa l'un de ses seins et Keith, à genoux,
caressa l'autre. Ils en embrassaient chacun un... c'était doux et gentil
et elle tenait leurs deux têtes. Tout le monde s'aimait... tout était si
paisible... et Christina arriva... elle avait enlevé le haut de sa robe...
elle avait les seins pendants. Pourquoi pendaient-ils ? Ils étaient si jolis
et si ronds lorsqu'ils sortaient de sa blouse. Christina prit le bras de
Norton.

— Norton, viens avec Arlène et moi...

Elle fit lever Norton. Un autre garçon arriva. Il sourit à Keith.

— Salut, vieux. Elle est chouette... Il se mit à genoux et regarda
January dans les yeux. Je suis Ricky.

Elle sourit et lui toucha les jambes.

470

— Vous êtes celui qui dansait...

Ricky n'avait aucun vêtement sur lui... il en portait très peu pendant le spectacle... mais maintenant il n'en portait aucun... il commença à remuer son corps... dansant la danse du spectacle... il tendit les mains... il voulait qu'elle danse avec lui. Elle se leva lentement... elle se sentait capable de faire n'impore quoi... même de voler à travers la pièce... de flotter au-dessus des têtes.

— Tu ne peux pas danser avec tes vêtements, dit-il.

Elle sourit en faisant tomber ses jeans par terre. Il fit glisser ses mains le long de son corps et elle sourit. Elle se sentait libre... elle bougeait sensuellement... sur le même rythme que lui... tournant en même temps que Ricky. Il y eut un moment où leurs regards se rivèrent l'un à l'autre. Il s'approcha. Tout le monde commença à frapper dans ses mains sur un rythme qui suivait de loin leurs mouvements. Elle leva les mains au-dessus de sa tête et se joignit aux autres. Clap... Clap... Clap... Ricky fit claquer ses doigts à la même cadence. Keith vint derrière elle et la souleva... elle se sentit plus légère que l'air. Quelqu'un lui ouvrait les jambes... tout le monde tapait dans ses mains... doucement... en rythme... Clap... Clap... elle tapait dans ses mains... elle vit le jeune pénis vigoureux venir vers elle... Clap... Clap... Clap... c'était une mélopée... le pénis entra en elle. Tout le monde chantait. Vas-y... Vas-y... Vas-y... Keith poussait le corps de January d'avant en arrière... Un groupe tenait aussi Ricky... Vas-y... Vas-y... Vas-y... Il n'y avait rien de mal à cela. Le jeune pénis entrait, sortait... entrait, sortait... entrait, sortait... Clap... Clap... Clap... Vas-y ... Vas-y... Vas-y... Nous sommes tous amis... Vas-y... Vas-y... Vas-y... la lumière s'en va... Christina embrassant ses seins... c'est doux et gentil... pauvre Christina avec ses longs seins pendants... elle vit plusieurs filles enlever leurs vêtements... toutes en un lent mouvement rythmique... un autre garçon arriva et lui embrassa les seins... Tout le monde s'aimait... c'était doux et bon.... Clap... Clap... Clap... comme un rituel, Clap... Clap... Clap... Vas-y... Vas-y... Vas-y... Bois-la... Bois-la... tout le monde l'aimait. Oh, Dieu, c'était merveilleux... elle flottait... elle n'avait rien éprouvé de semblable auparavant... le pénis de Ricky... les lèvres de quelqu'un sur elle et le pénis de Ricky en même temps... Christina sur ses seins... elle sentit venir l'orgasme... elle vit Keith lui passer quelque chose sous le nez... Vas-y... Vas-y... Vas-y...

— Respire fort, January... c'est le pied.

Elle respira à fond... Il lui semblait que sa tête allait se disloquer... et l'orgasme durait et durait. Elle avait envie de le prolonger... encore et encore...

— Mike je t'aime, cria-t-elle. Puis elle s'évanouit.

Lorsqu'elle ouvrit les yeux, elle était enroulée dans une couverture de fourrure avec Keith. Son corsage et ses jeans étaient par terre, près d'elle. Elle s'assit. Elle se sentait les idées claires et pensa au rêve bizarre qu'elle venait de faire. Puis elle regarda son corps. Elle était nue ! Ricky était étendu par terre, nu lui aussi, et endormi. Elle se leva et se glissa dans ses jeans. Ce n'était pas un rêve. Elle avait participé à quelque chose d'insensé, à un rituel. Elle prit son corsage et marcha au milieu des gens endormis. Il fallait qu'elle trouve ses chaussures. Une pendule sonna dans l'entrée... elle sortit de la pièce... deux filles étaient nues... étroitement embrassées. Elles s'arrêtèrent en la voyant et sourirent. Elle sourit tandis qu'elles venaient vers elle et chacune l'embrassa doucement sur une joue. Elle sourit à ce geste d'amitié et d'amour... un éclair de couleurs merveilleuses éclata devant ses yeux... elle voyait des flamboiements... elle avait chaud partout... mais elle sentait qu'elle devait rentrer. Il y avait des sandales un peu partout... Il fallait qu'elle en trouve une paire qui lui aille. Elle retrouva son sac et le passa sur son épaule.

Keith vint vers elle.

— Où vas-tu ?

Elle sourit en remettant son corsage.

— A la maison...

Il lui tendit un morceau de sucre.

— Mange... c'est dément.

Puis il fourra une enveloppe dans le sac qu'elle avait passé sur son épaule.

Elle suça le morceau de sucre.

— Qu'as-tu mis dans mon sac ?

— Un cadeau, dit-il en déboutonnant son corsage.

Elle se sentit de nouveau flotter... sa tête vibrait. Mais elle l'interrompit avec un sourire.

— Non ! tu es à Linda.

Lorsqu'elle repassa dans l'entrée, les deux filles, toujours enlacées, relevèrent la tête. Elles se redressèrent et la tirèrent vers elles. Elles l'embrassèrent. Elles ouvrirent son corsage. L'une d'elles fit glisser ses lèvres sur l'un des seins de January. Toutes deux commencèrent à la caresser. C'était merveilleux... ces deux filles qu'elle n'avait jamais vues auparavant... qui voulaient la rendre heureuse... qui voulaient être ses amies... elle sentit qu'elles ouvraient ses jeans... elle sentit une main douce la caresser... non... c'était mal... seul un pénis pouvait faire cela... ou un Homme... Elle les repoussa... elle sourit et secoua la tête. L'une d'elles reboutonna sa blouse... l'autre l'aida à remonter sa fermeture éclair. Elles lui firent un geste d'adieu et se remirent à faire l'amour ensemble. Elle les regarda... on aurait dit un ballet... merveilleux... elle marcha jusqu'à la porte.

472

Elle sortit. La nuit d'été était fraîche et propre. Elle se sentait les idées encore plus claires qu'avant, si c'était possible. Elle pouvait voir par-delà le temps et l'espace... à travers les immeubles... à travers cette maison en pierre de taille qu'elle venait de quitter, où des gens étaient en train de faire l'amour. Des gens heureux et merveilleux.

C'était un univers magnifique, étonnant, et demain elle raconterait tout cela à Mike. Non, Mike était parti. Eh bien, quand elle le reverrait... car elle le reverrait... tout le monde était éternel... et il savait qu'elle l'aimait. Car tout le monde devait s'entraimer... tout le monde devait tout aimer — même un arbre — un arbre pouvait répondre à l'amour. Elle s'arrêta devant un arbre et l'enlaça.

— Tu n'es qu'un jeune arbre tout chétif... mais n'aie pas peur... un jour tu seras un grand arbre. Et je t'aime. Elle se serra contre l'arbre. Un si petit arbre si faible... dans toute la rue il y a de si petits arbres si faibles... mais, savez-vous, petits arbres ? Vous serez tous là longtemps après nous. Et peut-être quelqu'un d'autre viendra-t-il vous dire combien il vous aime. Ce n'est pas ce que tu souhaites ? Dis-moi, arbre, si cet arbre à côté de toi te disait qu'il veut être à toi pour toujours... entrelacer ses branches aux tiennes... ne faire qu'un avec toi... n'aimerais-tu pas ? Est-ce qu'à vous deux vous ne feriez pas un grand arbre solide et heureux ? Elle le regarda. Mais non, tu dois rester là tout seul, chétif et solitaire... et peut-être quelques-unes de tes feuilles s'envoleront contre les siennes... et avec le vent, vous pourrez tous les deux chuchoter et parler... et être ensemble... mais séparés. Est-ce cela que veut la nature ? Alors c'est peut-être aussi comme cela que nous sommes censés vivre. Mais, oh, arbre... c'est si bon d'appartenir à quelqu'un...

Elle laissa l'arbre et commença à marcher en zigzags. Elle était consciente de la manière dont elle avançait, comme un enfant qui essaie consciencieusement de ne pas marcher sur les raies du trottoir. Elle regarda le ciel. Les étoiles aussi étaient séparées. Pourquoi étaient-elles solitaires ? Puis elle vit une étoile filante traverser le ciel et fit un vœu. Peut-être à cet instant précis son père regardait-il la même étoile du fond de l'océan. Ou peut-être à cet instant précis son père était-il l'une de ces étoiles, commençant une nouvelle vie.

— Brille, brille, petite étoile, chantonna-t-elle.

Elle rit. C'était ridicule. Les étoiles n'étaient pas petites. Chacune était un grand soleil...

— Comme j'aimerais savoir ce que vous êtes !

Elle savait ce qu'était une étoile. Elle fixa son attention sur l'une d'elles qui semblait clignoter vers elle. C'était si étincelant, mais elle voyait que le velours du ciel commençait à se décolorer... bientôt le matin allait venir... cet unique jeudi de juin terminé ne reviendrait jamais. A partir de maintenant commençait un unique vendredi. Elle se remit à marcher... parfois en zigzags... parfois en sautillant. Le feu rouge de Madison avenue avait l'air si rouge... et le feu vert si vert. Et ces feux disaient aux gens et aux voitures ce qu'ils devaient faire... quand traverser... quand s'arrêter. C'était un monde de feux verts et de feux rouges. Mais qui avait besoin d'eux ? Les gens ne se feraient pas de mal. De quoi essayaient-ils de la protéger tous ? Pourquoi les gens essayaient-ils d'insinuer la peur ? On leur apprenait à avoir peur et à obéir. A avoir peur des étrangers... peur des voitures... à obéir aux feux ! Qui avait besoin de feux ! Le monde serait meilleur sans feux rouges. Les gens s'arrêteraient et repartiraient tout à fait convenablement sans ces feux. Parce que les gens feraient attention. Elle s'arrêta au milieu de la chaussée, rejeta la tête en arrière et regarda le ciel. Il n'y avait pas de feux rouges dans le ciel... et malgré tout ce grand ciel... l'avion de Mike était tombé... de ce doux ciel dans cette douce mer... et maintenant Mike regardait le ciel lui aussi... et rien ne pourrait plus jamais lui faire du mal à elle... personne ne la blesserait... parce qu'à ce moment précis, elle était une part de l'infini. Rien de mal ne pourrait jamais arriver... même la mort n'était pas la fin... elle faisait simplement partie d'une nouvelle existence. Elle en était certaine maintenant. Elle regarda le ciel et attendit une réponse... elle entendit le crissement des freins... un taxi s'arrêta pile à deux pas d'elle. Le chauffeur sortit...

— Espèce de garce d'ivrogne !

— Ne dites pas ça. Elle sourit. Elle lui glissa les bras autour du cou. Ne soyez pas en colère, je vous aime.

Il la repoussa et la regarda.

— Vous auriez pu y passer. Bon Dieu... vous êtes de ceux-là. Vous êtes dans un sale état.

— Je vous aime, dit-elle en posant sa tête contre sa joue. Tout le monde devrait s'aimer.

Il la dévisagea :

— J'ai deux filles de votre âge. Je travaille la nuit pour qu'elles puissent étudier. L'une est au collège... l'autre étudie pour devenir infirmière. Et vous... belle enfant.... qu'est-ce que vous pouvez bien apprendre ?

— A aimer... à connaître... à sentir.

— Montez dans le taxi. Je vous ramène chez vous.

— Non... je veux marcher... flotter... sentir.

— Montez là-dedans... Je vous conduis gratis.

— Vous voyez, vous m'aimez, dit-elle en souriant.

Il la prit par le bras et la mit sur le siège à côté de lui.

— Je n'ai pas confiance avec vous à l'arrière. Bon... où habitez-vous ?

— Là où est le cœur.

— Ecoutez, j'ai fini mon travail à quatre heures, mais j'ai été appelé à l'aéroport. Il est cinq heures moins le quart. J'habite dans le Bronx. En ce moment, ma femme m'attend avec le café, elle me voit déjà avec un couteau sur la gorge. Alors, finissons-en. Où voulez-vous aller ?

— Au Plaza. C'est là que vit mon père.

Il se dirigea vers le Plaza. Après quelques pâtés de maison, elle lui toucha le bras.

— Non... pas au Plaza... Il n'y est pas en ce moment. L'homme que j'aimais vivait au Plaza... maintenant il est à l'hôtel Beverly Hills.

— Alors... où voulez-vous aller ?

— Au Pierre.

— Qui êtes-vous ? Une de ces dingues qui traînent dans les hôtels ? Allez... où est-ce que je vous dépose ?

Elle regarda sa plaque d'identification.

— Monsieur Isadore Cohen, vous êtes un homme merveilleux. Conduisez-moi au Pierre.

Il s'arrêta au bas de la Cinquième avenue.

— Et comment vous appelez-vous, belle enfant ?

— January.

— Il ne manquait plus que cela, dit-il.

Il commençait à pleuvoir lorsque Isadore Cohen la déposa à l'entrée du Pierre. Elle regarda le ciel lourd et gris.

— Où sont les étoiles ? où est partie ma belle nuit ? demanda-t-elle.

— Elle s'est transformée en matin, grommela Isadore Cohen. Un matin moche et humide... Maintenant retournez d'où vous venez.

Elle se retourna et lui fit un signe d'adieu lorsqu'il rentra dans son taxi. Il avait refusé son argent, mais elle avait laissé un billet de vingt dollars sur le siège. Elle entra sur la pointe des pieds dans sa chambre et tira les rideaux. Sadie dormait encore. Le monde entier dormait, à l'exception de ce cher, adorable Monsieur Cohen qui rentrait chez lui dans le Bronx. C'était un homme merveilleux. Tout le monde était merveilleux si l'on prenait le temps de le comprendre. Comme Keith, qu'elle connaissait maintenant — il était merveilleux lui aussi. Elle se déshabilla doucement et jeta son sac sur la chaise. Il tomba par terre. Elle se pencha et le ramassa avec douceur.

— Vous, Monsieur mon sac, vous êtes un Louis Vuitton, et je vous trouve laid. Mais ils disent tous que vous êtes « in ».

Elle examina son sac. Vera le lui avait fait acheter chez Saks.

(« Mais je ne porte pas beaucoup de marron », avait dit January.
« Un sac Louis Vuitton n'est pas bêtement marron, avait insisté Vera.
Il va avec tout »).

Bon, pour cent trente dollars, elle avait bien l'intention de le
porter avec tout. Puis elle se mit à rire. Que faisaient cent trente
dollars, si elle en avait dix millions ? Mais l'idée des dix millions de
dollars était impossible à saisir. Pas plus qu'elle ne parvenait à croire
que cet appartement lui appartenait. C'était celui de Dee. Elle se
demanda si Mike avait jamais éprouvé le sentiment qu'il lui appartenait. Mais le sac Louis Vuitton qui coûtait cent trente dollars lui
appartenait. De cette manière, elle pouvait comprendre l'argent. Elle
s'assit sur le bord du lit et passa sa main sur le sac. Elle le posa sur
l'oreiller et se glissa dans le lit.

Elle n'avait pas sommeil. Elle voulut prendre un somnifère et
tendit la main vers le tube, dans le tiroir de la table de nuit... puis
abandonna l'idée. Pourquoi en prendrait-elle ? Elle se sentait trop
bien... Et comme l'avait dit Keith : « Ce jeudi ne reviendrait pas » —
mais aujourd'hui était vendredi et *ce* vendredi ne reviendrait pas. Elle
était allongée calmement, savourant la merveilleuse sensation d'ape-
santeur qui l'envahissait. Elle savait qu'elle ne s'endormirait pas... elle
ne pouvait pas... mais ele comprit qu'elle s'était endormie parce que
le rêve était revenu... D'abord les yeux... si clairs, si bleus. Le visage
était flou... il était toujours flou, mais elle savait qu'il était merveilleux. C'était un étranger, mais elle savait instinctivement que c'était
avec lui qu'elle voulait vivre. Il tendit les bras... et elle sut qu'elle
devait aller vers lui. Elle sentit qu'elle sortait de son lit pour aller
dans ses bras.... mais elle savait qu'elle devait être *dans* son lit en
train de rêver toute la scène. C'était cela, une scène... parce qu'elle
se vit sortir du lit... elle se regarda se diriger vers les bras tendus.
Mais, chaque fois qu'elle y arrivait, c'était comme si elle ne s'était pas
assez approchée. Il continuait à attendre. Elle le suivit dans la salle
de séjour... vers la fenêtre. Mais maintenant il était derrière la fenêtre !
Elle l'ouvrit... le ciel était noir... rempli d'étoiles. Maintenant, elle
savait que tout ceci était un rêve parce que c'était l'aube quelques
minutes avant qu'elle s'endorme... une aube grise et poisseuse, ce qui
voulait dire qu'elle était encore au lit et non devant la fenêtre à regarder les étoiles et cet homme mystique. Mais cette fois-ci, elle était bien
déterminée à voir son visage. Elle se pencha sur le rebord de la
fenêtre. « Voulez-vous de moi », cria-t-elle.

Il tendit les bras.

— Si je viens vers vous, il faudra m'aimer vraiment, lui dit-elle.
Je ne pourrais pas supporter de vous aimer et de vous voir disparaître,
même si vous n'êtes qu'un rêve.

Il ne répondit pas. Mais ses yeux lui disaient qu'il ne lui ferait jamais de mal. Et, brusquement, elle comprit qu'elle n'avait qu'à sauter par la fenêtre et à planer jusque dans ses bras. Elle posa une jambe sur l'appui. C'est alors qu'elle sentit quelqu'un la tirer en arrière. La séparer de lui... elle se débattit... et se réveilla car Sadie la tirait en criant... la tirait à l'intérieur. Elle regarda la rue, dessous... elle était sortie de la fenêtre à mi-corps !

— Mademoiselle January ! Oh, Mademoiselle January ! Pourquoi ?...

Pourquoi ? Sadie sanglotait de peur.

Elle resta accrochée à Sadie pendant un moment. Puis elle parvint à esquisser un faible sourire.

— Ce n'est rien, Sadie. Ce n'était qu'un rêve.

— Un rêve ! Vous étiez sur le point de sauter par cette fenêtre. Dieu merci, j'étais dans la cuisine quand je l'ai entendue s'ouvrir.

January regarda par la fenêtre. Il faisait noir et il y avait des étoiles.

— Quelle heure est-il ?

— Dix heures. J'étais juste en train de me préparer du thé et j'allais regarder les informations. J'ai essayé de vous réveiller à midi, mais vous avez vaguement raconté que vous ne vous étiez pas couchée de la nuit. M. Milford a appelé à sept heures et je lui ai dit que vous dormiez. Il était très inquiet. Il vous a appelée toutes les heures.

— Ne vous inquiétez pas, Sadie... J'ai pris quelques somnifères ce matin. Je n'ai pas pu dormir la nuit dernière. Je crois que j'ai fait le tour du cadran.

— Alors... Voulez-vous appeler M. Milford ? Il se fait beaucoup de souci.

Elle acquiesça et entra dans sa chambre.

— Je peux vous apporter quelque chose, Mademoiselle January ?

— Non... je n'ai pas faim.

Elle prit le téléphone et commença à composer le numéro de David. Soudain, la chambre devint noire. Puis des lumières éclatantes jaillirent devant ses yeux et elle le revit... juste en un éclair... les yeux bleus... il se moquait presque d'elle... Comme si elle s'était conduite en lâche.

— Vous auriez pu me tuer ! cria-t-elle. Me tuer ! C'est ce que vous voulez ?

Sadie entra précipitamment. January regardait le téléphone, qui émettait maintenant le bruit du récepteur trop longtemps décroché.

— Mademoiselle January, vous avez crié !

— Non... je... j'ai crié contre l'opératrice parce que j'ai eu deux fois un mauvais numéro. Ne vous inquiétez pas, Sadie... je vous en prie. Je vais appeler M. Milford ? Allez vous coucher.

Puis elle composa le numéro. Sadie garda l'écouteur jusqu'à ce qu'elle entende January dire :

— Bonjour, David.

David semblait sincèrement inquiet. Elle essaya de prendre un ton léger. Mais la chambre redevenait noire et les éblouissements de couleurs recommençaient.

— J'ai été à une soirée, dit-elle en clignant très fort des paupières pour faire disparaître les couleurs.

— Elle a dû durer longtemps, dit-il, vous avez dormi toute la journée.

Elle ferma les yeux pour arrêter les éblouissements.

— Elle a duré longtemps... Des... des amis de mon père... des acteurs... des metteurs en scène. Les couleurs étaient parties, et tout allait bien maintenant. Sa voix redevint forte. C'est une soirée qui a duré longtemps. Elle a commencé vers minuit. Et lorsque je suis rentrée à la maison, pour une raison inconnue, je n'avais pas sommeil. J'ai lu... jusqu'au matin. Et puis j'ai pris des somnifères... et... alors... vous connaissez le reste.

— Comment allez-vous pouvoir dormir, maintenant ?

— Facile. Je vais lire un livre ennuyeux et prendre des pilules. Demain, mon rythme sera rétabli.

— January, je n'aime pas cette histoire de somnifères. Je suis contre toutes les pilules. Je ne prends jamais même une aspirine.

— Eh bien, à partir de cette nuit, je n'en prendrai plus.

— C'est ma faute. Je vous laisse seule. Et vous ne devriez pas rester seule en ce moment... ni jamais. January n'attendons pas l'été. Faisons ça tout de suite.

— Quoi ?

— Marions-nous.

Elle resta silencieuse. Il ne lui avait jamais demandé de coucher avec lui depuis cette première fois. Mais toute son attitude avait été différente depuis l'accident. Il était gentil... plein d'égards... et toujours inquiet.

— January, êtes-vous là ?

— Oui...

— Alors.. voulez-vous m'épouser ?

— David... Je...

Elle hésitait. Mais pourquoi hésitait-elle ? Qu'*attendait*-elle ? Un autre Tom pour la détruire ? Des relations avec Keith... et ses amis ? Elle commençait seulement à comprendre vraiment ce qui s'était passé. Même le rêve était dangereux. Elle avait presque sauté par la

478

fenêtre. Elle fut soudain effrayée. Que lui arrivait-il ? Où était la fille qu'elle avait été... qu'elle était encore. Mais cette fille avait laissé un étranger lui faire l'amour au milieu d'une pièce remplie d'étrangers. Pourtant tout semblait parfaitement normal sur le moment. Elle commença à trembler... elle se sentait souillée... violée...

— January, vous êtes toujours là ?

— Oui, David. Je... j'étais juste en train de penser...

— Je vous en prie, January. Je vous aime... je veux prendre soin de vous.

— David — Elle s'accrocha au téléphone — j'ai tant besoin de vous Oui... Oui...

— Oh, January ! Je vous promets que vous ne le regretterez jamais. Nous allons fêter cela demain soir. J'inviterai quelques amis à dîner. Vera et Ted... Harriet et Paul... Muriel et Burt... Bonnie et... Il s'arrêta. Où allons-nous faire cela ? Au Lafayette ? Au Pigeonnier ?

— Non ! Allons chez Raffles. C'est là que nous avons eu notre premier rendez-vous, n'est-ce pas ?

— January, vous êtes sentimentale ! Je n'aurais jamais cru cela.

— Nous avons beaucoup de choses à découvrir l'un sur l'autre, dit-elle. David, vous rendez-vous compte... en réalité, nous nous connaissons à peine.

— Ce n'est pas ma faute, dit-il. Je... eh bien... je ne vous ai pas invitée chez moi ou demandé à rester chez vous parce que j'ai pensé que vous étiez trop bouleversée.

— Oh, David, ce n'est pas ce que je veux dire. Des étrangers peuvent coucher ensemble.

— Je crois que je ne suis pas très démonstratif, dit-il. Je veux dire... lorsque quelqu'un compte pour moi... peut-être que je ne sais pas comment le montrer. Mais, January... vous non plus. Savez-vous comment tous mes amis vous appellent ? « Sa froideur ». Même les journaux l'ont appris... ils vous appelaient comme cela dans un article, hier.

— J'ai l'air froid ?

— Lointaine, par moments, dit-il. Mais, grands dieux, comment ne le seriez-vous pas ? Après tout ce qui vous est arrivé en moins d'un an.

— Oui, vous avez raison. Il s'est passé beaucoup de choses...

Elle se rappela soudain cette première nuit chez Raffles. Tout lui semblait complètement irréel. Pourrait-elle vraiment passer le reste de sa vie avec David... vivre avec lui... dormir dans le même lit que lui ?... Elle commença à être prise de panique.

— David, je ne peux pas ! Ce n'est pas juste envers vous.

— Qu'est-ce qui n'est pas juste envers moi ?

— De me marier avec vous... Je ne suis pas vraiment amoureuse de vous.

Il resta silencieux pendant un moment. Puis il dit :

— Avez-vous jamais aimé vraiment quelqu'un ?

— Oui.

— A part votre père ?

— Oui.

Il hésita.

— C'est fini ?

— Oui. Elle avait une toute petite voix.

— Alors, ne m'en parlez pas.

— Mais David... si je sais que je peux aimer quelqu'un d'une certaine manière, et que je ne ressens pas cela pour vous, est-ce juste envers vous ? Je veux dire... oh, je ne sais pas comment expliquer ça.

— Je comprends. Parce que moi aussi, j'ai aimé quelqu'un. Et pas de la même façon que je vous aime. Mais il n'y a pas deux amours qui se ressemblent. Si vous recherchez toujours la même forme d'amour, vous n'aimerez jamais vraiment, car chaque nouvelle aventure deviendra la continuation de ce premier amour.

— Comment le savez-vous ? dit-elle.

— J'en ai parlé avec un spécialiste, le docteur Arthur Addison, à une soirée donnée par ma mère. Ma mère est allée le voir au moment de son retour d'âge, elle était un peu déprimée. Je ne crois pas en la psychiatrie — sauf dans le cas des vrais cinglés — mais je dois reconnaître qu'il l'a aidée, et depuis il est devenu un grand ami de la famille. Mais, January, l'amour dont nous parlons tous les deux n'arrive qu'une seule fois, avec une seule personne. Et puisque nous l'avons tous les deux connu... ce qui nous reste maintenant est quelque chose de nouveau pour nous deux. Nous pouvons construire une nouvelle vie et oublier les vieux souvenirs.

— Croyez-vous que ce soit possible ?

— Bien sûr. Il faut être névrosé pour s'accrocher au passé. Et vous me semblez être une fille très équilibrée. Maintenant, allez dormir et essayez de rêver de moi.

Elle raccrocha et pensa à leur conversation. David avait raison. Elle ne pouvait pas faire revivre Mike, ni retrouver ce qu'elle avait connu avec Tom. Cette partie de sa vie était terminée. Mais comment rejeter les souvenirs ? Peut-être était-ce plus facile pour un homme. Dieu, si seulement elle pouvait renier cette nuit. Tous ses sentiments d'amour universel avaient disparu. Elle ne ressentait plus que de la répugnance et du dégoût. Pour Keith, pour ses amis... mais surtout pour elle-même. Et pour couronner le tout, elle avait essayé de se jeter par la fenêtre. Si Sadie n'était pas arrivée à temps, elle serait morte. Le serait-elle ? Y avait-il quelque chose là-bas ? Quelque chose qui l'appelait ? Elle regarda par la fenêtre... les étoiles... puis elle courut vers son placard et trouva une autre paire de jeans. Elle mit un chemisier, prit un sweater et attrapa son sac. Il n'était que dix heures et demie... elle irait à la plage parler de tout çà à Hugh. Tout lui raconter. Les piqûres d'amphétamines... la soirée... l'orgie... et l'homme aux yeux bleus. Elle lui raconterait aussi qu'elle s'était presque jetée par la fenêtre.

Elle se glissa hors de l'appartement en prenant garde de ne pas réveiller Sadie. Elle savait que Dee garait ses voitures dans un garage de la Cinquante-sixième rue Ouest. Elle marcha.

Il y avait plusieurs garages dans la Cinquante-sixième rue. Elle tomba sur le bon du premier coup et accepta cela comme un présage de chance. Le gardien de nuit la reconnut et lui donna la Jaguar. Elle quitta le garage et se dirigea vers le centre. Elle se rappelait que le chauffeur de Tom avait pris le passage souterrain du Centre vers l'autoroute de Long Island. Elle arriverait à Westhampton vers une heure. Peut-être aurait-elle dû appeler Hugh... Mais il lui aurait répondu d'attendre jusqu'à demain et il fallait qu'elle lui parle tout de suite. Elle quitta l'autoroute et entra dans une station d'essence. Le gardien fit le plein et lui indiqua la route de Westhampton. Elle dépensa tout son argent pour l'essence et donna ses derniers centimes en pourboire. Mais le réservoir était plein, la route était bonne et elle allait bientôt voir Hugh. Elle sentait confusément que parler avec lui arrangerait tout.

Il était une heure et quart lorsqu'elle arriva devant la maison. Elle sonna... cela rendit un son vide... creux. Seigneur, était-ce l'une des nuits qu'il passait avec sa veuve ? Elle rentra dans sa voiture. Elle allait s'asseoir et attendre. Elle regarda les dunes. Elles semblaient si lointaines, si hautes, si hostiles cette nuit. Mais c'était ridicule... ce n'étaient que des monticules de sable. Hugh y dormait souvent. Bien sûr ! Peut-être y était-il en ce moment ! Elle sortit de la voiture et partit sur la plage.

La marche était difficile. L'herbe sauvage poussait dans tous les sens. Plusieurs fois, elle buta contre des morceaux de bois mort. Ses sandales étaient pleines de sable, mais elle continuait péniblement. Elle était épuisée lorsqu'elle atteignit les dunes. Elle monta sur le sommet de la plus haute et regarda toute la plage. Aucun signe de vie nulle part. Même l'océan semblait anormalement calme. Les vagues semblaient murmurer de discrètes excuses en se déroulant sur le sable. Peut-être Hugh était-il sur une autre dune, plus loin.

Elle cria son nom. Il n'y eut pas de réponse... juste le son creux de sa voix. Même pas le cri d'une mouette. Où étaient toutes les mouettes cette nuit ? Elles étaient toujours en train de tournoyer et de pousser des cris perçants pendant le jour. Elle se laissa tomber sur le sol et fit glisser du sable frais entre ses doigts. Où étaient parties les mouettes cette nuit ? Elle regarda vers la maison. Elle était sombre et solitaire. La nuit calme, les étoiles scintillantes, le bruit des vagues semblaient plus hospitaliers que la maison vide.

Elle roula son sweater en boule et en fit un coussin pour sa tête. Puis elle s'allongea et regarda le ciel. Il sembla se rapprocher et la recouvrir. Soudain elle eut l'impression que le ciel était le monde et que la terre n'était que le plancher. Qu'y *avait-il* là-haut ? D'autres planètes ? D'autres mondes ? Elle regarda la maison. Peut-être Hugh passait-il la nuit chez sa dame.

Elle pouvait retourner à sa voiture et dormir jusqu'à son retour. Mais elle n'avait pas sommeil et c'était si paisible sur la dune. Toutes ces étoiles. Les Rois Mages les avaient regardées... et lorsque Christophe Colomb recherchait sa nouvelle route pour les Indes, il s'était aussi fié à elles. Combien de gens avaient-ils fait l'amour sous leur lumière ? Combien d'enfants avaient-ils fait des vœux en les regardant et prié le Dieu qu'ils imaginaient assis au-dessus d'elles, comme elle l'avait fait lorsqu'elle était enfant ? Les lumières de Dieu. C'est ce que sa mère lui disait ! Cela lui revint soudain — les lumières de Dieu. Sa mère ! Jusqu'à cette seconde, sa mère n'avait été qu'un vague souvenir. Une dame tranquille qui « se reposait » tout le temps. Toujours belle lorsqu'elle était debout et prête... de grands yeux noirs qui regardaient son père avec adoration... jamais elle. En fait, elle ne pouvait pas se rappeler avoir elle-même regardé dans ses yeux... *Si ! Une fois* !... Cela lui revenait. Le souvenir de s'être blottie dans les bras de sa mère et d'avoir vu ses grands yeux noirs la regarder tendrement. Elle avait fait un mauvais rêve et avait crié. La nurse était venue immédiatement. Mais cette fois-ci, sa mère aussi était venue. C'était l'une des rares fois où sa mère l'avait consolée. Et lorsqu'elle avait montré sa frayeur de rester seule dans le noir parce que le mauvais rêve pouvait revenir... sa mère l'avait prise dans ses bras et lui avait dit que rien de mal ne pouvait arriver la nuit. Que quelquefois la lumière rendait les choses laides, mais que la nuit était douce et consolatrice. Elles s'étaient assises devant la fenêtre et avaient regardé ensemble les étoiles, et sa mère avait dit.

— Ce sont les petits signaux de lumière de Dieu... pour te rappeler qu'Il veille toujours sur toi... pour t'aider toujours... pour t'aimer.

Elle y pensait maintenant qu'elle regardait les étoiles. C'était une merveilleuse histoire à raconter à une petite fille effrayée. Comment avait été sa mère ? Soudain, elle souhaita avoir pu être plus âgée pour la consoler. Sa mère aimait Mike... mais il avait d'autres filles. Dieu, comme elle avait dû souffrir. Elle se rappelait ce qu'elle avait ressenti lorsque Tom était resté avec sa femme. Les larmes lui vinrent aux yeux. Sa pauvre, pauvre mère. Amoureuse de Mike... seule avec une petite fille pendant qu'il était en Californie. Probablement au bungalow n° 5 avc l'une de ses maîtresses. Soudain, ce fut comme si elle se dédoublait. Elle était à la fois la maîtresse de Mike au bungalow n° 5 et elle était sa jeune mère délaissée... trop seule... pleurant trop... elle appela.

— Maman... tu n'aurais pas dû faire cela. La fille qui était avec lui souffrait aussi. Au moins, tu savais qu'il te reviendrait toujours. Et tu m'avais. Pourquoi m'as-tu quittée ? Ne m'aimais-tu pas ?

Sa voix retentit dans la nuit... et les étoiles la regardaient. Mais soudain, elles ne semblaient plus chaudes et amicales. Elles avaient l'air dur et froid... comme si elles lui en voulaient de son intrusion dans leur intimité. Elles étaient lointaines et sûres d'elles... si sûres qu'elles seraient toujours là. Se moquant de ce petit fragment d'humanité sur la plage. Et ce n'étaient pas les signaux de lumière de Dieu... c'étaient des mondes, des soleils et des météorites. Et il y avait même en ce moment un vaisseau spatial qui flottait dans l'obscurité veloutée. Elle vit une étoile rayer le ciel... puis une autre... la lune semblait si banale. Comme une mère dominant le ciel, avec ses enfants autour d'elle. C'était triste de savoir que la lune n'était pas d'argent et de lumière. Ce n'était qu'une terre inculte... entaillée... grêlée... plus petite que la terre... une escarbille dans le ciel. L'homme y avait atterri, en avait révélé les mystères et détruit le romanesque.

Elle se sentait toujours sur le qui-vive et les couleurs étaient toujours intenses. Le ciel était noir, mais elle voyait des reflets bleus et pourpres dans le noir.

Elle jeta un coup d'œil sur la maison de Hugh. La lune, au-dessus de la maison illuminait ses fenêtres sombres. Peut-être avait-il emmené la veuve à New York ce soir.

Elle ouvrit son sac et chercha des cigarettes. Ses mains rencontrèrent une enveloppe. Elle la sortit. Une épaisse enveloppe toute blanche. L'enveloppe que Keith avait glissée dans son sac juste avant qu'elle parte. Elle la déchira. Elle contenait deux morceaux de sucre dans un petit tube en plastique. Il y avait aussi un mot. Elle lut à la lueur vacillante de son briquet. « CHERE HERITIERE : JE T'AIME. JE NE PEUX PAS T'EMMENER A MARBELLA OU DANS LE MIDI DE LA FRANCE. MAIS SI TU VEUX DE MOI JE PEUX T'EMMENER EN VOYAGE HORS DE CE MONDE. POUR COMMENCER VOICI DEUX BILLETS DE MA PART. JE T'EMBRASSE. KEITH. »

Elle ouvrit le flacon et prit les morceaux de sucre dans sa main. Elle fut sur le point de les jeter, mais quelque chose la retint. Pourquoi ne pas en prendre un ? Si elle le faisait, sa tristesse s'évanouirait. Elle pourrait se lever et toucher les étoiles. Elle remit les morceaux dans le flacon et le tout dans le sac. Non, l'acide n'était pas la solution. Le problème serait toujours là lorsque le « voyage » serait terminé. Mais quelle était la solution ? Essayer de s'adapter ? Essayer d'apprendre à aimer David ? Apprendre le tric-trac ? Avoir des déjeuners tous les jours ? Acheter des vêtements ? *Non* ! Elle ne voulait pas d'une vie sans sommets. Même les dépressions valaient la peine, si l'on savait qu'il y aurait des sommets. Pas une défonce à l'acide. Un vrai sommet. Comme de voir Mike s'avancer vers elle le jour de l'aéroport de Rome, comme d'entendre Tom dire qu'il ne pourrait jamais vivre sans elle...

Mais ils étaient tous les deux partis. Tom et Mike.

Elle sortit le flacon. Qu'arriverait-il si elles les prenait *tous les deux* ? Peut-être partirait-elle en voyage pour toujours. Peut-être ne reviendrait-elle jamais.

Elle frissonna. Le vent s'était levé maintenant. Pour une raison inconnue, il la glaçait. Le sable commença à cingler son visage. Elle se leva et brossa le sable sur ses vêtements. Le vent soufflait vraiment, maintenant. Elle remit son sweater. Et soudain, comme il s'était levé, le vent tomba. Il y eut un curieux silence — comme le silence qu'elle avait perçu une fois en Californie juste avant un petit tremblement de terre. Lorsque les grillons s'étaient arrêtés et que même les feuilles ne faisaient plus aucun bruit. Elle regarda l'océan. Il était comme dù verre, et la lune projetait un sillon étincelant sur l'eau froide. Mais c'était impossible ! quelques secondes auparavant, la lune était derrière elle, au-dessus de la maison de Hugh. Elle se retourna et la regarda. Bien sûr. Elle y était... Une lumière pâle et amicale sur les bordures sombres de maisons le long de la mer. Puis elle regarda l'océan... *elle* y était aussi ! Claire et scintillante... une autre lune !

Elle avait des hallucinations ! C'était ce morceau de sucre que Keith lui avait donné à la soirée. Elle bondit sur ses pieds et tourna le dos à la « nouvelle lune ». Elle commença à courir, mais comme dans ces affreux cauchemars où vous courez sur place. C'était en train de lui arriver. Ses pieds bougeaient, sa respiration était rapide, mais elle restait au sommet de la dune... prise entre deux lunes.

Elle se retourna et regarda en arrière. La nouvelle lune avait disparu. L'océan était noir et solitaire. Les étoiles semblaient plus distantes que jamais. Elle avait peur maintenant. Elle commença à courir. Cette fois ses pieds suivirent. Elle trébucha et glissa dans l'obscurité. Oh Dieu, l'acide était vraiment quelque chose de dangereux. Il l'avait presque fait sauter par la fenêtre. Maintenant il lui avait fait voir une autre lune. Ce devait être ce qu'ils appelaient des retours d'hallucinations. Ou bien avait-elle pris un autre morceau de sucre ? ou les deux ? Oh Dieu... l'avait-elle fait ? Elle regarda en arrière. Elle pouvait voir son sac sur la dune, là où elle l'avait jeté. Elle pouvait le voir car il était illuminé par le clair de lune. Le clair de lune de l'*autre* lune ! Elle était revenue !

Peut-être avaient-elle pris les morceaux de sucre. Mais elle était sûre de les avoir remis en place. L'avait-elle fait ? Cela n'avait pas d'importance. Elle avait des hallucinations, elle voyait deux lunes... Tout pouvait arriver. Elle pouvait l'entraîner jusqu'à l'océan. Si elle avait pensé pouvoir sauter par la fenêtre et planer, qui sait ce qui pouvait arriver. Oh Dieu, elle n'en prendrait plus jamais. Elle se marierait avec David et aurait des enfants. Un enfant à aimer. Peut-être n'éprouverait-elle jamais pour David ce qu'elle avait éprouvé pour Mike. Non... ce qu'elle avait éprouvé pour Tom. Mais au moins elle se marierait avec quelqu'un qui convenait à Mike. Elle aurait un petit garçon qui ressemblerait à Mike. Et une fille aussi. Et elle les aimerait et serait une bonne mère. Elle le serait ! Mais s'il vous plaît, mon Dieu, faites seulement qu'elle rentre dans cette maison.

Pourquoi la maison semblait-elle si lointaine ? January était de l'autre côté de la dune, maintenant. Dans un vallon, gravissant une autre dune...

Elle était toujours là. January se retourna et la vit sur l'océan. Soudain elle traversa le ciel, revint et tournoya, pirouettant — comme si elle donnait un ballet aérien pour elle seule. Elle s'enfonça dans le ciel jusqu'à ne plus avoir que la taille d'une étoile, jusqu'à ce que January soit certaine que c'était une étoile. Puis elle reprit sa taille précédente, dardant sa lumière en un sillon parfait à la surface de l'eau.

Elle la regarda un moment. Ce n'était pas une hallucination. C'était la réalité ! Car lorsque vous avez des hallucinations, vous ne le savez pas. Comme lorsqu'elle était à la fenêtre. Elle avait cru qu'elle rêvait. Mais peut-être *ceci* était-il un rêve aussi. Peut-être n'était-elle pas sur la plage. Peut-être était-elle à la maison, dans son lit. Peut-être n'était-elle pas au Pierre. Peut-être tout le reste n'avait-il été qu'un rêve. Peut-être était-elle toujours avec Tom, et Mike n'était-il pas mort. Peut-être étaient-ce les piqûres d'amphétamines qui avaient fait de tout cela un long et horrible cauchemar. Et peut-être, lorsqu'elle se réveillerait, serait-elle au bungalow n° 5, Tom serait là, et elle devrait le quitter et se dépêcher d'aller voir Mike pour tout arranger. Ou peut-être ne s'étaient-ils pas battus, peut-être la bagarre faisait-elle partie du cauchemar — alors elle n'aurait pas à quitter Tom. Mais peut-être n'avait-elle jamais rencontré Tom. Peut-être était-elle toujours en Suisse, se portait bien, allait rentrer à la maison voir Mike, et il n'avait pas rencontré Dee, et rien de tout cela n'était arrivé... Mais alors peut-être n'y avait-il jamais eu de Franco, jamais d'accident de moto. Peut-être n'était-elle jamais née — car elle ne pouvait pas dire où exactement avait commencé le cauchemar.

Mais tout n'avait pas été un cauchemar. Il y avait eu des moments merveilleux. Aller chez Miss Haddon avait toujours été bien, car là on pouvait s'attendre à passer de merveilleux week-ends, les samedis, lorsqu'elle courait se jeter dans les bras de Mike. Et même la clinique n'avait pas été désagréable parce qu'il y avait ses visites, et surtout l'attente et l'espoir d'aller mieux, surtout le mois avant de rentrer à la maison, lorsqu'elle avait su qu'elle vivrait avec lui...

Il y avait eu des mois de rêve, et les rêves valaient parfois mieux que la réalité. On ne pouvait pas appeler cauchemar un mois de rêve merveilleux. Le mois avait culminé en un moment de réalité fantastique cet après-midi où elle l'avait retrouvé, l'attendant à l'aéroport. Elle ne savait rien de Dee à ce moment-là. Alors, pendant quelques heures, il lui avait appartenu, comme à Rome, avant l'entrée en scène de Melba. Elle avait connu, une fois, des moments de bonheur... Exactement comme sa mère avait dû être heureuse — une fois — puis elle avait dû faire face, accepter le fait que tout était fini, qu'une certaine espèce de bonheur n'arrive qu'une fois...

— Non ! cria-t-elle. Une fois ne suffit pas ! Oh, maman, comment as-tu pu vivre si longtemps comme cela !

Elle ne bougeait pas. Elle avait crié à la lumière fantomatique. Elle regarda la lune sur l'océan. Elle ressemblait exactement à l'autre. Mais elle n'avait aucune zone d'ombre.

Alors une pensée nouvelle la frappa. Peut-être tout ceci avait-il une explication logique. Peut-être était-ce l'une de ces soucoupes volantes qui apparaissent de temps en temps dans les informations. Eh bien, si tel était le cas, elle était certainement la seule personne dans tout Westhampton à l'avoir vue. Elle regarda toutes les maisons sombres. Y avait-il quelqu'un d'éveillé ? Où que fût Hugh, pouvait-il la voir ? Toutes ces nuits qu'il avait passées sur la dune, et rien de semblable ne lui était arrivé. Et il avait fallu qu'elle vienne *une* nuit... dans quel guêpier s'était-elle fourrée !

Elle restait là, nimbée de cette étrange lumière, seule sur la plage. Elle s'imaginait confusément que si elle restait tranquille, la chose ne la verrait pas. Mais c'était ridicule. Elle ne pouvait pas la voir — elle était à des milliers de kilomètres. Peut-être devrait-elle essayer de tout se rappeler. Ses dimensions, à quelle distance elle semblait être, vers où elle se dirigeait. Peut-être devrait-elle faire un reportage. Oh,

486

naturellement, elle n'avait plus que cela à faire !

Mais la chose était là, dans le ciel, en face d'elle. Elle commença à crier :

— REVEILLEZ-VOUS, QUELQU'UN ! N'Y A-T-IL PERSONNE A WESTHAMPTON QUI SACHE QUE VOUS AVEZ DEUX LUNES !

Il n'y eut que le silence. Ce n'était pas la peine de courir, car elle se sentait clouée sur place. Elle se laissa tomber sur le sable. Elle sentait la lumière de la nouvelle lune sur elle. C'était presque comme la lumière du soleil — chaude, réconfortante. C'est alors qu'elle le vit s'avancer vers elle. Il venait du rivage. Lorsqu'il marchait directement dans le sillage de la lune, son visage était dans l'ombre. Mais elle ne fut absolument pas surprise qu'il ait ces foudroyants yeux bleus qu'elle avait déjà vus si souvent.

En le regardant s'approcher, elle n'eut pas peur. Elle se souvint soudain d'une strophe d'un poème de John Burroughs, *l'Attente*. Elle l'avait appris il y avait longtemps, en Suisse et...

> Sereine, je joins les mains et j'attends,
> Sans souci du vent, de la marée, ni de la mer ;
> Que m'importent le temps ou le destin,
> Car voici ! Mon bien-aimé va venir vers moi.

Et à ce moment précis, pour la première fois, elle sentit que l'attente était finie. Il se rapprocha, et soudain elle retint sa respiration. C'était Mike !

Mais ce n'était pas Mike. Il avait le sourire de Mike, il ressemblait à Mike... mais ce n'était pas Mike. Il se tenait devant elle et lui tendait les bras. Elle se leva et alla vers lui. Il la prit contre lui.

— Quel bonheur de te voir, January.

— Mike, murmura-t-elle.

Il caressa ses cheveux.

— Je ne suis pas Mike.

— Mais vous ressemblez à Mike.

— C'est seulement parce que tu le veux.

Elle se colla à lui.

— Ecoutez. C'est mon hallucination. Elle fera ce que je voudrai. Qui que vous soyez, je vous ai désiré toute ma vie. Peut-être ai-je toujours su que vous alliez venir. Peut-être aimais-je Mike parce qu'il vous ressemblait. C'est peut-être parce que vous ressemblez à Mike que je vous aime. Peut-être que lui et vous ne faites qu'un. Cela n'a pas d'importance...

Elle se laissa tomber sur le sable, et il la prit dans ses bras. Lorsque leurs lèvres se joignirent, c'était exactement comme elle l'avait imaginé. Et lorsqu'il la prit, elle sut que c'était le moment qu'elle avait attendu toute sa vie. Sa caresse était douce mais ferme. Elle se tendit vers lui et se serra fort... très fort... jusqu'à ce qu'ils soient unis comme le sable à la vague qui l'emporte dans la mer.

— Ne me quitte jamais, je t'en supplie, murmura-t-elle.

Il la serra contre lui et lui promit qu'il ne la laisserait plus jamais repartir.

NEW YORK (AP) — 29 JUIN 1972.

IL Y AURA AUJOURD'HUI UN AN QU'A DISPARU
JANUARY WAYNE, L'HERITIERE DES MILLIONS GRANGER.
SON FIANCE, DAVID MILFORD, N'A PU NOUS FAIRE AU-
CUN COMMENTAIRE, CAR IL SE TROUVE EN VACANCES
DANS L'ILE GRECQUE DE PATMOS. MAIS SES AMIS AFFIR-
MENT QU'IL S'ACCROCHE A L'ESPOIR QU'ELLE EST ENCO-
RE VIVANTE. LE DOCTEUR GERSON CLIFFORD, MEDECIN
DE MADEMOISELLE WAYNE DIT QU'ELLE TRAVERSAIT
UNE GRAVE DEPRESSION DEPUIS LA MORT DE SON PERE
ET DE SA BELLE-MERE. LA THEORIE DU Dr CLIFFORD EST
QUE MADEMOISELLE WAYNE A PU MARCHER DANS
L'OCEAN ET S'Y NOYER, CAR SA VOITURE A ETE RE-
TROUVEE PRES DE L'ENTREE D'UNE PLAGE LE MATIN
QUI A SUIVI SA DISPARITION. DANS LA MEME JOURNEE,
DEUX JEUNES GARÇONS, EDWARD STEVENS, 9 ANS, ET
TOMMY KAROL, 8 ANS, ONT TROUVE SUR LA PLAGE UN
SAC A MAIN QUI A PU ETRE IDENTIFIE COMME APPARTE-
NANT A MADEMOISELLE WAYNE. IL NE CONTENAIT RIEN
D'AUTRE QU'UN PORTEFEUILLE AVEC DES CARTES DE
CREDIT, ET UN TUBE DE PLASTIQUE CONTENANT DEUX
MORCEAUX DE SUCRE...

Achevé d'imprimer
sur les Presses d'Offset-Aubin
86000-Poitiers
le 15 février 1974.

Dépôt légal, 1er trimestre 1974.
Editeur n° 2036 . — Imprimeur n° 4679.
Imprimé en France.